MIŁOŚĆ ORAZ INNE DYSONANSE

Janusz Leon Wiśniewski
Irada Wownenko

Miłość oraz inne dysonanse

między
słowami

Berlin, 3 kwietnia, sobota, wczesny ranek

Świt przekradał się swoją szarością przez ciemność. Nagle usłyszałem głośne uderzenie w okno. Biały gołąb nie zatrzymał się w locie. Jak gdyby nie zauważył przeszkody albo z jakiegoś powodu chciał przedostać się przez szybę. Podszedłem do parapetu. Na nieregularnej linii rysy pękniętego szkła rozmazała się czerwień krwi. W miejscu uderzenia z czerwienią połączyła się biel strzępów upierzenia gołębia. Nie wiem dlaczego, ale nagle poczułem ukłucie rozpaczy. Płakałem...

Budynek szpitala psychiatrycznego w berlińskiej dzielnicy Pankow swoim zachodnim skrzydłem niemalże dotykał muru. Od drugiego piętra okna psychiatryka pozwalały wyglądać na świat za murem. Przed murem był tylko plac ułożony z bruku, zamknięty po obu stronach drucianym płotem. „Przed murem", dokładnie pod oknami zachodniej części, przebiegała kiedyś ruchliwa ulica. W ciągu niecałego tygodnia w sześćdziesiątym pierwszym asfalt ulicy pokryto kostkami bruku, zlikwidowano chodniki i komuś, kto tamtędy nigdy nie przechodził lub nie przejeżdżał samochodem, motocyklem lub rowerem, mogło się wydawać, że wybrukowany plac był tam od zawsze. Zadbano nawet o to, aby kamiennne kostki, których użyto do wybrukowania placu, wyglądały jak stare i zużyte. Że niby ten plac był tam tak od zawsze…

Gdy w szpitalnych salach zachodniej części stanęło się w pewnej odległości od okna, nie widziało się ani muru, ani nawet kilku linii drutu kolczastego rozpiętego na pordzewiałych słupkach wmurowanych betonem w jego górnej krawędzi. Widziało się jedynie samochody zaparkowane na ulicach po drugiej stronie, kawałek parku z fontanną, zegar i dzwonnicę na wieży kościoła z czerwonej cegły, a wieczorami neony dyskoteki, która stykała się z kościołem i była dokładnie naprzeciwko okien. I to było tak blisko, to znaczy wydawało się, że jest tak blisko, iż można tam bez wysiłku zeskoczyć z parapetu okna. Szczególnie wtedy, gdy nocą wyłączali prąd po wschodniej stronie, stawało się tak przerażająco cicho, że można było usłyszeć muzykę spoza muru. Hartmut, który był strażnikiem w psychiatryku jeszcze za Ulbrichta, a dzisiaj dorabia do emerytury, twierdzi, że wybudowanie tego placu to „była, panie, straszna pomyłka". Gdyby była tam jak zawsze ulica – nawet za Hitlera była tam przecież ulica – nikt nie wyskakiwałby przez okna. Odkąd pojawił się ten plac, to „psychole" zaczęli wyskakiwać. Otwierali na oścież okna, stawali przy umywalkach, rozpędzali się i skakali. Nie mieli szans, jak twierdzi Hartmut, spadali na bruk, bo do muru było ponad dziesięć metrów, a tego „sam pan wie, nie przeskoczył nawet Beamon". Tak mówi Hartmut. Kiedyś „wyskoczył nawet jeden kulawy z protezą". Od przypadku „kulawego" zamurowali okna, bo on zabił się, uderzając głową o wiatę nad wejściem do budynku. I z niego spłynęło „najwięcej krwi, bo wie pan, z mózgu spływa najwięcej". „A dobry przedwojenny bruk, proszę pana, jest prawdziwie niemiecki, nieugięty –

mówi Hartmut – chłonie krew na zawsze”. I na dodatek dyrektor nie chciał już nigdy więcej wchodzić drzwiami „zbabranymi krwią półgłówków”.

Dzisiaj nie ma muru. Plac ciągle jest. Ulicę pociągnęli elipsą za placem. W ustalonej przez architekta – z dokładnością do jednego metra – odległości od obrysu placu. Dyrektor mierzył to swoim laserowym miernikiem, który tylko dla tego jednego aktu pomiaru kupiło mu miasto Berlin. Niemcy tak mają. Jak jest przepis, to musi być i miernik. Nieważne, ile kosztuje. W sądzie najważniejsze są liczby. Szczególnie gdy architektem jest Turek. Z niemieckim paszportem, ale jednak to Turek. Może gdyby architektem był Niemiec, ale taki czysty, *bio*-Niemiec, bez dodatków, oszczędzono by kilkaset euro.

Dyskoteka także jest. Fontanna jest, ale bez wody. Kościół także jest. Ale dzwon nie bije. Mówią, że miasto nie ma pieniędzy na dzwonnika. To już nie moje miasto – twierdzi Hartmut – „za moich czasów, jak był kościół, to był i dzwon. Ja tam w Boga nie wierzę, ale dzwon w kościele musi być. Jak pan myśli?”.

Liczba samobójstw po likwidacji muru wyraźnie spadła. Aneta, psycholog z doktoratem, która pracuje tutaj od kilku lat, uważa, że to zasługa Programu. Przez duże P, jak za każdym razem podkreśla. Jej zdaniem Program polega na tym, aby na psychiatrii w Pankow „od niczego nie odcinać naszych gości”. Aneta uważa, że ja nie jestem pacjentem, a w Pankow nie leczy się chorób, ale ludzi. Ja jestem tutaj „gościem”. Odwaliła mi wprawdzie szajba, ale jestem gościem. Samo to już zawiera optymizm w sobie. I rodzaj szacunku do mnie. Nawet jeśli to tylko Program. Zameldowałem się w Pankow jak w hotelu. I mam się tam czuć jak gość. Dzisiaj zrozumiałem, że Aneta nie całkiem postradała zmysły. Tam jest naprawdę trochę jak w hotelu. Obok toalet jest tak zwana sala wypoczynku. To, że jest obok toalet, jest wbrew pozorom ważne. W sali wypoczynku w jej samym środku stoi fortepian. Nie ma wszystkich klawiszy, ale to nieważne. Większość klawiszy ma, można na nim grać. Dzisiaj po południu sikałem do pisurau w toalecie obok sali wypoczynku. I ktoś grał. Grał Schumanna. Ja rozpoznam Schumanna nawet w trumnie. Grał go tak, że obsikałem sobie spodnie. Zapomniałem się, sikałem długo na spodnie. Tak zasłuchany. I w pewnym momencie przestałem sikać, i przeszedłem do sali wypoczynku. I tam przy fortepianie siedział Joshua. Zamknąłem szczelnie wszystkie okna, aby odgłosy ulicy nam nie przeszkadzały, usiadłem na parapecie najbliżej fortepianu i słuchałem. A Joshua grał. Schumanna grał. Wiedziałem, kiedy brakowało mu klawisza, którego nie było, i sobie dogrywałem dźwięk z tego klawisza w moim mózgu. A Joshua ciągle grał, a ja dodawałem sobie brakujące klawisze. I z zamkniętymi oczyma zastanawiałem się, co jest takiego w muzyce, że się zapominam. I gdy skończył i siedział w tej ciszy na tym wyleniałym krzesełku z IKEI z liniami popękanego skaju, wyglądał jak prawdziwy psychol. Rozbiegane oczy, drżące ramiona wiszące wzdłuż ciała. Niezrozumiałe szepty i grymasy pod nosem. Piana na ustach. No, jak wzorcowy psychol. Wyglądał naprawdę jak psychol. Taki jak ja. Nawet bardziej niż ja. Wydaje mi się, że w tym momencie zacząłem go trochę kochać. Mężczyzna może kochać mężczyznę. Zasunąłem zamek w rozporku, podszedłem do niego i zapytałem:

– Joshua, dlaczego grasz Schumanna?

– Bo to jeden z nas…

– Jak to jeden z nas? Schumann nie był przecież Żydem…

– No tak. Ale mimo to jeden z nas…

– To znaczy, kurwa, kto?

– Popaprany muzyk. Romantyk. Chory psychicznie. Taki jak my…

Przysunąłem wtedy krzesło spod okna i siedzieliśmy przed klawiaturą fortepianu obok siebie. I nie zamieniwszy więcej ze sobą słowa, zaczęliśmy grać. On grał Schumanna, a ja Szopena. Na jednej klawiaturze! Równolegle. Dwóch psychicznych grało dwie muzyki. Nie pamiętam, co Schumanna on grał. Nie pamiętam, co Szopena ja grałem. Ale to się w jakiś magiczny sposób na siebie nałożyło. Niezwykła interferencja fal, która mogłaby zburzyć mosty. I to pomimo tych brakujących klawiszy. I nie było w tym żadnego dysonansu. To było jak opętanie. A potem, gdy zapadła cisza, on wstydził się swojego wzruszenia, a ja wstydziłem się tego, że doprowadziłem go do tego wstydu. I nie żegnając się, wstaliśmy od fortepianu i poszliśmy każdy w swoją stronę.

Joshua do toalety, a ja na psychoterapię grupową. Poczułem, że natychmiast muszę oddalić się od muzyki. Psychoterapia grupowa to zwykła psychoterapia, tyle że trzeba opowiadać o sobie, gdy wokół nas oprócz psychiatry są także inni ludzie. Dla niektórych jest to warunek nie do spełnienia. Można – z zamkniętymi oczami i szeptem, zanim się zwymiotuje – wyznać psychiatrze, że ojciec wpychał mimo naszego płaczu swój ogromny penis w mój mały, ciasny anus, gdy miałam osiem lat, ale przy innych to jest niemożliwe. Nie chodziłem na psychoterapię grupową. Ale po Szopenie i Schumannie miałem dziwną ochotę tam pójść.

W pokoju terapii grupowej oprócz profesora Mielke – ponadsiedemdziesięcioletni starzec w zbyt krótkich spodniach, nieustannie obgryzający paznokcie – były dwie kobiety. Magda z czeskiego Cieszyna i niemiecka protokulantka. Niemcy lubią wszystko mieć udokumentowane. Nawet opowieści o seksie analnym z ojcem. Przysiadłem na pustym krześle obok Magdy i zacząłem słuchać. Magda mówiła po niemiecku...

Magda jest niemiecką Czeszką, pochodzi z czeskiej części Cieszyna. Tak mniej więcej w środku miasta Cieszyna pośrodku nurtu rzeki Olza przebiega granica między Polską i Czechami. Magda urodziła się kilkaset metrów za tą granicą. Wtedy ciągle była to jeszcze granica między Polską i Czechosłowacją. Teraz po „przemianie" są tam Czechy. Ale Magda twierdzi, że jest z Czechosłowacji. Słowacja według Magdy się nie liczy, bo oni, to znaczy Słowacy, „odłączyli się z powodu nieposkromionej próżności kilku żądnych władzy polityków w Bratysławie". Sama mi to powiedziała. Po czesku. Słuchanie czegokolwiek po czesku jest z definicji radosnym przeżyciem. A jeśli nie radosnym, to z pewnością śmiesznym. Przynajmniej dla Polaka. Cokolwiek Czesi mówią po czesku, jest śmieszne dla Polaka. Gdy jeździłem autem w pobliżu czeskiej granicy, to zawsze słuchałem wyłącznie czeskiego radia. Nawet informacja o zabiciu kilku tysięcy ludzi przez tsunami po czesku brzmi dla Polaka śmiesznie. Dziwne to, momentami może bardzo obraźliwe dla Czechów, ale prawdziwe.

Ale teraz Magda mówiła po niemiecku. Niemiecki nigdy nie jest śmieszny. Dla mnie ciągle jeszcze, nawet po tylu latach spędzonych tutaj, bywa, iż niemiecki brzmi jak rozkaz lub fragment wykrzykiwanego zachrypłym głosem przemówienia. To jakaś wredna, genetyczna – specyficznie polska, bo na przykład ani Rosjanie, ani Ukraińcy tego nie mają – wada. Ciekawe, ile jeszcze pokoleń musi się pojawić i wymrzeć, zanim ten gen zmutuje się do nieistnienia.

Magda mówiła po niemiecku. Czasami przestawała, spoglądała wtedy na swoje dłonie, czasami wzdychała, czasami podnosiła głos, momentami nawet krzyczała, aby za chwilę szeptać. Ale nie płakała. Ani przez chwilę...

Nie wiem, czy jest gdzieś limit cierpień przypadających na jednego człowieka. Podobno dostajemy ich tyle, ile jesteśmy w stanie udźwignąć...

Nazywam się Schmitova. Nie Schmit, ale Schmitova. Bo ja nie jestem Schmit. Nie mogłabym być „*Frau* Schmit". Nawet po ślubie z ukochanym mężczyzną nie potrafiłabym stać się Niemką. Dlatego zapłaciłam mojemu adwokatowi dużo pieniędzy, aby w dowodzie osobistym i osobiście być Schmitova. Mieć „-ova" na końcu nazwiska jak wszystkie Czeszki. To była bardzo zła inwestycja. Schmit, mój były mąż, któregoś dnia stwierdził, że jestem dla niego „zbyt gruba i zbyt stara" i że jego koledzy z firmy przyprowadzają na przyjęcia „lepszą i młodszą zwierzynę". Sam tak kiedyś powiedział. Po pijanemu, ale powiedział. Nie chciałam być starą, grubą foką na rautach w Deutsche Bank. Wystąpiłam o rozwód. Nawet jeśli jestem gruba, to stara jeszcze nie. Miałam dopiero dwadzieścia osiem lat. Córka z pierwszego małżeństwa Schmita jest dwa lata starsza ode mnie. Poza tym nie jestem gruba! Dla Marcela byłam zawsze zbyt chuda. Dla Darii także...

Powinnam teraz płakać. Gdy wymawiam imię Daria, to z reguły płaczę. Normalnie płakałabym, ale siedzimy w psychiatryku i jestem od trzech tygodni na psychotropach. Albo te psychotropy naprawdę działają, albo skończyły mi się łzy.

Marcel...

Pojawił się w moim życiu około południa w dniu rozwodu ze Schmitem. Po procesie poszłam sobie płakać do bistro w pobliżu budynku sądu. Rozwód to zawsze porażka. Nawet rozwód z takim zerem jak Schmit. Piłam wódkę, rozpamiętywałam swój stracony czas ze Schmitem i musiałam wyglądać na kobietę, którą trzeba się zaopiekować. Marcel dosiadł się do mojego stolika, podawał mi chusteczki i – jak twierdził – „bez pamięci" zakochiwał się we mnie. Prawdziwego Marcela odkrylam dopiero dwa lata później. W międzyczasie zaliczyłam depresję, dwa epizody alkoholizmu, cztery dyscyplinarne zwolnienia z pracy, uzależnienie od walium, pięć przeprowadzek, osiemnaście różnych diet, dwie aborcje, czternastu mężczyzn i jedną lesbijkę, Darię z Moskwy. Z kobiety zrozpaczonej stałam się także kobietą rozpaczliwie rozwiązłą.

Wyłączając Darię, inżynier Edward Murphy, przypadkowo formułując swoje słynne „prawo podłości", bo tak powinno się ono nazywać, miał rację. Jeśli może zdarzyć się coś gorszego, to na pewno się zdarzy. Prawo Murphy'go nie przewidziało jednak wszystkiego. Najgorsze zdarzyło mi się w dniu moich trzydziestych urodzin w Pankow. Z własnej winy, w alkoholowej desperacji po trzech butelkach wina i dwudziestu czterech miesiącach szukania swojego miejsca w życiu, wyobraziłam sobie, że po pewnym czasie mogę jednak pokochać Marcela. Tym bardziej że melduje się w moim życiu regularnie od tego spotkania w bistro po rozwodzie. I gdy tak się stanie, może okazać się on lepszym rozwiązaniem niż samotność i kolejna katastrofa, do której zmierzam. Zadzwoniłam do niego i jeszcze tego samego wieczoru wprowadziłam go do siebie. Już pierwszej nocy, podczas i po pierwszym naszym razie, zaczął wypytywać o moich mężczyzn z przeszłosci. Potem powtarzało się to każdej nocy. Przez jakiś czas wmawiałam sobie, że to może przez miłość, wynikającą z niej nieodłączną zazdrość, może z powodu męskiej próżności i że mu to minie, gdy przekonam go, że posiada mnie na wyłączność...

Marcel był Włochem. Z ojca emigranta z Iranu i z sycylijskiej matki. Przez długi czas zrzucałam tę jego ekstremalną „ciekawość" na specyficzną geografię południa Włoch, tradycję irańskiego islamu i wynikające z tego spotkania i poczęcia geny. Potem nie było to już tylko wypytywanie. Potem były to przesłuchania. Doszło do tego, że potrafił kilkakrotnie w ciągu jednej nocy najpierw kochać się ze mną, a potem, zaciskając pasek na mojej szyi, wymuszać na mnie opowieści o moich mężczyznach. Jak? Gdzie? Jak oddychałam? Co mówiłam? Jak szeroko rozsuwałam uda? Czy smakowałam jego spermę? Czy było mi dobrze? Dlaczego było mi dobrze? Gdy zaczynałam się dusić, mówiłam prawdę, której jeszcze mu nie opowiedziałam, albo później, gdy już skończyła mi się lista prawd o moich mężczyznach, wymyślałam coś na poczekaniu. Rano Marcel był innym mężczyzną, ale wieczorem znowu byłam „największą czesko-niemiecką prostytutką". Gdy zaszłam w ciążę, nic się nie zmieniło. Oprócz tego, że jego chorobliwa zazdrość przeistoczyła się w schizofreniczny obłęd. Stałam się jednocześnie jego „największą świętą miłością" i „brudną prostytutką noszącą pod sercem dziecko z jego nasienia". Wiedziałam, że muszę uciec. Dla dobra dziecka odkładałam to do porodu. Zanim przyjechała karetka, po tym jak puściły mi wody, zgwałcił mnie jeszcze na podłodze w przedpokoju, aby „zaznaczyć całemu światu, że jestem tylko jego kobietą". Daria, która jako jedyna o wszystkim wiedziała, dwa dni po porodzie zabrała wszystko z mojego mieszkania, co zmieściło się do jej małego auta, i zawiozła mnie z dzieckiem do Bratysławy, do mojej matki. W szpitalu zostawiłam list adresowany do Marcela. Skłamałam, że lecę do Londynu, błagając go, aby rozpoczął jakąś psychoterapię.

Po kilku dniach odszukał Darię. Najpierw ją prosił, potem starał się przekupić pieniędzmi, potem jej groził. Gdy mimo to nie chciała mu powiedzieć, gdzie jestem, wpadł w szał. Przywiązał ją do krzesła i bił pół nocy. Nie załamała się. Nawet wtedy, gdy upijał ją wódką wlewaną na siłę do jej gardła i gasił papierosy na jej czole. A na koniec... na koniec powiesił się na jej oczach. Siedziała tak związana, patrząc, jak wisi, do rana. I powiem panu jedno! Tylko Daria mnie kochała. Tylko ona. On nie miał pojęcia o miłości...

I wysłuchaliśmy tego wszyscy. Profesor Mielke, który w pewnym momencie przestał obgryzać paznokcie i zaczął chrząkać jak astmatyk, i protokolantka, która tak w połowie przestała pisać i zaczęła płakać, i ja, który trzymałem Magdę za rękę. I gdy Magda z czeskiego Cieszyna zamilkła, to w tej strasznej ciszy, która zapadła, ja słyszałem muzykę z dyskoteki po drugiej stronie muru, którego nie było. I chciałem rozpędzić się, i w tym pędzie nie przeskoczyć żadnego muru...

Nawet gdy dzisiaj myślę o tobie, to gdzieś tam w tle słyszę muzykę Schumanna. I czuję, jak Magda w berlińskim psychiatryku w Pankow ściska moje dłonie za każdym razem, gdy wymawia imię Daria.

Ta cisza się skończyła dokładnie w momencie, gdy protokolantka wybiegła ze szlochem z pokoju. Mielke zdjął wtedy okulary, położył je na biurku, podszedł do okna i zapalił papierosa. W psychiatryku wolno było palić tylko w jednej palarni. W piwnicy, na poziomie „minus dwa". Dwa poziomy

„poniżej światła" – jak twierdził Hartmut – tuż obok kotłowni. Palacze papierosów mieli czuć się jak palacze w kotłowni. Upokorzeni. Niemiecki profesor Mielke nie dostosował się do przepisu. Ja także nie, ale ja mogłem mieć to gdzieś, podczas gdy Mielke ryzykował swoją reputacją i mógł się spodziewać oficjalnej nagany, która na zawsze pozostanie w jego aktach personalnych. A to dla wielu Niemców jest gorszą karą niż utrata reputacji. Stanąłem przy oknie obok niego. Mielke chował papierosa w dłoni. Zamykał oczy, gdy się nim zaciągał, potem znowu go chował, otwierając oczy, gdy wydmuchiwał dym. Jak gdyby nigdy nic. Palił w sposób niewidoczny. Przynajmniej wobec przepisów. I rozmawiał przy tym.

– Był pan kiedyś w Moskwie? – zapytał, strząsając popiół z papierosa za okno.

– Nie. A pan był?

– Tak. Bardzo dawno temu. W siedemdziesiątym dziewiątym. Zimą. Było bardzo, bardzo zimno. To była zima stulecia. Naprawdę prawdziwa zima stulecia. Nie jakaś udawana. Teraz zimy stulecia są cztery razy do roku. Najpierw w Europie, potem w Australii lub Afryce Południowej. A jak pewne gazety nie mają o czym pisać, to nawet na Antarktydzie. Czyta pan takie gazety? Zima stulecia w niemieckim lipcu na Antarktydzie! Absolutny nonsens. Ale naród się tym pociesza. Szczególnie latem, gdy nie musi płacić za ogrzewanie. Pan to pamięta? Siedemdziesiąty dziewiąty? Nie może pan pamiętać. Był pan za młody. Albo w ogóle pana jeszcze nie było. Był pan na świecie w siedemdziesiątym dziewiątym? To był dobry rok. Dla Honeckera może nie, ale dla wina tak. Wie pan, kto to był Honecker? Pewnie tak. Kto jak kto, ale Polacy znają nazwiska wszystkich skurwieli. Siedemdziesiąty dziewiąty był także dla mnie wyjątkowo dobry. W styczniu zrobiłem habilitację, w czerwcu moja żona w końcu odeszła ode mnie. Mogłem wreszcie poza naszą działką na przedmieściach Poczdamu pojechać gdzieś dalej poza Berlin, nie pytając jej o zgodę. Gdyby moja żona pracowała dla Stasi, to NRD upadłoby znacznie później. Albo w ogóle by nie upadło. Ona zawsze wiedziała, nawet przede mną, gdzie będę… Szczerze mówiąc, nie miałem wtedy wielkiego wyboru. Warszawa, Sofia, Praga, Budapeszt, Phenian, Hawana lub Moskwa. Hawana była wprawdzie na liście, ale nieosiągalna dla naukowców. Phenian był chyba za karę. Ale Bukaresztu i Tirany już na przykład nie było. Rumunia i Albania były wtedy postrzegane jak dwie „socjalistyczne prostytutki". Najpierw Breżniew, a zaraz po nim Honecker zaczęli głosić, że „te dwa do niedawna bratnie narody zeszły z jedynie słusznej drogi i zaprzedały się rewizjonistycznym Chinom". Jak już, to już. Do samego środka piekła. Poleciałem więc do Moskwy. Chociaż powinienem, gdy teraz o tym myślę, do Warszawy. To był, bardzo rzadki u mnie, epizod braku intuicji. Powinienem wtedy pojechać do Polski. Do Warszawy albo lepiej do Gdańska. Gdy w październiku siedemdziesiątego ósmego Wojtyła został papieżem, powinienem wyczuć, że to początek końca.

– Myśli pan, że są takie Darie w Moskwie? – zapytałem.

– Bo widzi pan, Wojłtyła był początkiem ruchu, który…

Przestałem go słuchać. Nie mogłem sobie wyobrazić, że Mielke mógł wiedzieć o Wojtyle więcej niż ja. A nawet gdyby, to Wojtyła nie wydał mi się wtedy w żadnym szczególe ważniejszy od Darii. Wiem, że Wojtyła by to zrozumiał. On był taki, że natychmiast rozumiał takie rzeczy, i sam chciałby poznać Darię z Moskwy. Nie wiem, czy Mielke zauważył, że przestał mnie interesować. Gdy odchodziłem od okna, zapalał kolejnego papierosa i ciągle mówił. To moja okropna wada. Gdy coś przestaje mnie interesować, to albo odchodzę, albo gdy nie mogę, zapadam się w siebie i nie słucham. Nie dopuszczam do siebie żadnych bitów informacji, które nic mi nie przyniosą.

Przeszedłem na korytarz i windą zjechałem do kotłowni zapalić. Joshua stał na szczycie góry koksu i coś rytmicznie głośno wykrzykiwał. Gdy tak na niego patrzyłem i go słuchałem, natychmiast przypomniał mi się koncert niejakiego Matisyahu, młodego chasydzkiego wykonawcy reggae z Nowego Jorku. Przywiodła mnie na niego rekomendacja mojej kanadyjskiej koleżanki Marleny, nota bene, wcale już niemłodej specjalistki od muzyki organowej i klawesynowej. Któregoś wieczoru w Nowym Jorku nie pozwoliła mi zamknąć się w hotelowym pokoju i pracować, a zamiast tego porwała mnie do ciemnej klubowej sali w nowojorskiej dzielnicy Queens, w której bardzo młody, brodaty mężczyzna z głową przykrytą jarmułką doprowadzał do euforii tłoczących się tam równie młodych ludzi. Pamiętam swoje oczarowanie i słowa Marleny, która po koncercie powiedziała: „To chyba najbardziej *cool* Żyd, jakiego znam. Oprócz Jezusa...".

Zupełnie zapomniałem, że to był piątek wieczór i zaczął się szabat. Joshua generalnie skrupulatnie przestrzegał szabatu, ale z dwoma wyjątkami. Palił i słuchał muzyki w swoim ipodzie. Zawsze jakoś to robił, że marlboro, które palił, i ipod, z którego słuchał, były koszerne. Nie chciał mi powiedzieć, jak ukoszernia się muzykę z ipoda. Koszerne marlboro mogłem sobie mniej więcej wyobrazić. Ale koszernego ipoda albo koszernej muzyki z ipoda nie. Żydzi wiedzą jednak, jak to zrobić. Joshua był przede wszystkim Żydem. Ale poza tym był ciemnoskórym „Negro" (jego matka była z Etiopii, tylko ojciec był z Izraela) i był homoseksualistą („z przekonania i z przyjemności, a nie z genów", jak sam twierdził). Czyli krótko mówiąc, cytując co do słowa jego samego, był „żydowskim czarnym obrzezanym pedałem". I na dodatek był członkiem (z legitymacją o bardzo niskim numerze!) neonazistowskiej niemieckiej partii NPD.

Jego ojciec dostał w latach sześćdziesiątych azyl w Niemczech. Joshua urodził się w Monachium i „niepytany jako nie mogące zaprzeczyć niemowlę o zgodę" dostał niemiecki paszport i z tym paszportem, jak już go miał, zapisał się do partii NPD. „Aby robić tym krótkim chujom, w krótkich czarnych skórzanych spodniach na za krótkich szelkach, piątą kolumnę". Koniec cytatu. Jego ojciec, gdy się o tym dowiedział, chciał w pierwszej chwili popełnić samobójstwo, ale nie miał na to czasu, bo „akurat załatwiał transport butów z Mediolanu i nie mógł tak po prostu się zabić, bo przecież gdy buty dojadą, to on nie zapłaci rachunku, a zapłacić przecież zawsze trzeba, gdy jest towar". Potem, gdy już buty dojechały, a on zapłacił wszystkie rachunki, złość i „poczucie hańby" mu minęły. Na dodatek zauważył, że Joshua wcale nie zaczął, czego się spodziewał, po zapisaniu do NPD zachowywać się „jak esesman". Był ciągle tym samym pejsatym, garbatonosym Żydem. Jego synem.

Potem zabić się z powodu Joshuy chciał jeszcze tylko jeden raz. Dokładnie tego wieczoru, gdy Joshua przedstawił mu Markusa i gdy po kolacji oraz dziękczynnej modlitwie Joshua razem z Markusem zniknęli w tak zwanym dziecinnym pokoju, który przez cienką ścianę graniczy z łazienką, gdzie ojciec Joshuy nie tylko bierze prysznic, szoruje zęby, obcina paznokcie, ogląda „Playboya", ale także się od czasu do czasu onanizuje.

Robi to przeważnie wtedy, gdy za drugą graniczącą z łazienką ścianą pani doktor Henriette Wolf von Augsburg wykrzykuje cały swój wymasturbowany orgazm. Tego wieczoru swój orgazm o wiele głośniej wykrzykiwał przez drugą graniczącą z łazienką ścianę jego syn. Joshua Abraham David Izaak Grossman. Gdy ojciec rozpoznał w końcu jego głos, postanowił się po raz kolejny zabić, ale nauczony doświadczeniem z partią NPD, także i wtedy zdecydował odczekać i zabić się jednak innym razem.

W przerwie jednego z zebrań NPD w Norymberdze Joshua zakochał się bez pamięci w Markusie. To była miłość od pierwszego wejrzenia. Markus miał przepiękne szerokie muskularne ramiona, cudowne pośladki i „usta, które po prostu nie mieściły się w jego obrzmiałych wargach". Był aryjsko piękny. Dwa lata te wargi i te pośladki należały tylko do Joshuy. Potem Markus go opuścił i wargi, i to, co pomiędzy pośladkami, i wszystko inne z Markusa zaczęło należeć do Mirko z Chorwacji. Przez miesiąc Joshua tolerował Mirko. Ale potem nie mógł tego już dłużej znieść. Wpadł w depresję i któregoś razu późną nocą zamówił taksówkę, i pojechał do psychiatryka w Pankow. Najpierw chciał jechać do Charitè, ale gdy sprawdził, ile ma pieniędzy w portfelu, wybrał Pankow, który był w zasięgu cen jego portfela i nocnej taryfy berlińskich taksówek.

Opowiedział młodemu lekarzowi, że „ze wszystkich rzeczy na świecie najbardziej pragnie się teraz zabić", pokazał mu swoje nadgarstki z narysowanymi czerwonym flamastrem liniami „po żyletce" i zaczął spazmatycznie płakać, mówić od rzeczy o cierpieniu Żydów i dygotać. I tak znalazł się w Pankow. Ma teraz dach nad głową, ma śniadania, ma drugie śniadania, obiady, podwieczorki, ma kolacje i ma fortepian w sali wypoczynku. I Niemcy za to wszystko płacą. Co można mieć więcej? Markusa i tak już nie odzyska. Zresztą już nawet nie chce.

Joshua stał na szczycie sterty koksu w kotłowni, palił koszerne marlboro, słuchał koszernej muzyki i jak przypuszczałem, modlił się. Ze słuchawkami szczelnie obejmującymi jego uszy, wykrzykiwał swoje modlitwy. Joshua był trochę jak Jezus, za którego się czasami uważał.

Nie zauważył, gdy wszedłem. Stanąłem tuż przy żeliwnej komorze pieca i słuchałem. Joshua rapował. Nie rozumiem jidysz, ale rozumiem rap. Obojętnie w jakim języku. Rap to głównie słowa i historia nimi opowiadana, ale dla muzyka to przecież nie wszystko. To także specyficzny rytm, bardziej melodyka niż melodia, natychmiast rozpoznawalna sekwencja przerw, harmonia wysokich i niskich tonów nałożona na dominujący nad wszystkim „beat". Przy rapie chce się podnosić i opuszczać ręce, bo jest się przy rapie nakręconym kluczykiem lub prądem z baterii, tak jak odpustowy pluszowy niedźwiadek, który wali pałeczkami w mały blaszany bębenek przypięty czerwoną tasiemką do jego brzucha.

Joshua przestępował z nogi na nogę na szczycie sterty koksu i rapował swoją *Maariw.* Podnosił i opuszczał ramiona, momentami dotykał dłońmi swojego krocza, momentami dosięgał nimi sufitu, momentami zaciskał je w pięść i komuś wygrażał. Ale z przepływu potoku słów rozumiałem, że się przy tym modlił. Bo modlitwa – czy to judaizm, czy to islam, czy to chrześcijaństwo – też jest jak rap. I też opowiada historie. I podobnie jak rap bardzo przesadzone lub zupełnie nieprawdziwe.

Gdy Joshua skończył swoją modlitwę, usiadł na stercie koksu, wyrwał gwałtownie słuchawki z uszu i rzucił nimi ze złością w kierunku pieca. Podniosłem je i idąc powoli w kierunku sterty koksu pod ścianą, zapytałem:

– Joshua, powiesz mi, kogo miałeś w słuchawkach?

– To nie twoja sprawa. I tak go nie lubisz...

– Dlaczego? – wykrzyknąłem i zacząłem wspinać się w górę.

– Bo to gej.

– Ja nie mam nic przeciwko gejom, znasz mnie przecież.

– Ale ja mam. Bo są niewierni.

– Hmm, a jakiego geja miałeś w słuchawkach?

– Ruskiego.

– A tak bliżej?

– Czajkowskiego.

– To on był gejem?! – wykrzyknąłem zdumiony.

– No, był.

– Przyznam się, że nie wiedziałem. A co ci grał gej Piotr Iljicz Czajkowski?

– Koncert skrzypcowy mi grał.

– Opus 35 ci grał?

– No tak. A skąd wiesz? – zapytał i pierwszy raz spojrzał na mnie.

– Tak wyczułem, Joshua, tak wyczułem. Tylko do tego koncertu można się modlić.

– Ja się wcale nie modliłem...

– Nie!? To nie była twoja *Maariw*? A co to było?

– Rytmiczny stek przekleństw w jidysz. Ja potrafię kląć w jidysz przez ponad godzinę bez przerwy.

– Ale dlaczego?

– Bo mnie to podnieca. I Markusa także podniecało.

– Ale dlaczego klniesz w jidysz do Czajkowskiego?

– Bo ten koncert mnie podnieca najbardziej.

– Ale dlaczego ten?

– I ty o to pytasz!? Wykształcony zajebany polski szopenowski wirtuozie? Ty o to pytasz!? Jak to dlaczego ten? Bo tam jest wszystko. I miłość, i nienawiść, i słońce, i księżyc, i ból, i ulga, i głód, i nasycenie, i wojna, i pokój, i czułość, i okrucieństwo, i pośpiech, i powolność, i tęsknota, i nienawiść, i niecierpliwość, i spokój, i nuda, i entuzjazm, i pochód, i spacer, i cisza, i wrzask, i życie, i śmierć. I ty o to pytasz?!

– Pytam, Joshua, pytam. Bo muzyka to nie jest tylko twoja sprawa, Joshua. Bo muzyka to jest ogromna sprawa. I twój Markus ma z tym mało wspólnego. W kotłowni na koksie muzyka jest inna i we Wiedniu w smokingach też jest inna. Ty mi tutaj nie wal życiem i śmiercią. I Szopena też mi w to nie mieszaj. Świrujesz przy Czajkowskim?! To dobry wybór, ale ja świruję w niedzielę przy Beethovenie, w środę przy Liszcie, a dopiero w Wigilię, obojętnie, czy to środa, poniedziałek czy niedziela, przy Czajkowskim. Wiesz, Joshua, co to jest Wigilia? Albo opłatek? Jak nie wiesz, to się, kurwa, dowiedz. Dopiero wtedy zrozumiesz tak do końca Szopena, Joshua. Bez polskiej Wigilii Szopena nigdy nie pojmiesz. Wygooglaj sobie, Joshua, Wigilię i się dowiedz. Ale googlaj na polskim googlu. Takim kropka pl. Bo tylko tam jest polska Wigilia. Na kropka pl. Zapamiętasz?!

Im dłużej mówiłem, tym wyżej po stercie koksu wspinałem się do góry. Czasami obsuwałem się, upadałem, wydobywałem stopy z koksu, podnosiłem się z kolan, szedłem dalej i coraz głośniej krzyczałem. Tak jak gdyby w tym momencie najważniejsze było to, że nie tylko wykrzyczę swoje racje, ale że dotrę przy tym do szczytu. Nawet jeżeli jest to tylko szczyt sterty koksu w kotłowni.

W psychiatryku za pomocą Programu i konsekwentnego prania mózgów wmawiają wszystkim codziennie, że należy podnieść się z kolan i stanąć „na własnych nogach, i spoglądać ku górze, ku przyszłości, ku szczytom". Nawet tym, którzy bez porcji prozaku i krzykliwych ponagleń pielęgniarek nie chcą lub po prostu nie mogą podnieść się rano z łóżek. Po pewnym czasie ta psychoterapia, o dziwo, zaczyna działać! U jednych po kilku dniach, u innych po kilku miesiącach. Ale mniej lub bardziej każdy zaczyna wierzyć, że może dotrzeć do jakiegoś szczytu.

Pragnienie zdobywania szczytów jest ludzkim atawizmem. U alpinistów przejawia się w skrajnej, ale – moim zdaniem – szlachetnej postaci, jednakże u tych, którzy jak pająki wspinają się po szybach i betonie coraz to wyższych wieżowców, w coraz to innych metropoliach, na oczach zgromadzonych na dole ludzi, jest przykładem psychopatycznej fascynacji publicznym ocieraniem się o ryzyko spektakularnej śmierci. Wytryski adrenaliny na oczach wielu ludzi. Tłum na dole wzdycha, krzyczy, faluje, odczuwa empatię, podziwia, zachwyca się. Chociaż i tak wszyscy wiedzą, że na szczyt tego wieżowca można spokojnie wjechać windą. Cyrkowo-odpustowa projekcja pragnienia zdobywania szczytu. I Freud, i jego uczeń Jung doskonale wiedzieli, jak to działa, i chętnie wykorzystywali to w swoich terapiach. Bardziej Jung niż Freud, ale co do tego, że magią zdobywania szczytów można oczarować i potem leczyć – mimo że krytykowali się pod koniec życia nawzajem – byli do końca zgodni.

Dla niektórych, głównie anorektyków, szczyt w szpitalu w Pankow znajduje się na pierwszym piętrze, za drzwiami stołówki, dla innych – na poziomie pod parterem, przy szklanych drzwiach prowadzących na plac przed kliniką. Zejście na dół i wyjście po długim czasie na świat z odgłosami ulicy przypominającymi cały ból z przeszłości to także jak wejście na szczyt. Dla niektórych najwyższy w ich życiu.

Wspinałem się na szczyt sterty koksu w kotłowni i krzyczałem. Joshua spoglądał na mnie z góry i uśmiechał się. Zdyszany stanąłem w końcu przed nim, spojrzałem mu w oczy i wykrzyczałem:

– Zapamiętasz?!

– Zapamiętasz, Joshua? Zapamiętasz? Proszę – dodałem po chwili szeptem.

Wyrwał w tym momencie słuchawki z mojej dłoni, wsunął końcówkę kabla do ipoda i wepchnął jedną ze słuchawek do mojego ucha. Potem zdjął swój śnieżnobiały jedwabny szalik z szyi i zaczął ścierać pot z mojego czoła. Po chwili delikatnie ocierał moją twarz i włosy, i wargi, i staliśmy tak, połączeni białą nitką kabla, patrząc sobie w oczy, i słuchaliśmy muzyki. I Joshua drugi raz tego dnia stał mi się bardzo bliski. W tym momencie najbliższy ze wszystkich ludzi na świecie.

Moskwa, 28 marca, niedziela, wcześnie rano

Chłodny wiosenny wiatr przenikał przez uchylone okno do mieszkania przy ulicy Briusowskiej pod numerem szesnastym. Od wielu lat okolicę zamieszkiwali przedstawiciele elity: ludzie teatru, malarze, muzycy i tancerze baletowi. W dawnych czasach domy te należały do zaufanego Piotra Pierwszego, generała, feldmarszałka i utalentowanego uczonego Jakuba Bruce'a. Do dziś można znaleźć tu spokój i odosobnienie, z rzadka zakłócane przez wszechobecny szum samochodów. Na każdym kroku wiszą tablice pamiątkowe z nazwiskami wybitnych postaci. Zdarzało się, że Anna godzinami wędrowała pobliskimi ulicami, odczytując inskrypcje i myśląc, że dawniej nie mogła nawet marzyć o takim sąsiedztwie. Może i dziś się wybierze? Przymknęła oczy. Jak to dobrze, że poranek zawsze w końcu przychodzi i przynajmniej tego można być pewnym.

Dziewiąta rano. Anna otuliła się puchową kołdrą, którą kiedyś podarował jej dziadek. Z kuchni dobiegały dźwięki jednego z nokturnów Szopena. Anna nie miała ochoty wychodzić spod kołdry i z zamkniętymi oczami słuchała muzyki. Nagle dobiegł ją dziwny dźwięk, przypominający gruchanie. Uniosła głowę i ujrzała białego gołębia, który wyciągając szyję, ostrożnie stąpał po parapecie. Na tle ciepłych wiosennych barw wydawał się oślepiająco biały. To było piękne. Anna uniosła się na łóżku, a wtedy ptak, jak gdyby na powitanie, zastukał dziobem w szybę. Kobieta uśmiechnęła się do niego, wyobrażając sobie, że przyniósł jej jakąś dobrą nowinę. Chwilę myślała, wyciągnęła rękę i na oślep odnalazła na stojącym obok łóżka stoliku gruby zeszyt. Otworzyła go. Wygodnie ułożyła się na poduszkach. Gdzieś tu powinien być długopis...

Dni są coraz dłuższe. Wieczorem zapinasz płaszcz pod szyję, poprawiasz szalik w paski. Po pracy zanurzasz się we wczesną wiosnę – ciepłą, cudowną, wyczekiwaną. Która wydaje się trochę nierzeczywista.

Idziesz dobrze Ci znaną drogą. Delikatne liście i symfonia zapachów przypominają, że wiosna już przyszła, na przekór silnemu wiatrowi i nocnym przymrozkom. Zrywasz gałązkę czeremchy, nadgryzasz młody pęd, i zdumiewa Cię błogość jej aromatu przy tak niespokojnym wietrze. Rano znajdujesz ją w kieszeni, jeszcze bardziej pachnącą...

Czuła się jak bohater powieści Camusa *Obcy*: obserwowała samą siebie z oddalenia. Wyszła na parking przed Archiwum. Centralny zamek odpowiedział potulnie. Przekręciła kluczyk w stacyjce. Tylko nowe silniki pracują tak cicho. Samochód podarował jej mąż na czterdzieste urodziny. Przelotnie przejrzała się w lusterku. Kolejny raz złapała się na myśli odpychającej i natarczywej jak ból zęba: nie ma już dwudziestu ani trzydziestu lat, kiedy twarz sprawnie i posłusznie potrafi ukryć wszystkie sekrety – można nie spać przez tydzień, przepłakać całą noc, stracić głowę z miłości, i nikt niczego nie zauważy. Z upływem lat każda łza zostawia trwały ślad, a każda nieprzespana noc – fioletowe kręgi pod zmęczonymi oczami.

Włączyła odtwarzacz płyt, spokojnie ruszyła z miejsca. Utwór piąty. Pustą przestrzeń wnętrza samochodu wypełnił Prokofiew. Pod koniec *Wariacji Julii* skręciła na Nowy Arbat i od razu utknęła w korku. Puściła muzykę na cały regulator.

Dobrze, że w Moskwie jest tyle samochodów i wąskich ulic. Im więcej czasu zajmuje droga do domu, tym mniej trzeba go spędzić z mężem.

Samochody powoli sunęły jeden za drugim. Anna była zadowolona. Stanie w korku uspokajało ją, w dodatku wiedziała, że jazda przez Moskwę na Briusowską potrwa jeszcze co najmniej czterdzieści minut.

Nagle zdała sobie sprawę, że od rana nie piła kawy. Zdaniem Olega Michajłowicza, jej lekarza, bez obaw mogła sobie pozwolić na dwie kawy w ciągu dnia. A i ataki ostatnio przytrafiały jej się rzadziej. Zaparkowała przy pierwszej z brzegu kawiarni. Otworzyła drzwi, owionął ją zapach pieczonych bułeczek i – kłócący się z nim – tytoniu.

– Dobry wieczór! Stolik w sali dla palących? – spytała młoda kelnerka o twarzy Marylin Monroe. Gładko zaczesaną głowę dziewczyny zdobiła aksamitna opaska, na której przysiadła gromadka motyli. Ich różowe skrzydełka trzepotały w przeciągu.

– Dla niepalących – uśmiechnęła się Anna i podążyła za motylami.

Rok temu przydarzył mi się pierwszy atak duszności. Nie wiedziałam wtedy, co się ze mną dzieje i czy sytuacja jest poważna. Po prostu moje płuca nagle nie chciały napełnić się powietrzem i zamarły, jak dwa puste, bezużyteczne worki. Zaczęłam się dusić. Było jak we śnie, kiedy człowiek chce coś powiedzieć, krzyczy, ale nikt go nie słyszy. Próbowałam wzywać pomocy, tyle że głos odmówił mi posłuszeństwa i nie mogłam wydać z siebie dźwięku. Gdybym, upadając, nie strąciła rzeźbionej lampy-anioła, mąż nigdy by mnie nie usłyszał. Siergiej akurat omawiał przez Skype'a interesy ze swoim niemieckim partnerem. Anioł pozostał bez skrzydła, a ja pozostałam przy życiu.

Pogotowie przyjechało po piętnastu minutach. Młody lekarz ze zmierzwionymi czarnymi włosami podłączył mnie do kroplówki z teofiliną. Pachniał spirytusem medycznym, a może wódką. Tydzień później, wieczorem, jadłam kolację z Siergiejem, który bez chwili przerwy perorował o swoich projektach, z wirtuozerią manipulując przy tym nożem i widelcem. Atak się powtórzył.

Wtedy Siergiej zabrał mnie do jednego z najlepszych specjalistów w Moskwie.

Za oknem, miękko kołysząc się na wietrze, przyjemnie szeleścił wonny bez. Oleg Michajłowicz, w białym fartuchu i okrągłych okularach w metalowej oprawie, przypominał bohaterów Czechowa, a może i jego samego, tyle że miał gładko ogoloną twarz, pooraną zmarszczkami. Spojrzał na mnie z dobrocią i poważnie spytał:

– Pali pani?

– Czasami – odparłam szczerze.

– Trzeba będzie rzucić. – Podszedł i wziął mnie za rękę. Milczeliśmy przez chwilę. – Gdzie pani pracuje, Anno? – ciągnął niskim głosem.

– W Archiwum Państwowym.

– A, to tym gorzej. Tam jest pełno kurzu.

Struchlałam. Przez ostatnie trzy lata każdego dnia po przebudzeniu przywoływałam myśl o Archiwum, o wystawach, i trzymałam się jej kurczowo, aby móc cieszyć się nadchodzącym dniem. Archiwum dawało mi nie tylko pracę, ale i wybawienie.

Poczciwa pielęgniarka z lekką nadwagą ciepłymi i zręcznymi dłońmi pobrała mi krew, a potem zaprowadziła na prześwietlenie.

Po tygodniu miałam już postawioną diagnozę: astma. W odziedziczonym po dziadku słowniku medycznym przeczytałam: „astma" w przekładzie z greki oznacza „ciężki oddech". Ataki duszności są jej typowym objawem. Trudności w oddychaniu nasilają się przy wydechu z powodu zwężenia dróg oddechowych. Część powietrza zatrzymuje się w pęcherzykach płucnych, płuca się rozdymają i wydech znacznie się wydłuża. U jednych astma jest chorobą dziedziczną, u innych rozwija się z alergii na pyłek kwiatowy lub kurz z książek... Długo nie chciałam się przyznać przed sobą, że przyczyną moich duszności był Siergiej.

– Czy pani już wybrała? – Kelnerka z motylkami na głowie spojrzała pytająco.

– Poproszę americano.

– Z wodą czy z mlekiem? – wypytywała dziewczyna.

– Z wodą – odparła Anna machinalnie.

– Czy spróbuje pani któregoś z naszych deserów? – Kelnerka odrabiała zadaną lekcję.

– Spróbuję – powiedziała Anna z uśmiechem i zamówiła kulkę lodów waniliowych.

Lubi lody. Niektórzy sądzą, że zawarte w nich składniki, podobnie jak składniki czekolady, wspomagają produkcję endorfin – hormonów szczęścia. Szkoda, że badania tego nie potwierdzają. Ale co za różnica? Sztuka dla sztuki, lody dla lodów.

– Mamo, ja też chcę lody!

Przy sąsiednim stoliku usiadła kobieta koło trzydziestki. Sportowa kurtka, adidasy, rozjaśnione słońcem włosy, ciemniejsze u nasady. Obok niej mężczyzna w wytartych dżinsach i wymiętej marynarce. Na trzecie krzesło wspinał się chłopczyk o ciemnoniebieskich oczach, ledwie widocznych spod długiej grzywki.

Mężczyzna wysłuchał zamówień, czule gładząc swoją towarzyszkę po plecach.

– Tak jest! – teatralnie zasalutował i szybko poszedł w kierunku baru.

Wrócił rozpromieniony, pocałował najpierw chłopca, potem kobietę. Przysunął się ku niej i coś wyszeptał do ucha.

Kobieta cicho się roześmiała, ich palce splotły się w uścisku. Chłopiec jadł lody z przejęciem, głośno opowiadając o swoim koledze, prawdziwym Terminatorze. „Idziemy do kina, przecież obiecaliście” – zakończył przemowę. Na podłodze stały torby z supermarketu z makaronem i mrożonym kurczakiem. Proste jedzenie, proste rozrywki, bliscy ludzie – czego więcej trzeba? Drogiego samochodu i garści brylantów?

Anna przekręciła na palcu pierścionek z czarnym brylantem i dużą perłą, również, rzecz jasna, czarną – Siergiej ma dobry gust do biżuterii. Pochyliła się nad stygnącą kawą. Koniuszkami palców otarła łzy z rzęs. Nigdy nie płakała. Prawie nigdy.

Dwa dni wcześniej Siergiej nalegał, żeby poszła z nim na przyjęcie do ambasady niemieckiej. Miało to dla niego duże znaczenie. Protokół dyplomatyczny wymaga, żeby na takie przyjęcia przychodzić z małżonką. Poza tym chciał przedstawić ją swoim partnerom, z którymi planował uruchomić pod Moskwą nową linię produkcyjną. Tego dnia rano, przed wyjściem do pracy, poprawiając przed lustrem w przedpokoju węzeł jedwabnego krawata, rzucił przez ramię:

– Anka, postaraj się dziś wieczorem wyglądać po ludzku. I na litość boską, zrób coś ze swoimi włosami. Niemcy lubią porządek, a jak wyglądają te twoje... loki Andromachy...

Ostatnie słowa wycedził przez zęby.

Poczuła napływające do oczu łzy. Do swojego „uspokajającego" kieliszka odmierzyła czterdzieści kropli milocardinu. Chwilę postała przy oknie. Po parapecie przechadzała się sikorka, jej żółte piórka wyglądały odświętnie na tle pochmurnego poranka. Po białym gołębiu nie było śladu.

Na przyjęcie Anna wybrała ulubioną aksamitną szarą sukienkę i czarne zamszowe pantofle na obcasie. Lubiła wysokie obcasy. Od razu wydawała się sobie wyższa, zgrabniejsza, bardziej tajemnicza, a krok – dostojny i niespieszny. To nic, że pod wieczór nogi zaczynają puchnąć, a pantofle obcierają, skoro przez większość dnia można czuć się prawdziwą pięknością.

W czasie przerwy obiadowej wybrała się do salonu fryzjerskiego. Dla każdej kobiety to rytuał, a zarazem psychoterapia. Kiedy fryzjerka odprawiała czary nad jej włosami – gęstymi, długimi i niesfornymi, Anna poprawiała makijaż i malowała usta szminką o wiśniowym odcieniu, dobranym do ciemnych oczu. Kiedyś Siergiej mówił o nich „orzechowe". Dawno temu.

Przyjechał po nią do pracy, obrzucił pobieżnym spojrzeniem, jakby wystawiał jej ocenę. Nie odezwał się.

– Wyglądam dostatecznie dobrze? – spytała spokojnie.

– Może być. Chociaż przydałoby ci się trochę różu na policzkach. Strasznie blada jesteś...

Punkt szósta, jak nakazywało zaproszenie, wchodzili po schodach ambasady: Siergiej w doskonale skrojonym smokingu, ona – w wieczorowej sukni, z fryzurą bez zarzutu. Na ulicy zerwała zieleniejącą gałązkę, która delikatnie i tkliwie pachniała wiosną. Mąż ze złością wyrwał jej witkę i rzucił na asfalt:

– Zlituj się! – rzucił z rozdrażnieniem. – Jesteś dorosłą kobietą! Może jeszcze wianek uwijesz?

Na szczycie schodów stał ambasador z żoną, w otoczeniu tłumu gości. Każdy chciał osobiście się przywitać z gospodarzem wieczoru; jego żona z pobłażliwym uśmiechem wyciągała do każdego rękę na powitanie.

Przy wejściu do przestronnego salonu kelner w krochmalonej białej koszuli i bordowej muszce częstował gości szampanem.

Anna podziękowała i duszkiem opróżniła kieliszek – była spragniona.

– Nie spiesz się. – Siergiej ścisnął ją za łokieć. – Masz robić dobre wrażenie. A przynajmniej się starać!

Salę wypełniało wiele wytwornie ubranych kobiet. Stały w kręgu, rozmawiając półgłosem. Obok nich grupa mężczyzn w smokingach z zapałem dyskutowała po niemiecku.

Przyszedł czas na niekończące się „*Das ist meine Frau Anna*". Anna uśmiechała się i milczała. Obowiązki reprezentacyjne wypełniała posłusznie, ale bez przyjemności. Obok niej stanęły dwie kobiety: jedna w sukni z odkrytymi plecami, druga – w miniaturowym kapelusiku.

– Widziałaś, jaką Swietka ma kieckę? – wysyczała jedna.

– Pewnie z zasłon uszyła – jadowicie podchwyciła druga. – Mąż ma całą sieć sklepów, to może brać, ile chce!

Damy zachichotały złośliwie i zmieszały się z tłumem.

Do salonu weszła kobieta w jasnopurpurowej sukni odsłaniającej nieco więcej, niż dyktują zasady przyzwoitości. Na pierwszy rzut oka nie skończyła jeszcze czterdziestu lat, ale głęboki dekolt odsłaniający piegowaty biust zdradzał, że Antoninie Ilinicznej stuknęła już pięćdziesiątka. Urodziny świętowała oczywiście w Turandot. Ambasador z żoną był w gronie zaproszonych. Kobieta zdecydowanym krokiem podeszła do grupy mężczyzn, swoim zwyczajem obdzielając ich pocałunkami na powitanie. Siergiej szepnął do Anny:

– Tońka we własnej osobie!

Roześmiał się wyzywająco.

Kobieta dziesięć lat pracowała jako kasjerka w CUM-ie (Centralnym Domu Towarowym). Nie był on jeszcze wtedy galerią mody z luksusowymi towarami, przewyższającą cenami butiki w zachodniej Europie, ale i tak kontrastował z resztą sklepów, które straszyły pustymi półkami, a pracujące w nich ekspedientki uśmiechały się przepraszająco albo niezręczną sytuację maskowały chamstwem.

Tońka za wszelką cenę starała się utrzymać posadę, znosząc sobiepaństwo kierowniczki i niechęć koleżanek. Koleżanki zazdrościły jej umiejętności dawania siebie. Tońka szczerze wierzyła, że może być cenną nagrodą, szczęściem i prezentem dla każdego mężczyzny.

Mając lat trzydzieści, wzorem Helutki z *Dwunastu krzeseł*, której „w zupełności wystarczało trzydzieści słów"*, nie przeczytała zapewne żadnej książki w całości, nie mówiąc już o poezji. Za to znakomicie wyuczyła się historii CUM-u i starała się nosić jak gwiazda filmowa, czerpiąc korzyści z tego, że odziedziczyła po babce cały kuferek pocztówek z Lubow Orłową i innymi boginiami epoki radzieckiej.

Godzinami potrafiła recytować historię o tym, jak to dwóch szkockich kupców Andrew Muir i Archibald Mirrielees założyło spółkę handlową, która w 1857 roku przeprowadziła się z Petersburga do Moskwy i na placu Teatralnym otworzyła dom towarowy na wzór londyńskiego Whiteleys i paryskiego Bon Marché.

Tońka przyswoiła historię CUM-u również po angielsku, co podniosło jej pozycję wśród pracowników i umożliwiało nawiązywanie kontaktów z dyplomatami zwiedzającymi dom towarowy jako jedną z atrakcji stolicy. Przyszedł rok dziewięćdziesiąty

* I. Ilf, J. Pietrow, *Dwanaście krzeseł*, tłum. J. Brzechwa, T. Żeromski, Warszawa 1976 (przyp. tłum.).

pierwszy, sklepy ziały pustką. Pewnego dnia do działu odzieży damskiej, gdzie w otoczeniu kretonowych podomek Tońka nudziła się z innymi ekspedientkami, przyszedł młody człowiek. Miał na sobie typową dla nowych ruskich czerwoną marynarkę, która wtedy jeszcze nie była tak powszechnie wyśmiewana. Wszyscy od razu wiedzieli, że to były bandyta. Albo może nawet i obecny. „Lale, taka sprawa – powiedział – potrzebuję dla mamusi rzeczy na drogę. Sukienki, bluzki, takie tam. Co jeszcze? Tylko szybko, bo się, znaczy, spieszę".

Rozparł się łokciami na ladzie, obok wielkiej kasy. Tońka przyskoczyła do niego i zaczęła trajkotać: „A ile mama ma lat? Ja panu pomogę! Na jaki rozmiar? Mamy piękne białoruskie spódniczki! A może flanelowy szlafroczek?".

Młody człowiek słuchał jej trzy czy cztery minuty, po czym się odezwał: „Ty, ruda! Zamknij gębę! Dawaj te swoje flanelowe spódnice, rozmiar największy jaki jest. Czekam przy wyjściu".

Do pracy Tońka już nie wróciła – została frontową towarzyszką młodego człowieka o wymownym pseudonimie „Wściekły". Ten po roku zginął „w niewyjaśnionych okolicznościach", a Tońka przeszła w ręce innego młodego człowieka o wymownym pseudonimie „Żelazo". Minęło dwadzieścia lat i stała się człowiekiem powszechnie szanowanym, właścicielką firmy budowlanej. Lubiła pojawiać się w CUM-ie i obwieszczać towarzyszącym jej młodzieńcom, z reguły w wieku poniżej dwudziestu pięciu lat: „To właśnie tutaj stawiałam pierwsze kroki na mojej świetlanej drodze". Mówiła to zupełnie poważnie. Podobno w końcu przeczytała książkę: zbiór cytatów, aforyzmów i łacińskich sentencji, i nawet posługiwała się nimi z sensem.

Siergiej przesiadał się od stolika do stolika. Przez dwie ciągnące się w nieskończoność godziny Anna stała samotnie z kieliszkiem szampana. Pod koniec przyjęcia podszedł do niej krępy nieznajomy mężczyzna. Źle dopasowana marynarka i niemodny krawat sprawiały, że w ciemnym garniturze wyglądał niezgrabnie. Uśmiechnął się.

– Dzień dobry – powiedział. – Może porozmawiamy? Przyszedłem tu z żoną, ale ona jest ciągle zajęta.

Wskazał na grupkę wystrojonych kobiet, stojących przy wysokim oknie.

– Dzień dobry – odparła Anna i powoli wypiła łyk szampana.

Mężczyzna pokręcił w dłoni szklankę whisky z lodem.

– Właściwie – ciągnął poufnym tonem – to nie powinienem dzisiaj pić. Jutro mam dyżur. Ale jest tak nudno!

– Okropnie! – potwierdziła Anna. – A jaki ma pan dyżur? Jest pan strażakiem? Milicjantem? Lekarzem? Kontrolerem lotów?

– Lekarzem. – Mężczyzna napił się whisky. – Z pogotowia.

– Wspaniale! – ucieszyła się. – Lekarze znają mnóstwo zabawnych historii. Niech pan coś opowie, rozweseli mnie...

– Zabawnych historii? – Mężczyzna się zamyślił. – No tak, rzeczywiście różne rzeczy się nam przytrafiają. Na przykład w zeszłym tygodniu ledwie zacząłem dyżur, a tu wezwanie: pacjent koło sześćdziesiątki, ból za mostkiem. Przyjeżdżamy. Siedzi sobie na oko zdrowy facet i pije koniak, nawet dobry, ormiański. „Niech pan się częstuje" – mówi do mnie i wyciąga drugi kieliszek. W pierwszej chwili zgłupiałem, ale w końcu pytam: „Co panu dolega?". A on na mnie tak smutno popatrzył i mówi: „Pies mi niedawno zdechł i teraz mam depresję. Nie chce przejść. Pomyślałem, że po pogotowie zadzwonię, bo po kogo?" – i duszkiem wypił koniak.

Anna się roześmiała i opróżniła kieliszek szampana, chociaż z jakiegoś powodu zrobiło się jej żal i psa, i właściciela. Mężczyzna spytał:

– Czemu jeszcze się sobie nie przedstawiliśmy? Michaił.

– Anna – odparła z uśmiechem.

Kiedy wyszła z mężem z ambasady, z radością odetchnęła wiosennym powietrzem.

– Zaskakujesz mnie! – złościł się Siergiej. – Cały wieczór rajcowałaś z jakimś łachudrą. Śmiałaś się! A mnie nie miał kto wesprzeć!

– To nie był żaden łachudra – Anna wstawiła się za nowym znajomym – tylko lekarz z pogotowia.

– A ja ci mówię, że łachudra! Dobra, nie będziemy o nim gadać. W sumie wszystko poszło całkiem nieźle.

Wyprzedził ich Michaił, który trzymał pod rękę krępą kobietę o nienaturalnie czarnych włosach. Miała na sobie białą suknię z koronkowymi wstawkami i białe odkryte pantofle.

Siergiej szedł szybkim krokiem i zacierał ręce.

– Heinrich zaprasza do Berlina. To znaczy, że jest zainteresowany nową linią. Zobaczymy. Najwyżej tam przedstawię mu ofertę.

Poczuła, że powoli zsuwa się jej pończocha. Przystanęła, podciągnęła ją. Wyprostowała się, ale nie ruszyła z miejsca. Siergiej był już daleko, rozmawiając sam ze sobą. O ważnych sprawach. O nowych liniach produkcyjnych i niemieckich partnerach.

Stała bez ruchu. A Siergiej wciąż się oddalał, nie zauważając, że idzie sam.

„To nie jest przypadek, tylko typowy obrazek z mojego życia rodzinnego".

Anna dopiła americano i nie potrafiła już dłużej powstrzymywać łez. Siedzący obok chłopiec zauważył:

– Mamo, patrz, ta pani źle się czuje!

Położyła pieniądze na stoliku i wybiegła na ulicę. Tak, źle się czuje!

Jak co dzień płoną ognie moskiewskich ulic, jasne i obojętne. Billboardy z reklamami kosmetyków i hitów kinowych odwracają uwagę od potoku samochodów. Nawet nie zauważyła, kiedy Moskwa zmieniła się w ogromny katalog sprzedaży towarów, a miejscami w wystawę nowych, zaburzających obraz miasta tworów sztuki. Ile jest wart pomnik Piotra Pierwszego, odsłonięty w dziewięćdziesiątym siódmym roku na zamówienie władz stolicy, na sztucznej wyspie usypanej u zbiegu rzeki Moskwy i Kanału Obwodnego? Ciężko góruje nad stolicą, wywołując strach i poczucie przytłoczenia. Dziennikarze pisali nawet, że statua powstała jako pomnik Kolumba, który Cereteli bezskutecznie próbował sprzedać Stanom Zjednoczonym na obchody pięćsetlecia odkrycia Ameryki. Ulica Briusowska, gdzie mieszkają z Siergiejem, to jedno z niewielu miejsc w mieście, których spokój nie został zakłócony. Jak dotychczas. Sześć lat wcześniej Siergiej zainwestował w mieszkanie wszystkie pieniądze zarobione po uruchomieniu pierwszej linii produkcyjnej sprzętu grzewczego. Rosyjskie zimy są mroźne i każdy potrzebuje grzejnika. Mąż jak zwykle nie omylił się w rachubach.

Anna otworzyła drzwi mieszkania i włączyła światło. Przedpokój rozświetliła lampa w kształcie anioła składającego ręce do modlitwy. Gdy kupowała ją przed pięcioma laty, była przekonana, że przyniesie jej szczęście. Znajomy malarz polecił jej mistrza sztuki witrażu, który zrobił dla niej anioła z kolorowych kawałków szkła. Dobry duch od początku wyglądał smutno. Teraz, kiedy zostało mu tylko jedno skrzydło, sprawiał wrażenie, jakby cały oddawał się swojemu anielskiemu cierpieniu.

Siergiej najwyraźniej wyjechał w kolejną delegację. Wiedziała o tym, ledwie weszła do domu – oddychała z rzadką łatwością. Nagle poczuła silny głód. Od rana wypiła tylko dwie filiżanki kawy i zjadła lody. W pantoflach i płaszczu poszła do kuchni, włączyła telewizor: zapragnęła poczuć się częścią wielkiego świata. Napełniła winem lśniący kieliszek.

– Piję swoje zdrowie! – powiedziała na głos. – Żeby mi się wiodło!

Skacząc po kanałach, na pewien czas utknęła przed ekranem. Zdjęcie siedmioletniego dziecka. Blada zmęczona twarzyczka, wielkie smutne oczy i nienaturalnie długa szyja, przypominająca łodyżkę delikatnego kwiatu. Że przedstawia dziewczynkę, poznać można było tylko po bezsensownej wstążeczce na krótko ostrzyżonych włosach. U dołu ekranu przesuwał się pasek z numerem telefonu i numerem konta. Podgłośniła dźwięk. Masza, mieszkająca w domu dziecka, pilnie potrzebuje operacji serca. „Męka samotnego dzieciństwa na pewno nasila wszelkie dolegliwości" – pomyślała Anna. Ciekawe, czy brak miłości i zakorzenienia w świecie zalicza się do jednostek chorobowych? Trzeba by spytać lekarza. Zdecydowanym ruchem zamknęła lodówkę, straciła apetyt.

Po migawce o chorym dziecku pokazano reportaż z premiery albumu jakiejś piosenkarki, której twarz nieraz wchodziła w bliski kontakt z chirurgicznym skalpelem. O owej

„gwieździe" Anna nigdy nie słyszała, ale wcale jej to nie martwiło. Po dziadku odziedziczyła zamiłowanie do muzyki. Poszła do salonu, usiadła na szerokiej miękkiej kanapie i włączyła Vivaldiego. Myślała o miłości.

Wydawałoby się, że nie ma nic prostszego, niż kogoś pokochać. Cóż, kiedy los ma inny plan. A tak by się chciało, żeby uczucie poraziło jak prądem, rozgrzało, żeby zaczęło się to, co przyjęto nazywać „chemią". Znowu oddychać pełną piersią, śpiewać, tańczyć, żyć! Gdzieś przeczytała, że miłość lub chemia (gdyby wiedziała, że to jest chemia, bardziej by się do niej przykładała w szkole) nigdy nie trwa dłużej niż pięć lat. Wybuchowi uczuć towarzyszy uwolnienie dopaminy, która ma wpływ nie tylko na czynności mózgu, ale i na emocje. Kiedy zaś wzlot uczuć ma się ku końcowi, stężenie dopaminy spada poniżej średniego poziomu i u człowieka pojawiają się objawy depresji.

Jeśli ludzkość nauczy się kontrolować zachodzące w organizmie reakcje chemiczne, być może ustaną cierpienia mężczyzn, kobiet oraz porzuconych przez nich dzieci.

Przeciągam dłonią po swojej piersi i szyi, jakbym chciała się przekonać, czy potrafię jeszcze doznawać ciepła dotyku. Tak bardzo pragnę, żeby znowu mnie ktoś pożądał...

W ciszę mieszkania wdarł się ostry dzwonek.

– Wszystko w porządku? – po tonie głosu poznała, że Siergiej sporo wypił.

– Tak, już zasypiam.

– No i bardzo dobrze. Nie wziąłem notatnika, a potrzebny mi jeden numer...

Poczuła, że robi jej się duszno. Sięgnęła po leżący na stoliku inhalator.

Rankiem promień słońca gwałtownie rozświetla moją sypialnię w terakotowych barwach. Siergiej lubi ciemne kolory. Do przygnębiających czerwono-brązowych ścian dobrał fioletowe zasłony, przypominające kurtynę teatralną. W gruncie rzeczy jest mi to obojętne. Główną atrakcję sypialni, mającej w sobie coś z buduaru Manon Lescaut, miało stanowić ogromne łóżko.

Za każdym razem... Za każdym razem, kiedy to się dzieje między nami, zamykam oczy, a mimo to wyraźnie widzę fioletowe zasłony na terakotowym tle. Widzę też, jak kobieta o bladej twarzy rozkłada nogi przed pospiesznie rozpinającym spodnie mężczyzną. Coraz częściej seks zostaje przerwany poszukiwaniem inhalatora na szafce nocnej. To straszne.

Z trudem otwieram oczy i zrywam się z łóżka. Ostatnio śpię tak mocno, że nie słyszę budzika.

Poszła do łazienki, usiadła na wyściełanej ławeczce i długo myła zęby. To pomagało jej się obudzić. Wzięła prysznic, włożyła jedwabny morelowy szlafrok, wyjęła z lodówki krem, nałożyła go sobie na twarz.

Włączyła radio. Brytyjscy socjologowie sprawdzili, ile czasu ludzie poświęcają swojemu wyglądowi. Dźwięczny głos prowadzącej audycję oznajmił: najnowsze badania dowodzą, że kobieta spędza przed lustrem średnio trzy lata życia. Anna pomyślała obojętnie: „I co z tego? Ja potrafię być gotowa do wyjścia w trzydzieści minut". Włączyła gaz, zaparzyła kawę. Dodała plasterek cytryny. Cytryna osadza człowieka w rzeczywistości. Wypiła małą filiżankę napoju. Na głos życzyła sobie udanego dnia, do pojemnej torebki wrzuciła masę drobiazgów i zamknęła za sobą drzwi.

Tutaj zaczyna się inna przestrzeń, która pozwala jej zapomnieć, że od dziesięciu lat jest mężatką. Przestrzeń, w której może odgadywać inne historie i losy. Urojone historie, urojone losy, urojone życie – od dawna już skutecznie zastępujące jej własne.

Archiwum Państwowe mieści się na bulwarze Bierieżkowskim pod numerem dwudziestym szóstym. Adres łatwo znaleźć w internecie, jeśli naturalnie jest się szczęśliwym posiadaczem łącza. To zdumiewające, jak bardzo sieć ułatwia życie. Teraz już wcale nie trzeba jechać na bulwar Bierieżkowski. Wystarczy w katalogu internetowym wybrać potrzebne materiały i można je studiować do woli, bez kurzu i natrętnych spojrzeń. Dwadzieścia lat wcześniej było to nie do pomyślenia. Marina Pietrowna, najstarsza pracownica Archiwum, wprowadziła wtedy Annę w skomplikowaną procedurę dostępu do dokumentów. Był to swoisty obrzęd inicjacji.

Patrząc na budynek Archiwum, od razu wiadomo, że to nie biblioteka rejonowa, gdzie na półkach z godnością kurzą się tomy Puszkina, Gogola czy Goethego. Nie, otwierając ciężkie dębowe drzwi i idąc wąskim korytarzem, każdy zdaje sobie sprawę, że trafił do instytucji państwowej, w której przechowywane są bezcenne informacje o ludziach, ich kompletne *dossier*. Poszczególne akta różnią się grubością teczek, tak jak różne są ludzkie losy.

Odcień głębokiej szarości nadaje budynkowi oblicze zimne i obojętne. Podobna zabudowa jest we wschodnim Berlinie. Jadąc do centrum z lotniska Tegel, można poczuć się jak w Moskwie albo na alei Moskiewskiej w Petersburgu. To powrót do czasów, gdy nie było miejsca dla innych barw. Wtedy dzieliło się na pół nie tylko ciastka i cukierki, ale i całe miasta, których mieszkańców nikt o zgodę nie pytał. Taką decyzję podjęły władze państw zwycięskich. I przy okazji narzuciły wschodniemu Berlinowi ponury szary wygląd. Moskwa pozostała niepodzielna. W całości i bez reszty przynależała do jednego systemu, jednej zasady – wszechogarniającej szarości. Szarość dominowała w fasadach domów, spojrzeniach ludzi, ich ubraniu. Z daleka nie dało się odróżnić chłopca od dziewczynki: kurtki, buty i czapeczki wszystkie dzieci miały podobne. Kobiety jednakowo pachniały „Czerwoną Moskwą". Zapach ten stał się swojski i bliski dla tych, co przeżyli tę wielką i straszną epokę. To właśnie tu, w centrum rosyjskiej stolicy – sferze szarości, stoi owa skarbnica informacji, świątynia historyków.

W dzisiejszej wielobarwnej i wielopiętrowej Moskwie budynek Archiwum nie budzi już takiego strachu. Przeciwnie – przydaje dzielnicy znaczenia i majestatu.

Nowy dzień, poranna kawa, klatka schodowa, obrót kluczyka w stacyjce. Nagle ktoś zastukał w szybę. Anna się wzdrygnęła, uchyliła okno. Dwóch chłopców w wieku około dziesięciu lat spoglądało na nią z powagą, jeden – przez okrągłe okulary. Mieli na sobie jasne kurtki, na plecach – wielkie tornistry.

– Dzień dobry – powiedział okularnik. – Przepraszam, właśnie się z kolegą kłócimy i chcieliśmy o coś spytać. Wie pani może, czy z liczb ujemnych da się wyciągnąć pierwiastek?

Anna się uśmiechnęła i z równą powagą odparła:

– Dzień dobry. W matematyce istnieje pojęcie „liczby urojone". To właśnie takie, które podniesione do kwadratu, dają liczbę ujemną...

– Urojone! – powtórzył chłopiec z zachwytem. Poprawił okulary, chwycił kolegę za rękę i pobiegli. W jasnych kurtkach, z wielkimi tornistrami.

Urojone liczby, urojone życie. „Znam to. Wymyślam siebie, swoje miejsce w czasie i przestrzeni – pomyślała Anna – a przecież czasem nie jestem pewna, czy naprawdę istnieję. Muszę spojrzeć w lustro, żeby upewnić się, że jestem. Urojona kobieta, urojona żona, niczyja ukochana. Tak... Wystarczy, nie będę psuć sobie dnia".

Dzisiaj jej przełożona Marina Pietrowna ma urodziny. Koniecznie trzeba kupić kwiaty.

Marina Pietrowna kończy sześćdziesiąt dwa lata, ale rzecz jasna, wcale nie zamierza rezygnować z pracy. W Rosji emerytura nie wystarcza na utrzymanie, zwłaszcza osobom samotnym. Marina Pietrowna pracuje w Archiwum już czterdzieści lat, doskonale zna wszystkie tajniki zawodu. Takich kochających swoją pracę specjalistów teraz ze świecą szukać, są za to ogromne fundusze, niskie zarobki i stale zmieniająca się dyrekcja.

W ostatniej chwili Anna zmieniła zdanie i postanowiła pojechać do Archiwum metrem. Miała nadzieję, że urodziny Mariny Pietrowny uda się uczcić bardziej doniośle niż tylko szklanką wody mineralnej. Wtopiła się w tłum wlewający się do ponurego tunelu, a wchodząc do wagonu, poczuła za plecami intrygującą woń drogiej wody po goleniu. I papierosów. Bardzo chciała się odwrócić, ale coś ją powstrzymywało. Niektórzy nazywają to dobrymi manierami. Wywołane przez wymuszoną bliskość podniecenie, którego nie doświadczała już od kilku lat, narastało. Policzki pokryły się rumieńcem, krew pulsowała w skroniach.

Ale oto już metaliczny głos obwieścił nazwę jej stacji: „Kijowska". Anna wybiegła z wagonu.

Lubiła tę stację. Otwarta w roku śmierci Stalina, nazwę wzięła od sąsiadującego z nią dworca. Na pylonach umieszczono mozaiki przedstawiające historię zjednoczenia narodu rosyjskiego i ukraińskiego – tak jak ją widziały władze partyjne w owym czasie. Anna patrzyła na nie jak na obraz marzenia o powszechnym szczęściu, marzenia, które nosiło w sobie wiele pokoleń, a z którym rozstanie było tak bolesne.

Po piętnastu minutach spaceru w siąpiącym deszczu dotarła do niewielkiej kwiaciarni.

– W czym mogę pomóc? – spytała ładna kobieta o zmęczonej twarzy.

– Chciałabym coś uroczystego i ciepłego zarazem.

– Może róże? Zawsze się sprawdzają – zaproponowała ekspedientka.

– Niech będą, byle nie czerwone. O, te, bladoróżowe.

Marina Pietrowna przyjdzie do pracy później niż zwykle, będzie czas, żeby wszystko przygotować.

Razem z nową sekretarką dyrektora Swietłaną Anna kroiła warzywa na sałatkę. Rzęsy Swietłany były pokryte tuszem niezwykle szczodrze – zdawało się, że słychać ich trzepot. Zamiast fartuchem dziewczyna przepasała się ogromnych rozmiarów kolorową chustką. Na jasnożółtym tle przeplatały się kręgi grzybów, jagód, liści i jakichś zwierząt, pewnie jeży.

– Skąd ją masz?

Swietłana się roześmiała.

– Nawet sobie pani nie wyobraża! Jedna z dziewczyn naszego admina – no, Dimki, co na harleyu jeździ – zostawiła ją u niego, już dawno! Że też coś takiego można nosić na głowie!

Zaniosła się śmiechem, na języku mignął mały kolczyk w kształcie gwoździka.

Anna z przyjemnością wdychała zapach gotowanej wołowiny, zielonego groszku i majonezu. Ciekawe, dlaczego w Rosji na każdą okazję przygotowuje się sałatkę jarzynową, którą w hotelach za granicą nazywają „sałatką rosyjską"? Może dlatego, że w niej wszystko miesza się ze wszystkim, jak w życiu? Ostatnimi czasy mało kto sam robi sałatki. Większość kupuje je w supermarkecie, ale czy można kupić tradycję? Ciepło czerpać z elektrociepłowni, a radość – ze szklanki whisky? Dobrze, że nie mają dziś dużo pracy. Spis eksponatów na wystawę w Berlinie przygotowały poprzedniego dnia, zdjęcia też już zostały wybrane.

Solenizantka przyszła w południe. Elegancka, z gładko zaczesanymi włosami, w czarnej bluzce i naszyjniku z pereł. Sama o sobie mówiła, że jest z epoki kamiennej. Ale jakże piękna jest ta wierność tradycji w natłoku zwisających dżinsów i bezkształtnych swetrów! Marina Pietrowna pozwoliła się wycałować i z westchnieniem ulgi postawiła na stole okrągłe pudło.

– Oj, zmęczyłam się! – przyznała. – Nie dość, że musiałam czekać na tort, to jeszcze bałam się, czy galareta stężeje...

Luksusowy piętrowy tort z francuskiej cukierni Swietłana włożyła do lodówki. W ślad za nim powędrowała prawdziwa galareta z nóżek, która kusząco pachniała czosnkiem. Marina Pietrowna przyniosła do niej musztardę i chrzan.

Solenizantce złożył życzenia Witalij Siemionowicz, dyrektor Archiwum. Odczytał przemowę pełną ciepłych słów i podziękowań, wręczył bukiet ogniście czerwonych goździków – zgodnie z tradycją poprzedniej epoki. Człowiekowi, a zwłaszcza mężczyźnie, trudno przychodzi wyzwalanie się ze stereotypów.

Panowały wesoły nastrój i domowa atmosfera. Pod wieczór nikt nie miał ochoty wychodzić, ale wzywały domowe obowiązki. Witalijowi Siemionowiczowi niedawno urodziła się wnuczka – teraz radośnie spacerował wieczorami z wózkiem, wzmacniając serce nękane tachykardią. Swietłana, w stanie miłosnej euforii, spieszyła się na spotkanie z Dimą.

Pozostały tylko Anna, która od dawna już się nigdzie nie spieszyła, i Marina Pietrowna. Kobiety wymieniły spojrzenia, włączyły Szopena i sprzątały ze stołu, słuchając czarownej muzyki. Marina Pietrowna powtarzała, że gdyby Szopen, który pierwsze dzieło napisał w wieku ośmiu lat, urodził się nie w Polsce, tylko w Niemczech, osiągnąłby jeszcze większą sławę. Co może równać się z jego walcami? Muzyka – liryczny dziennik kompozytora daje w nich wyraz codziennemu życiu.

Spowolnionymi, płynnymi ruchami Anna zmywała naczynia w takt muzyki. Marina Pietrowna dokładnie wycierała je białą ściereczką.

– Szybko nam poszło, Aneczko – uśmiechnęła się.

Anna zebrała kwiaty ze wszystkich wazonów i słojów w ogromny bukiet i podała go solenizantce.

– Ależ nie! – krzyknęła Marina Pietrowna, aż Anna wzdrygnęła się z zaskoczenia. Marina Pietrowna spuściła wzrok i ciągnęła: – Niech pani wybaczy, Aniu, ja nie lubię kwiatów. Nigdy nikomu o tym nie mówiłam… – Ciężko usiadła na krześle. – To się stało czterdzieści dwa lata temu. Pani jeszcze na świecie nie było. Ale pamiętam wszystko, z najdrobniejszymi szczegółami. – Mówiła spokojnie, jednak dało się odczuć, że w środku cała drży. – Nikołaja poznałam na samym początku studiów. Boże, jaka ja wtedy byłam szczęśliwa! Dostałam się na wydział historyczny i dosłownie fruwałam z radości! Zamieszkałam z koleżanką na stancji niedaleko Arbatu – to był luksus jak na tamte czasy. Kilka rodzin w mieszkaniu, ścisk, wielki rozwidlający się korytarz. Na ścianach porozwieszane rowery, miednice... I każda rodzina używała własnej deski sedesowej, żeby zachować higienę – Marina Pietrowna się uśmiechnęła. – Miałyśmy niezwykłych sąsiadów, same niezapomniane postaci... Na przykład ciocia Szura, dorodna kobieta, półanalfabetka. Ależ ona pisała! Istne gramoty na brzozowej korze: wszystkie litery ciurkiem, bez kropek i przecinków, jej gryzmoły trzeba było rozszyfrowywać. Ale serce miała złote! Dokarmiała nas. Była kucharką w stołówce, przynosiła w menażkach zupę, kaszę, a czasami nawet prawdziwe kotlety. To było jedzenie! A jedna z sąsiadek trzymała w szopie koguta i kury. O świcie budziło nas pianie, jak należy. Przy wejściu wisiał telefon i cała ściana naokoło była zapisana numerami telefonów. – Marina Pietrowna spojrzała na Annę i powiedziała ze zdziwieniem: – A wie pani, że niektóre do tej pory pamiętam... – Zamilkła. Po chwili podjęła: – Nikołaj... kończył studia archeologiczne, akurat wybierał się z ekspedycją na Ural. Zetknęłam się z nim przypadkowo, w drzwiach głównego budynku uniwersytetu. Prawie mnie przewrócił! Przeprosił, spytał, czy może odprowadzić... Był taki przystojny! Ciemne zaczesane do tyłu włosy, jasne oczy, dołeczki na policzkach, szerokie ramiona... Pochodził z Syberii i mówił z tamtejszym akcentem. Ach, jak lubiłam go słuchać. Tyle czasu spędzaliśmy razem, chodziliśmy po ulicach i gadaliśmy bez końca... Zdarzało się nam wejść do kina, a że nie mieliśmy pieniędzy na bilet, to pokręciliśmy się trochę koło kasy, żeby się rozgrzać, i znowu na mróz. Wie pani, Nikołaj był zakochany w Moskwie. Chociaż mieszkał tu dopiero kilka lat, znał miasto jak własną kieszeń. Na przykład nauczył mnie, jak oglądać wieżę radiową Szuchowa. Teraz jej ażurową konstrukcję, która w ciągu dnia prawie nie rzuca cienia, w nocy podświetlają białymi i żółtymi reflektorami. A kiedyś można było ją w pełni podziwiać tylko pod odpowiednim kątem – Nikołaj znał takie jedno podwórko… Prowadzał mnie też na spacery „zoologiczne" – do czterech słoni stojących koło basenu przedszkola na Szczukińskiej, do łosi na Choroszewską… Kiedyś wpadł do pokoju, chwycił mnie za ręce i krzyknął: „Margot! Położę ci u stóp złoto całej ziemi!". A potem dodał poważnie: „Kocham cię i zawsze będę kochać". Tego wieczoru po raz pierwszy byliśmy blisko ze sobą. Za ścianą przekrzykiwali się sąsiedzi, ciocia Szura po raz setny opowiadała tę samą anegdotę, ale nam i tak było jak w niebie. Koleżanka cichutko siedziała w kuchni, potem oczywiście strasznie ją przepraszałam. A następnego dnia znalazłam na moim stole bilety do Teatru Wielkiego. Nikołaj zaprosił mnie na premierę *Spartakusa* w choreografii Grigorowicza. To było, Aniu, jak lot na Marsa, równie nie do pomyślenia. Wtedy o pójściu do Wielkiego można było tylko marzyć. Balety znaliśmy ze słyszenia albo czytaliśmy entuzjastyczne recenzje o zagranicznych tournée zespołu. Od wielkiego dzwonu transmitowali operę przez radio, tylko zwykle dopiero od drugiego aktu. Akt pierwszy streszczał spiker. W kopercie z biletami był liścik: „Spotkajmy się o szóstej pod Wielkim na placu Teatralnym!". Nikołaj lubił stare nazwy i nigdy o tym placu inaczej nie mówił.

Wszyscy sąsiedzi mnie wyprawiali. Koleżanka pożyczyła mi lakierki. Były trochę za duże i musiałam upchać w nie sporo waty. Kobieta, od której wynajmowałyśmy pokój, przyniosła wielki malowany szal i torebkę po mamie. Sąsiadka podarowała mi wspaniałe pióro kogucie, czarno-zielone, migotliwe – długo próbowaliśmy przyczepić je do kapelusika, ale się nie udało… Chyba pierwszy raz umalowałam sobie wtedy oczy i usta, czułam się bardzo piękna i nieprzyzwoicie szczęśliwa. Szłam przez miasto, wymachiwałam starą torebką z krokodylowej skóry ze srebrną sprzączką... Za kwadrans szósta byłam na miejscu, nie mogłam się doczekać Nikołaja. Pod teatrem był duży ruch. W końcu usłyszałam głos: „Margot! Lecę do ciebie!" – i zobaczyłam jego uśmiech. Nagle huk, pisk hamulców. Nigdy w życiu nie słyszałam potworniejszego dźwięku. Ludzie krzyczą, zebrał się tłum... Jakaś kobieta rzuciła na ziemię siatkę z zakupami, zaniosła się płaczem. Kierowcy wołgi nie udało się zahamować i wjechał na chodnik. Zza rogu nadbiegał biały jak ściana milicjant. Wciąż jeszcze nie wiedziałam, co się stało. W końcu podeszłam, tłum się rozstąpił, a tam... Nikołaj leżał na asfalcie z uśmiechem na twarzy, a dookoła leżały rozsypane tulipany, które kupił dla mnie...

Marina Pietrowna umilkła, na jej twarzy i szyi pojawiły się czerwone plamy, wargi drżały. Nie płakała – po prostu siedziała z martwym spojrzeniem. Anna smutno popatrzyła na niczemu niewinne kwiaty, roztaczające delikatny zapach. No cóż, można je zostawić w Archiwum, roznieść po gabinetach, a największy bukiet postawić w czytelni...

Wyszły z budynku w milczeniu. Anna miała ochotę objąć tę filigranową, wciąż jeszcze piękną kobietę. Ale nie zrobiła tego, wystraszyła się wzruszenia, które ją ogarnęło. Dlaczego zawsze boimy się samych siebie i swoich najlepszych odruchów? Odprowadziła Marinę Pietrownę do autobusu i powoli poszła w stronę stacji metra. Wagon wiózł niewielu pasażerów. Mogła w skupieniu myśleć o usłyszanej historii i o tym, jak kruche jest szczęście. Ktoś darowuje człowiekowi wielką miłość, a potem nagle ją odbiera, bez sensu, bez litości. I ludzie żyją dalej, nie kochając, w „silnych" rodzinach.

Kiedy wyszła ze stacji metra, kropił deszcz.

Wzięłam zeszyt i się zamyśliłam – po co w ogóle piszę? Czuję, że tego potrzebuję. Jakbym pisała listy donikąd o sprawach, od których chcę się uwolnić. Niedawno przyjaciółka przysłała mi książkę Technika realizacji pragnień. *Tak, jest coś takiego. Prosta sprawa: trzeba wyobrazić sobie to, czego się bardzo chce, przedstawić na rysunku, potem wewnętrznie przeżyć moment spełnienia i szczerze się ucieszyć. Następnie przestać o tym myśleć. Podobnie, kiedy piszę, przeżywam na nowo swoje życie.*

Dotychczas moje notatki są raczej smutne, ale będą i inne. Kartkę z jedną historią wyrwałam i wyrzuciłam, jeszcze do niej wrócę... To pewnie jedna z tych osobistych historii, które uczy wymazywać Castaneda.

Pewnego dnia zdałam sobie sprawę, że krzywdzę ludzi. Przez kilka kolejnych tygodni odprawiałam swoistą pielgrzymkę przebłagalną – umawiałam się na spotkania, prosiłam o wybaczenie i szukałam w oczach zrozumienia. Nigdy nie pojmowałam sensu spowiedzi w ogólnie przyjętej formie. Co to da, że grzechy odpuści mi obcy człowiek? O wybaczenie trzeba prosić, patrząc skrzywdzonym w oczy. Ludzie mi wybaczali i to wzruszało mnie do łez.

Jest jeszcze coś. Wybaczam bliskim ludziom to, czego samej sobie nie mogę darować. A niedawno się przeraziłam. Rozumiem, różne rzeczy się zdarzają, pojedynczy czyn nie stanowi o całym człowieku i nie może wpłynąć na moją opinię o nim, ale kochać go tak jak wcześniej już nie potrafię. Rodzi się we mnie kolejny kryształek lodu, aż w końcu powstanie z nich słowo WIECZNOŚĆ.

Niech to, co umarło, pozostanie martwe, ale mam nadzieję, że skoro już się obróciło w proch, będzie stanowić żyzną glebę dla tego, co nowe.

Szum deszczu... Szum deszczu... Czasami człowiekowi przyjdzie coś do głowy i nie chce odejść. Jak uporczywa myśl o spojrzeniu, które ktoś rzucił przypadkowo, albo, co gorsza, o chęci kupienia nowej torebki. Anna skręciła ze swojej ulicy na Twerską i szła zdecydowanym krokiem. Na Twerskiej zaczynało się to, co najnowsze i najlepsze w Moskwie. Stąd wyruszały w drogę pierwsze dyliżanse, a potem – omnibusy. Pod koniec XIX wieku tędy kursował pierwszy tramwaj. Ludzie spontanicznie cieszyli się z każdej nowinki. Dzisiaj, kiedy mieszkańców miasta nic już nie może zaskoczyć, ani sensacyjna wiadomość, ani ilość imprez rozrywkowych, coraz rzadziej widać uśmiechy na twarzach, a jeśli już, to z nutą smutku.

Na Twerskiej panował typowy dla niej ruch. Oddech wielkiego miasta daje się odczuć nawet w wolny dzień – ludzie nie zwalniają kroku, samochody się przepychają. Każdy chce być pierwszy, jak na bieżni. Anna pamiętała, że wyszła z domu, żeby kupić chleb i croissanty dla Siergieja. Ale piekarnię minęła już dawno, potem następną i jeszcze jedną.

Sama nie wiedziała, dokąd idzie. Po prostu podążała z tłumem przed siebie. Jak w muzyce. Tyle że tam kierunek nadaje melodia i wyznaczona tonacja. Anna prawie biegła, nie wiedząc, co się wokół niej dzieje. A im szybciej szła, tym robiło się jej lżej na sercu. Lżej... Pomyślała o antonimach: lekko – ciężko, zimno – ciepło. Wszystko nosi w sobie tę dwoistość czy, jak teraz przyjęto mówić, dualizm. Istnienie czegoś zakłada istnienie czegoś przeciwnego: skoro istnieje samotność, musi istnieć i miłość. Inaczej być nie może.

– Inaczej być nie może – powtórzyła na głos.

Nawet w wolny dzień tempo miasta nie słabnie. Biegną wszyscy, nawet ci, którzy się nie spieszą i mogliby spokojnie przechadzać się z kubkiem w ręce. Przyjemnie jest robić kilka rzeczy naraz – wdychać aromat kawy, słuchać muzyki z ipoda albo uczyć się włoskiego, spacerując główną ulicą. Uwagę Anny przykuła para młodych ludzi – dziewczyna i chłopak w opadających dżinsach i z dredami. Wyprzedziła ich kobieta w podeszłym wieku: bladoróżowa koronka długiej sukienki kontrastowała z oficerkami i męskim filcowym kapeluszem. Nagle ktoś pociągnął Annę za ramię – Cyganka czy Tadżyczka, z opuchniętą twarzą i okrągłymi oczami bez wyrazu. Obok niej dreptał bosy malec i łapał Annę brudnymi krzywymi rączkami.

– Pani, pani, daj na lody!

Spojrzała na chłopca i sięgnęła do torebki.

– Przecież jemu jest zimno! – powiedziała kobiecie.

Ta ledwie skinęła głową i wyszczerzyła złote zęby. Nie jest tajemnicą, że żebractwo w Moskwie jest rodzajem biznesu. Czasami dzieci się okalecza, żeby budziły litość. Ale w końcu to tylko dziecko...

Podała mu dziesięciorublówkę, chłopiec chwycił ją łapczywie i burknął coś, uciekając. Mignęły bose brudne piętki. Cyganka głośno zaklęła. Ulicą przejechała długa limuzyna. Z otwartego na oścież okna z tyłu samochodu wychylał się długowłosy młody człowiek. Rozbrzmiewała muzyka, zaskakujące w tej sytuacji *Pożegnanie Słowianki*. Moskwa, ze swoją historycznie potwierdzoną skłonnością do dziwactw, demonstrowała własną wyjątkowość.

Anna przyjechała do stolicy przed wieloma laty. Rzecz jasna, po to, żeby zostać wielką aktorką. Przy odjeździe nocnego ekspresu z Orła do Moskwy też grano *Pożegnanie Słowianki*.

Gruchnął marsz, dziewczyna wzdrygnęła się, przycisnęła czoło do szyby przedziału. Nad budynkiem dworca wisiał obojętny na wszystko sierp księżyca. Zmięte papierki i niedopałki toczyły się po asfalcie gnane wiatrem.

Anna patrzyła w okno, ocierając łzy. Sąsiadka z przedziału obierała już jajka na twardo. Odchodzący do cywila żołnierz cieszył się bezceremonialnie, pijąc piwo z butelki. Anna zagryzła wargi – nie sądziła, że będzie jej tak ciężko. Dziadek stał bez ruchu na peronie, a wokół jego wyglansowanych butów skakały zuchwałe wróble.

Dziadek. Wiązały się z nim najwcześniejsze wspomnienia. Wypełnił jej całe dzieciństwo. Jego czarno-białe fotografie z ażurowymi brzegami wycinanymi specjalnym nożykiem stoją na serwantce w salonie. Obok zdjęć pozostałych członków rodziny.

Portret w masywnej srebrnej ramce. Zrobiony u fotografa. Dziewczyna z ciemnym, upiętym wokół głowy warkoczem trzyma za rękę młodego oficera. Czarny mundur, śnieżnobiała koszula, blada twarz i niebieskie oczy. Na czarno-białym zdjęciu nie widać kolorów, ale Anna dobrze wiedziała, że były niebieskie. Mama i tata.

Ojciec Anny, Borys Siemionowicz Zengerewicz, ukończył Akademię Marynarki Wojennej imienia Frunzego. Służył w Zachodniej Grupie Wojsk i nie wyróżniał się spośród oficerów radzieckich sił morskich: rzadkie wizyty w domu, zagraniczne paczki z ubraniami i gumą do żucia, pijaństwo, wspinanie się po szczeblach kariery.

Mama zaś – Zinaida Josifowna, Zinoczka – była czarującą kobietą, szczupłą, wytworną. Współcześnie należałoby dodać, że miała swój styl. W czasach panieńskich pracowała w Muzeum Turgieniewa pod Orłem. Teraz, w Moskwie z jej opętańczym rytmem życia, Anna rozumiała, jaka szczęśliwa była w Orle i ile zawdzięcza temu prowincjonalnemu rosyjskiemu miasteczku.

Urodziła się w Niemczech, niedaleko cichej Lubeki, gdzie służył jej tato. Spędziła tam pierwszy rok życia. Potem Zinoczka przywiozła ją do Rosji i przekazała pod opiekę swojemu ojcu. Jak się okazało, tym samym uratowała dziecku życie: kilka miesięcy później Zinaida i Borys zostali zamordowani na jednej z ulic cichej Lubeki przez grupę neofaszystów, którzy się buntowali przeciwko stacjonowaniu wojsk radzieckich w Niemczech.

Anna miała półtora roku, gdy została sierotą. Rodziców znała tylko z fotografii w masywnej srebrnej ramce.

Młoda, delikatna Zinoczka. Na amatorskim zdjęciu stoi w uszytej przez siebie kretonowej sukience, trzyma w dłoniach wielką teczkę na rysunki i śmieje się radośnie. W tle widać efektowny na wpół zburzony mur. Zinoczka chciała zostać malarką. Po skończeniu ósmej klasy ku zaskoczeniu ojca poszła do szkoły plastycznej, ukończyła ją z wyróżnieniem i zamierzała zdawać na Akademię Sztuk Pięknych w Leningradzie. Z zachwytem i drżeniem serca odczytywała ojcu ze „Wskazówek dla osób zdających na studia wyższe": „Sankt-Petersburska Akademia Sztuk Pięknych imienia Nikołaja Konstantynowicza Rericha została założona 1 października 1839 roku. Na mocy dekretu cara imperatora Mikołaja Pierwszego Akt Założycielski opublikowany w »Pełnym zbiorze praw Imperium Rosyjskiego« głosił, że »Szkoła rysownicza dla wolnych słuchaczy« lub »Szkoła rysownicza na Birży«, jak była nazywana zgodnie ze swoim położeniem, została ustanowiona »w celu rozpowszechnienia wśród fabrykantów i rzemieślników niezbędnej im sztuki rysowania, szkicowania i wylepiania«, aby »podnieść poziom sztuk plastycznych pośród szerokich mas«".

Zinoczka intensywnie przygotowywała się do egzaminów wstępnych. Kandydaci musieli wziąć udział w konkursie prac, zdać egzaminy z rysunku, malarstwa i kompozycji. Josif Dawidowicz zawczasu smucił się z powodu czekającej go rozłąki z ukochaną córką, ale nie protestował. Wierzył, że Zinoczka ma talent i zostanie wybitną malarką. Wspierał ją na wszelkie sposoby.

Pierwszym wyzwaniem był egzamin z rysunku. Trwał przez trzy dni z rzędu po trzy godziny. W małym kwadratowym pokoju akademika Zinoczka z przejęciem rozmawiała z koleżankami o egzaminujących. Każdy słyszał coś o ich zwyczajach i upodobaniach: jeden ceni to, inny tamto. Wskazówki należało zapamiętać, opanować nerwy i być gotowym na wszystko.

Jeszcze nie było siódmej, a Zinoczka już kręciła się w pobliżu słynnego pałacyku na ulicy Dyktatury Proletariatu pod numerem piątym. Nocą padał deszcz, asfalt pobłyskiwał wilgocią, a dziewczynie się zdawało, że miękko ugina się pod jej niespokojnymi krokami. Wokół panowała pustka – bezludne ulice, stare drzewa i cisza.

Zinoczka żałowała, że nie wypiła herbaty w akademiku. Nie chciała wyciągać czajnika, robić hałasu i budzić koleżanek. Wolała pobyć sama, zebrać myśli. A teraz miała taką ochotę na herbatę.

– Cześć! – ktoś chwycił ją za łokieć.

Dziewczyna wyrwała się gwałtownie. Krok od niej stał dziwnie ubrany rosły młodzieniec: spodnie – za krótkie, marynarka – za ciasna, przy koszuli brakowało połowy guzików.

– Coś ty taka płochliwa? Jak ptaszek! – Chłopak przyglądał się jej z uwagą. Miał gęste brwi i niebieskie oczy.

Co było dalej, Zinoczka pamiętała jak przez mgłę. Sama nie wiedząc dlaczego, pozwoliła się zaprowadzić do jakiejś kotłowni, gdzie snuli się dziwni chudzielcy podobni do Hindusów. Dziewczyna została posadzona na śmiesznej niskiej ławeczce, podano jej herbatę i koniak. Po pewnym czasie zorientowała się, że jest dziewiąta i właśnie zaczął się egzamin. Przyjęła to obojętnie – jej nowy znajomy akurat opowiadał o nauce w Szkole Morskiej i Zinoczka koniecznie chciała go wysłuchać. Miał na imię Borys, był wesoły, sypał żartami jak z rękawa. Przy okazji wyjaśniła się sprawa za krótkich nogawek. „To uniwersalny zestaw – tłumaczył Borys – jeden na wszystkich kadetów. Wiesz, w mundurze nie wolno nam się wałęsać po mieście".

Kolejna fotografia: nie czarno-biała, tylko w odcieniach sepii, w dodatku wyróżniająca się dużym formatem. Cztery szeregi kadetów, wyjściowe mundury, nowe pagony lejtnantów. Trudno odszukać bliskiego człowieka. Ale jest, szósty z lewej w drugim rzędzie. Tata.

Tydzień później Zinoczka była już pomocnicą krojczego w pracowni teatralnej, wynajmowała pokój na Wyspie Wasiliewskiej i co wieczór przyjeżdżała na bulwar Lejtnanta Szmidta, żeby spotkać się ze swoim Borysem. Nie zawsze się udawało – kadeci podlegali surowej dyscyplinie. O zmianach w swoim życiu Zinoczka zapomniała powiadomić ojca. Naprawdę zapomniała. W ogóle działy się z nią dziwne rzeczy, a może wcale niedziwne. Po prostu wcześniej marzyła o tym, żeby zostać malarką, kapłanką sztuki, i gromadzić tłumy zachwyconych wielbicieli na wystawach swoich obrazów. Teraz chciała być po prostu Zinoczką, żoną Borysa.

Wzięli ślub trzy lata później, kiedy Borys ukończył Akademię Marynarki Wojennej. Ich małżeństwo było szczęśliwe – do czasu, gdy lejtnanta Zengerewicza pozbawiła przytomności, a po chwili i życia, grupa niemieckich neofaszystów. Jego żona dostała dwadzieścia dziewięć ciosów nożem i cała spłynęła krwią. Ulice spokojnej Lubeki były puste. Ani przed, ani po tym strasznym zdarzeniu nie działo się tu nic podobnego. Berliński mur jeszcze istniał – do jego zburzenia pozostało całe dziewiętnaście lat. Malutka Anna ledwo co nauczyła się mówić pełnymi zdaniami i bardzo ładnie jej to wychodziło.

Szkrab siedzi na drewnianym dziecięcym krzesełku, w skupieniu gryzie grzechotkę-lokomotywę. Na nóżkach ma robione na drutach buciki wiązane na kokardki.

Mimo wszystko miała szczęśliwe dzieciństwo. Dziadek, Josif Dawidowicz, bardzo się starał. Przede wszystkim zmienił pracę. Porzucił stanowisko profesora na uczelni i został przewodnikiem w Muzeum Turgieniewa. Sam przyczynił się do otwarcia go dla zwiedzających w 1976 roku. Wyprowadził się z miasta, by zamieszkać z wnuczką na terenie dworu. Przydzielono im trzy pięknie umeblowane pokoje w oficynie. Mała Ania od razu upodobała sobie wielki narożny pokój, na planie kwadratu. Wprowadziła się z nią gruba poczciwa niańka Galina Iwanowna, którą dziewczynka ochrzciła Iwangaliną. To zabawne przezwisko przylgnęło do kobiety i wkrótce nazywali ją tak wszyscy pracownicy muzeum i przyjaciele domu.

Josif Dawidowicz był fascynującym człowiekiem – krytykiem literatury i historykiem. Swoje życie zawodowe poświęcił badaniom nad twórczością Feta i Turgieniewa. Szczerze ubolewał nad pogorszeniem się stosunków między nimi, godzinami potrafił rozprawiać o impertynencjach, których Turgieniew dopuścił się w listach. Uważał, że największym błędem Feta było przybranie nazwiska ojca – Szenszyn. Z pasją dowodził, że gdyby poeta nie oddał się walce o odzyskanie nazwiska rodowego i prawa do dziedziczenia szlacheckiego tytułu, mógłby znacznie więcej czasu poświęcić twórczości. Rzecz jasna, wielbił wiersze poety, recytował je z pamięci: „Wciąż sroższa zamieć i we wszystkie strony / Ostatek liści miecie wiatr okrutny, / I w serce wpija tęgi mróz swe szpony, / A one milczą; milcz i ty też, smutny. / Ale wierz wiośnie! Znowu cię zachwyci, / Gdy przemknie ciepłem i życiem dysząca. / Dla jasnych dni, dla nowych wtajemniczeń / Przecierpi wszystko dusza twa tęskniąca"*.

Aby móc ocenić poziom przekładów Feta, Josif Dawidowicz nauczył się niemieckiego i władał nim doskonale.

Udany portret w drewnianej ramce – Anna zamówiła ją w pracowni ramiarskiej. Lubi tę fotografię dziadka, jego krótko przystrzyżone siwe włosy, uśmiech i smutne spojrzenie. Jasnooliwkową marynarkę, przywiezioną przez kolegę ze Szwecji. Modny krawat w ukośne paski Anna zawiązywała dziadkowi sama.

Wieczorem, zasiadając z wnuczką do herbaty – co było dla dziecka magicznym rytuałem – Josif Dawidowicz oznajmiał: „Nad dymiącą jeszcze szklanką, / Nad herbatą, która stygnie, / Chwała Bogu, po troszeczku / W sen zapadam jak w malignie"**. Do herbaty podawano drobne sucharki miejscowej produkcji i kawałki cukru w srebrnej zmatowiałej cukiernicy.

---

* A. Fet, *Ucz się od dębu, od topoli śmigłej...*, tłum. K.A. Jaworski, [w:] tenże, *Liryki*, Warszawa 1964 (przyp. tłum.).

** A. Fet, *Chandra*, tłum. L. Lewin, [w:] tenże, *Liryki*, Warszawa 1964 (przyp. tłum.).

Po cukier należało sięgać specjalnymi szczypczykami i wrzucać go do filiżanki, a nie chrupać, jak chciała mała Ania.

Dziewczynka rosła. W dotychczasowym życiu znała dwa domy: pokoje w oficynie muzeum za miastem i duże mieszkanie w Orle, które należało do rodziców dziadka. Jego ojciec był właścicielem całego budynku i czynszowej kamienicy naprzeciwko. Jako członek cechu kupieckiego wybudował jeden z pierwszych w mieście młynów parowych, niezwykle nowoczesny na owe czasy. Człowiek o postępowych poglądach, wielkiej inteligencji, zginął w 1919 roku podczas próby wyjazdu z rodziną za granicę. Żona wróciła do domu z czwórką osieroconych dzieci. Josif Dawidowicz nie miał jeszcze roku, jego najstarsza siostra właśnie skończyła pięć lat. Rzecz jasna, matce nie udało się ocalić dla rodziny całego mieszkania. Gnieździła się z maluchami w jednym pokoju, a gotować zaczynała późnym wieczorem, kiedy wszyscy nowi sąsiedzi – robotnicy miejscowych fabryk – szli już spać.

Dopiero Josifowi Dawidowiczowi udało się po upływie pół wieku przywrócić sprawiedliwość i odzyskać część nieruchomości. Jednak wywalczone sto dwadzieścia metrów powierzchni mieszkalnej nie zapewniło mu szczęścia... Rok później nieoczekiwanie zmarła jego ukochana żona – w dwa miesiące zniszczył ją nowotwór płuc, który początkowo lekarze uznali za wrzód żołądka i leczyli prostymi środkami. A po trzech latach zginęła jedyna córka. Na szczęście pozostała mu praca i wnuczka. Często, sam nie wiedząc do jakiego Boga, zanosił modlitwę dziękczynną: „Dziękuję ci, Boże, że mam moją dziewczynkę i pracę".

Swoją dziewczynkę wychowywał sam. Od początku Anna miała własną przestrzeń, zdaniem dziadka niezbędną każdemu człowiekowi do normalnego funkcjonowania. Jej pokoje w mieście i we dworze Turgieniewa były urządzone gustownie, zgodnie z wyobrażeniem Josifa Dawidowicza o upodobaniach małych dziewczynek: złociste tapety z fruwającymi motylkami, drewniane meble naturalnej barwy, malowany stoliczek i krzesła. Dziewczynka bardzo wcześnie ujawniła słuch muzyczny – na kolorowych krzesłach sadzała lalki, miśki i zajączki, włączała Czajkowskiego i z zapałem dyrygowała ołówkiem.

Barwny portret, zrobiony przez słabego fotografa: niebieski zlewa się z zielonym, czerwień ma żółtawy odcień, kontury są rozmyte. Dziewczynka w surowej brązowej sukience i białym odświętnym fartuszku siedzi na chybotliwym obrotowym taborecie, obie dłonie zastygłe na klawiszach pianina. Politurowana klapa odbija bukiet kwiatów w wysokim wazonie.

Anna uczyła się muzyki, odkąd skończyła cztery lata. Trzy razy w tygodniu przychodziła do niej nauczycielka – młoda ślicznotka z ciężkim węzłem czarnych włosów. Zajęcia te dziewczynka nazywała „muzycznymi godzinami" i nigdy z własnej woli ich nie opuszczała. Nawet w chorobie, z rozpalonym czołem, tłumaczyła, że lekcję mieć musi, i gorzko płakała, jeśli dziadek w trosce o jej zdrowie nakazywał jej pozostać w łóżku.

Gorączka mijała, przychodziła nauczycielka, stawiała na pianinie metronom, siadała obok i się zaczynało: „Dłonie w jabłuszko! Plecy proste, dźwięk wydobywa się z lędźwi. Pomagamy sobie całym ciałem i prowadzimy linię...".

Niezastąpiona Iwangalina była wierną słuchaczką i wielbicielką. Jako osoba wielkiego temperamentu potrafiła płakać w głos i krzyczeć, jeśli dziewczynce nie wyszedł jakiś pasaż.

Do szkoły Anna poszła późno, mając osiem lat. Podczas badań wymaganych do przyjęcia do pierwszej klasy wykryto u niej chroniczne zapalenie nerek, będące skutkiem częstych angin. Wystraszony dziadek zabrał jej dokumenty ze szkoły. Przeszła wtedy długie leczenie w miejskim szpitalu, a kolejne pięć miesięcy spędziła pod opieką Iwangaliny w sanatorium dziecięcym pod Anapą. Przez cały czas dziewczynce towarzyszyły ulubione nuty.

Mała Ania wyróżniała się rzadką urodą. Połączenie ciemnych gęstych włosów, bursztynowych oczu i alabastrowej skóry nadawało jej niezwykły urok. Pewnego razu Iwangalina postanowiła wysłać ją do sklepu, żeby nabrała orientacji we własnym mieście. Będąc dobrze wychowanym dzieckiem, uprzejmie zwróciła się do sprzedawczyni: „Ile wynosi cena buraków?". Ta zerwała się z miejsca, spojrzała na zegarek i odparła: „Wpół do drugiej". Nie mieściło się jej w głowie, że taka mała dziewczynka mogła zostać wysłana po zakupy.

W wieku lat dwunastu zaczęła komponować – dziadek widział w niej przyszłą kompozytorkę albo pianistkę. Jednak w dziewiątej klasie zawładnęło nią pragnienie, żeby ukończyć szkołę teatralną, zostać aktorką, wychodzić na scenę i wywoływać u wdzięcznych i wzruszonych widzów śmiech i łzy. Z równym entuzjazmem i pracowitością co muzyce Anna oddała się teraz nauce rzemiosła aktorskiego i wszystkiego, co jej zdaniem każda aktorka wiedzieć powinna. Przede wszystkim zapisała się do szkolnego kółka teatralnego. Prowadziła je dama w podeszłym wieku, była aktorka drugiego planu, którą Anna uważała za prawdziwą gwiazdę. Dziewczynka obłożyła się książkami Stanisławskiego i Zinaidy Gippius, dramatami Czechowa i Brechta, brała lekcje rytmiki i choreografii, a także śpiewu – prawidłowo ustawiony głos ma ogromne znaczenie dla aktorki. Zaczytywała się w biografiach wielkich aktorów, popadała w skrajności: to przechodziła na dietę warzywną

Sarah Bernhardt, to znów zamieniała miejscami litery w swoim nazwisku, idąc za przykładem Wiery Komissarżewskiej (do rewolucji: Kommisarżewskiej)... Jednak w jej pasji teatralnej największe znaczenie odgrywał syn nauczycielki kółka.

Chuderlawy student, który ukończył dwadzieścia lat, wydawał się wówczas piętnastoletniej Annie niezwykle dorosły i, rzecz jasna, urodziwy. A trzeba powiedzieć, że urodą Maksym nie grzeszył. Jego matka widziała w nim odbicie Laurence'a Oliviera, ale oprócz dołeczka na podbródku obaj mężczyźni nie mieli ze sobą wiele wspólnego. Imię Maksym brzmiało teraz dla Anny czule i słodko, wymawiała je przy każdej możliwej okazji, doznając przy tym prawdziwej rozkoszy. Słowa „maksymalny" i „maksymalnie" nabrały romantycznego zabarwienia i często zaskakiwała dziadka i Iwangalinę zdaniami typu: „Dziś jest maksymalnie zimno, trzeba maksymalnie ciepło się ubrać, bo z maksymalnym prawdopodobieństwem można się przeziębić, a przeziębienie to jesienią maksymalna okropność!".

Ubierała się „maksymalnie" stosownie do pogody, długie, gęste włosy zaplatała w warkocz albo – jeśli starczało czasu – układała bardziej misterną fryzurę. Nauczyła się nawet robić „lwią grzywę" z różnej wielkości loków spiętrzonych po obu stronach przedziałka. Kręciła włosy na papiloty, z trudem wyproszone u Iwangaliny. „Czego to czas na głupstwa traci, lepiej by pograła" – sarkała niańka, mając na myśli grę na pianinie.

Maksym niczego nie podejrzewał, regularnie odprowadzał swoją mamę na zajęcia – starsza pani dwa lata wcześniej przewróciła się na ulicy i złamała biodro. Odkąd wróciła do zdrowia, nie wychodziła już sama. Maksym towarzyszył jej wszędzie bez słowa skargi, a czekając na nią, czytał albo zapisywał coś w zeszycie w zielonkawej płóciennej oprawie.

Anna długo ukrywała przed światem swoje uczucia, tym bardziej że sama nie była ich pewna. Młodzieńcze porywy serca są nietrwałe. Historia mogłaby nie mieć dalszego ciągu, jednak los zdecydował inaczej. Tak często bywa – na naszej drodze pojawiają się na pozór nieznaczące okoliczności, które wszystko zmieniają. W przypadku Anny wyglądało to tak:

Fotografia z zakończenia roku szkolnego – dwie świeżo upieczone absolwentki szkoły trzymają się za ręce, wiatr rozwiewa długie ciemne włosy i jasne loczki. Musi być zimno, skoro dziewczynki mają na sobie płaszcze. Na klapach przypięły dzwoneczki – symbole ostatniego szkolnego dzwonka.

Zaczęły się wakacje. Anna rozdzielona z obiektem swoich marzeń nudzi się w domu. Mieszkanie w Orle stoi puste, po pokojach lata topolowy puch. Przyjaciółka z klasy, Tania, przeszła właśnie niewielki zabieg w szpitalu, ale z powodu powikłań musi tam pozostać na kilka dni. Anna przychodzi do niej w odwiedziny, jedzą wiśnie, gadają o czym popadnie. Nagle Tania milknie i pyta po chwili: „A pamiętasz Maksyma, synalka nauczycielki z kółka teatralnego?". Anna truchleje, ale stara się nie dać niczego po sobie poznać. „Mieliśmy prawdziwe randki, z winem, tortem i całowaniem się – ciągnie Tania – już cztery". Wtem na salę wchodzi „synalek nauczycielki" we własnej osobie. Krótkie jasne włosy, wąskie oczy i dołeczek na podbródku. Poufale siada na łóżku Tani, zajada wiśnie, sypie anegdotami ze studenckiego życia, dziewczyny się śmieją. Anna potrząsa długimi ciemnymi włosami, Tania – jasnymi kręconymi. Anna nieoczekiwanie doznaje uniesienia, przypływu nowej, dziwnej energii, śmieje się nowym śmiechem i po nowemu zakłada nogę na nogę. Dziwnym sposobem wie już, co będzie dalej, i jest na to gotowa.

W końcu zbiera się do wyjścia, a Maksym wstaje, żeby ją odprowadzić. Mówi: „Właśnie miałem iść, muszę napisać pracę na zaliczenie". Macha Tani na pożegnanie, tą samą ręką mocno chwyta Annę za łokieć. Wychodzą ze szpitala; czerwcowe wieczory są długie, więc i ten mija bardzo powoli. W kraju panuje kolejny kryzys w zaopatrzeniu – brakuje cukru. Bogate zbiory jagód psują się na balkonach i gankach, w powietrzu unosi się zapach słodyczy i zgnilizny. Maksym ma dwadzieścia lat, a ona nigdy dotąd nie zadawała się z dorosłymi mężczyznami. Boi się zachowywać głupio, ale to, rzecz jasna, nieuniknione. Maksym wszystko jej wybacza. Proponuje, że podwiezie ją do domu samochodem. „Dostałem go od babci – wyjaśnia od niechcenia. – Fajną mam babcię, jest dyrektorką wydziału budowlanego".

Mniej więcej godzinę później mocno zawstydzona słucha przez słuchawki Bacha we współczesnej aranżacji, pije mocną słodką herbatę, nawet coś je. Umówiła się na randkę na następny dzień i nie wie, jak postąpić. Myśli o Tani, nie śpi całą noc, ale ze spotkania nie rezygnuje. Jej zdradę pogłębia to, że wcześniej znowu odwiedza Tanię w szpitalu, przynosi jej wiśnie i białe słodkie śliwki. Bardzo się wstydzi, Tania jest jej najlepszą przyjaciółką, ale Maksym – obiektem marzeń. Bożyszczem. „Przecież to mój Maksym" – szepcze, usprawiedliwiając samą siebie. „Co ty tam mruczysz?" – pyta Tania. „Nic, nic" – rumieni się Anna. Pospiesznie żegna się z przyjaciółką i idzie prosto na schadzkę. Najpierw do kina, potem do baru.

W barze wspina się na wysoki stołek, pije radzieckiego szampana, bodaj po raz pierwszy w życiu je solone migdały. W przyćmionym świetle widzi swoje odbicie w lustrze za bufetem – jej oczy błyszczą i tryskają oczekiwaniem.

Oczekiwania się spełniają: Maksym obejmuje ją za kanciaste ramiona i całuje, w usta, w szyję, w rękę. Anna oddycha z trudem, jej policzki są rozpalone, serce wali w przyspieszonym tempie. „Ale jesteś super – szepcze Maksym – i pachniesz odjazdowo". Dziewczyna obejmuje Maksyma za szyję, a on nakręca sobie na palec kosmyk jej czarnych włosów. Piętnaście lat, pełen zachwyt, cuda, cuda...

Rano Anna jedzie do Tani, zastaje ją przy odbiorze dokumentów – została wypisana. „Taniu – mówi niepewnie – wczoraj byłam z Maksymem w kinie, potem w barze. My chyba..." Nogi się pod nią uginają, ręce drżą. Nieswoim głosem powtarza: „My chyba...", i milknie. Nie wie, czego bardziej się obawia – stracić przyjaźń Tani czy miłość Maksyma. Tania z początku nie odpowiada, potem siada na łóżku, z którego zdjęto już pościel, i nagle wybucha śmiechem. Ciężkim, przytłaczającym. Który zamiast wzlatywać, spada na ziemię. „Co się tak przejmujesz – mówi, łapiąc oddech. – Od razu mi powiedział, że z tobą pójdzie, niby że taka zabawna jesteś. Twoje włosy mu się spodobały. A ja chciałam zobaczyć, jak się zachowasz. I jak długo to będziesz ukrywać. Taki mały test..." Anna milczy. Tania wstaje, podchodzi do niej, poklepuje ją po zaróżowionym policzku.

Razem wychodzą, idą na przystanek. Anna niesie torbę z pustymi słoikami – w szpitalu nie wolno nic zostawiać, to zły znak.

„My chyba..." nie miało dalszego ciągu. Anna przestaje odbierać telefony od Maksyma, a on po krótkim czasie przestaje do niej dzwonić.

W nowym roku szkolnym Maksym nie pojawiał się już na zajęciach kółka teatralnego. Jego matka znalazła sobie kogoś innego do pomocy – starą przyjaciółkę, prawdziwego druha w doli i niedoli, o rzadkim imieniu Wasylisa.

Mimo wszystko Anna nie porzuciła marzeń o zostaniu aktorką. Przeciwnie – ze zdwojoną energią szykowała się do egzaminów do szkoły teatralnej.

Fotografia czarno-biała: ona z wysoką fryzurą, w długiej eleganckiej sukni, jako Zosia w *Mądremu biada*. Do tej pory zna całą sztukę na pamięć.

Tylko kogo to obchodzi?

Spieszący się na spotkanie mężczyzna mocno potrącił ją w ramię. Zrozumiała, że uszła już daleko i jest zmęczona. Czuła w mięśniach przyjemny ból.

W kieszeni zadzwonił telefon – ostro i wyzywająco. Jak różnie reagujemy na to samo wydarzenie, w zależności od tego, czy na nie czekamy, czy się go boimy. Wiedziała, że dzwoni Siergiej.

– Słuchaj, to przestało być zabawne. Piekarnia jest sto metrów od domu, a kolejek nie ma od dziesięciu lat! Jakim cudem kupujesz chleb przez godzinę?

Nie odezwała się, wyłączyła telefon.

Miała ochotę powiedzieć: „Wiesz co, sam sobie kupuj chleb i sam jedz śniadanie! A ja będę chodzić po mieście. Godzinę albo i dwie!". Ale tylko wcisnęła guzik. To ją uspokoiło. Wróciła do wspomnień.

Przecież to ona, Anna, czekała na powrót Siergieja z pracy, pełna pożądania i czułości. Przygotowywała kolację, z uwagą wsłuchiwała się w opowieści o nowych planach i projektach. Czasami nawet wychodzili na spacer, chociaż Siergiej nie lubił chodzić pieszo, mówił, że to strata czasu. Może i teraz szliby razem, pod rękę, a ona czułaby ciepło jego dotyku. Może...

Gdyby nie zdarzenie sprzed pięciu lat. „Gdyby babcia miała wąsy…" – pomyślała z goryczą. Zatrzymała się przy Teatrze Stanisławskiego. Jej uwagę przykuł afisz sztuki *Bracia Cz.*

Z teatru wyszła niemłoda para, dyskutując zawzięcie. Do torebki z lakierowanej skóry kobieta starannie chowała błyszczące prostokąty biletów. Mężczyzna perorował z zapałem:

– A ja ci mówię, że gorsza od sztuki współczesnej może być tylko sztuka współczesna!

– Oj, Arkasza, Arkasza – kobieta uspokajająco poklepała go po plecach i uśmiechnęła się do Anny.

Ta odwzajemniła uśmiech i nagle zdała sobie sprawę, że już prawie zapomniała, jak się to robi. Uśmiechanie się. Jakich mięśni się przy tym używa?

– Muszę coś zmienić! – powiedziała na głos. Zdecydowanym ruchem otworzyła ciężkie drzwi teatru i podeszła do kasy.

Dziewczyna w śmiesznych rogowych okularach i kolorowym naszyjniku piła herbatę z dużego kubka.

– Bardzo dobre przedstawienie, wystawione w ramach Festiwalu Czechowa. Riadinski w roli Antona Pawłowicza jest rewelacyjny – polecała spektakl. Na biurku przed nią bezdźwięcznie zawibrował telefon, dziewczyna odebrała i powiedziała głośno: – Tak, kochany. Tak! Nie dasz rady? A dlaczego? Oj, przepraszam, nie mogłam ich dostać! Tak, obiecałam, ale nie mogłam!

Anna odwróciła wzrok. Czuła się niezręcznie, słuchając cudzej rozmowy. Dziewczyna płaczliwie krzyknęła do słuchawki:

– Ale przecież mieliśmy iść! Cały tydzień na to czekałam!

Anna westchnęła. Podeszła do afisza.

Czechow kojarzył się jej z dziadkiem.

Podczas długich zimowych wieczorów razem czytali jego opowiadania, pili herbatę, obowiązkowo z malinową konfiturą usmażoną przez troskliwą Iwangalinę, i rozmawiali bez końca. Josif Dawidowicz lubił powtarzać: „Czechow, podobnie jak jego bohaterowie, cierpiał dlatego, że ich ideały dotyczące bycia porządnym i uczciwym stały w konflikcie z rzeczywistością i naturą ludzką". Anna miała wrażenie, że słyszy teraz głos dziadka, niski i śpiewny.

– O której zaczyna się spektakl? – spytała.

– O siódmej – odparła dziewczyna, chrupiąc sucharki.

Anna spojrzała na zegarek: była druga. „O siódmej będzie w sam raz" – pomyślała.

– Poproszę bilet – powiedziała do kasjerki i podała jej pieniądze.

– Zostało jedno miejsce w piątym rzędzie – dziewczyna zaakcentowała słowo „jedno", najwyraźniej podkreślając, że samemu do teatru chodzić nie wypada. Anna się zaczerwieniła. Chwyciła bilet, nie uważając za stosowne żegnać się z nietaktowną pannicą.

Wyszła z budynku. Chciwie wdychała zatrute moskiewskie powietrze. Do rozpalonego policzka przyłożyła zimne palce. Pomyślała, że od dzieciństwa, może w szkole, trzeba uczyć ludzi teorii samotności, żeby jako dorośli się jej nie bali, a patrzyli sobie prosto w oczy, przyjaźnili się. Bo przecież się boją – na tyle, że gotowi są budować między sobą a samotnością barykadę nudnej, leniwej, bezbarwnej codzienności, pustych rozmów przez drogie telefony komórkowe. Istnieje trafne angielskie wyrażenie *Less is more.* Mniej znaczy więcej. Lepiej żyć samemu, niż dusić się z kimś innym.

„Jedno miejsce w piątym rzędzie" – powtórzyła Anna nie wiedzieć dlaczego i policzyła w myślach: jeden, dwa, trzy, cztery, pięć. Kiedyś przy każdym ważnym wydarzeniu liczyła do pięciu, potem zapomniała o tym rytuale, a teraz znów przyszedł jej na myśl. „Jeden, dwa, trzy, cztery, pięć". Zrobiła pięć kroków i przystanęła.

Pięć lat temu jesień zaczęła się gwałtownie i nieoczekiwanie. Pierwszego września ulice toną w zimnym deszczu, dzieci idą do szkoły pod parasolami, patrzę na nie przez mokrą szybę samochodu. Oczy mam pełne łez. Strząsam je nieumalowanymi rzęsami i co jakiś czas wzdycham. Siergiej przekręca klucz w stacyjce i nagle krzyczy mi wprost do ucha:

– A skąd mam wiedzieć, że to moje dziecko! Co? Przez ostatnie pół roku prawie nie uprawialiśmy seksu! Ciągle jestem w rozjazdach! A tu przyjeżdżam – i masz! – Jego twarz robi się purpurowa. Oczy wielkie jak talerze. Czoło zmarszczone.

Ciaśniej okrywam się połami kremowej skórzanej marynarki. Nie mam siły się kłócić, zaprzeczać absurdalnym domysłom męża, tym wszystkim: „nie moje dziecko", „nie uprawialiśmy seksu", „stale w rozjazdach"... I ja, i, co ważniejsze, Siergiej dobrze wiemy, że dziecko jest jego i seks uprawiamy. Może nie tak często, jak by się chciało, ale wystarczająco, żeby zajść w ciążę. Kładę dłoń na wciąż jeszcze płaskim brzuchu, moja ręka drży. Milczę. Dlaczego ciąża wywołuje u mężczyzn takie reakcje? Przecież to nie oni przez dziewięć miesięcy puchną od nadmiaru płynów, nie oni cierpią i zwijają się od skurczów tak bolesnych, że świadomość wyłącza się, ustępując miejsca naturze i pełnemu dla niej zaufaniu. A nocą to nie oni wstają zmęczeni, z oczami czerwonymi z braku snu, żeby ofiarować dziecku swoje mleko i miłość.

Milczę. Zbyt wiele mówiłam w ostatnich dniach, najpierw w klinice ginekologicznej, gdzie młoda lekarka bez końca wypełniała kartę, wypytując mnie o rzeczy bez znaczenia, jak choćby o przebyte infekcje. Opowiadając z detalami o ospie wietrznej i odrze, zachłystywałam się słowami, byłam szczęśliwa, jednak z jakiegoś powodu od początku czułam, że moje szczęście jest tymczasowe. Przemijające.

Potem odbyłam rozmowę z mężem. Właściwie głównie słuchałam. Przywitałam go w przedpokoju, spytałam, czy zje ze mną kolację, nakryłam do stołu. „Wiesz – powiedziałam nieśmiało – będziemy mieli...". „O, Boże!" – krzyknął mąż i wyszedł z pokoju. Po chwili wrócił. Ciężko milczał.

Nastała noc. A potem ranek. I oto znowu milczę. Samochód przyjemnie mruczy, jest nam ciepło.

– Cholerne baby! – krzyczy Siergiej.

Nie patrzy na mnie ani przed siebie, na nic nie patrzy – może zagląda w głąb siebie? Wpatruje się w swoje szare zwoje mózgowe?

– Cho-ler-ne baby – powtarza – zmówiłyście się wszystkie czy co? Drugi raz nie pozwolę na taki absurd, słyszysz? Nie pozwolę...

Dobrze wiem, co Siergiej ma na myśli – swojego syna z pierwszego małżeństwa, wyrośniętego trzynastolatka. Chłopiec od dawna mieszka ze swoją mamą w Izraelu, w Hajfie, i Siergiej nie lubi o tym mówić. Kiedyś usłyszałam, jak prawie obcy człowiek spytał go o dzieci. „Na razie nie mam" – odpowiedział Siergiej. Na razie nie mam. Jego syn jest fajny i mądry, dużo się uczy, chce się dostać na studia do Technionu – izraelskiego Instytutu Technologii. Wynalazł już nowy język programowania czy coś w tym rodzaju.

– Anno – Siergiej zniża ton, próbuje być czuły. – Pomyśl sama. Jakie dziecko? Wszystko jest niepewne. Jutro zostanę bez grosza i co? Będziemy żyć z twojej pensji? – śmieje się, ale się pohamowuje. –

Niedawno w hotelu wpadła mi w ręce książka. Jakiejś stukniętej feministki, ale ją z nudów przekartkowałem. Susan Sontag, znasz taką?

Potakuję. Oczywiście, że znam.

– No, właśnie! – głos Siergieja znowu nabiera złej mocy. – Ona miała raka! I pisała, że rak to demoniczna ciąża! Rozumiesz?

– Co mam rozumieć? – pytam. Nie wiem, w czym rzecz.

– Jak to co? Że ciążą gardzą nawet feministki...

Prawdopodobnie cokolwiek Siergiej by teraz przeczytał, choćby kodeks ruchu drogowego, wszędzie znajdzie argumenty na poparcie swojej tezy.

– Jedziemy do Libermana, do kliniki! – ciągnie. Jego nozdrza falują drapieżnie. – Natychmiast. Niech cię obejrzy. A potem pomyślimy... Demonicza ciąża!

Uspokaja oddech, w końcu rusza z miejsca. Jakbym na to czekała, jednym szarpnięciem otwieram drzwi i bez strachu wyskakuję w biegu. Właściwie wypadam. Samochód się jeszcze nie rozpędził, ale prawa noga mi się wykręca i ląduję na obu kolanach w kałuży. Jestem mokra i przeszywa mnie ból. Oprzytomnieję dopiero w szpitalu, zobaczę brudną rękę pokrytą ptasimi szaroniebieskimi piórami, zacznę krzyczeć i wyrywać się wystraszonemu Siergiejowi. Obok przystanie wielka postać w bieli.

– Chyba już przyszła do siebie – ucieszy się Siergiej.

Pomyli się. Przyjdę do siebie nieprędko. Nie uda się zahamować krwotoku i po kilku godzinach zmęczony dyżurem chirurg zrobi nacięcie na moim bladym brzuchu. Pierwszym słowem, jakie usłyszę po wybudzeniu się z narkozy, będzie „histerektomia".

Anna znalazła się w niewielkim foyer. Szary płaszcz zostawiła w szatni, poprawiła niesforne włosy i weszła po schodach. Dawniej w tym budynku mieściło się kino z pokojami do wynajęcia. Kto w nich mieszkał? Historia kryje mnóstwo tajemnic, których nigdy nie uda się nam rozwikłać. Można tylko snuć domysły, fantazjować. Filiżanka kawy grzała dłonie. Annę cieszyło, że teatr jest pełen widzów. „Nie jest jeszcze tak źle, skoro ludzie interesują się Czechowem" – pomyślała.

Przez całą długość sceny przeciągnięto sznurek, na którym wisiały prześcieradła, poszwy, a nawet kalesony, czyli bielizna, której ludziom inteligentnym nie wypada u innych podglądać. „Jak w życiu – pomyślała Anna – dekoracje przysłaniają rzeczywistość". Zanim zgasły światła, usłyszała dziwny dźwięk za plecami. Do piątego rzędu podjechała kobieta na wózku inwalidzkim.

– Zaparkuję sobie koło pani – odezwała się, ukazując zdrowe zęby w uśmiechu. Siwe włosy miała upięte wokół głowy na dawną modłę.

– Bardzo proszę – odparła Anna, ciesząc się z nieoczekiwanego sąsiedztwa.

Zapadła ciemność. Na scenę wyszła pokojówka i zaczęła zdejmować bieliznę ze sznurka, jak gdyby robiła miejsce dla życia. Ukazał się stół, kredens i kołyska.

Zapachniało latem na daczy, młodością.

Trzej bracia pili wódkę, dyskutując o problemach urządzenia świata. Młody Anton różnił się od znanego i drogiego Annie pisarza. Nikt z rodziny nie dawał okazji do wzruszeń.

Anna odniosła wrażenie, że stosunki Czechowa z braćmi i z ojcem są znacznie ciekawsze niż z kobietami. Kobiety w ogóle wydawały się zbędne w męskim świecie twórczości i ambicji. Mogły stanowić jedynie dopełnienie silnych mężczyzn.

Kobieta na wózku bacznie obserwowała, co się dzieje na scenie.

– Wydawałoby się, że wszystko się zmieniło, a tak naprawdę nic – powiedziała nieoczekiwanie.

Anna powoli przekręciła klucz w zamku. W mieszkaniu panowała taka cisza, że każdy dźwięk rozbrzmiewał ze zdwojoną mocą. Stukot obcasów i szum rozpinanego suwaka odbijały się od ścian głuchym echem.

Pachniało dymem z papierosów. Anna zmarszczyła czoło. Na palcach poszła do łazienki, odkręciła kran. Od dzieciństwa lubiła patrzeć na lejącą się wodę. Drzwi otworzyły się gwałtownie, w progu stanął Siergiej.

– Co, nie mogę się umyć? – spytała obojętnie, patrząc na jego odbicie w lustrze.

– Chcesz mnie do reszty wyprowadzić z równowagi? – powiedział z wystudiowanym spokojem. – Myślisz, że zacznę krzyczeć? Dopytywać się, gdzie byłaś cały dzień?

Milczała. W lustrze chybotały się cienie przypominające wiotkie gałęzie drzewa. Co to mogło być? W łazience nigdy nie widziała nic podobnego. Anna rozglądała się z zainteresowaniem, jakby przyszła do kogoś w odwiedziny i podziwiała wystrój wnętrza.

– Co chcesz osiągnąć? – ciągnął Siergiej. – Czego ci, idiotko, brakuje? Tyle lat haruję jak wół! Bez chwili odpoczynku! Ciągle nowe projekty! Czego jeszcze chcesz?

Siergiej podszedł do niej i przycisnął do siebie. Tak mocno, że ją zabolało.

– Puść mnie – wyszeptała z trudem.

– No to idź. – Ścisnął ją za rękę. Na delikatnej białej skórze zostały czerwone ślady. Wydłużone, jak chybotliwe cienie w lustrze. Anna krzyknęła z bólu. – Ciągle się mścisz? Tylko nie zaczynaj znowu, błagam! Nie miałaś żadnego dziecka! To był zarodek! Embrion! Jednokomórkowiec!

– Sam jesteś jednokomórkowiec! – wycedziła.

Oddychała z coraz większym trudem. Nie zamykając oczu, zobaczyła przed sobą ciemność, czerwone błyskające ognie i znowu długie, splatające się cienie. Tyle że cienie stały się teraz białe i wyciągały się ku jej szyi jak macki. Nie było już lustra przed nią ani Siergieja obok niej, tylko cisza i żar. Coś upadło z hukiem, ktoś siarczyście zaklął – i znowu cisza. Czarna dziura, gdzie czas płynie, jak chce, bez reguł, gdzie przestrzeń zwija się w spiralę i gdzie giną całe galaktyki. Dopiero tutaj Anna zaczęła spokojnie oddychać.

Gdyby tak zaufać opatrzności i o niczym nie myśleć? Leżeć w pokoju na kanapie i czekać, co się wydarzy? Na przykład przyjdzie sąsiad czy ktoś inny i okaże się kimś ważnym w jej życiu. A może nic się nie stanie, nawet jeśli będzie czekać całą wieczność. Anna spróbowała otworzyć oczy. Usłyszała dziwny trzask. Albo stukot. Wywołujący ból w lewej półkuli. I znowu.

Powieki uniosły się powoli i z trudem. Jak przez mgłę Anna zobaczyła znajomą twarz. A może nieznajomą? Czy tylko ją sobie wyobraziła? Poszczególne ogniwa umykającego łańcucha zdarzeń rozbłyskiwały jej w głowie, tworząc kolorową układankę. Suknia. Zamszowe pantofle. Niemiecka ambasada. *Das ist meine Frau Anna.*

– Michaił – wymówiła ledwie słyszalnie.

Biały fartuch pod niebiesko-zieloną kurtką. Zmęczone oczy. Uparty podbródek z dołeczkiem. Kto jeszcze miał dołeczek? To później, później, teraz trzeba zdać sobie sprawę, co się dzieje.

– No, tak. Pogotowie, lekarz – mamrotała niewyraźnie. – Coś mi się stało? – próbowała mówić głośniej, ale zaniosła się kaszlem.

Michaił patrzył na nią z niepokojem.

– Szczerze mówiąc, jeszcze za wcześnie na diagnozę. Konieczne będą badania. Teraz musimy jechać do szpitala. Najbliżej jest dwudziesty czwarty miejski. Tam jest przyjemny wystrój i mają dobry personel.

Jak dziwnie kręci się koło historii. Można odnieść wrażenie, że również losy budynków toczą się po kręgu. Dawno temu, w 1716 roku, na rogu Pietrowki i Strastnego Bulwaru wybudowano pałac książąt Gagarinów z wielkim portykiem o dwunastu kolumnach, niemającym równych w całej Moskwie. W swoim czasie mieściła się tu siedziba Klubu Angielskiego, potem intendentura armii Napoleona. Ale od 1833 do dzisiaj w rezydencji znajduje się szpital.

– Piękny budynek, i z zewnątrz, i w środku – odezwał się nagle Michaił, jakby czytał w jej myślach.

Anna miała wrażenie, że coś odpowiedziała, ale panowała cisza.

Michaił położył swoją szeroką dłoń na jej ręce i miękko spytał:

– Co się pani stało?

Poczuła, że zaraz się rozpłacze, i odwróciła wzrok. Co się jej stało? Gdyby wiedziała, nie byłoby jej tak gorzko, nie czułaby, że jej ciało wypełnia coś kłębiącego się, dławiącego i paraliżującego. I nie zadawałaby sobie wciąż tego pytania zasnuwającego jej życie ciężką mgłą. Znowu było jej trudniej oddychać.

Spróbowała ochłonąć – zamknęła oczy i pogrążyła się w niespokojnym letargu. Zobaczyła przed sobą twarz dziewczynki z wielkimi smutnymi oczami i czerwoną wstążką na krótko ostrzyżonych włosach, nieogoloną, bezradną twarz Siergieja, i poczuła, że znowu ogarnia ją panika. „To ja jestem wszystkiemu winna, tylko ja!"

Samochód się zatrzymał, drzwi rozwarły się z hałasemi Anna ujrzała tabliczkę „Oddział Chorób Wewnętrznych". Michaił wypełniał kartę, o coś ją pytał, ale mówienie przychodziło jej z trudem. Ciężkie powieki nie chciały się otworzyć. Czuła, że leci w głąb długiej, obracającej się rury. Leciała coraz szybciej, dusząc się. Coś delikatnie kłuło ją w rękę.

Dobrotliwy szum deszczu przypomniał jej o wydarzeniach poprzedniego dnia. Zobaczyła jasne ściany i okno z odsłoniętymi firankami, prawie białymi. Rozległo się stukanie do drzwi i na salę lekkim, bez mała tanecznym krokiem weszła pulchna kobieta. Postawiła na szafce plastikowy kieliszek z kolorowymi tabletkami, zaszczebiotała wesoło:

– Dzień dobry, Anno Borysowna! Wyspała się pani?

– Tak, bardzo – przytaknęła Anna stłumionym głosem.

– Teraz łykniemy tabletki i zrobimy mały zastrzyk!

– Mały zastrzyk?

– Tak, kochaniutka, bo po co się tak wszystkim przejmować? Trzeba się uspokoić, zebrać do kupy. Całe życie przed panią.

Podobał się jej głos pielęgniarki, miała ochotę, żeby rozmowa nadal trwała.

– Jak pani ma na imię? – spytała cicho.

– Wika, Wiktoria – energicznie odparła kobieta.

– Pani chyba lubi swoją pracę?

– Lubię – odpowiedziała Wika spokojnie i wypuściła powietrze ze strzykawki.

Dopiero teraz Anna zauważyła, że na sąsiednim łóżku śpi kobieta nakryta prześcieradłem po czubek głowy. Ucieszyła się, że ma sąsiadkę. Poza tym robi się lżej na duszy, kiedy ktoś inny przeżywa to samo co my. Dziwne, że kiedy jest nam dobrze, jesteśmy zakochani, wydaje się, że nikt inny niczego podobnego nie doświadczył. Ale kiedy przychodzi nieszczęście, cieszymy się, spotykając ludzi, którzy przeżyli taką samą albo gorszą biedę. Orientując się, że nie jesteśmy na świecie sami.

Ciepłą, miękką ręką Wiktoria pomasowała miejsce po ukłuciu. „Tak mogłaby mnie pogłaskać mama" – przemknęło Annie przez myśl.

– Dziękuję – powiedziała ze ściśniętym gardłem, czując, że łzy napływają jej do oczu.

– Za co tu dziękować? Ale pani zabawna. Niech pani odpoczywa i o niczym nie myśli. I dużo śpi – sen jest najlepszym lekarstwem.

Prędkim krokiem człowieka, który nie przywykł się nigdzie rozsiadać, pielęgniarka wyszła z sali. Anna zamknęła oczy.

Wysokie, bardzo wysokie i groźne góry otaczają ją pierścieniem ze wszystkich stron. Budzą zachwyt i przerażenie. Wydaje się, że pierścień zaraz się zaciśnie i zdusi małą dziewczynkę. Stoi pomiędzy nimi bezradna, w odświętnej sukience w kwiatki. Wiatr rozwiewa jej kręcone włosy i sypie piasek do oczu. Dziewczynka ma na nogach tylko sandały, ale nie jest jej zimno. Krąg gór się zacieśnia wokół niej – a zaśnieżone szczyty zlewają się z nisko zawieszonym błękitnym niebem. Jakiś wielki ptak przelatuje obok i dotyka jej miękkim skrzydłem.

„Za mną, za mną" – dobiega głos ptaka.

Okrąża dziewczynkę i siada u jej stóp.

„Wsiadaj" – ponownie zwraca się do niej, a ona dopiero teraz widzi koraliki jego przenikliwych oczu. Dziewczynka lekko wskakuje na dumny grzbiet i ptaszysko powoli wzlatuje ponad ziemię. Dziecko ufnie oplata rękami jego silną szyję. Po chwili ptak ląduje na szczycie góry, zsadza je z grzbietu i niespodziewanie znika. Dziewczynka spogląda w dół, ogarnia ją strach. Wytęża wzrok i w dole dostrzega postać dziadka, z jakiegoś powodu bardzo wyraźnie widzi jego twarz. Dziadek macha ręką i krzyczy: „Aniu, Aniu, wznieś się wyżej!". Chropowata skała drapie kolana do krwi.

Ona jednak nie czuje bólu i rozpaczliwie pnie się w górę.

Ręce już odmawiają posłuszeństwa. Ale oto z góry słychać głos: „Pomogę ci, Anno". Nie widzi twarzy, tylko rozmytą sylwetkę mężczyzny, silnego i wysokiego. Wyciąga ku niej ręce: „Pomogę ci, Anno, chwyć się mnie". Rozpoznaje jego uśmiech. „Pomogę ci".

Znowu za oknem deszcz i podzwanianie wózka w korytarzu.

– Śniadanie!

Otworzyła oczy.

„Pomogę ci, Anno" – przypomina sobie i próbuje przywołać w pamięci obraz wybawiciela, ale jej się to nie udaje.

– Hej, śpiące królewny, chcecie śniadanie czy nie? – Do sali weszła szorstka w obejściu kobieta. Dało się to wyczuć w tonie jej głosu, w rozdrażnieniu, z jakim stawiała talerze z kaszą na szafkach i rozlewała herbatę.

– Pobudka! A ty co, nowa? Ale blada jesteś!

– Dziękuję – powiedziała Anna.

Kobieta postawiła na szafce kaszę i wytoczyła wózek z sali.

– Śniadanie! – niosło się wołanie po korytarzu.

Anna oddychała równo i sprawiało jej to przyjemność.

Biała góra poruszyła się. Po chwili Anna ujrzała szeroką twarz sąsiadki – lewy policzek i część ust przecinała szrama w kształcie jaszczurki. Kobieta przeciągnęła się, otworzyła oczy.

– Dzień dobry – odezwała się przyjemnym niskim głosem. – W nocy panią przyjęli? Nawet nie słyszałam. Te zastrzyki są takie silne, że się nic nie słyszy, choćby z dział strzelali. Mam na imię Tamara, a pani?

– Anna. Miło mi.

– Nawzajem – odparła Tamara i zaniosła się kaszlem. – Kaszy nie mogę przełknąć, a herbata to straszna lura. Tu na dole jest dobry bufet. Może się tam przejdziemy? Parzą prawdziwą kawę i mają całkiem niezłe placuszki serowe.

Rozległo się pukanie do drzwi. Obie popatrzyły na mężczyznę, który stanął w progu. Nieogolony, w rozciągniętym swetrze i dżinsach. Anna z trudem rozpoznała w nim swojego zawsze eleganckiego męża.

– Siergiej, to ty? – palnęła bez namysłu. – O tej porze?

W ciągu dziesięciu lat wspólnego życia jeszcze go takim nie widziała. Zwykle szykował się do wyjścia z domu czterdzieści minut, z czego piętnaście zajmowało golenie. Z łazienki wychodził zaróżowiony, gładko ogolony, roztaczając zapach drogich perfum.

Siergiej podszedł do niej w milczeniu i przysiadł na skraju łóżka.

– Lepiej wyglądasz – powiedział, patrząc w bok. – Wyspałaś się?

Wiedziała, że jest zmartwiony, ale słysząc jego troskliwy ton, poczuła się nieswojo.

– Czuję się lepiej – odparła. – Po co wezwałeś pogotowie? Niepotrzebnie.

– Miałem się przyglądać, jak się dusisz? – wybuchnął. – Dobra, nie będziemy tracić czasu na głupstwa. Pakuj się, jedziemy do normalnego szpitala. Tutaj od samego zapachu robi się niedobrze.

– A mnie się tu podoba! – odpowiedziała i odwróciła głowę.

– Znowu zaczynasz! Całą noc przez ciebie nie spałem! Chcesz mnie wykończyć! Dzisiaj mam ważne spotkanie z Niemcami, decydują się losy nowej linii. A ty...

– No to idź do swoich Niemców – rzuciła obojętnie i poczuła, że znowu zaczyna się dusić. – Proszę cię, nie zaczynaj. Zajmij się swoimi sprawami. Mnie tu dobrze.

Siergiej zerwał się z miejsca i wycedził:

– Jak chcesz, tylko termosów z obiadem ci tu wozić nie będę. Przyjadę jutro, dziś już nie dam rady. Wieczorem muszę wyprowadzić Niemców na miasto.

– A co oni, psy? Przecież to śmieszne.

Mąż wyjął portfel, podał jej pieniądze.

– Masz na wydatki.

Pocałował Annę w czoło i wyszedł, zamykając drzwi z hałasem.

– Oj, srogi – zauważyła Tamara i uśmiechnęła się przepraszająco.

Anna nie odpowiedziała. Spokojnie sięgnęła po stojące na szafce tabletki. Zjawili się lekarz i pielęgniarka z plikiem wyników badań. Potem Tamara i Anna zeszły do bufetu, gdzie czuć było spalenizną. Kobieta w kolorowej sukni żwawo przyjmowała zamówienia. Ten zapach i odrapany lakier na paznokciach bufetowej. Wszystko było takie normalne. We frotowym szlafroku Anna sama wyglądała jak cień. Ostatnio zmizerniała i wyraźnie straciła na wadze, co nadało jej chorobliwie arystokratyczny wygląd. Razem z Tamarą zamówiły placuszki serowe, kawę i usiadły przy małym stoliku koło okna. Grzało jasne wiosenne słońce. Anna przyglądała się nowej znajomej. Blizna na policzku przykuwała wzrok. Kryła w sobie tajemnicę.

– Taką mam ozdobę – smutno uśmiechnęła się Tamara.

– Nie, ja tylko tak – Anna usprawiedliwiała się, niczym przyłapany na gorącym uczynku złodziejaszek.

– Akurat. Wiem, że to okropnie wygląda, ale się z tym pogodziłam. Najpierw chciałam sobie zrobić operację plastyczną, ale Aleksiej mnie przekonał, żeby dać spokój.

Anna nie wiedziała, co powiedzieć, i milczała, dłubiąc aluminiowym widelcem w przypalonym placku.

– Wiesz, wydaje się nam, że nic strasznego nie może się przydarzyć, że jesteśmy pod szczególną opieką. – Tamara wieloznacznie skierowała palec w górę. – Ale nagle coś się dzieje i zdajemy sobie sprawę, jak łatwo nas zranić, zniszczyć, a przede wszystkim, że są rzeczy, których nie da się odwrócić. – Głośno upiła łyk z filiżanki. – Od dawna masz ataki?

– Od pół roku.

Tamara odsunęła talerz z niedojedzonym plackiem i cicho zaczęła opowiadać:

– Byłam wesołym dzieckiem. Rodzice mnie uczyli, żeby widzieć we wszystkim dobre strony. Tata zawsze bardzo kochał mamę. Teraz oboje mają koło siedemdziesiątki, a do tej pory chodzą za rękę. W dziesiątej klasie byłam już dojrzałą dziewczyną – po mamie i po babci. Szkołę miałam dość daleko od domu. Mieszkaliśmy pod Moskwą. Wiesz, gdzie jest Korolow? Nasze miasto jest związane z kosmonautyką. Zawsze było tam spokojnie. Pijacy się włóczyli po ulicach, ale niegroźni – pogada taki, zaklnie i idzie dalej. Akurat zostałam przewodniczącą klasy. Przygotowywaliśmy gazetkę ścienną z okazji święta. Nie pamiętam jakiego, wtedy tyle ich było. Moja przyjaciółka mieszkała koło szkoły, musiałam przejść przez lasek, a stamtąd było już blisko do ulicy Ciołkowskiego. Rodzice pracowali do późna w fabryce. Zimą – ciemno, choć oko wykol. Ale ja niczego się nie bałam! Nie bałam się – zrobiła pauzę – aż do tamtego wieczoru. Biegłam przez lasek zadowolona, że skończyłyśmy gazetkę i zaraz siądę do kolacji. Miały być gotowane ziemniaki, a tata obiecał przynieść z pracy wędzoną makrelę, dostawali przydział raz w tygodniu. Dalej pamiętam kawałkami. Jakbym oglądała pojedyncze klipy. Teraz tak montują filmy. Ktoś złapał mnie za rękę i przewrócił na ziemię. Przypominam sobie ciężki urywany oddech i rozdzierający ból. Rękę ściskającą moje piersi. Coś mnie mocno uderzyło w twarz. I tyle. Znalazł mnie sąsiad, który wracał z pracy. Odniósł na izbę przyjęć. Ledwie pamiętam, jak mi szwy zakładali, lekarz potem długo mnie badał. Wtedy miałam pierwszy atak. W mieście dużo o tym mówili. Aż chciałam rzucić szkołę i wyjechać. Mama ciągle płakała. Potem okazało się, że ten maniak dziesięć dziewczyn napadł. Same uczennice i wszystkie z blizną.

Tamara umilkła, po chwili uśmiechnęła się i dodała:

– To co, chodźmy. Zaraz mój Losza z Maniunią przyjdą. Moje szczęście.

Wróciły na oddział.

Ktoś zapukał do drzwi. Na salę wszedł mężczyzna w wieku trzydziestu pięciu lat i rumiana dziewczynka z warkoczami. Miała na sobie czerwoną kurtkę obszytą białym futerkiem, w rękach trzymała bukiet bzu. Mężczyzna życzliwie przywitał się z Anną, podszedł do Tamary i pocałował ją w zeszpecony policzek.

– Jutro cię wypiszą. A wieczorem będziemy świętować. Maniunia chce ci upiec szarlotkę.

Tamara uśmiechała się radośnie. Widać było, że czuje się najszczęśliwszą i najbardziej kochaną kobietą na świecie. Anna wiedziała – jest świadkiem czegoś bardzo ważnego. Prostego szczęścia, które, jak się okazuje, czasem się przydarza. Po cichu wstała i wyszła, żeby nie przeszkadzać.

W powietrzu unosił się zapach fenolu. Anna chodziła po korytarzu, aż w końcu z lekkim zawrotem głowy wróciła na salę.

Pielęgniarka Wika wraz z lekarzem Borysem Lwowiczem próbowali znaleźć żyłę na chudej ręce kobiety z zapłakaną bladą twarzą, przypominającą boleściwą maskę pierrota.

Przyjęto nową pacjentkę. Po sali kręciła się salowa, która wcześniej rozwoziła śniadanie. Trzymała w ręku butelkę z płynem do kroplówki.

– Aniu, dobrze, że wróciłaś! – powiedziała Wiktoria z przejęciem. – Potrzebujemy pomocy. Trzeba przynieść opaskę uciskową i potrzymać jej rękę. Źle z nią!

Anna poszła do siostry oddziałowej po opaskę. Całą czwórką trzymały wyrywającą się chorą, Wiktoria zrobiła jej zastrzyk z jakiejś żółtej cieczy, potem z prometazyny. Ustawiła kroplówkę. Ręce pacjentki przestały drżeć i legły na kołdrze jak dwa długie bicze. Kobieta ucichła. W jej wielkich oczach stopniowo dogasało przerażenie.

„Teraz i jej się coś przyśni" – pomyślała Anna.

***

Mała dziewczynka z podrapanymi kolanami w kwiecistej sukni gramoli się ku górze po ogromnej skale. Z całych sił chwyta się wątłych pędów. Z góry toczą się kamienie. Dostrzega przed sobą postać – nie widzi twarzy, tylko zarys sylwetki. „Pomogę ci, Anno" – powtarza mężczyzna i wyciąga ku niej rękę.

„Kolacja, ko-laaa-cja" – wykrzykiwała salowa.

Nowa pacjentka leżała z otwartymi oczami i patrzyła w sufit. Nagle wstała, podeszła do okna. Uniosła bosą stopę i w jednej chwili stanęła na parapecie. Anna zerwała się i ściągnęła kobietę na szpitalne linoleum, chwyciła ją za ręce.

– Oszalałaś?! Chcesz trafić tam, gdzie dadzą ci papiery na resztę życia?

Razem z Tamarą posadziły nową na łóżku.

– Jak masz na imię, spadochroniarko? – spytała Anna.

– Gala – odpowiedziała kobieta, łkając spazmatycznie.

Wyglądała na więcej niż trzydzieści lat, choć figurę miała bez zarzutu.

– Nie jestem wariatką – powiedziała. – Jeszcze nie!

Znowu zaniosła się płaczem. Czarne włosy opadły jej na twarz.

– Już dobrze, uspokój się. – Anna ostrożnie przysiadła obok niej, objęła ją ramieniem.

– Co za życie, co za życie! – zaszlochała Galina, nie odrywając rąk od twarzy. – Jak ona mogła mi to zrobić?

– Kto? – spytała Tamara. Postawiła przed kobietą szklankę z kompotem. – Opowiedz, jeśli chcesz. Może ci ulży, jak się wygadasz.

Gala skwapliwie pokiwała głową i rozpoczęła swoją smutną opowieść.

– Nie znałam swojego ojca. Matka na moje pytania odpowiadała, że nie żyje. Ale zwykle była wstawiona. Pewnie w ogóle nie wiedziała, kto to był. – Galina westchnęła i napiła się kompotu. – Dziękuję, bardzo dobry... – Chwilę milczała, po czym podjęła wątek. – Miała wyższe wykształcenie, ale przez ostatnich dwadzieścia pięć lat handlowała na bazarze. Najpierw sprzedawała jabłka u Gruzina, potem u Azerbejdżanina pomidory. Ze wszystkich sił starałam się uniknąć jej losu. W szkole chodziłam na kursy fryzjerskie, ćwiczyłam na koleżankach z klasy. Dobrze mi szło i szybko zdobyłam stałych klientów. Kiedy miałam dwadzieścia lat, zaszłam w ciążę z chłopakiem z tak zwanej dobrej rodziny. Jak tylko usłyszał, że spodziewam się dziecka, zniknął bez śladu. Często tak bywa. Całą ciążę pracowałam, i potem też, kiedy tylko urodziła się moja księżniczka, Sofia. Była zupełnie wyjątkowa, nawet płakała jakoś inaczej. I taka śliczna! Nawet do przedszkola nie miałam kiedy jej odprowadzać, od rana do wieczora przyjmowałam klientów w domu. Na Sofię pieniędzy starczało, a o sobie nie myślałam. Mężczyźni nie byli mi w głowie. Dopiero rok temu przypomniałam sobie, że jestem kobietą. Zakochałam się w kliencie...

Oczy Galiny znowu napełniły się łzami. Anna słuchała z wytężonym skupieniem.

– Tak ładnie mnie podrywał! Kurier przywiózł mi bukiet białych lilii z liścikiem: „Jesteś czarująca jak te lilie". Nawet nie wiedziałam, że takie rzeczy się zdarzają! Zaprosił mnie na prawdziwą randkę, z kolacją w restauracji i szampanem. Ma na imię Mark. Nietypowo, prawda? Mówił mi wiersze Pasternaka, potem zapamiętałam: „Świeca gorzała całą noc, świeca gorzała"*. Nikt wcześniej nie mówił mi wierszy. Był dobry dla Sofii, uczył ją do egzaminów. Miesiąc temu mi się oświadczył. Byłam taka szczęśliwa! A wczoraj – wargi i ręce Galiny zadrżały – pojechałam do przyjaciółki. Zagadałyśmy się do późna, piłyśmy wino i postanowiłam u niej zostać. Zadzwoniłam do Marka, powiedziałam, żeby na mnie nie czekał. Ale potem zatęskniłam za domem. Wróciłam taksówką. Otworzyłam drzwi cicho, żeby ich nie przestraszyć, zdjęłam buty i na palcach poszłam do pokoju. Cały czas mam to przed oczami! Mark całuje moją córkę, moją księżniczkę, a ona obejmuje go za szyję zupełnie naga. Coś mu szepcze do ucha. Pamiętam tylko, że boso wybiegłam na ulicę, nie wiem, co było dalej. I to wszystko.

– I to wszystko – jak echo powtórzyła Tamara. – Boże, naprawdę to już wszystko. Nic dziwnego. Dzieci dorastają i stają się obcymi ludźmi. Po prostu tak jest.

Nagle wstała i wyszła na korytarz. Anna patrzyła w milczeniu, jak Galina kiwa się na szpitalnym łóżku. Do przodu – do tyłu, do przodu – do tyłu, w takt bicia jej serca.

---

* B. Pasternak, *Zimowa noc*, tłum. A. Lewandowski, „Akant" XII/3 (przyp. tłum.).

Za oknem zapadł zmrok. Można było iść spać. Jutro znowu ktoś przyklei do szyby widok szpitalnego ogrodu z delikatną zielenią liści. A może przyleci gołąb?

Nastał poranek. Gołębia nie było. Wyszła z sali.

– Aaa... – skinął jej zdyszany Borys Lwowicz. – Przygotowałem wypis, o dwunastej przewozimy panią do innego szpitala.

Prawie pobiegł korytarzem. Biały fartuch powiewał za nim jak płaszcz muszkietera.

– Dokąd? Dokąd mnie przewiozą? – Anna w osłupieniu chwyciła za rękę mijającą ją Wikę. Ten niewielki wysiłek wystarczył, żeby znowu zaczęła się dusić i zimny pot wystąpił jej na czoło.

– Tak zarządził pani mąż – siostra uśmiechnęła się ze zrozumieniem. – Proszę się nie martwić, wszystko jest w porządku. Niech pani usiądzie. Zaraz przyniosę wody.

Anna ciężko osunęła się na pierwsze z brzegu krzesło. Ukryła twarz w dłoniach. Kulawy mebel chwiał się pod nią. Wzięła z rąk Wiki mokrą szklankę. Powoli piła wodę i starała się o niczym nie myśleć.

– Kto to jest? – spytała po chwili Wikę, wskazując wzrokiem na oddalającego się korytarzem mężczyznę. Obracała w rękach puste naczynie.

Było na co popatrzeć. Szerokie plecy, uśmiech odsłaniający białe zęby, z lekka rozczochrane jasne włosy. Trzymał za rękę małą dziewczynkę w śmiesznym kombinezonie i czapce z zajęczymi uszkami. Dziewczynka śmiała się i gaworzyła wesoło.

– To pacjent? – pytała dalej Anna. Mimo że na pacjenta mężczyzna wcale nie wyglądał.

– Ależ skąd – odpowiedziała Wika, nie podnosząc głowy znad wielkiego rejestru, który wypełniała. – Przyszedł w odwiedziny. W sali numer sześć leży kobieta z zapaleniem płuc. Taka blondynka przy kości. To jej mąż i dziecko. Oj, żeby pani wiedziała… – Wiktoria z rozmachem usiadła na drugim chybotliwym krześle. – To jest dopiero historia! – Uśmiechnęła się. – Bardzo podnosząca na duchu! Kobieta nazywa się Denisowa, to jest jej drugi mąż. Ona ma już ponad czterdzieści lat. Jej pierwszy mąż wykładał na uniwersytecie i ciągle prowadzał się ze studentkami. Takimi, co to mają gładkie policzki, kolczyk w pępku, tatuaż nad pośladkami, sama pani wie. Jak tylko żona coś mówiła, on wykrzykiwał: „To moja praca, w końcu jestem pedagogiem!".

Wiktoria czekała na reakcję Anny, ta kiwnęła głową.

– „Czy to moja wina – pytał pan pedagog – że zmieniłaś się w kurę domową? Nic cię nie interesuje, nigdzie nie chodzisz, ani do teatru, ani do kina, ani do klubu, ani na wystawę!" Nie usprawiedliwiała się, bo rzeczywiście jako główna księgowa harowała jak wół, poza tym opiekowała się dziećmi. Ma dwie córki z pierwszego małżeństwa, teraz już dorosłe. Starsza właśnie poszła na studia…

Anna uważnie słuchała. Tak bardzo chciałaby też opowiadać komuś o swoich dzieciach: o ich osiągnięciach, dobrych ocenach. Zresztą czemu o dobrych? Choćby o dwójkach!

Tymczasem Wika kontynuowała opowieść:

– „Nie, to nie twoja wina" – przyznawała Denisowa i wracała do swojego domowego świata. Pewnie by się tak ciągnęło do dziś, gdyby nie to, że jedna ze studentek złożyła wniosek do sądu o ustanowienie ojcostwa. Pedagog do końca nie chciał uznać dziecka. Powoływał się na swobodne prowadzenie się studentki. Pokazywał zdjęcia. Ale udowodnili mu, że jest ojcem.

Anna zamarła w oczekiwaniu.

– Sama pani rozumie, że małżeństwo zaczęło się rozpadać. Po roku zamienili mieszkanie na dwa mniejsze, na przeciwnych końcach miasta.

– Rozumiem – przytaknęła Anna – jeszcze jak rozumiem!

– No, tak – Wika była nieco zaskoczona. – Już w nowym mieszkaniu któregoś wieczora robiła kolację. W końcu ma córki... Kobieta może być nie wiem jak nieszczęśliwa, a i tak idzie do kuchni i smaży kotlety. A tu naraz...

Wiktoria teatralnie zawiesiła głos. Anna nie odrywała od niej wzroku. Z jakiegoś powodu wydawało jej się, że teraz pielęgniarka powie coś bardzo ważnego.

– Dzwonek do drzwi, Denisowa otworzyła. „Pani nas zalewa – krzyknęła na nią gruba staruszka z fioletowymi włosami. – Nie uprzedzili pani poprzedni lokatorzy, że tu są wieczne problemy z odpływem?" – „Przepraszam, zaraz sprawdzę – Denisowa przestraszyła się nie na żarty – i wszystko naprawię". „Naprawię, akurat!" – przedrzeźniała ją staruszka, gdy nagle złapała się ręką za serce i zawyła. Denisowa przyniosła jej wodę, ta odepchnęła szklankę i zawyła jeszcze głośniej. A w tym czasie ktoś szedł na górę po schodach – głos Wiki zabrzmiał uroczyście. – Wysoki mężczyzna wyglądający jak gwiazdor filmowy...

– „Mamo, słychać cię aż na ulicy – powiedział – Przywiozłem ci fotel od tapicera. Chodź do domu, nie strasz ludzi". Spojrzał uważnie na Denisową, a Denisowa na niego. I zrobiła coś, co było zupełnie do niej niepodobne. Głęboko westchnęła, po czym powiedziała: „Przepraszam bardzo, ale mówi pan, że przyjechał od tapicera. Czy to dobry fachowiec? Bo ja mam podobny problem z meblami. Obicia się poprzecierały. A teraz jest tyle materiałów! Tyle możliwości! I chciałoby się upiększyć mieszkanie". „Jeśli pani chce – powiedział mężczyzna – to przyjdę tu za czterdzieści minut i się umówimy".

– I co było dalej? – spytała Anna z przejęciem, chociaż wszystko już było dla niej jasne.

– A co mogło być dalej? – Wika marzycielsko zmrużyła oczy. – Można opowiadać długo, a można krótko. Wystarczy stwierdzić, że nie tylko wysokobudżetowe filmy dobrze się kończą. Poza tym warto dodać, że Denisowa, cierpliwie wysłuchując przez telefon użalań byłego męża, ani razu mu nie powiedziała: „Czy to moja wina?" ani „Zwróć się do organizacji mniejszości seksualnych!", jak radził jej wesoły gwiazdor, siedząc w fotelu z niezmienionymi obiciami.

– Z niezmienionymi obiciami? – zdziwiła się Anna. – Przecież ona potrzebowała tapicera...

– Jasnofiołkowy fotel wcale nie wymagał nowego obicia. Denisowa kupiła go specjalnie do nowego mieszkania w komplecie z drugim fotelem, owalnym stolikiem i wielką kanapą. Też jasnofiołkową...

Korytarzem przeszedł amerykański gwiazdor filmowy z dzieckiem na rękach. Odprowadzała go ładna kobieta – na ciepły szlafrok narzuciła chustę z koziej wełny. Stanęli przy wyjściu z oddziału.

– Jak mnie wypiszą – mówiła kobieta, odgarniając z czoła jasną grzywkę – kupimy ci te narty. I strój narciarski.

– Zobaczymy, jak będzie z pieniędzmi. – Mężczyzna postawił dziewczynkę na ziemi i pocałował kobietę najpierw w czoło, potem w skroń.

– Oczywiście, że kupimy! – Denisowa się nieco naburmuszyła. – Dla naszego sportowca.

W drzwiach oddziału pojawił się Siergiej. W rękach trzymał torbę z laptopem i pudełko drogich czekoladek. Niedbale postawił bombonierkę przy łokciu pielęgniarki:

– Wychodzimy.

Anna spazmatycznie wciągnęła powietrze do płuc.

– Siergiej!

Przyłożyła dłoń do czoła. Była rozpalona, a chłód dłoni dawał jej przyjemne ukojenie. Mąż zdawał się nic nie słyszeć. Jego uwagę pochłaniała skrzynka e-mailowa oraz najnowszy numer „Forbesa".

– Siergiej! – powtórzyła Anna. – Proszę cię, wytłumacz mi, co ja tu robię. Porozmawiaj ze mną. W ogóle nie odpowiadasz na moje pytania!

Mąż spojrzał na nią znad klapy laptopa. Na jego twarzy pojawił się wyraz niezadowolenia.

– Muszę zapalić – powiedział – ale przecież zaraz zaczniesz marudzić: „Och, dym... Duszę się...".

– Jak chcesz, to pal. Ja wyjdę. – Anna odszukała stopami domowe kapcie i wstała z łóżka.

– Stój! – Siergiej z wściekłością chwycił żonę za zimną rękę i ścisnął jej nadgarstek. – Przestań odgrywać męczennicę! Wyjdzie! Nigdzie nie pójdziesz. Na pytania nie odpowiadam? Bo niby nie mam nic lepszego do roboty!

Zerwał się z krzesła i wyszedł, trzaskając drzwiami. A raczej próbując trzasnąć drzwiami, bo te zamknęły się powoli i cicho.

Anna rozejrzała się wokół siebie. Była w sali zupełnie niepodobnej do szpitalnego pomieszczenia.

„Tak samo jest ze sztuką współczesną – pomyślała – która w ogóle przestaje być sztuką".

Ściany pomalowano matową farbą w delikatnych odcieniach: ta wokół drzwi była jasnożółta, a trzy pozostałe – jasnofiołkowe. Łóżko miało luksusowy materac ortopedyczny i wezgłowie z czarnego dębu. Do stylu całości pasowały komoda i stolik na masywnych kółkach, a szafa z nadstawką robiła wrażenie swoją ozdobnością. W śmiesznym aneksie bez okien znajdowały się lodówka, mikrofalówka i parowar, a także krzesła i lada barowa z kieliszkami o połyskujących wklęsłych denkach. Witraż na szybie przedstawiał dwa koty splecione ogonami. Okno z bambusowymi żaluzjami wychodziło na ogród: ławki, latarnie, zamiecione ścieżki.

Anna wyciągnęła się na łóżku. Zamknęła oczy. Potem otworzyła je. Popatrzyła na sufit.

Górne oświetlenie rozmieszczone było w dokładnie przemyślanych miejscach, w pobliżu łóżka stała lampa z jedwabnym abażurem.

„To nie może być jedwab" – pomyślała Anna obojętnie, gładząc palcem morelową tkaninę. Musiała czymś zająć myśli.

– Dzieńdoberek! – w drzwiach ukazała się tęga kobieta w jasnopomarańczowym fartuchu. Na kieszonce wyhaftowany miała emblemat kliniki, jakiś kwiatek.

– Dzień dobry. – Anna usiadła na łóżku.

– Niech pani nie wstaje! – zatroszczyła się pielęgniarka. – Zaraz zrobię zastrzyczek. Przewracamy się na brzuszek. O, tak, bardzo dobrze.

– Przepraszam – Anna odwróciła się – przepraszam bardzo, to jest na pewno głupie pytanie... Ale mąż nie chce mnie martwić – uśmiechnęła się gorzko – i nie mówi mi, co to za szpital. Tak naprawdę to w ogóle nic nie mówi. Ma swoje dziwactwa. Był tu lekarz, ale rozmawiał tylko z moim mężem. Może mi pani powiedzieć, gdzie jestem?

– Po pierwsze – kobieta się roześmiała cicho i przeciągle – po zwykłych środkach uspokajających by pani nie zasnęła. Sedatywnymi panią faszerują.

– To bez znaczenia – odparła Anna, przygryzając wargi.

– Po drugie... Oczywiście, że powiem, gdzie pani jest. – Kobieta odłamała koniuszek ampułki i wyrecytowała jak spiker w reklamie: – W specjalistycznej prywatnej klinice „Słonecznik", która ma cztery oddziały: chirurgiczny, ginekologiczny, internistyczny i dziecięcy. – Po chwili milczenia dodała: – Tak, dziecięcy też mamy.

Anna poczuła ukłucie i się skrzywiła.

– A ja na jakim leżę? – spytała bezsensownie.

– Na internie oczywiście – głośno odparła pielęgniarka i wyszła. Drzwi zamknęły się za nią bezszelestnie.

Wrócił Siergiej. Ponuro zamknął laptopa, warcząc, że bateria starcza na jakieś dwie godziny i znowu trzeba będzie go targać do serwisu.

– Słuchaj, co ja robię w tym szpitalu? – spytała Anna, akcentują słowo „tym".

– Dobre pytanie! – Siergiej uniósł brwi. – Leczysz się. Rozejrzyj się naokoło. To jest najlepszy szpital, jaki w życiu widziałaś.

Leż i się ciesz. Bierz pigułki, masaże i lewatywy. Tylko daj mi spokój z pytaniami. Kto to całkiem niedawno łapał ustami powietrze i chrypiał: „Ratunku, umieram!". Co? Teraz pozwól się ratować specjalistom.

Siergiej machinalnie pocałował powietrze obok jej skroni i wyszedł, stukając obcasami.

Chorobliwie chuda dziewczyna o wielkich oczach nocnego zwierzęcia opowiadała cicho:

– Chcieliśmy z mężem adoptować chłopca, chodziliśmy po domach dziecka. Poznaliśmy siedmiolatka, wzięliśmy go do domu. Dawaliśmy mu jeść, braliśmy do kina, do lasu – woziłam tam drużyny dziecięce na zawody sportowe. Dzwoniłam do rodziców, uprzedzałam ich, że pojedzie z nami chłopiec z wirusowym niedoborem odporności i jeśli są przeciwni, to niech swoich dzieci nie puszczają. Ale rodzice nie robili problemów...

Anna poszła się przejść po korytarzu „najlepszego szpitala, jaki w życiu widziała". Wszystko wokół przypominało wystrój drogiego hotelu – obrazy na ścianach, kwiaty, niskie kanapy, stoliki na masywnych nóżkach, dużo światła i słońca.

Odkryła niewielką kawiarenkę i postanowiła napić się kawy. Sympatyczna kelnerka w pomarańczowym uniformie dowiedziała się z komputera, że tego Annie nie wolno, i zaproponowała herbatę ziołową.

Anna się zgodziła. Wtedy pojawiła się dziewczyna okutana we frotowy szlafrok. Kelnerka bez słowa postawiła przed nią pasiastą szklankę z owocowym koktajlem. Dziewczyna skinęła głową, spojrzała pytająco na Annę, wskazując wzrokiem sąsiednie krzesło.

– Bardzo proszę – powiedziała Anna. Cieszyła się, że będzie mogła z kimś porozmawiać.

Dziewczyna miała na imię Liza. Jej ciemne włosy były splecione w niedługi cienki warkocz.

– W lesie smarowałam chłopaka tonami maści na komary, na wszelki wypadek. Żadne zabawy z ogniem nie wchodziły w grę. Ani z nożem. A poza tym było jak w innych rodzinach. Któregoś razu spytał: „Czemu mnie nie adoptujecie?".

Liza straciła oddech i umilkła. Wyglądała na dwadzieścia pięć lat, może mniej. Anna słuchała jej z uwagą.

– Potrzebował drogich lekarstw. Do tego odpowiedzialność, stosy dokumentów, trzeba by walczyć o niego z urzędnikami, lekarzami... Nie byliśmy na to przygotowani. Był dla nas jak młodszy przyjaciel, brat, ale nie syn... Wszystkiego się domyślił. „Chcecie mieć swoje dzieci, prawda?" Przytaknęłam. I przestał się z nami spotykać. Sam tak zdecydował. Kiedyś przechodził pod naszym balkonem i nam pomachał. Był z kolegami. Pewnie z domu dziecka. I tyle, więcej go nie widzieliśmy.

W tym momencie Anna mimo woli wyciągnęła rękę w stronę Lizy. Chciała ją jakoś pocieszyć. Powiedzieć coś stosownego do sytuacji. Ale nie potrafiła znaleźć właściwych słów. I nie miała odwagi jej dotknąć. Tak siedziały obie z rękami na stole, obok nietkniętych szklanek.

– Więcej go nie widzieliśmy – powtórzyła Liza. – A po dwóch miesiącach to się stało... Pojechaliśmy do sklepu po tapety i kafelki. Remontu nam się zachciało. Od rana źle się czułam. Myślałam, że samo przejdzie. Wybieraliśmy płytki

– ogromna sala, wielki wybór, a ja nagle poczułam, jak ziemia usuwa mi się spod nóg. Nigdy nie sądziłam, że kiedyś na własnej skórze się przekonam, co to znaczy.

Liza objęła dłońmi wysoką szklankę z sokiem. Wzięła w usta słomkę, upiła łyk. Miała nieumalowane paznokcie. Na palcu wskazującym pobłyskiwał pierścionek.

– Straciłam przytomność – ciągnęła. Machinalnie przekręciła pierścionek do wnętrza dłoni. – Resztę opowiedział mi mąż. Upadłam, ułożyli mnie na podłodze, zobaczyli krew. Pomyśleli: młoda kobieta, pewnie poroniła. Wezwali pogotowie. Okazało się, że to krwawienie z przewodu pokarmowego. Złośliwy guz w jelicie grubym. Gruczolakorak okrężnicy. Przeszłam jedną operację, potem kolejne. W sumie cztery. Sześć cyklów chemioterapii. A teraz odbudowuję krew. I myślę. Ciągle myślę, że to kara za tego chłopca. Za zdradę. Rozumie pani? – Liza prawie krzyczała. Na jej policzki wystąpiły plamiste rumieńce.

Anna zdrętwiała. Miała ochotę wstać i uciec od chudej dziewczyny i jej strasznej historii. Zaczęło brakować jej powietrza. Przed oczami pojawiły się czarne kropki skaczące w górę i w dół, potem dołączyły do nich czerwone.

– Ta pani źle się czuje – powiedział jej ktoś do ucha i wszystko wokół zatonęło w gorącej i gęstej cieczy.

Ocknęła się w swojej sali. Obok niej w wygodnym fotelu siedziała znana jej pielęgniarka i czytała jakieś kolorowe czasopismo.

– Dziękuję pani – wymamrotała Anna – ale chciałabym zostać sama.

– Jeśli lekarz się zgodzi – odparła kobieta dźwięcznie, poprawiając misterną fryzurę. – Zaraz zapytam.

Anna odwróciła się do ściany i przyciągnęła kolana do piersi, instynktownie starając się zająć jak najmniej miejsca. Przepełniał ją lęk. Nie panowała nad myślami ani nad wolą – mogła tylko przycisnąć kolana do piersi i zamrzeć.

„Boże, Boże, wiem, że to kara za chłopca i za dziewczynkę, zabiłam i sama jestem temu winna..."

– Przepraszam – rozległ się spokojny głos za jej plecami – przepraszam, że wyprowadziłam panią z równowagi.

Anna odwróciła się z wysiłkiem – przed nią stała Liza w za dużym frotowym szlafroku. Dziewczyna podała jej rumiane jabłko i powiedziała zbolałym głosem:

– Proszę, to dla pani. Dostałam, a mnie nie wolno. Ani truskawek, ani malin... Niech mi pani wybaczy.

– Nie szkodzi. Nic się nie stało. Niech pani siada – powiedziała z trudem.

– Dziękuję! – ucieszyła się dziewczyna. – Za to opowiem pani coś wesołego. No, może nie wesołego, ale o miłości. Mogę?

– Oczywiście. – Anna też usiadła na łóżku. – Skoro o miłości, to jak najbardziej!

Spojrzała w okno. Zapadał zmierzch. Gałęzie drzew kołysały się na wietrze. Pogoda popsuła się do reszty. Liza z ożywieniem zatarła dłonie o chudych palcach i znowu obróciła pierścionek.

– Wczoraj odwiedził mnie kolega ze szkoły, to właśnie on przyniósł jabłka. Dobry chłopak, tyle z życiem sobie nie radzi. Prawie nie pracuje, czasem tylko fotografuje na zlecenie. Pije. Na wszystko narzeka. Zna pani ten typ?

Anna skinęła głową.

– Ale nagle los się do niego uśmiechnął – zakochał się w pięknej kobiecie sukcesu, prezesce dużej firmy. Było im dobrze w łóżku, rozumieli się, mieli wspólne plany... Niedawno zaprosiła go do domu. Wszedł do luksusowego mieszkania niedaleko Łuku Triumfalnego i zamarł z przerażenia. Wystrój był oczywiście jak trzeba, wszystko świetnie dobrane: obrazy, dywany, lampy, kominek, bibeloty... Ale przeraziła go ogłuszająca pustka. Ani jednej starej fotografii, wytartej książki, albumu rodzinnego, taniej pamiątki przypominającej o czymś ważnym. Powiedział mi: „Nie było tam śladu przeszłości tej dziewczyny ani jej rodziców. Tylko tu i teraz".

– I co było dalej? – zapytała Anna, myśląc o swoim mieszkaniu, idealnie zaprojektowanym i wykończonym.

– Odwrócił się na pięcie i wyszedł pod byle jakim pretekstem. W tej pustce nie widział swojego miejsca.

„Dobrze go rozumiem" – pomyślała Anna bez emocji.

Kiedy przychodzi wiosna i na budzących się do życia gałązkach pojawiają się pierwsze listki, pragnę wierzyć, że na świecie panuje porządek i dobro. Spokojne zakończenie jakiegoś cyklu w życiu i rozpoczęcie nowego napawa mnie otuchą. Pięć lat temu, tuż przed Nowym Rokiem, zamiast szykować się do świętowania, cierpiałam z powodu dziwnego bólu oczu. (Potem okazało się, że ból miał podłoże nerwicowe, jak zwykle). Trzydziestego pierwszego grudnia musiałam wybrać się do lekarza. Byliśmy już u przyjaciół za miastem i trzeba było wrócić do domu. Droga zajęła nam dużo czasu. Patrzyłam w okno, próbując coś dojrzeć przez ciągle napływające łzy, i dziwiłam się, ile sadów jabłoni jest wokół Moskwy. Teraz stały czarne, kostropate i puste.

Dzieciom mówi się, że drzewa zimą śpią. A mnie wydawały się martwe. One odchodzą gdzieś daleko, żeby zdobyć mądrość o cyklu życia i śmierci i zrzucić z siebie krzątaninę trzech poprzednich pór roku. Wzrusza mnie ich coroczne zmartwychwstanie.

W zeszłym roku spędzałam urlop na południu Francji, jak zwykle – sama. W czasie spacerów odkryłam winnice i zameczek na wzgórzu, w którym mieszkali ich właściciele.

Wałęsałam się po okolicy, kiedy z jednego z domów rozległy się dziwne dźwięki. W oknie pierwszego piętra co rusz pojawiały się dwie dziewczynki, zawodzące na fałszywą nutę jak duchy z filmów animowanych. Te urocze laleczki ze wstążkami w ciemnych prostych włosach wyglądały na siedmiolatki. Patrząc na nie, uśmiechałam się, i pewnie byłam szczęśliwa. Zawróciłam i wspinałam się pomiędzy rzędami winorośli po zboczu wzgórza, które okazało się całkiem strome.

Po drodze przemoczyłam nogi i się przeziębiłam.

Wszystko, co dzieje się wiosną, przepełnione jest dla mnie głębokim sensem.

Kiedy zmarł dziadek, pojechałam do jego domu zabrać rzeczy. Pamiętam dobrze, że kwitnął bez. Rozsiewał silną, odurzającą woń. Panowała cisza. W maju lubiłam słuchać śpiewu ptaków, czasem dziadek pozwalał mi nie iść do szkoły, żebym mogła się nim nacieszyć. Po obiedzie przychodzili chłopcy z sąsiedztwa, do późna piliśmy herbatę w ogrodzie i gadaliśmy.

Wtedy nie przywiązywałam do tego wagi, a teraz nabrało to wielkiego znaczenia, podobnie jak aromat czeremchy, ciepły, wiosenny wiatr i zapach ziemi…

Cały czas czekam, aż koło się zamknie i wszystko się rozpocznie od nowa.

Odłożyła zeszyt i odebrała telefon. Drugi dzień siedziała w domu. Siergieja nie było. Anna prawie nie wstawała z kanapy w salonie. Nie oglądała telewizji, nie włączała komputera, czytała stary kryminał Rexa Stouta, popijała herbatę ziołową i pisała dziennik.

– Słucham. Dzień dobry, Marino Pietrowna. Dziękuję, dużo lepiej! Tak. Już wyzdrowiałam. Oczywiście, pamiętam o wystawie w Berlinie, ale myślałam, że pojedzie pani z Nadieżdą Leonardowną. Tak, rozumiem. Wszystko jasne. Wspaniale! Biorę się do pakowania. Dziękuję. Dziękuję...

Wstała z kanapy. Przejęta podeszła do okna. Nawet nie marzyła o wyjeździe z wystawą do Berlina. Telefon troskliwej Mariny Pietrowny, która włączyła ją w skład delegacji, był najmilszą niespodzianką. Po parapecie przechadzał się znajomy gołąb. Przyłożyła dłonie do szyby, jakby chciała go pogładzić.

Berlin, 3 kwietnia, sobota, późny wieczór

Joshua mnie dotykał. Poczułem ukłucie tej bliskość i... natychmiast zacząłem się wstydzić. Przed Pankow nigdy mi się to nie zdarzało. Przed Pankow byłem bardziej normalny niż teraz! Pankow mnie zmieniał. Na gorsze! Chociaż wydawało mi się, że to niemożliwe. Intensywnie przekonywali nas w Pankow, że bliskość to coś, czego my, świrusy, nie potrafimy odczuwać, starali się nas nauczyć, jak ją budować, trwać w niej, pielęgnować, rozwijać, cenić, ale jednocześnie za każdym razem ostrzegali przed nią. Bliskość komuś odebrana, zdradą, śmiercią, złym uczynkiem, złym słowem, oddaleniem, niegodziwością, milczeniem, zapomnieniem, zaniedbaniem, może być bowiem powodem ogromnego cierpienia.

Dokładnie tak o tym myślałem, to były moje myśli, ale przenigdy nie wyraziłbym ich w ten sposób w psychiatryku w Pankow. Mało kto zrozumiałby to przesłanie. Na dodatek przestałbym być od tego momentu swojskim, może tylko trochę za bardzo porąbanym na punkcie muzyki, ale świrem i stałbym się pogardzanym „intelekto". Zamknięty szpital psychiatryczny w Pankow nie był wprawdzie więzieniem, ale także, jako organizacja, wykształcił swoją strukturę, nazwijmy to hierarchią. Żyli tam „normalos", „prole" , „intelekto" i „najemnicy". Najemnicy to „ludzie w bieli", opłacani za to, że tam są. Od pracującej od piątej rano do dziesiątej wieczorem, za głodową pensję, pomocy kuchennej do utytułowanego ordynatora szpitala, który zarabia w ciągu miesiąca więcej niż kucharka w cały rok, ale pojawia się w pracy przed jedenastą rano tylko wtedy, gdy ktoś naprawdę zwariował i na przykład odebrał sobie życie lub próbował odebrać je komuś innemu. Normalos byli normalnymi wariatami. Prole byli wariatami, którzy wywodzili się lub opadli do poziomu prawie najniżej usytuowanej na drabinie szacunku kasty, tak zwanego proletriatu. Nota bene termin „proletriat" pochodził z ulicy, ale tak naprawdę to nie miał, przynajmniej na korytarzach Pankow, nic wspólnego w Marksem, Leninem, Engelsem czy Koreą Północną. Bycie prolem oznaczało maksymalne oddalenie od inteligencji lub jej zupełny brak, podejrzenie o nieobecność mózgu w czaszce, przejawianie agresji pijanych, stadionowych „kiboli", zupełny brak honoru, godności, wychowania czy ogłady, objawiający się na przykład demonstracyjnie głośnym pierdzeniem nawet przy posiłkach. Intelekto z kolei byli regresyjnie zmutowanymi prolami, którym wydawało się, że są lepsi od wszystkich, ponieważ pokończyli jakieś szkoły lub przeczytali chociaż jeden raz gazetę, która miała mniej obrazków niż tekstu, i opowiadali o tym wszystkim wokół celowo podniesionym głosem, używając przy tym niezrozumiałych dla nich samych, wyczytanych w tych gazetach słów. Wydawało się im, że powierzchowną, krótkotrwałą mądrością opromieniują siebie i będą błyszczeć na szarym tle psycholi, którymi pogardzają, chociaż sami do Pankow jakoś trafili. Pomylili intelektualność z „intelekto". To tak, jak gdyby pomylić prokreację z prostytucją. Intelekto znajdowali się na najniższym szczeblu drabiny szacunku, ponieważ prole mogli się po prostu tak urodzić, a intelekto urodzić się nie mogli, bo... po prostu nikt nie rodzi się intelekto.

Na przykład taki Sven...

W Pankow Sven jest chodzącym na nogach dowodem na to, że można być wariatem i jednocześnie geniuszem. I oprócz tego godnym szacunku, prawym człowiekiem. Dzięki Svenovi, i tylko dzięki niemu, niektórzy w Pankow potrafią swoim żonom, siostrom, braciom, dzieciom, rodzicom, przyjaciołom spojrzeć prosto w oczy, wyzbyć się upokarzającego wstydu i powiedzieć: „tak, jestem w psychiatryku, tak mi się przydarzyło, ale jest tutaj także Sven...".

Gdy rozmawia się ze Svenem, to ma się przeważnie uczucie, że rozmawia z człowiekiem biblioteka. Sven nierzadko używa słów, których znaczenie mało kto rozumie, ale nikt nigdy nie powie o nim, że jest intelekto. Chyba że prole. Podczas życia przed Pankow był profesorem astrofizyki na uniwersytecie w Heidelbergu, publikował artykuły w „Nature" i „Science", co jest marzeniem każdego naukowca. On nie miał tego marzenia. To jego proszono, aby tam publikował. Gdy opowiadał coś o wszechświecie w telewizji, to pomimo że bardzo starał się nie wymądrzać, i tak nikt nie rozumiał, o czym mówi. Niektórzy twierdzili, że to przez to, że się jąka.

Sven się przed Pankow nie tylko jąkał. Przed Pankow Sven pisał swoje mądre artykuły do gazet prawą ręką. Teraz nie pisze artykułów, ale wszystko inne pisze znowu lewą. Gdy był małym chłopcem, ojcu Svena nie spodobało się, że jego pierworodny jest mańkutem. Uważał, że jest to dowodem „drastycznego odstępstwa od normy", a w życiu, zdaniem ojca Svena, „jedynie normy wyznaczają porządek i są najważniejsze". Pradziadek Svena był praworęczny, dziadek Svena był praworęczny, a także on, ojciec Svena, bił matkę Svena prawą ręką. Dlatego jego syn także musi stać się praworęczny. Sven stał się praworęczny, co samo w sobie jest rzadkim fenomenem, ale po drodze od leworęczności do praworęczności zaczął się jąkać. Ojciec Svena do końca życia nie powiązał ze sobą tych dwóch faktów.

Pewnego razu, ciągle jeszcze praworęczny, Sven wracał z konferencji naukowej w Chicago. Poprosił żonę, aby przyjechała z Heidelbergu do Berlina i odebrała go z lotniska. Potem mieli spędzić tutaj cały weekend ze sobą. Ich pierwszy wspólny weekend od trzech lat. To było jesienią ubiegłego roku. Samochód z żoną i jego czteroletnią córeczką zmiażdżyła ciężarówka na autostradzie. Tuż przed Berlinem, na południowo-zachodnim odcinku Berliner Ring białoruski kierowca, który jechał bez przerwy od Mińska do Berlina, po prostu ze zmęczenia zasnął i nie zauważył końca kolejki samochodów, które zatrzymały się przed zwężeniem autostrady, tam gdzie remontowali odcinek prawego pasa. Impet uderzenia cieżarówki zabił ośmioro ludzi w czterech samochodach. Samochód, w którym były jego żona i córka, został dosłownie sprasowany. Porozrywane fragmenty mięsa z ciał zebrano skrupulatnie w dwie oddzielne trumny i przygotowano do kremacji. Przygotowaniem pogrzebu zajmowali się rodzice żony Svena. Na pogrzebie w Heidelbergu Sven się nie pojawił. Pozostał w Berlinie, zamówił taksówkę z hotelu „Concorde" do Nuthetal. Kierowcą taksówki była kobieta. Mówiła ze wschodnioeuropejskim akcentem. Poprosił ją, aby wysadziła go po drodze. Powiedział, że umówił się tutaj z kolegą. Kobieta nabrała podejrzeń. Tak na środku autostrady, akurat w miejscu, gdzie ciągle jeszcze były wyrwy w blaszanej przegrodzie oddzielającej pasy i gdzie leżały bukiety kwiatów przewiązanych czarnymi wstęgami i płonęły znicze? To, że przyjeżdżają tutaj ludzie, było zrozumiałe. Taksówkarze opowiadali to sobie na postojach. Ona sama miała wczoraj kurs do tego miejsca. Ale ci ludzie z wczoraj prosili, aby czekała na nich na pobliskim parkingu, i potem zapłakanych zabierała z powrotem do Berlina.

Ten pasażer był inny. Zatrzymała samochód dokładnie tam, gdzie poprosił. Zaparkowała na poboczu i włączyła światła awaryjne. Wyciągnął portfel z kieszeni marynarki, zapłacił jej plikiem banknotów, wcale ich nie licząc. Podał jej pieniądze, uśmiechał się do niej i nic nie mówił. Powiedziała mu, że licznik wskazał sto dwadzieścia osiem euro, a on jej dał ponad dwa tysiące euro i kilkaset dolarów. Milczał. Miała uczucie, że nie rozumie, co do niego mówiła. Wysunęła głowę w kierunku tylnego siedzenia i powtórzyła jeszcze raz, tyle że głośniej. Ciągle milczał i patrzył w jej oczy. Podniósł rękę i dotknął opuszkami palców jej policzków. Delikatnie przesuwał nimi po jej skórze. Po chwili bez jednego słowa pożegnania wysiadł z taksówki. Dokładnie tak napisała też w zeznaniu dla policji. Łącznie z tymi „opuszkami palców”. Nikt dotychczas, przed nim, nie dotknął jej twarzy w taki sposób...

Odjechała na pobliski parking i wysiadła pospiesznie z samochodu. Podbiegła do drzewa tuż przed wjazdem na parking i obserwowała go. Uklęknął przy skraju autostrady i długo dotykał obu dłońmi asfaltu. Tak jak gdyby szukał tam czegoś. Po chwili podniósł się, zdjął okulary, rzucił nimi przed siebie, przeszedł na środek drogi i stał, patrząc w kierunku nadjeżdżających aut. Usłyszała przeraźliwe trąbienie. Cofnął się. Po chwili znowu wrócił na autostradę, odwrócił się plecami i uklęknął. Szybko wróciła do taksówki. Wjechała na drogę i pędziła w jego kierunku. Trąbiła, krzyczała, miała zapalone reflektory. Dotarła do miejsca, w którym go wysadziła. Zjechała na pobocze, wyskoczyła z auta, podbiegła do niego i skacząc na niego, przewróciła na ziemię. Chwyciła jego marynarkę i zaczęła ciągnąć go po asfalcie w kierunku pobocza. Usłyszała z oddali przeraźliwe trąbienie, a po chwili ogłuszający pisk opon. Upadła twarzą do asfaltu i zamknęła oczy, tak aby niczego nie widzieć. Po chwili pojawił się przy niej jakiś mężczyzna i zaczął krzyczeć. Podniosła się. Unieśli Svena, ona za ręce, on za nogi i potykając się, zaczęli biec w kierunku skraju autostrady.

Pierwsza pojawiła się karetka, potem trzy policyjne auta. Ze skraju autostrady po wszystkich formalnościach przywieźli Svena najpierw na oględziny ciała w najbliższym szpitalu. Nocą, gdy okazało się, że Sven oprócz kilku zadrapań na twarzy i złamanego małego palca lewej stopy ma ciało względnie nienaruszone, przetransportowali go na oględziny mózgu do Pankow.

W dokumencie przekazu transportowego (jest coś takiego jak dowód nadania przesyłki na poczcie) młody lekarz napisał w stylu esemesa: *30mg Diazepam(Intrav.), (0)Ethanol, (-)Suizid, (-)Nomine*. W tłumaczeniu na ludzki język oznacza to, że nie stwierdzono w krwi Svena obecności alkoholu, nie są znane jego dane, takie jak na przykład nazwisko, wstrzyknęli mu do żyły „bardzo głupiego Jasia" (30 mg diazepamu dożylnie uspokaja lub usypia nawet zranionego niedźwiedzia) i że podjął próbę samobójczą minus, co oznacza, że nieudaną. Tych, którym nie uda się skutecznie się zabić, przewozi się do psychiatryka z definicji, aby wyleczyć ich rany na duszy. Tak jest ponoć zapisane w niemieckim prawie. W ten sposób Sven dwa lata temu z hakiem trafił do Pankow.

W Pankow po długich badaniach i intensywnych konsultacjach stwierdzono, że Sven nie mógł sobie poradzić ze swoim bólem, swoim poczuciem winy i sobą samym, więc próbował się zabić. Dokładnie w tym samym miejscu, gdzie białoruski zmęczony kierowca zasnął i zmiażdżył swoją ciężarówką jego żonę Marlene i jego córkę Corinę. Ale w końcowym raporcie nazwali to jakoś trzema lub czterema słowami, po łacinie. Strasznie odkrywcza, kurwa, diagnoza. No, po prostu niezwykły, powalający na kolana, zajebisty przełom w historii rozwoju niemieckiej i światowej psychiatrii...

Sven w ciągu tych dwóch lat z hakiem swojej biografii w Berlinie stał się, jak to się teraz nazywa, „celebrytą" Pankow. Jest tutaj nie tylko najlepszym kucharzem, ale także najlepszym astronomem. Czasem wieczorami organizuje w stołówce pogadanki o planetach, gwiazdach, galaktykach i wszechświatach. I serwują wszystkim, którzy się tam pojawią, jego ulubione potrawy, które sam przygotował, a do których przepisy znalazł na blogu swojej żony. Dowiedział się o tym, że pisała w internecie jednego z najczęściej odwiedzanych i komentowanych kulinarnych blogów w Niemczech, dopiero po jej śmieci. Jego żona prowadziła restaurację w Heidelbergu. Sven nigdy tam nie był, ponieważ nie znalazł na to czasu. Mimo że to była największa pasja jego żony. On uważał, że jedyną wartą uwagi i czasu pasją mogą być astronomia, genetyka i filozofia. Teraz, gdy mówi o restauracji swojej żony, to bardzo stara się nie płakać. Ale i tak mu się nie udaje. Dlatego nigdy nie opowiada o tym publicznie. Opowiedział mi o tym kiedyś, szeptem, w kotłowni. Bo oprócz tego, że Sven przestał się dwa lata temu jąkać, to zdarzyła mu się inna pozytywna przemiana. Zaczął dwa lata temu palić. Czasami, gdy Joshua wraca z przepustki w mieście, to za każdym razem przynosi w kieszeniach plastikowe woreczki z „liśćmi". I wtedy kupuję je od niego, i skręcam je w skręty, wsuwam do pudełka po marlboro i w kotłowni częstuję nimi Svena. I wdychamy głęboko, tak aż do żołądka, i rozmawiamy. I kiedyś mi przy najgłębszym wdechu powiedział, że nie może sobie wybaczyć, iż nie znalazł w swoim kalendarzu czasu, aby chociaż raz, jeden jedyny raz, tam pójść. Do restauracji swojej żony. Zanim umarła, nie był tam, a teraz nie ma odwagi, aby pojechać do Heidelbergu i tam pójść. Nikt by go i tak tam nie rozpoznał, więc nie o to chodzi. Poza tym gdyby pojechał do Heidelbergu, to musiałby pójść na cmentarz i przeczytać na nagrobku imiona swojej żony i swojej córeczki. A on nie chce tego przeczytać. Nie jest jeszcze na to gotowy, nie ma na to jeszcze ani siły, ani odwagi. I podczas gdy to mówi, przyciska skręta żarzącym się końcem do swojej dłoni i trzyma tak przez chwilę. Przez ten krótki czas, zanim na skórze pojawi się różowa plama, zaciska powieki, milknie i oddycha głębiej i szybciej. Sven chyba wiedział, że ja rozumiem ten mechanizm zamiany trwałego wewnętrznego bólu w krótkotrwały fizyczny, i okaleczał się przy mnie bez słowa komentarza. Potem Sven zaciąga się dymem z marihuany głębiej niż zwykle i twierdzi, że nic nie usprawiedliwia jego zaniedbania, jego egoizmu i jego bezgranicznego skurwielstwa. I zaczyna płakać. Bo w kotłowni psychiatryka w Pankow spala się nie tylko koks. Ludzkie emocje także…

Sven płaci za wszystko, czym dzieli się z innymi podczas tych wieczorków z astronomią. Także za czas pracy kucharek, które z jego tak zwanych potraw czynią coś, co naprawdę jest do przełknięcia. I sam zapłacił za komputer i za rzutnik, z którego wyświetla swoje psychodeliczne obrazy zderzających się ze sobą galaktyk. Sam także zakupił cztery lunety, które na jego prośbę ustawiono na tarasie pod dachem szpitala w Pankow.

Na wieczory ze Svenem przychodzą i najemnicy, i normalos, i prole, i intelekto. Na wieczory ze Svenem przychodzą wszyscy, którzy są w stanie wstać ze swoich łóżek i wdrapać się na czwarte piętro. Niektórzy wstają z łóżek tylko dlatego, aby wysłuchać opowieści Svena. Bo wieczory Svena to jest po prostu *the event*, jak nazywają to dzienikarze, którzy także tam przychodzą i którym Sven zakazuje pod groźbami procesów w sądzie cokolwiek publikować. Mimo to przychodzą z nadzieją, że może kiedyś Sven jednak zmieni zdanie i im pozwoli. Niespełna rozumu astrofizyk z dwoma doktoratami i tytułami profesora uniwersytetów w niemieckim Heidelbergu i kanadyjskim Vancouver, pacjent psychiatryka opowiadający w swoim szpitalu o początku wszechświata, ciemnej materii i teorii strun w taki sposób, że rozumieją to kucharki po podstawówce, jest atrakcją na pierwszą stronę każdej gazety. Tym bardziej że stracił w wypadku i córkę, i żonę. To jest spektakularne. Absolutnie spektakularne. Po każdym takim wieczorze Sven udziela im wywiadów, które zawierają tylko jedno zdanie. Mówi im, że zwariował i jest mu z tym dobrze, „bo inaczej oszalałby z rozpaczy", i że mają go zostawić w spokoju. I grozi im, że jeśli tego nie zrobią, to „zabije każdego z nich, po kolei, bo i tak nie ma nic do stracenia, a ludzie, którzy nie mają nic do stracenia, są najbardziej niebezpieczni i na przykład wysadzają się bombami w autobusach lub w metrze". To jest, o dziwo, skuteczne. Nawet bulwarowy i z reguły agresywny „Bild" nie opublikował ani słowa o Svenie w Pankow. Wieczory Svena są wydarzeniem nie tylko w szpitalu psychiatrycznym w Pankow. One są wydarzeniem w berlińskiej dzielnicy Pankow. Żadna gazeta nie publikuje informacji o tym, kiedy się odbywają, a jakimś dziwnym trafem wszyscy i tak to wiedzą.

Nie pojmuję dlaczego, ale kiedykolwiek myślę o bliskości, to zawsze wkrada mi się do tych myśli Sven. Wkradł mi się również, gdy poczułem ukłucie bliskości, stojąc na szczycie sterty koksu w kotłowni i słuchając Czajkowskiego, połączony kablem słuchawek z Joshuą.

Jak opowiedziałbym utratę bliskości, gdybym miał to powiedzieć Svenowi, paląc z nim skręta? Pewnie tak, jak opowiadam to sobie i wtedy na szczycie sterty koksu także opowiedziałem to Joshui, który nic z tego nie powinien zrozumieć, bo opowiadałem to po polsku, bo tylko po polsku mogło być naprawdę tylko moje: „bliskość komuś odebrana, zdradą, śmiercią, złym uczynkiem, złym słowem, oddaleniem, niegodziwością, milczeniem, zapomnieniem, zaniedbaniem, może być bowiem powodem ogromnego cierpienia". Bo widzisz, Joshua – mówiłem – odebrano mi bliskość... Joshua przerwał mi wtedy i zapytał, co znaczy „blishkoshch". Zacząłem mu tłumaczyć, ale nie dokończyłem, ponieważ do kotłowni z hukiem wkroczył Norbert. Tak naprawdę to ta kotłownia była jego terenem, bo Norbert był palaczem w naszym szpitalu w Pankow...

Norbert miał – od przedwczoraj – pięćdziesiąt lat. Wszyscy o tym wiedzieli, bo przedwczoraj było w Pankow urodzinowe przyjęcie z tej okazji. Norbert, obok Svena, był w Pankow także swojego rodzaju „celebrytą". Wprawdzie z innej półki, ale to wcale nie znaczy, że z niższej. Przyjęcie z przedwczoraj oficjalnie nazywało się *Contergan Party* i było nagłośnione przez wszystkie berlińskie gazety i kilka kanałów telewizji, łącznie z narodowym pierwszym. I tak jak dla Svena, do Pankow także zjechali dziennikarze. Wprawdzie z innych działów gazet, ale za to było ich o wiele więcej. Ponieważ Norbert Carlos Zuber jest ucieleśnieniem niemieckiego skandalu i niemieckiego wstydu. Gazety bez skandali splajtowałyby już po tygodniu. Poza tym w Niemczech niemiecki wstyd jest zawsze dobrym tematem. Niemcy to naród pokutny. I słusznie. Chociaż światu wydaje się, że to naród butny. I to także jest słuszne. Gdy Niemcom będzie się nieustannie wmawiać butę, to nie zapomną zbyt szybko o pokucie. Ale historyczny wstyd i pokuta nie mają nic wspólnego z urodzinami Norberta sprzed dwóch dni. To chodzi o zupełnie inny wstyd.

Norberta, w maju 1960 roku, urodziła Helena Zuber. Ojcem Norberta był nieznany z nazwiska przystojny hiszpański ratownik z plaży na Majorce, gdzie pod koniec września 1959 roku Helena Zuber spędzała swój krótki, tygodniowy urlop. Po powrocie do domu w Marburgu okazało się, że jest w ciąży. Nie wiedziała, jak ratownik z Majorki się nazywa i gdzie mieszka. Wiedziała tylko, że ma na imię Carlos. Wtedy, nocami na plaży i w jej łóżku w tanim hoteliku w Puerto de Pollensa, ta wiedza jej zupełnie wystarczała. W Marburgu, gdy jej brzuch zaczął być widoczny, matka radziła jej skrobankę, ojciec jej ją nakazywał i nazywał córkę „ohydną dziwką", a gdy był pijany, bił ją pięściami po twarzy. Najbardziej nie mógł jej wybaczyć, że „puściła się jak jakaś suka w rui z cudzoziemcem". Któregoś wieczoru po kolejnej awanturze wyrzucił ją z domu.

Pożyczyła pieniądze od koleżanki i poleciała na Majorkę. Nikt, chociaż pytała nie tylko w swoim hotelu, nie przypominał sobie, aby na plażach w Puerto de Pollensa pracował kiedykolwiek ratownik o imieniu Carlos. Z Majorki wróciła do babci mieszkającej w Berlinie Zachodnim. Babcia – matka jej matki – była jedyną osobą, która tak jak ona chciała, aby to dziecko się urodziło. Zamieszkała z babcią w małym mieszkaniu, w suterenie obdrapanej kamienicy w Charlottenburgu. Babcia po znajomości znalazła dla niej pracę sprzedawczyni w pobliskim spożywczaku. Źle przechodziła ciążę. Rano miała mdłości, cierpiała na bezsenność, nękały ją stany lękowe. Ginekolog, do którego chodziła na okresowe badania, zapisał jej contergan. Tabletki jej pomogły. Wprawdzie poranne ataki mdłości nie ustąpiły, ale zaczęła przesypiać całe noce i przestała się bać.

Norbert urodził się nad ranem w klinice, w której zatrudniony był jej ginekolog, w pobliskim Spandau. Był normalnym, zdrowym noworodkiem. Poza tym że nie miał rąk. To znaczy miał, ale tylko kikuty. Dwa lata później, w 1962 roku, uważny lekarz z Hamburga Widukind Lenz odkrył, że brak rąk u Norberta to skutek działania conterganu, który Helena Zuber, matka Norberta, połykała przez kilka miesięcy w trakcie ciąży. Niemiecka firma Grünenthal GmbH z Aachen, która w końcu 1957 roku wprowadziła contergan do aptek – nie tylko w Niemczech, ale także w wielu innych krajach, łącznie z Australią – nie przeprowadziła odpowiednio dokładnych badań. Jak objaśniał mi to kiedyś Sven, znajdująca się w conterganie „aktywna substancja o nazwie thalidomid jest zdradziecka". Molekuła tej substancji polaryzuje światło w prawo, ale czasami także w lewo. Ta postać, która skręca w lewo, jest bezpieczna, ta, która w prawo, nie. Dla dorosłych, mężczyzn i kobiet, którzy łykali contergan jako środek nasenny, nie miało to znaczenia, jednakże dla ciężarnych kobiet miało. Forma prawoskrętna thalidomidu deformowała płód. Firma Grünenthal GmbH z Aachen powinna pomyśleć o tym, zanim wprowadziła ten lek na rynek (i zarobiła miliony). Powinna zbadać to gruntownie, na przykład na myszach lub chomikach. Nie uczyniła tego. Szacunkowo z tego powodu, zanim Grünenthal wycofał contergan z aptek, cztery tysiące matek urodziło nieżywe dzieci (bo zamiast rąk nie wytworzyły się w płodzie na przykład płuca, serce lub mózg), a siedem tysięcy matek urodziło zdeformowane dzieci. Bez rąk, bez nóg lub bez rąk i nóg jednocześnie. Sven uważa, że dyrektor firmy Grünenthal GmbH z Aachen powinien podciąć sobie żyły już dawno temu. Tak uważa Sven.

Norbert urodził się z matki, która miała pecha i połykała w ciąży contergan, w którym była prawoskrętna forma thalidomidu. I w efekcie urodził się bez rąk. Specjalnie nie ubolewał nad tym. Gdyby amputowano mu ręce, do których obecności zdążyłby się przyzwyczaić, byłoby pewnie zupełnie inaczej. Ale on nie miał rąk od początku i nie miał czasu się do nich przyzwyczaić. To tak jak z kobietami – mówił spokojnie pytany o to – które mają duże piersi, i tymi, które mają bardzo małe. Te, które mają małe, uważają pewnie, że tak miało być. Chociaż zdarza się im myśleć, że z dużymi ich życie potoczyłoby się inaczej, bo na przykład spotkałyby innych mężczyzn.

Mężczyzn, którzy lubią u kobiet duże piersi, jest zdaniem Norberta o wiele więcej, dlatego miałyby teoretycznie o wiele większy wybór.

Dwa dni temu w szpitalu w Pankow Norbert obchodził swoje pięćdziesiąte urodziny. Do Berlina zjechali się z całych Niemiec, ale także z Francji, Holandii, Luksemburga, Danii i Szwajcarii „conterganici", jak ich Norbert nazywa. Nie było tego wieczoru żadnego fałszywego współczucia, żadnego użalania się nad sobą, żadnych patetycznych, wzniosłych przemówień, żadnych modlitw i żadnych petycji do kogokolwiek. Tak się po prostu im przydarzyło. Nie każdy musi mieć nogi lub ręce od urodzenia. Najważniejszy jest przecież mózg. Contergan mózgu na szczęście nie deformował...

Siedziałem ze Svenem i Joshuą przy jednym stoliku i w milczeniu patrzyliśmy na tych ludzi zawstydzeni małą ważnością naszych depresji, naszych melancholii i naszych nieszczęść. Uśmiechnięty i szczęśliwy Norbert podchodził czasami do nas i pytał, czy mamy dosyć wina. A potem przechodził do sąsiedniego stolika, przy którym w swoim wózku inwalidzkim siedziała Marta z Frankfurtu. Pamiętam, gdy w pewnym momencie elegancko podniosła kikutami swoich nóg kieliszek z szampanem ze stolika, przyłożyła go do ust i wzniosła toast za zdrowie Norberta. Patrzyłem na nią bardziej przerażony niż zdumiony. Musiała to zauważyć. Odwróciła głowę w moim kierunku i cicho powiedziała:

– Bo widzi pan, ja potrafię wszystko, tylko chodzić jeszcze nie mogę...

Zbliżała się dwudziesta druga i Norbert jak każdego wieczoru przybył, aby podrzucić koksu do paleniska. Nie zauważył, że stoimy z Joshuą pod sufitem, na szczycie sterty koksu.

Pchał przed sobą brunatną pordzewiałą taczkę. To nie była normalna taczka. To była taczka specjalna. Uchwyty kończyły się rodzajami rur, w które Norbert mógł wsunąć kikuty swoich rąk. Pchał taczkę, a obok taczki biegła dziewczynka w śnieżnobiałej sukience z falbankami i z maleńkim bukiecikiem konwalii przypiętym do jej długich blond włosów. Zatrzymali się. Dziewczynka sięgnęła małymi rączkami do taczki i wydobyła z niej sinoszary, podłużny cylinder zakończony czymś, co przypominało trójpalczastą dłoń robota z japońskich kreskówek. Norbert wsunął w otwór cylindra swój lewy kikut, potem dziewczynka podała mu drugi identyczny cylinder. Po chwili Norbert przyklęknął i wysunął obie protezy w jej kierunku. Dziewczynka pospiesznie zaciągnęła blaszane zapięcia podobne do tych mocowanych na butach do snowboardu lub nart.

Norbert chwycił protezami łopatę, która leżała na betonowej podłodze, i zaczął powoli nakładać koks do taczki. Dziewczynka w tym czasie brała w swoje dłonie pojedyncze bryły i dorzucała je na górę. Usłyszałem, jak Norbert wykrzykuje:

– Alionko, kochanie, nie rób tego. Pobrudzisz sukienkę. Proszę, nie dotykaj dzisiaj rączkami węgla. Dzisiaj nie! Babcia będzie na mnie bardzo zła, a twoja mama będzie na nas krzyczeć.

– Nie pobrudzę, dziadku, nie pobrudzę – odpowiedziała dziewczynka i schyliła się, aby podnieść następną bryłę.

Patrzyłem na to, co się działo, jak zauroczony i wydawało mi się, że jakiś anioł zbłądził po drodze do nieba i trafił przypadkiem do kotłowni w psychiatryku w berlińskim Pankow. A więc anioł ma na imię Alionka! Zawsze chciałem wiedzieć, jak ma na imię dziewczynka, którą Norbert „szmuglował" wieczorami do Pankow…

Teoretycznie szpital psychiatryczny w Pankow od dziewiętnastej wieczorem do szóstej rano był zamknięty dla osób z zewnątrz. Chyba że byli to lekarze, sanitariusze, kierowcy karetek pogotowia, prokuratorzy, policjanci, pracownicy zakładów pogrzebowych, zakonnice lub księża. Jednym z tych ostatnich był bardzo dobry znajomy Joshuy i bardzo przez Joshuę znienawidzony „ojciec Remigiusz".

Remigiusz, który tak naprawdę miał na imię Hakan, ale zmienił je w pokrętnych okolicznościach na Helmut, kupił kiedyś na bazarze sutannę zakonnika, nauczył się kilku modlitw po niemiecku oraz po łacinie i od tego dnia stał się „ojcem Remigiuszem". Gdy już potrafił wypowiadać te modlitwy bez zająknięcia, zaczął regularnie w przebraniu zakonnika odwiedzać berlińskie więzienia oraz psychiatryki. W przepastnych kieszeniach sutanny oprócz książeczki do nabożeństwa, Biblii, różańca, prezerwatyw i papierosów ma zawsze „substancje". Niekoniecznie tylko marihuanę lub haszysz. Czasami także kokainę, LSD, heroinę lub nawet „crack". Ale nie tylko. Ostatnio także viagrę, cialis lub uprimę. Ponieważ Remigiusz jest dealerem, który od początku swojej kariery „orientował się na rynek". Niektórzy chcą mieć totalny „odjazd", a inni z kolei totalną erekcję. Ostatnio na erekcjach Remigiusz zarabia znacznie więcej niż na „odjazdach". Dlatego, gdy w internecie zamawia viagrę z Indonezji, Filipin lub Wysp Kajmana, podaje adres odbiorcy przesyłki w polskim Szczecinie. Tylko raz podał swój berliński adres i dostawa za ponad czterysta dolarów mu przepadła. Dociekliwi niemieccy celnicy otworzyli przesyłkę i zdumieni ilością kolorowych tabletek w plastikowych woreczkach, zaprosili go uprzejmym listem na przesłuchanie. Nie dość, że stracił cały towar, to jeszcze musiał się pokrętnie tłumaczyć i wstydzić.

Teraz spokojnie odbiera nienaruszony towar w Polsce, u pani Kunegundy, emerytki mieszkającej w dwupokojowym mieszkaniu w obdrapanym bloku na osiedlu w południowo--zachodniej części Szczecina. Wygodnie, bo bardzo blisko zjazdu z berlińskiej autostrady. Celnicy w Polsce albo nie mają tyle czasu co niemieccy na kontrolowanie przesyłek, albo paczki do pani Kunegundy nie zasługują na ich uwagę. Ponieważ pani Kunegunda od siedmiu lat znajduje się w stanie trwałej starczej afazji i nie komunikuje się ze światem za pomocą mowy, Remigiusz nigdy nie rozmawiał z panią Kunegundą. Rozmawiał natomiast z jej wnuczką Iwoną, która dba o to, aby babcia Kunegunda miała czyste i suche pampersy, dostała jeść i pić i była minimum raz w tygodniu pod prysznicem. Iwona ma za to dach nad głową, nieograniczony dostęp do babcinej renty, a w przyszłości, w spadku, otrzyma jej mieszkanie.

Remigiusz spotkał Iwonę na Dworcu Głównym w Berlinie. Stała zagubiona i przestraszona w hali dworca i nie wiedziała, z którego peronu odjeżdża pociąg do Gdańska przez Szczecin. Podszedł do niej i zapytał, czy nie potrzebuje pomocy. Zaprowadził na właściwy peron, dźwigał jej walizkę, wsiadł z nią do wagonu, pojechał z nią do Szczecina, a na końcu odwiózł taksówką z dworca pod sam blok na jej osiedlu. Nikt tak nie zaopiekował się Iwoną, odkąd umarł jej dziadek. Ale wtedy miała osiem lat, a dzisiaj ma dwadzieścia osiem. Dziadek to dziadek, a mężczyzna to mężczyzna. Szczególnie taki prawdziwy, z Niemiec. Zaprosiła go trochę z wdzięczności, ale bardziej z ciekawości do siebie na górę, na herbatę. Najpierw pili herbatę, potem herbatę z wódką, a na końcu tylko wódkę. Gdy okazało się, że nie ma już żadnych powrotnych pociągów do Berlina, Iwona rozłożyła wersalkę, pościeliła ją świeżym prześcieradłem, kazała mu zamknąć oczy i się rozebrała. Potem położyła się na kołdrze, rozsunęła szeroko uda i kazała mu otworzyć oczy.

Remigiusz na Dworcu Głównym w Berlinie ukrywał się przed policjantem, który miał go doprowadzić do prokuratury na kolejne przesłuchanie. Policjant zlokalizował go na parterze dworca, on pospiesznie przebiegł schodami na pierwsze piętro, do wejść na perony. Tam jest zawsze tłum, w którym można się łatwo zgubić. Kobieta, do której podszedł, była ogromna, o ponad pół głowy wyższa od niego i dwa razy od niego szersza. Ukrył się za nią. Policjant przeszedł za jej plecami i go nie zauważył. Dla pewności Remigiusz podniósł jej walizkę, chwycił ją za rękę i przeszedł na peron, z którego miał odjechać pociąg do Szczecina. Gdy zauważył, że także policjant pojawił się na tym peronie, wsiadł pospiesznie do pociągu. Zdecydował, że bez porównania lepiej będzie pojechać do Szczecina niż kolejny raz na komisariat przy Alexanderplatz w Berlinie. Tym bardziej że miał kieszenie wypchane towarem i od kilku tygodni był na kokainie. W komisariacie zabraliby mu towar, co jest jak pierwsze ostrzeżenie przed wyrokiem śmierci, obcięliby mu kosmyk włosów i przesłali do badania w laboratorium w Karlsruhe. Po dwóch tygodniach w jego aktach byłyby wyniki analiz i wyszłoby na jaw, że ciągle ćpa. A między innymi za ćpanie miał wyrok w zawieszeniu. Odwiesiliby jego wyrok i wróciłby do więzienia. Jednakże nie na krótko, z „duchową posługą", jako „ojciec Remigiusz", ale na bardzo długo jako „więzień Remigiusz". Wolał więc pojechać do Szczecina. Walizka była ciężka, kobieta była ogromna, miała zeza i na dodatek bardzo słabo mówiła po niemiecku. W Szczecinie wydał ostatnie pieniądze na taksówkę. Postanowił, że tak będzie najlepiej. Przez całą drogę z Berlina do Szczecina starał się być uwodzicielski i zmuszał się do dotykania jej dłoni, a kilka razy nawet kolana.

W przedpokoju małego mieszkania na czwartym piętrze obdrapanego bloku nieróżniącego się zbyt wiele od tych we wschodnim Berlinie kobieta najpierw przedstawiła go niemej, pomarszczonej jak zeschnięte jabłko staruszce siedzącej w wózku inwalidzkim, a potem zaprosiła go do pokoju, podczas gdy sama poszła do kuchni przygotować dla nich herbatę. Usiadł na skrzypiącej wersalce i zastanawiał się, czy to właśnie na niej przyjdzie mu dzisiaj spać. To było bardzo prawdopodobne, bowiem mieszkanie miało tylko dwa pokoje, a do jednego z nich kobieta wepchnęła wózek ze staruszką. Nie miał pieniędzy na hotel, a do Berlina wolał dzisiaj nie wracać. Pozostała mu opcja włóczenia się po mieście i twardej ławki lub krzesła w poczekalni dworca. Nocleg w hotelu bez pieniędzy nie wchodził w rachubę, natomiast w pociągu bez biletu dawał sobie radę już od dzieciństwa. O opcji spania w jednym łóżku z tą kobietą wolał przynajmniej na razie jeszcze nie myśleć.

Nie pamiętał, kiedy ostatni raz pił herbatę w szklance wsuniętej w metalowy koszyczek, pamiętał natomiast bardzo dokładnie, że jeszcze nigdy nie pił herbaty z wódką. Najpierw wódki w herbacie było niewiele. Na końcu z herbaty zostały tylko czarne fusy pływające w przezroczystej wódce. Wódka donoszona z kuchni skończyła się bardzo późno. Na tyle późno, że w międzyczasie odjechały wszystkie pociągi ze Szczecina do Berlina. Nawet te egzotyczne z przesiadkami w Hamburgu lub w Kolonii. Tak powiedziała mu dziewczyna pracująca w informacji kolejowej we Frankfurcie nad Odrą, gdzie się dodzwonił. W tym momencie kobieta wstała od stołu, podeszła chwiejnym krokiem do wersalki, wydobyła ze skrzyni prześcieradło i kołdrę i po niemiecku wykrzyknęła, że ma zamknąć oczy. Natychmiast zamknął i zaczął zastanawiać się, jak stąd uciec. Gdy otworzył, kobieta leżała z szeroko rozsuniętymi udami. Naga wydała mu się po prostu gigantyczna, nieporównywalnie większa niż ubrana. Zerwał się gwałtownie z krzesła i pospiesznie przebiegł do łazienki.

Normalnie towar klientów to dla niego najświętsze tabu, ale dzisiaj – tak się przed sobą usprawiedliwiał – ma przecież „przypadek losowo ekstremalny". Otworzył jeden z foliowych woreczków z kokainą i wysypał krótką „kreskę" na różową plastikową pokrywę sedesu toalety. Nie miał w portfelu żadnego banknotu, który mógłby skręcić w rurkę, więc nachylił się nad pokrywą i wciągnął proszek bezpośrednio nozdrzami. Potem wyjął tabletkę uprimy z fiolki, położył na języku i popił wodą z kranu. Dużo, bardzo dużo etanolu plus kokaina, plus uprima. I na dodatek wszystko na pusty żołądek. Zdał sobie sprawę, że nic nie jadł od wczorajszego wieczora. Kobieta go wprawdzie poiła, ale ani razu nie pomyślała o tym, aby go nakarmić. Zastanawiał się, jak jego serce poradzi sobie z tą całą chemią we krwi. Bo pomijając kokainę, uprima pobudza nie tylko penis, ale także serce. I to o wiele mocniej niż viagra. Serca dla tej kobiety nie miał, ale penis, twardy penis, tak mu się wydawało, mieć dla niej powinien.

Wrócił do pokoju. Kobieta ciągle leżała na wersalce. Z szeroko rozsuniętymi udami. Masturbowała się. Muzyka z radia zmieszana z odgłosami jej krzyków, westchnień i jęków była zbyt głośna, aby mogła usłyszeć, gdy wchodził. Cofnął się i powrócił do łazienki. Przekręcił klucz w zamku i położył się w wannie. Zupełnie inaczej wyobrażał sobie swoją ucieczkę do Szczecina...

Nie mógł zasnąć. Nagle zrobiło mu się przeraźliwie zimno. Przykrył się wszystkimi ręcznikami, jakie wisiały na linkach rozciągniętych nad wanną. Ciągle trząsł się z zimna. Potem na ręczniki położył cuchnący moczem szlafrok, który leżał na podłodze przed wanną. Jednocześnie pomimo zimna czuł pieczenie oczu od kropel potu, który spłynął z jego czoła. Odczuwał niepokój, momentami przeradzający się w ataki panicznego lęku. Najgorsze było to, iż nie wiedział, czego się tak naprawdę boi. I dopiero wtedy tym bardziej zaczynał się bać. Po około godzinie tej męczarni postanowił wrócić do pokoju. Nie chciał być sam. Nie mógł być teraz sam.

Od zawsze nie mógł być sam, gdy się bał. Jeszcze jako mały chłopiec bał się zasypiać po tym, jak matka krzyczała na ojca, a potem ojciec ją bił. Bał się zasypiać, gdy ojciec od nich odszedł i nie było żadnych awantur, a on tęsknił za swoim strachem z czasów, gdy ojciec był i matka na niego krzyczała, i następnego dnia zakładała ogromne przeciwsłoneczne okulary, aby nie było widać sińców pod jej oczami. Tamten strach, gdy ojciec wracał nocą, a matka krzyczała, był lepszym strachem niż ten strach, gdy matka siedziała sama w sypialni i czekała na ojca, który nie wracał. Przestał się bać, gdy dowiedział się, że ojciec umarł. Jego grób jest ponoć na cmentarzu w małej wiosce w pobliżu Ankary. W tej samej wiosce, w której się urodził. Zrozumiał wtedy, że nikt, kto nie żyje, nie może już nigdy do niego wrócić. I strach minął. Ale teraz, leżąc w tej wannie pod stertą cuchnących wilgocią ręczników, znowu się bał. A gdy się bardzo bał, to potrzebował się do kogoś przytulić. Zanim umarł ojciec, przytulał się do matki.

Wbiegł nagi do pokoju. Kobieta, siedząc na podłodze, oparta plecami o wersalkę, spała ze zwieszoną głową. Głośno chrapała. Stanął na krawędzi wersalki i chwytając ją za ręce, wciągnął na pościel. Potem położył się obok, mocno się do niej tuląc. Czuł, jak niepokój powoli ustępuje. Po chwili zasnął.

Następnego dnia rano, w kuchni, we trójkę jedli jajecznicę. Staruszka uśmiechała się do niego i momentami wyjadała ręką z jego talerza, kobieta wpatrywała się w niego jak żona w ukochanego męża po nocy poślubnej. Oprócz tego, że raz obudził się przyduszony, na bezdechu, z głową ściśniętą jej ogromnymi piersiami, niewiele pamiętał z ostatniej nocy.

W pewnym momencie usłyszeli głośne pukanie do drzwi. Listonosz przyniósł przesyłkę z lekarstwami dla staruszki. Wtedy to właśnie przyszła mu do głowy ta genialna myśl. Przecież jego viagra i cały inny towar mogłyby także docierać do babci Kunegundy! Tutaj, do Szczecina! Zapytał kobietę, czy mógłby czasami do niej przyjeżdżać. Była wzruszona. Odczekał, aż jej wzruszenie minie, poprosił o dokładkę jajecznicy i zapytał, czy mógłby przesyłać na adres jej babci także swoje „lekarstwa na cukrzycę". Sprowadza je z zagranicy, bo tam są o wiele tańsze, ale często „giną po drodze, bo w Niemczech na pocztach jest dużo złodziei, nie tak jak w Polsce". Kobieta wzruszyła się po raz drugi. Zapisała mu na skrawku papieru adres babci, a obok numer swojego telefonu. Wsunął kartkę do kieszeni marynarki, obiecał, że po powrocie do Berlina natychmiast zadzwoni, i wstał od stołu. Podsunął swój talerz z resztkami jajecznicy staruszce, objął kobietę, pożegnał się z nią i ruszył do drzwi. Dopiero na korytarzu, dwa piętra niżej, poczuł zimno pod stopami. Ze złością zauważył, że wyszedł bez butów.

Znowu się zapomniał! To takie bardzo tureckie zdejmować buty, wchodząc do czyjegoś domu, a potem – co zdarza się głównie zbytnio zniemczałym Turkom – zapominać o tym, że się je zdjęło. Nie lubił w sobie tego odruchu zdejmowania butów. Nienawidził w sobie całej swojej „turszczyzny". Ale ciągle w nim była. Mimo że tak bardzo się starał upodobnić do

Niemców. Dla zmiany nazwiska z Barişalim na Grotz zapłacił dużo pieniędzy niemieckiej autochtonce z Kazachstanu, aby wyszła za niego za mąż. Gdy tylko otrzymał – po dwóch latach przepychanek z urzędem imigracyjnym – niemiecki paszport z nazwiskiem Grotz, zapłacił jej drugi raz, tym razem o wiele więcej, aby nie robiła żadnych problemów przy rozwodzie, a potem jak grób milczała. Pozbył się wytrwałą pracą swojego tureckiego akcentu, nauczył się zachowywać tak jak Niemcy: nie okazywać zbytnio uczuć, krytykować podatki, myć samochód w każdą sobotę, narzekać na niepunktualność pociągów spóźniających się więcej niż pięć minut, narzekać na wysokie ceny, okazywać skruchę przy rozmowach o wojnie, ale zastrzegać, że ma „szczęście późnego urodzenia". Poza tym sam sobie stworzył drzewo genealogiczne sięgające, dla pewności, cztery pokolenia wstecz i zaczynające się gałęzią prapradziadka, który był „szanowanym państwowym urzędnikiem w Królewcu". Dlatego on – powtarzał to sobie modulowanym, pełnym powagi głosem – „od dzieciństwa szanuje urzędy, a przede wszystkim ciężką pracę urzędników". Opowiedział kiedyś tę bajkę młodemu policjantowi na komisariacie przy Alexanderplatz i okazało się, że policjant w nią aż tak bardzo uwierzył, że po sporządzeniu notatki go wypuścił. Bardzo pomógł mu w tym oczywiście fakt, że policjant nie mógł dodzwonić się do biura meldunkowego, gdzie przechowywali jego prawdziwe dane łącznie z imieniem i nazwiskiem sprzed ślubu z Nataszą Leonidowną Grotz z Ałma Aty w Kazachstanie.

Cofnął się na czwarte piętro. Kobieta zupełnie opacznie zrozumiała jego nagły powrót. Rzuciła się mu na szyję, zaczęła tulić się do niego i całować. Babcia Kunegunda klaskała przy tym w dlonie i poruszała nerwowo swoim wózkiem.

Uwolnił się z uścisku kobiety i przeszedł do pokoju. Znalazł swoje buty pod wersalką. Kobieta uklękła przed nim i zaczęła wiązać sznurowadła. Po chwili podniosła się na kolana i nachyliła głowę nad jego rozporkiem…

Do Berlina wrócił późnym popołudniem, aby wieczorem, znowu jako „ojciec Remigiusz", kolejny raz pracowicie rozprowadzać „towar". Tego dnia był także w psychiatryku w Pankow.

Joshua – postać dealera w sutannie wyjątkowo często pojawiała się jako temat naszych rozmów – z jednej strony, pogardzał Remigiuszem, a z drugiej, czuł rodzaj perwersyjnej fascynacji jego, jak on to nazywał, „inteligencją dostosowawczą". Służyła ona mu wprawdzie głównie do wyrządzania innym krzywdy, ale była także – według Joshuy – przykładem „ponadnaturalnego daru". Remigiusz był przykładem „osobowościowego kameleona", jaszczurki, której odrasta odcięty lub odgryziony ogon, lub mchu, który zgnieciony walcem drogowym, po kilku dniach znowu się podniesie. Joshua twierdził, z typową dla niego przesadą, że Remigiusz przetrwałby wszędzie, a gdyby trzeba było, to ze stałocieplnego ssaka przemieniłby się w zmiennocieplnego gada. Ja nie dostrzegałem w Remigiuszu żadnych oznak ponadprzeciętnej inteligencji. Jest jedynie ponadprzeciętnie sprytnym i pracowitym kryminalistą z ponadprzeciętnym pensum szczęśliwych przypadków w życiu. Otrzymał ponadnaturalny dar, to prawda, ale jest nim wyjątkowy talent do manipulowania ludźmi i wykorzystywania bez żadnych skrupułów ich niespełnionych tęsknot i nadziei. Nie jest to jednak dar dla nikogo korzystny. Nawet dla niego samego. Remigusz to nikt inny jak niebezpieczny socjopata.

– A tak zupełnie szczerze, Joshua – powiedziałem któregoś razu – twoja fascynacja tym, swoją drogą, niebezpiecznym cwaniaczkiem wynika z tego, że jesteście w pewnym sensie bardzo do siebie podobni. Obydwaj udajecie przez całe życie kogoś, kim nie jesteście. Ty żydowskiego nazistę, a on przefarbowanego na Niemca Turka. On udaje, że zapomniał Allaha, a ty, że odkryłeś Adolfa. I on, i ty nie potraficie pogodzić się ze sobą, ze swoim pochodzeniem. Robicie wszystko, aby być najpiękniejszymi motylami na łące. Ale to nie jest wasza łąka, Joshua. Nie wasza. Jesteście tam innymi motylami. Wcale nie gorszymi. Tylko innymi. I takimi powinniście pozostać. Niemcy gardzą tymi, którzy chcą być bardziej niemieccy niż oni sami. Dam sobie uciąć rękę, że i ty, i on parkujecie swoje samochody na ulicy zawsze tam, gdzie wolno, i zawsze poprawniej niż Niemcy, prawda? Nauczyliście obydwaj swoje krtanie wibrować, wymawiając perfekcyjnie to okropne niemieckie „r", ale nawet z tym idealnie aryjskim „r" nie potraficie wyrazić swoich uczuć. Brakuje wam słów, mieszacie pojęcia, przenośnie i konteksty. Bo to nigdy nie będzie wasz język, Joshua. Nigdy...

– A ty, polaczku, kim chcesz, kurwa, tutaj być? – wycedził przez zęby, wyraźnie dotknięty moimi słowami Joshua – tobie się wydaje, że wszystkie łąki od Uralu po Gibraltar są polskie, prawda? Latasz najwyżej ze wszystkich motyli ze swoimi szeroko rozłożonymi biało-czerwonymi skrzydłami i na wszystkich majestatycznie spoglądasz z góry. Wiedz, że prowokujesz tą swoją zasraną, przesadnie obnoszoną polskością w tym zakładzie. I to nie tylko mnie, polaczku...

Pamiętam, że był to przedostatni raz, kiedy rozmawialiśmy ze sobą o „ojcu Remigiuszu". Po kilku tygodniach, mimochodem, Joshua poinformował mnie jedynie, że „ojciec Remigiusz" musiał przenieść się „na dłużej do Polski", ale póki co nikt, także policja, nie wie dokładnie dokąd.

Gdy węgiel z kilku kolejnych taczek zniknął w palenisku pieca i Norbert z Alionką wyszli z kotłowni, zeszliśmy powoli ze sterty koksu na dół i zapaliliśmy papierosa. W środku plamy z czarnego szutu, przy piecu, leżał biały bukiecik konwalii. Schyliłem się po niego i ostrożnie zdmuchnąłem pył z kwiatów. „Twoja mama będzie na nas krzyczeć", przypomniałem sobie słowa Norberta. Joshua delikatnie wyjął bukiecik z mojej dłoni i przysunął do nosa. Po chwili oddał mi go i powiedział:

– Nigdy cię o to dotąd nie pytałem. Słuchaj, czy ty masz dzieci?

– A ty masz, Joshua?

– Ja? Żartujesz chyba? Kto by chciał mieć dzieci z takim ćpunem? Ja sam się boję, że od kwasów w mojej spermie urodziłoby mi się dziecko z płetwami zamiast rąk. Odpowiesz mi czy nie?

Udałem, że nie dosłyszałem pytania, zaciągnąłem się głęboko papierosem, przydeptałem niedopałek i wyszedłem z kotłowni.

Na parterze kliniki w Pankow, przy wejściu po prawej stronie, tuż za drzwiami prowadzącymi do gabinetu dyżurnego lekarza, którego prawie nigdy tam nie ma, znajduje się eliptyczny wykusz, w którym rozlokowano mały sklepik sprzedający kanapki, słodycze, napoje, podstawowe kosmetyki oraz czasopisma i gazety. Wieczorami, po zamknięciu, sklepik oddzielony jest od korytarza opuszczaną kratą. Przed kratą uprzejma sprzedawczyni stawia dwa stoliki, na których rozkłada gazety, jakich nie udało się sprzedać w ciągu dnia. Nad jednym ze stolików wisi ogłoszenie informujące, aby „nie zabierać gazet do pokoi". Już dawno ktoś przekreślił słowo „pokoi" i mazakiem dopisał „cel". Najpierw po niemiecku, potem po rosyjsku, potem po chorwacku, a ostatnio także po turecku. Gdy z bukiecikiem konwalii w dłoni wracałem z kotłowni do swojej „celi", nie mogłem nie minąć tego stolika przy kracie. Zasłonięta gazetą siedziała na nim Magda Schmitova.

Magda Schmitova z Czechosłowacji była jednoznacznie rozpoznawalna także wtedy, gdy jej twarz i piersi były zasłonięte gazetą. Miała wyjątkowo długie i piękne nogi, o których często rozmawiano na korytarzach i w pokojach psychiatryka Pankow. Z reguły zasłaniała je czarnymi grubymi wełnianymi obcisłymi spodniami. Nie wiem, gdzie znajduje się granica pomiędzy spodniami a pończochami. Ile milimetrów grubości powinny mieć spodnie, aby nie być już pończochami albo rajstopami. Kobiety jednak jakoś tę granicę intuicyjnie czują. Przy pewnej ilości milimetrów grubości materiału spodni, rajstop, pończoch lub legginsów, obojętnie, jak to nazwać, uważają, że są kobietami w spodniach i mogą zachowywać się jak kobiety w spodniach. Na przykład siadać na krzesłach, fotelach, siedzeniach, kanapach tak jak mężczyźni, na przykład z szeroko rozsuniętymi udami. Bo przecież są w spodniach. Mężczyźni nie posiadają tej intuicji. Dla mężczyzn różnica pomiędzy pięć milimetrów i dwa milimetry z racji pewnego dawno zbadanego męskiego kompleksu wydaje się kosmicznie wielka i zaczynają czuć rodzaj niepokoju. Nie wiedzą, czy kobieta siedząca przed nimi rozsuwa uda, ponieważ będąc w spodniach, po prostu czuje się swobodnie, czy rozsuwa je, aby przekazać im pewną wiadomość. A jeśli tak, to jaką. Dylemat jest jeszcze większy, kiedy kobieta na te niby-spodnie zakłada bardzo krótką spódniczkę. Wówczas niepokój się jeszcze bardziej nasila. Podobnie jak wywołane tym widokiem jednoznaczne fantazje, szczególnie, gdy kobieta jest atrakcyjna.

Tego wieczoru Magda Schmitova siedziała na stoliku przy kracie bez spodni, bez rajstop, a także bez butów. I na dodatek, najprawdopodobniej przez nieuwagę spowodowaną zaczytaniem się gazetą, jej szlafrok przesunął się na tyle wysoko, aby odkryć jej uda. Zbliżając się do niej, instynktownie zwolniłem kroku. Po chwili zatrzymałem się.

– Dlaczego pan jeszcze nie śpi, wirtuozie? – zapytała schowana za gazetą.

– Skąd pani wie, że to… ja?

– Tylko pan w tym sierocińcu tak pięknie gra i tak cudnie pachnie.

– Czym pachnę?

– Jak to czym? Bergamotą, kardamonem, cytryną, goździkiem, cynamonem, jaśminem. Trochę chyba różą, ale nie jestem pewna. I dymem z papierosa. Tego jestem pewna. Dunhill? – zapytała, opuszczając gazetę na uda.

– Nie. Marlboro.

– Daria bardzo dużo paliła. Była przywiązana do nikotyny jak pies krótkim łańcuchem do budy. Uważała, że prócz marzeń warto mieć przede wszystkim papierosy. Paliła tylko dunhille. I tylko mentolowe. Wydawała na nie majątek. Nigdy nie kupowała podróbek w Rosji albo na Ukrainie. Czasami nawet razem paliłyśmy. Wkładałyśmy otwartą paczkę na pół godziny do zamrażalnika, kochałyśmy się na podłodze w kuchni, przy lodówce, a potem…, potem inhalowałyśmy dym ze schłodzonym mentolem. Próbował pan tego kiedyś? Jeśli nie, to gorąco polecam. Odkryje pan palenie na nowo. I oczywiście rozmawiałyśmy. Z Darią można było rozmawiać bez końca. Chociaż z przerwami. Nie zawsze tylko na pół godziny…

– O czym rozmawiałyście?

– Jak to o czym?! No wie pan, o tym co wszystkie kobiety. O kosmetykach, o mężczyznach, o butach, o życiu seksualnym

Kanta, o planach na przyszłość. Z tego ostatniego Daria kpiła. Uważała, że rozśmieszamy Boga, rozmawiając o swoich planach na przyszłość.

– Kant nie miał życia seksualnego! – zaprzeczyłem z uśmiechem.

– A skąd pan to raczy wiedzieć? Każdy ma. Biedronka ma, dżdżownica ma, Putin ma, Merkel ma, papież ma i nawet Kant miał. Tylko że Kant najpewniej z sobą samym. Każdy, kto ma ciało, ma jakieś życie seksualne. To jest wbudowane w program ewolucji. Poza tym my nie mamy ciała, jak to zazwyczaj opisujemy. My ciałem jesteśmy. Ludzie tej różnicy przeważnie nie zauważają. Zwracają na to uwagę dopiero w momentach ostatecznych. Przejechany kot na ulicy to tylko wybebeszone ciało. Ale rozjechany człowiek to coś więcej niż tylko zmiażdżona masa mięsa i kości. Kant w swoich rozważaniach je pomijał. I dlatego jako filozof mnie okropnie nudzi. Poza tym swoją filozofią ignorującą ciało wypaczył myślenie o funkcjonowaniu człowieczego istnienia co najmniej do czasów Nietzschego. Dopiero on znalazł odwagę, aby odpowiedzieć twierdząco, że Bóg tkwi wszędzie. Także w kale, który wydalamy.

– Hmm, Bóg w naszej kupie? Tak pani sądzi? Skąd pani wie tyle o życiu Kanta?

– Ze szkoły. Bo widzi pan, zanim przyjechałam z Pragi do Düsseldorfu, to studiowałam tam na uniwersytecie. Filozofię. To był, i ciągle jest, bardzo dobry uniwersytet. Najstarszy w strefie krajów Schengen – wykrzyknęła rozbawiona. – Tyle że studiowanie filozofii nie jest dobrym wyborem w obecnych czasach. Nie można z tego opłacić czynszu, nie mówiąc o dunhillach. I dlatego nauczyłam się po studiach masażu – dodała z ironią w głosie.

– A Daria?

– Daria? Daszeńka moja miała życie seksulane, jeśli o to panu chodzi. Nie tylko ze mną. Z innymi kobietami także. I o ile wiem, tylko z kobietami. Ona nie miała epizodów biseksualności tak jak ja. Daria jest lesbijką, odkąd pierwszy raz poczuła pożądanie. Sama mi to kiedyś powiedziała. Uważała, że penis u mężczyzny to tak jak zwykła kurzajka, tyle że większa, można z tym żyć albo to zoperowć. Ale męskiego mózgu nie można wyciąć żadnym skalpelem. Tak twierdziła.

– To dość okrutne dla mężczyzn, przyzna pani? Ale to nieważne. Ja miałem na myśli raczej, jak pani spotkała Darię.

– Sama do mnie przyszła. Któregoś dnia na kozetce w moim, nazwijmy to patetycznie, studiu masażu położyła się przepiękna, naga kobieta. To była Daria. Ja masowałam wiele ciał. Widziałam wiele nagości, ale jej nagość była inna. Przepiękna była, powiem panu, przepiękna... Zaczęłyśmy rozmawiać. Jak to podczas masażu. Trudno jest milczeć, gdy ktoś oddaje swoje ciało dotykowi kogoś innego na godzinę. W sposób naturalny rodzi się jakaś bliskość. Daria mówi biegle po niemiecku, lepiej niż ja, ale z mocnym rosyjskim akcentem. Ludzie z akcentem w Niemczech zawsze mnie jakoś przyciągali do siebie. Marcel także mnie tym na początku przyciągnął. Zapytałam, skąd jest. „Z Moskwy ja jest", odparła. Studiowała na sławnym moskiewskim GUM-ie dziennikarstwo. To teraz ulubiony kierunek studiów w Rosji, ale czasami niebezpieczny. Przyzna pan, prawda? Ale ona nie poszła w politykę. Polityką i politykami gardziła tak samo jak wszelkimi rasistami i seksistami. Ona poszła w etykę. I tak się zgadałyśmy. Bo ja także bardzo lubię etykę. Nie żebym była etyczna. Ale etykę jako narośl filozofii bardzo lubię. Daria jako lesbijka w Rosji nie czuła się, powiedzmy, komfortowo, miała, powiedzmy, problemy. I uważała, że inne kobiety mogły także mieć problemy. Dlatego wymyśliła sobie misję, uwierzyła w jej dobroczynność i żyła dla niej. Naraziła się wszystkim. Nie tylko władzy. Nie tylko mediom. Naraziła się także, albo przede wszystkim, rosyjskiej i ukraińskiej Cerkwi. Uważała, że Bóg był i jest antyfeministą. Cytowała w swoich publikacjach fragmenty z Biblii, które to potwierdzały. Zadawała publicznie drażliwe pytania typu: „dlaczego cały świat zna rosyjskie prostytutki, a rosyjskich feministek nie znają nawet w Rosji?". Głośno twierdziła, iż rosyjska Cerkiew „bardziej poważa kurwy niż feministki". Młoda była, nieustępliwa. Wierzyła, że w Biblii jest prawda, ale tylko taka, która służy utrwalaniu patriarchatu. Wierzyła, że może zmienić świat, i nie chciała uwierzyć, że wszyscy tkwimy w systemie. No tak. Młoda była... Błąkała się po bibliotekach, wręczała w metrze i na ulicach Moskwy ankiety, organizowała grupy dyskusyjne, publikowała odezwy w sieci, dyskutowała z popami, badała archiwa. Przede wszystkim w Moskwie, ale również w Sankt Petersburgu, Jekatierinburgu, Nowosybirsku czy Kijowie. Chciała znaleźć tam informacje o tym, że nawet w sowieckiej Rosji od Lenina, przez Stalina, do Gorbaczowa także były kobiety, które pożądały innych kobiet. Koniecznie chciała napisać o tym książkę... Opowiedziała mi o tym wszystkim podczas masażu. Zasłuchałam się w opowieść o jej misji i w jej piękny głos. Zapatrzyłam się w jej oczy, piersi i pośladki i tak jakoś zdarzyło się, że masując jej uda, za bardzo pochyliłam się nad jej głową, dotknęłam nadgarstkiem, do dzisiaj nie wiem, czy to był przypadek, jej wilgotności pomiędzy udami, a ona zaraz po tym uniosła się na kozetce i pocałowała moje usta. Ot tak. Bez ostrzeżenia.

A ja, proszę pana, byłam wtedy wygłodniała czułości. Dotykałam wtedy wielu ludzi, ale tylko za pieniądze. Mnie, oprócz dentysty, nie dotykał nikt. Nawet za pieniądze. A Marcel... on mnie wtedy tylko penetrował swoim penisem. Sam pan wie, że to nie jest wcale dotyk...

W tym momencie Magda Schmitova zsunęła się ze stolika i swoimi bosymi stopami przygniotła moje buty. Nie odsunąłem się. Staliśmy, jak gdyby przytuleni do siebie.

– A tak między nami, to co się panu stało, że traci pan tutaj czas? – zapytała, podnosząc głowę do góry.

– Myśli pani, że go tutaj tracę?

– Oczywiście, że tak. Pan się tutaj niczego o sobie nie dowie. To znaczy niczego nowego. I z niczego się pan tutaj nie wyleczy. Ponieważ pan nie jest wcale chory. Pan jest narcyzem, a to nie choroba. To cecha. I pan o tym wie.

– Ja? Narcyzem?!

– Jasne, że tak. Po pierwszym spotkaniu w grupie się pan z tego sam publicznie wyspowiadał. Wszystko mi się zgadzało.

– Co się pani zgodziło? – zapytałem rozdrażniony.

– No, wszystko. Koncentracja na sobie, zależność od osiągnięć, pustka emocjonalna zastąpiona pewną dozą sentymentalizmu, potrzeba kontroli, problemy w relacjach i bliskości, reakcja wstydu na krytykę i mocne przeżywanie krytyki, potrzeba bycia najlepszym, perfekcjonizm, rodzaj nienasycenia, przerost sfery intelektualnej, koszmarne ubóstwo psychiczne, co przekłada się na pracoholizm, to jak jest pan odbierany i oceniany, a nie to, co dzieje się w środku, rywalizacja i zawiść. Proste rozszczepianie świata psychicznego. Albo jestem genialny, albo jestem bezwartościowy. Binarny pan jest. Zero-jedynkowy pan jest. Czarno-biały pan jest. Trudno panu być średniakiem, takim kimś zwyczajnym, w jakimś odcieniu szarości. Wielkościowość, omnipotencja i trudność w przyjmowaniu ograniczeń.

– Chwila, niech pani przestanie! Moment, no kurwa, spokojnie, co pani do cholery opowiada?!

– Taki pan jest, wirtuozie – dodała, nie schodząc z moich butów i tuląc się do mnie. – Myślę, że ma pan strasznie dużo agresji w sobie, nie ma pan kompletnie wglądu w swój świat wewnętrzny. Stąd ten pana smutek i pustka, stąd odcięte uczucia, stąd przeczulenie na swoim punkcie.

– Pani tutaj pracuje czy się tu leczy?

– Proszę! Tylko taki banał może pan wydobyć teraz z siebie?! No nie. Proszę mnie nie rozczarowywać.

– Nie mam odciętych uczuć. Mam wiele uczuć. Niech pani mi wierzy.

– Może trochę przesadziłam. Ma pan rację. Pan ma uczucia. Nawet to najważniejsze pan ma. Przecież pan kocha. Ale tylko siebie...

– Nie wszyscy tak uważają. Aneta, nasz psycholog...

– Jaki tam psycholog?! – przerwała mi w pół zdania. – Ta nawiedzona cizia, co nas wysłuchuje na grupach, ma może tytuł doktora, ale ma mało wspólnego z psychologią. I na dodatek pracuje dla szpitala. Wszystko zrobi, abyśmy byli tu jak najdłużej się da. Wtedy będzie więcej pieniędzy dla szpitala i ona zapewni sobie przedłużenie kontraktu. Nie zauważył pan, że ona ma nawet problemy z podzielnością uwagi? Nie można prowadzić terapii grupowej bez podzielności uwagi. Jest nas czasami siedmioro, czasami dziesięcioro, a ona rejestruje tylko jednego z nas. Ma konkretne kłopoty z podzielnością uwagi. Podejrzewam, że w toalecie nie może czytać gazety, bo sikanie lub sranie i czytanie to dwie czynności naraz. A dla niej to nawet trzy.

– Jest pani teraz niesprawiedliwa i okrutna. Tak pani myśli?

– Dokładnie tak.

– A jak pani myśli, tak dokładnie, gdzie jest teraz Daria?

– W Rosji jest.

– Chciałbym ją spotkać i porozmawiać...

– Pan? Trudno w to uwierzyć. Pan chce spotykać się tylko ze sobą samym.

– Czy ja pani wyrządziłem jakąś krzywdę? Zraniłem panią? Dokuczyłem? Chyba nie. Więc dlaczego pani tak mną poniewiera?

– Poniewiera. Hmmm. To piękne słowo. Czeskie jest bardzo podobne. Otóż tak. Wyrządził mi pan ogromną krzywdę. Jesteśmy tutaj od kilku miesięcy. Przy panu zrozumiałam, że mogłam spotkać pana, a nie Marcela. Ale takich mężczyzn jak pan omijałam dotychczas na ulicy. W porównaniu z nim jest pan na pierwszy rzut oka bardzo nudny. Jest pan prawie łysy, stary, milczący, pomarszczony, ciągle nieogolny, bez błysku w oczach. I wyniosły pan jest. Nie jest pan żabą, którą chciałoby się pocałować, aby sprawdzić, czy stanie się księciem z bajki. Ale pana narcyzm jest wyzwaniem. Bo moim zdaniem jest on przejściowy. Wynika z samotności i opuszczenia. Urzeźbiłabym go w...

– Więc pani zdaniem Daria jest w Rosji. A gdzie konkretnie, bo Rosja to duży kraj? – zapytałem, nie pozwalając jej dokończyć.

– Co pan tak ciągle tylko o Darii? W Rosji jest. Mówiłam już przecież. Najpewniej w Moskwie. Tam żyją jej rodzice i bracia. Tylko jej starsza siostra po ślubie wyjechała do Chabarowska.

– Odnajdę ją... – wyszeptałem do jej ucha.

– Co pan bredzi, panie wirtuozie? Niech pan najpierw odnajdzie siebie – odparła, odpychając mnie gwałtownie od siebie, i bez słowa pożegnania zaczęła iść korytarzem w kierunku schodów.

– Odnajdę. Przekona się pani. Odnajdę! – krzyknąłem za nią ze złością w głosie.

Nie odpowiedziała. Po chwili zniknęła za zakrętem korytarza.

Tej nocy od długiego czasu znowu wreszcie śniłem. Biały gołąb miał twarz Magdy Schmitovej i błąkał się po Berlinie od okna do okna, a kościół „za murem" przypominał budowlę Kremla. Joshua czytał mi na głos wiersze. Były napisane w języku, którego nie rozumiałem. Słyszałem tylko jego głos, nie rozróżniając słów. Moja matka siedziała w wózku inwalidzkim i odmawiała Różaniec. Sven na łące porośniętej czerwonymi makami ogromnym grzebieniem czesał włosy Alionki. Moja żona, ubrana w mundur niemieckiej policjantki, siedziała na szpitalnym łóżku przykrytym pokrwawioną pościelą i tuliła do siebie przeraźliwie krzyczące niemowlę z kikutami rąk. Obudziłem się i podbiegłem do okna. Gołębia nie było.

Zaczęła się niedziela. W Pankow niedziela nie jest dniem pierwszym. Jest dniem najbardziej ostatnim i najbardziej przeklętym. Do kościoła jest bardzo daleko, sklepy z tanim alkoholem są zamknięte, nie ma lekarzy, od których można by wyżebrać chociaż małe relanium, psychoterapii nie robią i nawet – w sklepiku za kratą – nie można kupić papierosów. To nie przypadek, że „ojciec Remigiusz" zjawiał się w Pankow najczęściej w niedziele i właśnie w niedziele zarabiał na swoich „substancjach" największe pieniądze. Ten dzień tygodnia w Pankow jest zbędny, niepotrzebny i przeklęty. Tak samo jak zbędne są

Boże Narodzenia, Nowe Roki, Wielkie Noce, Wielkie Piątki, zjednoczenia Niemiec, Pierwsze Maje, Boże Ciała i kilka innych podobnych dostojnych z nazwy szykan. Na dodatek ta niedziela była deprymująca szczególnie. Była bowiem Niedzielą Wielkanocną. Oznaczało to więc, że i następujący po niej poniedziałek będzie dniem trudnym do przeżycia.

Rano spakowałem walizkę. Wszystkie swoje książki przeniosłem do kontenera wystawionego przed „salą wypoczynku". To był pomysł psycholog Anety, aby wymieniać się książkami, które się przeczytało. I potem o nich sobie opowiadać. Nigdy nie było takich rozmów, bo w Pankow literatura tylko dla niewielu była pasją.

W południe wyszedłem do miasta i pobrałem z konta wszystkie pieniądze, jakie mój bank pozwalał mi pobrać jednego dnia. Potem metrem przejechałem na dworzec Berlin ZOO i kupiłem bilet kolejowy. Wieczorem napisałem list do dyrektora szpitala i kopertę wrzuciłem do skrzynki wiszącej przy drzwiach jego gabinetu. Podczas ostatniej mojej kolacji w Pankow przysiadałem się kolejno do wszystkich, którzy faktem, że byli i są tam ze mną, wpłynęli w jakiś sposób na moje życie. Joshua był tego wieczoru „na chemii" i chyba nie zarejestrował mojej obecności, jak również faktu, że się z nim najprawdopodobniej żegnam na zawsze. Przez chwilę miałem nawet wrażenie, że mnie w ogóle nie rozpoznaje. Sven zaczytany w jakiejś książce leżącej przy jego talerzu poprosił, abyśmy po kolacji koniecznie poszli razem zapalić do kotłowni, bo musi mi coś „niesłychanie ważnego opowiedzieć". Magdy Schmitovej jak zwykle nie było. Ona nie jadała kolacji w stołówce szpitala w Pankow. Potem obszedłem jeszcze kilka stolików, uścisnąłem kilkanaście dłoni i w przytuleniu złożyłem głowę na kilku ramionach. Około dwudziestej wróciłem do swojego pokoju i zamówiłem taksówkę. Usiadłem na parapecie okna, zapaliłem papierosa i dotykając dłonią rysy na szybie, patrzyłem na Berlin. Przed wyjściem z pokoju zdjąłem swój zegarek z przegubu i wsunąłem go pod poduszkę. Mój czas w Pankow się skończył.

Kilka minut po dziesiątej wieczorem w Wielkanocną Niedzielę 4 kwietnia 2010 roku wsiadłem do pociągu.

Moskwa, 2 kwietnia, piątek rano

Marina Pietrowna urodziła się na początku lat pięćdziesiątych – już po wojnie. Mimo to, przeglądając eksponaty wybrane na wystawę w Berlinie, nie mogła powstrzymać łez. Drżącą ręką zapisała: Fotografia numer 5 – „Do ataku!".

Żołnierze biegną pochyleni nad ziemią, pod ciężkimi hełmami trudno dojrzeć, w jakim są wieku. Na dalszym planie czołga się szeregowiec z automatem. Z lewej strony kadru widać oficera, który wydaje rozkaz. Jego twarz wyraża napięcie. Mówią, że kiedy oddział zrywa się do ataku, najtrudniej oderwać się od ziemi i zrobić pierwsze dwa kroki. Dla żołnierza są to często ostatnie kroki w życiu.

Na ekranie komputera ukazało się kolejne zdjęcie i Marina Pietrowna mimowolnie się uśmiechnęła. Z fotografii spoglądało na nią dwóch podrostków, podobnych do kawek, które dopiero co wykluły się z jaj. Obaj łysi, z wąskimi twarzami. Nie wyglądali na więcej niż szesnaście lat. Zagadani, palili skręty. Możliwe, że ich życie zakończyło się wkrótce po tym, jak zostali sfotografowani.

Dotknięte upływem czasu czarno-białe zdjęcia stały się dla Mariny Pietrowny częścią życia. Ważną cześcią.

Kobieta westchnęła. Podobnie jak wielu ludziom urodzonym wkrótce po wojnie, było jej trudno odnosić się do Niemiec bez uprzedzeń. Naturalnie rozumiała, że współczesny kraj i jego mieszkańcy nie mają z tym wiele wspólnego, ale pamięć ma swoje prawa.

Fotografie wysłano do Berlina na tydzień przed wystawą. W drodze były również eksponaty z Polski. Niewielkie kontenery przewozili przedstawiciele niemieckiej firmy transportowej, cieszącej się zaufaniem muzealników. Pracownicy Archiwum Państwowego wybrali na wystawę sto eksponatów, ukazujących ból, miłość i koszmar czasu wojny.

Wystawa miała charakter międzynarodowy – prezentowała fotografie niemieckich, polskich oraz rosyjskich autorów.

Anna przyjęła z ulgą, że miały bilety na poranny lot. To oznaczało, że nie będzie musiała stać w korkach.

W marcu 2007 roku w Moskwie nareszcie otwarto nowy terminal, wielkością i standardem odpowiadający potrzebom stolicy. Znacznie usprawniło to procedurę odpraw międzynarodowych. Do tego czasu sam dojazd na lotnisko Szeremietiewo mógł zająć pół dnia, tak że ludzie często spóźniali się na samolot.

Na szczęście samolot do Berlina startował o szóstej rano. O trzeciej trzeba było wyjść z domu i poprzedniego wieczora Anna postanowiła nie kłaść się spać. Usiadła przy komputerze i wpisała do wyszukiwarki hasło „Berlin".

Chciała przespacerować się słynną Kurfürstendamm i zwiedzić Kościół Pamiątkowy, nazywany przez miejscowych

„szminką i pudernicą", zobaczyć popiersie Nefretete, napić się kawy w „Błękitnym Aniele", gdzie występowała Marlena Dietrich, i kupić płytę z jej piosenkami.

Ciekawe, co leży u źródeł popularności? Zdarzają się śpiewacy o wspaniałych głosach, którzy całe życie pozostają w cieniu. I tacy jak Mark Bernes albo Marlena Dietrich – nieobdarzeni specjalnym talentem wokalnym, ale cieszący się bezgraniczną miłością.

Siergiej zaofiarował się towarzyszyć Annie w drodze na lotnisko i – mimo że starała się go od tego odwieść na wszelkie sposoby – postawił na swoim. Niewyspany, z zaciętą miną, usiadł za kierownicą. Anna spojrzała z boku na jego szlachetny profil i lekko siwiejące skronie, po czym nieoczekiwanie dla samej siebie prawie się rozpłakała. Przecież dziesięć lat wcześniej zachwycała się nim, wydawał się jej najbliższym człowiekiem na świecie. Silnym. Godnym zaufania. Pełnym pasji. Ale to wszystko zniknęło. Cała ta wiara, cała ta miłość.

Pewnego wiosennego dnia pojechała do sierocińca. Postanowiła zaadoptować dziecko. Nieważne – chłopca czy dziewczynkę. Chciała dziecka, chciała stworzyć prawdziwą rodzinę.

Dobrze pamiętała, kiedy ta myśl przyszła jej do głowy. Brała prysznic, woda kojąco otulała jej ciało. Nagle z kranu popłynął wrzątek. Anna krzyknęła i nagle zrozumiała, co ma robić. Wszystko stało się jasne! Tak bywa.

Wciągnęła na siebie pierwsze z brzegu spodnie i sweter, zbiegła na dół. Do domu dziecka dojechała w dwadzieścia minut.

Poprzedniej zimy pomagała tam przy organizacji choinki dla maluchów, poznała kierowniczkę i opiekunów. Okazało się, że kierowniczka, duża kobieta z krótko obciętymi siwymi włosami, mieszka w sąsiednim domu i od tej pory często spotykały się w okolicy.

Anna weszła do szarego budynku i odniosła wrażenie, że cofnęła się dwadzieścia lat.

– Wie pani – powiedziała jej kierowniczka – to zajmuje dużo czasu, zresztą radziłabym unikać pośpiechu. Jeśli dobrze zrozumiałam, jeszcze nie uzgodniła pani wszystkiego z małżonkiem?

Słowo „małżonek" zabrzmiało lepko i złowrogo. Mał-żo-nek.

– Nie, nie uzgodniłam – przyznała Anna, niecierpliwie kołysząc stopą. – Ale czemu sądzi pani, że będzie przeciwny? Też chce mieć dziecko.

– Proszę zrozumieć, to bardzo poważny krok. Taki mały człowiek nie zniesie kolejnego rozczarowania. – Kierowniczka przygładziła śnieżnobiałego jeżyka na swojej głowie. – Pracuję tu już dwanaście lat. Różne rzeczy widziałam. Ludzie brali dziecko, a potem nie wytrzymywali. Emocjonalnie. A dziecko to nie pies, na ulicę się go nie wyrzuci!

Anna poczuła napływające do oczu łzy.

– Ja tego tak bardzo chcę!

Kierowniczka zabębniła palcami po starym stole z blatem z pleksiglasu.

– Na początek chodźmy do starszaków.

Zamknęła za nimi drzwi gabinetu i wzięła Annę pod rękę. Szły wąskim korytarzem; było niezwykle cicho jak na miejsce, w którym przebywają dzieci. Pachniało roztworem dezynfekującym. Żółte ściany obwieszone były rysunkami motyli, rybek, kwiatów i postaci z kreskówek. Starsza grupa zajmowała piętro poniżej. Na schodach wyprzedziła je dziewczynka w dżinsach i ciasnej bluzce.

– Dokąd tak pędzisz? – zainteresowała się kierowniczka.

Dziewczynka odwróciła się, na jej twarzy malował się niepokój.

– Do Nikitinej wezwali pogotowie. Znowu ma prawie czterdzieści stopni gorączki i wymiotuje. Lecę po nich!

Pobiegła, przeskakując po dwa stopnie naraz. Gruby warkocz uderzał ją po wystających łopatkach.

– Pójdę zobaczyć, co się dzieje. Jak ją będą zabierać do szpitala, niech z nią pojedzie pani Nina. Ona się tam we wszystkim rozezna! – rzuciła kierowniczka w ślad za dziewczynką. Złapała oddech i zwróciła się do Anny: – Dzieciaki często poważnie chorują.

Anna nie odezwała się.

Od razu zwróciła uwagę na Daszeńkę. Inne dzieci wesoło bawiły się pod kierunkiem wychowawczyni, a ta dziewczynka po prostu cicho siedziała na malowanym krzesełku. Ciemne loki jak chmurka ocieniały jej blade czoło. W rękach miętosiła pluszową zabawkę – pieska albo zajączka.

– Cześć – wyszeptała Anna i kucnęła przed dzieckiem. – Jak masz na imię?

Dziewczynka milczała.

– Umiesz mówić?

– Niestety Daszeńka do tej pory nie odezwała się ani słowem – westchnęła kierowniczka. – Jej matce odebrano prawa rodzicielskie, odsiaduje dwa lata za handel narkotykami. A rubryka „ojciec" jest w akcie urodzenia Daszy przekreślona.

Anna wprost nie mogła oderwać wzroku od dziecka. Wielkie brązowe oczy, nienaturalnie długie rzęsy, szyja jak u ptaszka, pulchne usta...

– Czy mogłabym – odezwała się drżącym głosem – pospacerować z Daszą?

Kierowniczka delikatnie wzięła Annę pod łokieć i wyprowadziła na korytarz.

– Proszę nie mieć mi tego za złe – patrzyła na nią zdecydowanie – ale najpierw niech pani porozmawia z mężem. Współczuję temu dziecku i pani też. Mam za duże doświadczenie, żeby pozwolić na budowanie iluzji.

Anna wyszła z budynku. Szybko skierowała się w stronę samochodu, przypominając sobie dziecięce piosenki i wymyślając rozrywki dla dziewczynki. Zajechała do „Świata dziecka", kupiła niedorzecznie dużą i drogą lalkę, której ciemne loki przypominały jej Daszę. Oglądała zabawkę przez okienko w pudełku i mówiła:

– Już niedługo zobaczysz swoją panią. Ale z niej ślicznotka!

Wtedy pojawił się Siergiej.

Anna błagała go, płakała i znowu błagała, żeby poszedł do kierowniczki domu dziecka. Opowiadała o Daszy i jej smutku, milczeniu i rzęsach. Ale w odpowiedzi słyszała tylko krótkie „nie!". Rozmowę zakończyło trzaśnięcie drzwi.

Przez cały wieczór nie ruszyła się z kanapy.

O tej porze na ulicach Moskwy nie było ruchu. Czterdzieści minut jazdy z Briusowskiej na lotnisko upłynęło im w milczeniu. Ostatecznie co mieli sobie do powiedzenia?

„Jesteśmy razem dlatego – myślała – że tak wypada, z przyzwyczajenia i z podskórnego strachu przed samotnością – nic więcej. I oboje czujemy zbliżający się koniec". Z nosem utkwionym w szaliku udawała, że drzemie. Siergiej prowadził wielkiego jeepa kurczowo uczepiony kierownicy.

Marina Pietrowna – elegancka, w ładnym kapeluszu – czekała na Annę w bufecie. Leciały we dwie. Witalij Siemionowicz miał dotrzeć do Berlina prosto z Japonii, po kolejnej konferencji poświęconej systemom ochrony informacji.

Siergiej sucho pożegnał się z Anną, uścisnął rękę Marinie Pietrownie. Kiedy zaczął się oddalać, Anna westchnęła z ulgą.

– Aniu, wszystko w porządku? – spytała Marina Pietrowna współczująco.

– Bez zmian – Anna uśmiechnęła się ze smutkiem.

Przejęte czekającą je podróżą przeszły do poczekalni. Po godzinie zajęły miejsca w samolocie.

– Dawno już nie leciałam samolotem – wyznała Marina Pietrowna. Wstydziła się dodać, że trochę obawia się spotkania z Niemcami i ich niechęci i że wcale nie ma ochoty na wyjazd do Berlina, i gdyby nie wystawa...

– Wszystko będzie dobrze – Anna pogładziła ją po dłoni. Ręka była lodowata i drżała. – Przecież pani zmarzła na kość!

– Nie, nie, to tylko z nerwów. Zaraz przejdzie.

Po drugiej stronie przejścia między fotelami siedział rosły mężczyzna, z krótkim ciemnym kucykiem i pedantycznie przystrzyżoną bródką.

– Nawet pani sobie nie wyobraża, Aniu, jakim to dla mnie było wstrząsem – usłyszała Anna głos Mariny Pietrowny i zdała sobie sprawę, że zapatrzona w brodacza, nie słyszała jej słów.

– Przepraszam panią, zamyśliłam się.

– Nie szkodzi, tak sobie plotę. Wie pani, mam sąsiadów: mąż, żona, dwie śliczne córki. Aż przyjemnie było na nich patrzeć. Ale mniej więcej pół roku temu zauważyłam, że nie widuję głowy rodziny. Okazało się, że porzucił ich dla dwudziestolatki!

Anna się uśmiechnęła:

– Zwyczajna rzecz. Ostatnio aż nudna.

Sądząc po tym, że czasopismo „Rosyjski Reporter" na kolanach mężczyzny z bródką było od dłuższego czasu otwarte na jednej stronie, przysłuchiwał się ich rozmowie. Anna wzruszyła ramionami, nieznacznie podniosła ton głosu, ale zaraz przywołała się do porządku: „Czy ja go kokietuję? Próbuję flirtować?".

– Aneczko, coś panią gnębi? – Marina Pietrowna spojrzała jej w oczy. – Mówi pani takie smutne rzeczy.

– Nie smutne, tylko prawdziwe, Marino Pietrowna! – krzyknęła Anna. – Przecież to śmieszna w swoim okrucieństwie typowa historia! Zaczyna się od tego, że on i ona, na studiach albo tuż po, bez perspektyw i z małymi zarobkami, zakładają rodzinę. On się zapracowuje, na nic więcej nie ma czasu. Wieczorami przesiaduje przed telewizorem. Ona też pracuje, jednocześnie rodząc, zmywając stosy talerzy, podtrzymując więzi ze swoimi i jego przyjaciółmi, z rodzicami i w ogóle ze wszystkimi. Wije gniazdko, urządza je, wyściela siankiem i puchem.

Stewardesa roznosiła napoje. Anna sięgnęła po wodę mineralną. Podziękowała skinieniem głowy i łapczywie opróżniła szklankę. Ciągnęła:

– Lata mijają, dzieci rosną, gniazdo zmienia się w klatkę, która więzi ich już dwadzieścia lat. I on zaczyna się zastanawiać, po jaką cholerę jego życie się skończyło, zanim się na dobre zaczęło. Niektórzy nazywają to kryzysem wieku średniego. A ja – zwykłym tchórzostwem!

– Tchórzostwem? – chórem spytali Marina Pietrowna i brodacz.

Anna roześmiała się.

– Jasne, że tchórzostwem! Człowiekowi nie starcza odwagi, żeby zrobić porządek ze swoim życiem, i zaczyna wszystko niszczyć. Pewnego dnia zaczyna pachnieć cudzymi perfumami i strzyc się u drogiego fryzjera. Ona niczego nie zauważa. I wszystko kończy się katastrofą! Albo ona go złapie na gorącym uczynku, albo on się przyzna, że kogoś poznał i pokochał – tak czy inaczej, jego wdzięczność za czyste skarpetki, talerze i podłogi nie jest w stanie zastąpić mu namiętności, którą nazywa „prawdziwą miłością". I on zaczyna nowe życie, a ona zrywa z przeszłością.

– Przepraszam, że wtrącam się do rozmowy – uprzejmie odezwał się brodacz – ale temat jest bardzo interesujący. Czy możemy się poznać? Mam na imię Anton.

Anna i Marina Pietrowna przedstawiły się.

– Co pani miała na myśli, Anno, mówiąc, że ona zrywa z przeszłością?

– Jak to co? Opowie całą historię przyjaciółkom, przez pewien czas będzie jak żywy trup, a potem… Potem może być różnie. Drugie małżeństwo. Rozwijanie swoich pasji. Ucieczka w pracę. Przypływ agresji. Przygodne romanse.

– Krótko mówiąc, zacznie żyć na własny rachunek – podsumował Anton.

Marina Pietrowna westchnęła.

– A kto ich zmusza, żeby prowadzili takie nudne życie? – spytała ze smutkiem.

– Paradoksalnie ono wcale nie jest nudne – odparła Anna. – Są stale zajęci; mają wszystko, od pracy po miłość. Po prostu, kiedy odchodzi mężczyzna, którego ona traktowała jak kogoś najbliższego, nagle się okazuje, że wcale nie był jej bliski, i ona gubi się w samej sobie.

– No, nie wiem – Anton energicznie potarł dłonią czoło. – Nie wiem. Pewnie chodzi o to, że nie mają ze sobą wiele wspólnego, oprócz dzieci i adresu. Chciałbym coś opowiedzieć. Niedawno oglądałem reportaż o parze Anglików – on ma prawie dziewięćdziesiąt lat, ona dwa lata mniej. Wyprawili brylantowe gody. Ich dzieci są już na emeryturze. Dziadek raz w tygodniu przyjeżdża na lotnisko, siada za sterami swojego samolotu i lata po okolicy. A żona szykuje mu maszynę do startu, on mówi o niej „mój mały mechanik pokładowy".

– Cóż, tylko pozazdrościć – powiedziała Anna i mimowolnie dostrzegła, że Anton ma piękne dłonie: długie palce i zadbane paznokcie. Marina Pietrowna pociągnęła ją za rękaw:

– A jedna nasza współpracownica – pamięta pani, Aniu? – Swietłana Igoriewna, w lipcu obchodziła czterdzieste urodziny. Powiedziała tak: „Cieszę się, że mojego męża młode mięsko skusiło piętnaście lat temu. Dzięki temu mogłam dojrzeć jako kobieta, przestałam być zależna od mężczyzn. Strach pomyśleć, że mógłby to zrobić dopiero teraz!". Tak, najgorzej, kiedy rozwód zbiega się z kryzysem wieku średniego. I nie chodzi nawet o samo odejście męża – kobieta traci coś, w co włożyła tyle pracy. To jakby na twoich oczach zawalił się dom wybudowany własnymi rękami. Lepiej – jeśli w tej sytuacji w ogóle można użyć tego słowa – żeby to się stało, kiedy jeszcze masz siły wybudować nowy.

– A ja zauważyłem – powiedział Anton – że w tym wieku kobiety często same wnoszą o rozwód. Dzieci dorosły, zostaje więcej wolnego czasu i nagle zdają sobie sprawę: po co mi ten obcy brzuchaty facet, z którego nie ma żadnego pożytku? Czy dla niego warto było dwadzieścia lat chodzić jak koń w kieracie?

– Kobiety często składają siebie w ofierze – zauważyła Anna.

– Sądzi pani, że mimo rozczarowania sobą i małżeństwem trzeba to małżeństwo chronić?

– To trudne pytanie.

– Wcale nietrudne! Z jakiegoś powodu uważa się, że uczucia powinny być odwzajemnione. Tak niby jest sprawiedliwie. Ktoś cię pociąga i ty go pociągasz. Ktoś ciebie denerwuje, a ty jego. Ktoś na ciebie nie może patrzeć... I tak dalej. Ale w życiu jest inaczej. Zwykle sprawdza się inna reguła: „Im mniej mężczyźnie zależy na kobiecie, tym bardziej jej zależy na nim".

– Nie przeczę – odparła Anna z zainteresowaniem. – Miłości nie da się sztucznie wywołać ani zaplanować. To sprawa losu, a nie rozumu.

– Miłość to szczególny stosunek do obiektu uwielbienia, który wywołuje zachwyt bez względu na to, jaki jest. Po pewnym czasie naturalnie zachwyt mija.

– I co pozostaje?

– Sama pani wie – uśmiechnął się Anton – różnie bywa. Gorycz, ciepłe wspomnienia, przyjaźń, szacunek, nienawiść...

– Dlatego, że miłość to uczucie i nie ma wiele wspólnego z rozumem. Niczego nie da się tu przewidzieć!

– Tak, czasem pozostaje też uzależnienie – podchwycił Anton – kiedy po rozstaniu z bliskim człowiekiem nie jest się w stanie wyrzucić z głowy jego obrazu. W kółko się rozważa to, co minęło. Żale, chwile radości. Ciągnie się w myślach przerwane rozmowy, opowiada wszystkim naokoło: „Powiedziałem jej… A ona na to…".

– Przypomina to rytuał pogrzebowy, kiedy razem ze zmarłym palono żywcem jego żonę. Więź umarła i zabiera ze sobą do grobu wszystko, co wspólne.

– Ma pani rację, Anno. Oj, zaciągnąłbym się teraz papierosem… – westchnął Anton i po chwili namysłu dodał: – Dlatego nie znoszę się zakochiwać. Staję się wtedy kompletnym idiotą! Z jednej strony człowiek dostaje skrzydeł. Z drugiej – robi się zupełnie bezbronny. Wolę siebie bez miłości – jestem wtedy zimny, szczery aż do bólu, skoncentrowany, myślący krytycznie. Przynajmniej do pewnego stopnia.

– Tak – uśmiechnęła się – szczery i myślący krytycznie. Wydaje mi się, że nasza rozmowa pana zaniepokoiła. Czuję się niezręcznie.

– Aneczko, niech się pani nie obwinia – Marina Pietrowna też była przejęta. – Nie bez powodu mówi się o syndromie towarzysza podróży. Z obcym człowiekiem łatwiej się podzielić.

– Mimo wszystko miłość – Anna zawahała się – jest konieczna. Trudno wtedy zachować trzeźwy umysł, to prawda. Jednak wyrzec się jej znaczy zrezygnować z życia. Lepiej być bezbronnym i trwać w ślepym zachwycie, ale żyć.

– Ludzie różnie na to patrzą: pesymiści, tacy jak ja, widzą tu same problemy, inni – siłę i lekkość, adrenalinę. Może to zależy od hormonów?

– Nie można wszystkiego tłumaczyć hormonami – Marina Pietrowna spojrzała na Antona z wyrzutem. On coś odpowiedział...

Anna przymknęła oczy. Czuła się bardzo zmęczona.

„Gdzie się podziały moje siły? Wcale nimi nie szafuję. A wieczorami padam jak nieżywa i patrzę w sufit. Tak teraz żyję – na pół gwizdka. Tak się śmieję, płaczę, tak się modlę. Czerpię energię po troszeczku – ze szklanki soku, czekoladki, rozmowy z obcym, ale miłym człowiekiem. Łapię wiatr za pazuchę, zbieram liście na zapas. Kolekcjonuję uśmiechy przechodniów. Gdzie jest tamta Anna?".

Na lotnisku czekał na nie sam Manfred Boese. Był jednym z najlepszych adwokatów w Berlinie i stał na czele europejskiego stowarzyszenia adwokackiego. Mimo swoich sześćdziesięciu lat ten wysoki, chodzący sprężystym krokiem mężczyzna nie utracił pasji życia, przeciwnie – z latami jego życie nabierało coraz większych obrotów. Miał dobre serce, chociaż jego nazwisko oznaczało „zły". Jego rodzice byli prostymi robotnikami. Każdego ranka rodzina zbierała się przy okrągłym stole, na którym stały filiżanki z gorącą aromatyczną kawą i bułeczki drożdżowe nadziewane lekkim kremem. Sam jej kiedyś to opowiadał.

Manfred uczył się znakomicie i dostał się na wydział prawniczy Uniwersytetu Humboldta. Po ukończeniu studiów rozwijał karierę w Bundestagu, od asystenta radcy prawnego –

został nim w wieku dwudziestu sześciu lat – po głównego prawnika. Wychował dwóch synów, którzy poszli w jego ślady. Tymczasem, mając lat pięćdziesiąt, porzucił działalność prawniczą i założył organizację non profit, zajmującą się rozwijaniem więzi kulturowych pomiędzy Niemcami a Rosją. Manfred włożył w ten projekt dużą część swoich zasobów finansowych, a co ważniejsze – duszę. Wykorzystując swoje rozległe znajomości, wynajął lokal w zabytkowym centrum miasta, niedaleko pomnika Fryderyka Wielkiego, i regularnie organizował w nim wystawy. Właśnie tu miała się odbyć prezentacja eksponatów ze zbiorów Archiwum Państwowego w Moskwie.

Po wylądowaniu Marina Pietrowna zaczęła nerwowo przypominać sobie niemieckie słówka wyuczone w szkole.

– *Danke schön* – powtarzała, nazbyt przeciągając sylaby. Kapelusik zjechał na bok, policzki pokryły się rumieńcem, co tylko przydało jej uroku.

Anna z przykrością obejrzała swoje odbicie w lustrzanej szybie drzwi. „Kiedy się zdążyłam tak postarzeć? – pomyślała. – Zmęczona twarz, puste oczy. Trzeba kupić czerwony szal – psychologowie twierdzą, że czerwień dodaje energii. Albo czerwoną bieliznę".

– Aniu, gdzie jest nasz bagaż? – zaniepokoiła się Marina.

– Niech się pani nie martwi, tu wszędzie są tablice informacyjne, nie to co u nas.

Anna także uczyła się niemieckiego w szkole. Jej nauczycielka Azolda Juriewna miała opinię najlepszego pedagoga w Orle. Nie tylko doskonale władała językiem, ale też znała i kochała kulturę niemiecką. Na lekcjach przekładali wiersze Schillera i piosenki Marleny Dietrich. „*Sag mir wo die Blumen sind*: Powiedz mi, gdzie są kwiaty" – przemknęło jej w myślach.

Wydawałoby się, że tragiczna śmierć rodziców powinna wzbudzić w niej nienawiść do wszystkiego, co niemieckie. Ale Anna przez całe życie miała w pamięci słowa często powtarzane przez dziadka: „Nie ma złych narodów, są tylko źli ludzie".

Kobiety odebrały swoje niewielkie bagaże i skierowały się do wyjścia. Za drzwiami tłoczyli się oczekujący, wielu z nich z tabliczkami. Na jednej widniał napis: ARCHIWUM PAŃSTWOWE. Trzymał ją wysoki mężczyzna z gładko zaczesanymi do tyłu włosami. Miał na sobie elegancki garnitur i liliowy szalik. Kobiety podeszły do niego. Uśmiechnął się i szybko, prawie bez akcentu, powiedział:

– Dobry wieczór. Bardzo się cieszę, że panie widzę!

– Pan mówi po rosyjsku! – radośnie krzyknęła Marina Pietrowna.

– Tylko trochę – rozpromienił się mężczyzna.

Chwycił walizki, poszedł w kierunku samochodu. Z ukłonem otworzył drzwi i kiedy one zajmowały miejsca, szybko schował walizki do bagażnika. Przy tym mówił bez przerwy, a z jego twarzy nie znikał uśmiech.

Samochód ruszył z miejsca i wkrótce lotnisko Schonefeld zniknęło w oddali. Jechali tak szybko, że nie było sensu wyglądać przez okno: wszystko umykało, zlewając się w jedną barwną plamę. Marina Pietrowna przycichła.

– Moje panie – oznajmił Manfred z uśmiechem – mam propozycję.

Przeszedł na niemiecki. Anna zrozumiała, że otwarcie wystawy odbędzie się następnego dnia o czwartej. A na ten wieczór Manfred zaprasza na spacer po Berlinie. Przetłumaczyła jego słowa Marinie Pietrownie.

– Wspaniale, cudownie! – ucieszyła się tamta. – Spacer po wieczornym Berlinie – to brzmi bajecznie.

Manfred przeprosił, że zarezerwował im niedrogi hotel w dzielnicy Pankow, we wschodniej części miasta. Był zmuszony do oszczędności. Już od roku nie zajmował się działalnością adwokacką, tylko organizowaniem wystaw i pomocą dla młodych utalentowanych artystów, między innymi z Rosji.

Berlin wywołał u Anny mieszane uczucia. Z jednej strony było tu głośno i tłoczno jak w Moskwie. Z drugiej jednak – berlińczycy różnili się od mieszkańców stolicy Rosji: widziała wielu młodych ubranych modnie i stylowo. „Miasto to ludzie – pomyślała – a tu ludzie są bardzo sympatyczni". Manfred, z niegasnącym uśmiechem, otwarty i życzliwy, tylko potwierdzał to wrażenie.

– Właśnie wjeżdżamy do wschodniego Berlina. Tutaj się urodziłem! – oznajmił z dumą. – Dla berlińczyka to fakt niezwykle ważny. We wschodnim Berlinie trzeba było bardziej się przykładać do nauki, jeśli myślało się o wyjeździe do Zachodniego. Zaraz, chwileczkę…

Zahamował, nie zwracając uwagi na zakaz zatrzymywania. Włączył światła awaryjne i wysiadł z samochodu.

„Chyba jednak ma w sobie kroplę krwi rosyjskiej" – pomyślała Anna i uśmiechnęła się.

Manfred wszedł do niewielkiego sklepu przypominającego domek z bajki i po chwili wrócił z białą papierową torebką. Usiadł za kierownicą i podał pakunek pasażerkom. Wkoło rozszedł się zapach świeżego pieczywa, wywołujący dobry nastrój i atmosferę święta.

– Być w Pankowie i nie spróbować bułeczek ze słynnej piekarni to grzech!

– A z czego słynie? – spytała Marina Pietrowna.

– Pieką tu chleb według starych receptur, a piec opalają drewnem. Kupiłem wam też Demeter-Brot – ich najlepszy chleb.

Anna postanowiła, że będzie tu robić wszystko to, na co od dawna sobie nie pozwalała: jeść bułki, pić wino i popełniać różne głupstwa.

Minęli piękny, surowy kościół.

– To jest Hoffnungskirche, Kościół Nadziei – powiedział Manfred, jak gdyby odgadł jej myśli.

Pomyślała, że musi koniecznie odwiedzić to miejsce. Człowiekowi zawsze pozostaje nadzieja. Bez niej nie mógłby żyć.

Manfred dostrzegł w lusterku jej smutne oczy i po rosyjsku opowiedział anegdotę. Marina Pietrowna zachichotała. Anna się uśmiechnęła. Podjechali do niewielkiego hotelu Akademia w pobliżu parku. Manfred wniósł ich bagaże do holu.

– Drogie panie, opuszczę was. Muszę jeszcze wyjechać po pana Wodosławskiego z Warszawy, dyrektora polskiego archiwum. Przyjadę po was o piątej i wtedy... zaszalejemy. – Znowu przeszedł na rosyjski. Marina Pietrowna podała mu rękę, którą z galanterią ucałował.

Rozległo się pukanie do drzwi.

– Aneczko – Marina Pietrowna wsunęła głowę do pokoju Anny – nie wyobraża pani sobie, jaki mam cudowny widok. Na sad jabłoni. Gałęzie sięgają samego okna.

Marina zdążyła się przebrać i teraz paradowała w nowej granatowej sukience.

– Ależ pani do twarzy w tym kolorze! – krzyknęła Anna w zachwycie.

Marina Pietrowna aż pokraśniała z zadowolenia.

– Tak pani uważa? Dziękuję, moja droga, uszyłam tę sukienkę specjalnie na nasz wyjazd. A co pani sądzi o Manfredzie? – zaczerwieniła się jeszcze bardziej.

– Bardzo sympatyczny – uśmiechnęła się Anna – i najwyraźniej wpadła mu pani w oko.

– Co też pani mówi! – zaprotestowała zawstydzona Marina Pietrowna. – Ja już jestem na to za stara.

– Ależ skąd! – odpowiedziała – Jesteśmy w centrum Europy, tutaj ludzie dopiero po czterdziestce zakładają rodziny, rodzą dzieci. W tej sukience i z nową fryzurą nikt pani nie da więcej niż czterdzieści pięć!

– Powiem pani coś: ten kto nie pamięta, ile ma lat, wygląda śmiesznie. Proszę nie protestować. Pani jest jeszcze młoda! Żyje pełnią życia. A ono mija z każdym rokiem coraz szybciej. Mamy do dyspozycji tylko teraźniejszość. Z początku wyobrażamy sobie długą przyszłość, a pod koniec już tylko wspominamy długą przeszłość. – Marina podeszła do krystalicznie czystego okna i dodała ze smutkiem: – A ja przecież nic jeszcze nie widziałam, Aneczko! Po prostu nic...

– Marino Pietrowna – Anna energicznie wstała – a może byśmy się napiły?

– W ciągu dnia?! – wystraszyła się tamta, ale jej oczy zabłysły.

– Przede wszystkim – Anna spojrzała na zegarek – już dochodzi druga. A poza tym zgodzi się pani, że nie co dzień bywamy w Berlinie.

– Nigdy nie sądziłam, że przyjadę tutaj na otwarcie wystawy z naszego Archiwum – wyszeptała Marina Pietrowna. – Los nieustannie płata nam figle, trzeba być na nie przygotowanym.

– Albo wręcz je prowokować – dodała Anna. Wyjęła z barku małą butelkę wina, próbowała ją odkorkować. Po dłuższej chwili jej się to udało i z satysfakcją napełniła kieliszki. – Ostatnio zadaję sobie pytanie: kto decyduje o naszym losie? Czy ma jakiś plan? I czy rzeczywiście nie mamy na nasz los żadnego wpływu?

– Ależ skąd, moja droga, my pomagamy naszemu losowi! Przecież gdybym nie pracowała w Archiwum, nigdy bym nie przyjechała do Berlina i nie zachwycałabym się wspaniałym widokiem z okna. Myślę, że powinniśmy się solidaryzować z własnym losem!

– I właśnie za to wypijmy! – uniosła kieliszek i uważnie popatrzyła na swoją przełożoną. – A tak przy okazji, Marino Pietrowna, jeśli idzie o zmiany w życiu...

– Tak? – Marina Pietrowna wypiła łyk wina.

– Adam żył sam jak palec przez pięćset lat. Dopiero wtedy Pan okazał mu miłosierdzie i stworzył z jego żebra Ewę. Tyle że z Ewą Adam spędził w raju tylko siedem godzin, potem nastąpiło wygnanie, głód i chłód, konieczność zdobywania chleba własnymi rękami, walka o przetrwanie... Czasami wydaje mi się – i nie tylko mnie – że grzech pierworodny wyniknął między innymi z potrzeby niezależności. Adam nie chciał już polegać wyłącznie na Bożej miłości, od kiedy odnalazł swoją drugą połowę i stał się pełniejszą istotą.

– Cóż, bardzo możliwe! A co pani miała na myśli, mówiąc „między innymi"?

– Wyobraża pani sobie, jak mu musiało być nudno samemu? – roześmiała się Anna.

Miała już dość nudy.

Otwarcie wystawy i konferencja prasowa miały się odbyć następnego dnia o czwartej. Postanowiły być na miejscu przed drugą, żeby jeszcze raz sprawdzić eksponaty i rozłożyć materiały dla mediów. Manfred mówił, że spodziewa się wielu dziennikarzy. W skład polskiej delegacji weszło kilku publicystów.

Cały wieczór można było poświęcić tętniącemu życiem, wiosennemu Berlinowi.

O piątej kobiety stały w holu i czekały na Manfreda, który nieco się spóźnił. Nie był wzorem punktualnego Niemca. Wpadł do hotelu w rozpiętym płaszczu i z czarującym uśmiechem oznajmił:

– Jestem cały do waszej dyspozycji, drogie panie!

Marina rozpromieniła się. W interesującej kobiecie z błyszczącymi oczami trudno było rozpoznać przygnębioną, zmęczoną Marinę Pietrownę, której sześćdziesiąte urodziny niedawno obchodziło całe Archiwum. Od chwili przyjazdu do Berlina dużo się śmiała, kokieteryjnie trzepocząc długimi rzęsami.

„Wygląda na młodszą ode mnie – pomyślała Anna. – Człowiek żyje, dopóki wszystko go ciekawi. To będzie moją dewizą na dziś!”

Zostawili samochód niedaleko Gendarmenmarkt i dalej poszli pieszo. Pośrodku placu stała estrada, wokół której gromadzili się ludzie.

– Dzisiaj będą wystawiać *Czarodziejski flet* – z dumą oznajmił Manfred.

– Nie do wiary! – krzyknęła Marina Pietrowna. – *Czarodziejski flet* w centrum Berlina! Aneczko, niech mnie pani uszczypnie, ja chyba śnię!

Ciekawscy turyści fotografowali stojące naprzeciw siebie dwa wielkie kościoły z podobnymi kopułami. Anna wyjęła z torebki swoją „mydelniczkę" i też zrobiła kilka zdjęć.

– Skąd wzięła się nazwa placu? – spytała.

– Od pułku konnej żandarmerii. Jego stajnie wojskowe zbudowano tu na rozkaz króla Fryderyka Wilhelma Pruskiego w 1736 roku.

– Tylko tyle – powiedziała Anna w zadumie.

– Niezupełnie – zaprotestował Manfred. – Jeden plac może upamiętnić wiele okresów historii. Przed zjednoczeniem Niemiec, w październiku 1990 roku, przy dźwiękach *IX Symfonii* Beethovena po raz ostatni odbyło się tutaj posiedzenie rządu NRD. Dzisiaj i to wydarzenie wydaje się odległe. A teraz, drogie panie, proponuję odwiedzić jedno przytulne miejsce.

Zaszli do niewielkiej kawiarni naprzeciwko sali koncertowej. Było tam tłoczno, kelnerzy pospiesznie krzątali się między stolikami.

Manfred złożył zamówienie.

– Chciałbym, żebyśmy się napili dobrego wina. Mam nadzieję, że panie nie odmówią?

– Czy pan jest żonaty? – niespodziewanie dla samej siebie spytała Anna.

– Tak – odpowiedział po rosyjsku. – Znamy się z żoną od trzydziestu lat, a małżeństwem jesteśmy od siedmiu.

– O! – krzyknęła Anna ze zdziwieniem. – Przez dwadzieścia trzy lata testowali państwo swoje uczucia?

– Wie pani, Aniu – wtrąciła Marina Pietrowna – kobiety, które przystają na pierwszego z brzegu kandydata, znacznie częściej pozostają samotne niż te, które z rozmysłem wybierają partnera do romansu, małżeństwa... czy nawet przygody, wspólnego weekendu albo szekspirowskich namiętności. Te niewybredne dosłownie nie mogą opędzić się od niepowodzeń, cokolwiek próbują zrobić.

– Ma pani na myśli prawo moralne? – chciała upewnić się Anna.

– Albo prawo boskie – kiwnął głową Manfred, uważnie przysłuchujący się rozmowie.

– Już prędzej prawa mechaniki: niepasujących do siebie części nie da się złożyć w sprawny i stabilny system. Więc jeśli się nie wybierze odpowiedniej dla siebie osoby...

– To system nie będzie działał! – z satysfakcją podsumował Manfred.

– Tak – przytaknęła Marina Pietrowna – trzeba wybierać, i to bardzo uważnie!

– Ale – zaniepokoiła się Anna – co z miłością?

– Aniu – jej przełożona uniosła rękę.

– Nie, proszę pozwolić mi dokończyć! Pamięta pani piosenkę Eldara Riazanowa: „Miłość wiosenną jest krainą i tylko w niej się zdarza szczęście"? To prawda! Miłość jest centrum wszechświata, wokół niej krąży Ziemia!

– Anno, pani jest filozofką! – Manfred patrzył na nią z uśmiechem. – Jednak nie mogę się z panią zgodzić.

– Chyba że uwzględnimy hipotezę, że centrum każdej galaktyki stanowi potworna czarna dziura, pochłaniająca wszystko, co znajdzie się w jej zasięgu. – Marina Pietrowna się roześmiała. – Aneczko, różnie myślałam o miłości w różnych okresach życia. I zrozumiałam jedno: miłość do mężczyzny to nie żaden szczyt marzeń, tylko kawałek chleba z kiełbasą.

– Kanapka? – Manfred skinął na kelnera, żeby ten ponownie napełnił kieliszki.

– Tak, kanapka! Leży na talerzu. Talerz stoi na tacy. Taca – na stoliku. Stolik – w kuchni... A wokoło jest cały świat! Który można i trzeba kochać.

– Widzi pan, kto tu jest filozofką – Anna wskazała na Marinę Pietrowną i z przyjemnością wypiła łyk wina.

Wyszli z kawiarni i bez pośpiechu skierowali się do samochodu.

Anna patrzyła w milczeniu na umykające za oknem obrazy z cudzego życia i myślała o tym, że zajmuje czyjeś miejsce. Manfred bez chwili przerwy mówił po niemiecku. Zdawało się, że Marina Pietrowna po trochu zaczyna go rozumieć. Potrząsała włosami, śmiała się i zachowywała kokieteryjnie.

– A teraz, miłe panie – Manfred spojrzał na Annę z uśmiechem samozadowolenia – mam dla was mały prezent! A raczej propozycję. Zapraszam was wieczorem na dyskotekę! Daję wam dwie godziny na przygotowanie i – do boju! Moi przyjaciele niedawno otworzyli świetny klub z pokazami laserów, to trzeba zobaczyć! I usłyszeć! Tym bardziej że mamy niedaleko z hotelu.

Wzruszyła ramionami – pomysł, żeby iść na dyskotekę, wydał się jej dziwny, przecież to rozrywka dla nastolatków. Ale niech będzie. Wszystko jedno.

Weszła do pokoju i bez sił opadła na granatową kraciastą narzutę. Obok łóżka stał wąski stolik, na którym leżały niedbale rzucona gazeta i błyszczące czasopismo. Pod oknem – jeszcze jeden stolik, szklany, z lampą w kolorze mokrego piasku i dwoma krzesłami. Do tego fotel, barek pełen efektownych butelek. Na szafce nocnej wazon z kwiatami – ich delikatny aromat dziwacznie splatał się z zapachem środka do czyszczenia drewna. Anna przymknęła oczy. Sięgnęła po kieliszek i dopiła wino, kosztowane wcześniej z Mariną Pietrowną. Zdążyło się ogrzać i nie wydawało się już tak wykwintne.

„Muszę się obudzić, wziąć w garść – pomyślała – od tak dawna marzyłam o podróży, jutro jest otwarcie wystawy, jeszcze tyle ma się wydarzyć. Manfred mówił, że niedaleko jest salon spa, mogłabym iść choćby zaraz. Poczciwy Manfred, tak się nami opiekował i w dodatku przygotował atrakcje na wieczór. Między nim a Mariną Pietrowną coś iskrzy. Dobrze by było, żeby nawiązali romans. Jej by to wyszło na zdrowie – ostatnio była taka zagubiona, wyczerpana..."

Jakby na zawołanie ktoś delikatnie zastukał, drzwi się uchyliły i do pokoju zajrzała Marina Pietrowna. Promieniała.

– Aneczko, moja droga, nie mogę usiedzieć na miejscu! Chce mi się dokądś lecieć. – Zamiast granatowej sukienki miała teraz na sobie wąskie czarne spodnie i cienki golf.

– Już się pani ubrała na wieczorne wyjście? Świetny zestaw. Pasuje do pani ten styl łowczyni w miejskiej dżungli.

– Nie wyglądam śmiesznie? – Marina Pietrowna z troską przeglądała się w lustrze.

– Ależ skąd – Anna zaprzeczyła – wygląda pani bardzo naturalnie. A ja nie wiem, w co się ubrać. Pomoże mi pani?

Wyjęła z szafy wąską spódnicę, szarą połyskującą bluzkę i dżinsy, po czym rzuciła je na łóżko.

– Aneczko! Powinna pani coś kupić, jak by to powiedzieć... odświeżyć garderobę. Pani jest taka młoda, taka piękna, a nie ma z czego wybierać. Chodźmy zaraz do sklepu i kupmy pani suknię wieczorową!

– Dobrze – zgodziła się Anna bez oporów. – Mamy jeszcze półtorej godziny. Nawet trochę więcej!

– Spytamy na dole, dokąd jechać. Bo inaczej nawet dwie godziny nam nie starczą.

Czarująca recepcjonistka uśmiechnęła się, słysząc słowo *kleid*.

– Najlepiej się wybrać na Kurfürstendamm, czyli Kudam. Tam jest mnóstwo sklepów! – Po czym szczegółowo objaśniła, jak mają dojechać.

Droga do najbliższej stacji metra zajęła im pięć minut. Stamtąd miały bezpośrednią linię na Wittenbergplatz.

Wygląd metra wiele mówi o mieście. W Nowym Jorku metro straszy wagonami pokrytymi graffiti i ponurymi twarzami nastoletnich raperów. W Petersburgu położone jest wyjątkowo głęboko: podczas jazdy ruchomymi schodami można napisać wiersz albo nawet krótkie opowiadanie. Tokijskie ma mnóstwo krętych korytarzy między stacjami, a pasażerowie noszą ze sobą respiratory; bilety kupuje się tam w automatach wyposażonych w klawiaturę z alfabetem Braille'a. Na niektórych stacjach w Moskwie można się przesiąść z jednej linii na drugą w trzydzieści sekund, tymczasem w Paryżu bywa, że przesiadka zajmuje co najmniej kwadrans.

Również metro berlińskie jest wyjątkowe: o ile miasto zostało prawie zupełnie zniszczone w 1945 roku, o tyle budowle podziemne dobrze się zachowały. Można w nich dotknąć historii, na przykład zwiedzić bunkier z drugiej wojny światowej, w którym berlińczycy chronili się przed bombardowaniami. Zachowały się w nim nawet fosforyzujące mury, pozwalające widzieć w ciemnościach, na wypadek odłączenia prądu.

W wagonie metra było dużo wolnych miejsc i przyjaznych twarzy. „Da się odczuć, że nie mieszka tu piętnaście milionów ludzi" – pomyślała Anna. Przez całą drogę gadała z Mariną Pietrowną o fryzurach, trendach w modzie i kosmetykach.

Kiedy wyszły ze stacji, Anna od razu rozpoznała Kościół Pamiątkowy wybudowany na cześć cesarza Wilhelma. Dziś składa się z dwóch kontrastujących ze sobą budowli, które symbolizują stare i nowe czasy. Jedna, na wpół zburzona, stanowi przypomnienie o wojnie. Druga jest wcieleniem nowoczesnego Berlina.

– Aneczko, niech pani spojrzy, przecież to samo życie – wczoraj i dziś splecione w jedną całość. Dobrze to ujęłam? – uśmiechnęła się Marina Pietrowna.

– Doskonale.

Anna miała zamiar ciągnąć rozważania na temat wyjątkowego kościoła, ale jej wzrok przykuły już kolorowe witryny sklepów.

Mimo iż nawykła do obfitości moskiewskiego handlu, w galerii wpadła w zachwyt. Ruchomymi schodami wjechały na pierwsze piętro, gdzie od razu zaczęła przeglądać suknie na wieszakach.

– Szuka pani czegoś konkretnego? – podeszła do niej sympatyczna sprzedawczyni koło pięćdziesiątki.

– Tak, chcę być dzisiaj piękna! – odparła Anna z uśmiechem.

Kobieta na chwilę zniknęła za wysokim regałem i wróciła z jedwabną sukienką.

– *Frau* musi to *probieren*! To dobrze do twoje oczy!

Anna zniknęła w przymierzalni i po pewnym czasie wyszła stamtąd rozpromieniona. Suknia leżała na niej jak szyta na miarę.

Marina Pietrowna uśmiechnęła się z aprobatą.

– Teraz to zupełnie co innego! Istna Carmen!

Wino, wieczorny Berlin, nowa suknia i pokaz laserów odniosły swój skutek. Anna czuła się jak we śnie. Było jej dobrze. Chciała zapamiętać i przedłużyć ten stan.

Istnieje test psychologiczny polegający na określeniu, czym się człowiek czuje: ptakiem, zwierzęciem czy może ślimakiem. W ten kwietniowy wieczór w Berlinie Anna zaczynała pomału wypełzać ze swojej skorupy. Z rolą ślimaka pogodziła się już dawno. Teraz nabrała ochoty, żeby wyjść na świat i szeroko otworzyć oczy. Odczuwała przypływ energii i nadziei.

Kiedy Manfred był w Moskwie, dostał w prezencie płytę z balladami Okudżawy. Po drodze na dyskotekę, w taksówce, śpiewali chórem: „Więc mówmy sobie dziś nawzajem komplementy"*.

– Cała epoka minęła – zauważyła Marina Pietrowna z nutą smutku. – Nie sądziłam, że jeszcze ktoś słucha Okudżawy.

Kiedy weszli do klubu, czterech mężczyzn grało bluesa. Wydawało się, że są całkowicie zatopieni w swojej muzyce i swoim świecie.

---

* B. Okudżawa, *Życzenia dla przyjaciół*, tłum. W. Dąbrowski (przyp. tłum.).

„Jak ja im zazdroszczę – pomyślała Anna. – Nikogo nie potrzebują, a oni są potrzebni wszystkim, którzy ich słuchają. Dlatego grają tak dobrze".

Przypomniało się jej marzenie, żeby zostać aktorką i przeżywać na scenie różne losy. Czuć się potrzebną, dawać radość i wzbudzać zachwyt widzów, a może nawet wpływać na ich opinie o świecie. Potarła skronie, próbując odgonić ponure myśli. Przyszła do nocnego klubu – więc będzie się bawić! Popatrzyła na dobrodusznego Manfreda.

– Miłe panie, napijemy się whisky? – spytał wesoło.

– A jest pan pewien, że jutro będziemy w stanie otworzyć wystawę? – zapytała Anna, kokieteryjnie opierając się o bar. Jej piwne oczy błyszczały.

– Naturalnie, że tak! – przekrzykując muzykę, odparł Manfred. – To będzie najciekawsza wystawa w tym roku!

– Zatem proponuję wznieść toast – powiedziała Marina Pietrowna z ożywieniem. – Za Manfreda i jego wspaniałe pomysły! Jestem panu niezmiernie wdzięczna. Nie czułam się tak od lat.

– Wobec tego whisky z lodem dla wszystkich!

Anna myślała, jak to wspaniale, że są teraz w Berlinie i że Marina Pietrowna flirtuje z tym miłym Niemcem.

Potem tańczyli i znowu wznosili toasty.

W pewnej chwili Anna znalazła się na środku parkietu. Uniosła ręce, zamknęła oczy i rytmicznie poruszała się w takt muzyki. Wokół niej było pełno ludzi: wykrzykiwali coś na zachętę i klaskali. Zawstydziła się, poprawiła sukienkę i wróciła na miejsce przy barze.

„Boże, nie tańczyłam tak już sto lat – skonstatowała z niepokojem; myśli goniły się nawzajem i skakały jej w głowie jak pingpongowe piłeczki. – A właściwie dlaczego? Nie jestem kulawa ani szpetna, dlaczego nie żyję, nie tańczę, nie eksperymentuję z nowymi daniami, nie hoduję egzotycznych kwiatów w doniczkach, nie zawieram przypadkowych znajomości?"

Na niewielkiej scenie pojawiła się korpulentna Mulatka z purpurową przepaską na włosach czarnych jak smoła. Jej krągłe ciało reagowało na każdą nutę – mimo tuszy przypominała gibką panterę. Anna wzięła szklankę whisky i opróżniła ją jednym haustem.

– Zatańczy pani? – usłyszała za plecami. Odwróciła się – przed nią, uśmiechając się zapraszająco, stał muzyk, który chwilę wcześniej wydobywał piękne dźwięki z saksofonu.

Nie mogąc doczekać się odpowiedzi, władczym gestem przyciągnął ją do siebie. Poczuła jego cierpki i przyjemny, bardzo męski zapach. Odepchnął ją lekko i zdecydowanie odgiął do tyłu. Jej gęste kasztanowe włosy dotknęły parkietu, po czym znowu pofrunęły w górę. Dwa dolne guziki sukienki rozpięły się i Anna poczuła, że odsłoniła się jej noga w czarnej pończoszce. Saksofonista znowu przyciągnął ją do siebie. Chciała, żeby ten taniec trwał bez końca. Jasna szminka zaczęła się rozpływać od gorąca, delikatnie zmiękczając kontur warg. W migającym neonowym świetle Anna z radością podporządkowała się partnerowi, dotykała go piersiami i było jej niewypowiedzianie dobrze. „Nagle się okazuje – przemknęło jej w głowie – że potrafię być rozwiązła!" Ta myśl się jej spodobała i powtórzyła ją na głos po rosyjsku. Saksofonista ze zdziwieniem uniósł brwi.

– Drogi panie – ciągnęła w niezrozumiałym dla niego języku – proponuję porozmawiać o seksie! O fantazjach erotycznych! Niech pan sobie wyobrazi, że nigdy z nikim o tym nie rozmawiałam! Nie wie pan przypadkiem dlaczego?

Taniec się zakończył, a ona roześmiała się i ujęła twarz muzyka w dłonie. On pocałował jej rękę, nadgarstek i dołek w zgięciu łokcia.

Nie potrafiła oderwać się od tego mężczyzny.

– Fantazje erotyczne... – mamrotała półgłosem. – Co mi strzeliło do głowy? Chyba tracę rozum. Ale to mi się podoba!

Saksofonista zniknął, jednak po chwili wrócił i z lekkim ukłonem podał Annie figurkę z mlecznego onyksu – niedźwiedzia, symbol Berlina. Kobieta uśmiechnęła się, ścisnęła ją w dłoni.

Potem znowu pili, a Manfred wykładał własną wersję teorii względności. Szczerze wierzył, że istnieje jeden Bóg. I że to właśnie on programuje ludzkie losy, ponieważ zarządzać takim chaosem może tylko ktoś, kto posiada dostęp do wszystkich informacji.

Wieczór niespodziewanie stał się nocą.

Anna poczuła się bardzo zmęczona. Marzyła tylko o tym, żeby zrzucić pantofle i wygodnie wyciągnąć podpuchnięte nogi. Wyszła przed budynek, przycisnęła dłoń do rozpalonych policzków, westchnęła. Ochłodziło się – z jej ust wydobył się obłoczek pary.

Nagle usłyszała cichy dźwięk. Podniosła oczy: w ciemnościach szybował biały gołąb. Zawzięcie wymachiwał skrzydłami, jak gdyby chciał przyciągnąć jej uwagę. Nie odrywając od niego oczu, śledziła trajektorię lotu. Ptak podleciał do góry i przysiadł koło małego zakratowanego okna budynku naprzeciwko. W głębi pokoju tliło się słabe światło.

Serce Anny zabiło mocniej. Dojrzała w oknie męski profil. Tak, niewątpliwie był to mężczyzna. Miała wrażenie, że patrzy na nią badawczo.

Nagle poczuła tak silny smutek i ból, że zgięła się wpół, obejmując rękami brzuch. Zakratowane okno przejmująco kontrastowało z niedawnym doznaniem lekkości i swobody.

„Co się ze mną dzieje? Czy będę się tak miotać do samego końca, pewnie wcale nie szczęśliwego? Jestem jak zimowy sad. Pusty. Drzewa zamarły w wymyślnych pozach, czarne, przemarznięte na wskroś. Jest kwiecień, a mnie zimno na sercu. Życie jeszcze się we mnie tli, ale tak głęboko i słabo, że trudno to zauważyć. Wszyscy odeszli, umarli, a ja zostałam jak ten opustoszały sad".

Biały gołąb podjął swój taniec, wznosząc się coraz wyżej. Anna poczuła, że trudno jej oddychać. W głowie się zakręciło, przed oczami zamigotało mnóstwo kolorowych gwiazdek. Chwyciły ją czyjeś silne ręce. Manfred.

Obudziło ją stukanie. Zaspana, z rozczochranymi włosami, niechętnie otworzyła drzwi. Na progu stała promienna i świeża – jakby nie miała za sobą szampańskiej nocy – Marina Pietrowna.

– Aneczko, już kończą podawać śniadanie. A ja umieram z głodu! I chciałabym wybrać się z panią na zwiedzanie. Do drugiej zostało niewiele czasu.

Na myśl o jedzeniu Annie zrobiło się słabo.

– Proszę iść beze mnie, ja się tymczasem pozbieram. Spotkajmy się na dole za pół godziny.

– Dobrze, moja droga. – kobieta oddaliła się szybkim krokiem.

Anna wybiegła z pokoju w samej koszuli nocnej.

– Marino Pietrowna – jej oczy błyszczały – widziała pani wczoraj gołębia? I profil mężczyzny w oknie?

– Szczerze mówiąc, wczoraj wszyscy trochę przesadziliśmy, ja też. Ale żadnego gołębia nie widziałam. Pod wpływem alkoholu widuje się różne rzeczy.

Anna głośno zamknęła drzwi.

Pół godziny później wsiadły do metra i dojechały do stacji Unter den Linden. Szły teraz najdroższą ulicą w Niemczech. Kawałek ziemi wielkości tekturowej podstawki pod kufel kosztował ponad sto dwadzieścia pięć euro. Tak przynajmniej twierdził Manfred.

Marina Pietrowna powiedziała Annie, że niegdyś rosło tu tysiąc drzew orzechowych i tysiąc lip. Orzechy obumarły, a lipy przetrwały, dlatego Niemcy nazwali tę ulicę „Pod lipami".

Kiedy przechodziły obok kawiarni, Anna stanowczo zagroziła:

– Bez kawy dalej nie idę!

Weszły do lokalu o obiecującej nazwie Einstein. Anna zamówiła swoje ulubione cappuccino i długo smakowała każdy łyk. Marina z przyjemnością jadła strudel jabłkowy.

– Aniu, niech pani spróbuje! Gorąco polecam. Zupełnie inaczej smakuje. W Moskwie jest jakiś suchy, a tu rozpływa się w ustach.

Anna odkroiła mały kawałek. Aromat jabłek i kawy przywrócił ją do życia.

Potem obejrzały pomnik Fryderyka Wielkiego na koniu. Annę od dawna interesowała postać „Starego Fryca". Z uśmieszkiem zerkał spod trójgraniastego kapelusza, jakby obserwował, co się dzieje wokół. Trudno uwierzyć, że w wieku osiemnastu lat uciekł do Anglii i rozważał wyrzeczenie się korony. I że zostawił po sobie koncerty na flet, które do tej pory wykonują muzycy na całym świecie.

Pogoda była wymarzona. Słońce przypiekało, a w powietrzu pachniało wiosną.

Jednak czas ma swoje prawa. Przyszła pora, żeby jechać na wystawę.

„Pałac Manfreda", jak go w żartach nazywały, okazał się imponującą klasycystyczną budowlą w samym centrum Berlina.

Anna stała w holu i w milczeniu obserwowała napływających dziennikarzy i chętnych do zwiedzenia wystawy. Być może należałoby powiedzieć: chętnych do jej skrytykowania. Zachodniej publiczności nic nie jest w stanie zachwycić. Im większe coś wzbudza zainteresowanie, tym więcej zbiera krytyki w mediach.

W Rosji jest inaczej. Krytyka wywołuje podejrzliwość, a jeśli na wernisażu wystawy obecni są przedstawiciele władzy, przychylne głosy są zapewnione.

Wśród zwiedzających było wielu rozczochranych młodych ludzi w opadających dżinsach wedle mody z Harlemu.

Pewien dżentelmen w pilśniowym kapeluszu z szerokim rondem i kraciastym szaliku rozmawiał z elegancką dziewczyną w żakiecie i spodniach. W rękach trzymała aparat fotograficzny i dyktafon. Wkoło rozbrzmiewał gwar rozmów. Dawało się odczuć nastrój oczekiwania, jak bywa tylko przed interesującymi wydarzeniami.

– Aneczko, gdzie się pani podziewa? Przyjechała polska delegacja. Chodźmy się przywitać!

– Marino Pietrowna, pani naprawdę nie widziała wczoraj gołębia i mężczyzny w oknie? – spytała kolejny raz.

– Wszyscy wczoraj zaszaleliśmy. Każdemu się może zdarzyć – odparła Marina Pietrowna, gładząc ją po ramieniu. – Chodźmy, za piętnaście minut się zacznie. Witalij Siemionowicz będzie przecinać wstęgę.

– Zaraz, zaraz – zaniepokoiła się Anna. – W jakim sensie zaszaleliśmy? Przecież nie zwariowałam! Pani musiała to widzieć!

– Nie było tam żadnego gołębia! – Marina Pietrowna chwyciła ją za rękaw i pociągnęła przez hol.

Anna nagle poczuła dziwną obojętność. Wydawałoby się, że zaraz nastąpi coś, na co długo czekała, przygotowywała się. A teraz? Pustka.

– Niech się pani weźmie w garść! – srogo powiedziała Marina Pietrowna.

– W garść – powtórzyła bezmyślnie Anna.

Wiem po sobie, czym jest emocjonalne wypalenie. W ten sposób organizm się broni, kiedy nie jest już w stanie zmagać się z negatywnymi bodźcami. Z psychicznym bólem. Jeśli zbyt długo człowiek żyje samymi uczuciami, może się zdarzyć, że wygasną. Całkowicie. Znalazłam w internecie wyrażenie „pustynia emocjonalna". Prawdopodobnie niektórzy doznają jej przez całe życie. Boże, czy i mnie to spotkało?

Witalij Siemionowicz stał obok Manfreda i jakiegoś siwego mężczyzny z serdecznym wyrazem twarzy. Wspólnie przecięli wstęgę, przy wtórze gromkich i – jak się wydało Annie – szczerych oklasków.

Powoli oglądała fotografie. Widziała wychudzone, uśmiechnięte twarze. Inne oblicze wojny. A raczej rzadkie chwile szczęścia w paśmie bólu i smutku.

Nagle zrozumiała, że się wstydzi – za swoją samotność i ciągłe niezadowolenie ze wszystkiego, a zwłaszcza z samej siebie.

„Nawet w takiej chwili myślę o sobie! A ci ludzie ze zdjęć myśleli o tym, co było ważne dla wszystkich! Jedni starali się przeżyć, inni walczyli! Ja jestem tchórzem. Boję się zostać sama. Zrezygnować z komfortu. Wrócić do dzielonego mieszkania ze wspólną śmierdzącą toaletą. Przyznać się przed sobą do ubóstwa. I tyle! Niedoszła aktorka, niedoszła matka".

Zatrzymała się przy niewielkiej fotografii z naderwanym rogiem. Przedstawiała dużą rodzinę: męża, żonę, czworo rodzeństwa, niemowlę u matki na rękach.

– Dobry wieczór.

Anna odwróciła się i zobaczyła szpakowatego mężczyznę z ostrym podbródkiem i świdrującym wzrokiem. Kilka minut wcześniej przecinał wstęgę.

– Nazywam się Wodosławski – szarmancko skłonił głowę.

– Anna – powiedziała cicho. – Pan jest z Polski?

– Tak, z Warszawy. My też przywieźliśmy zdjęcia z naszego archiwum. To zdjęcie jest częścią mojej historii. I historii mojej rodziny. Niedawno odkrytej. Rozumie pani?

– Na razie nie – uśmiechnęła się Anna – ale to da się naprawić.

– Czasami historie lepiej opowiadać od końca. I dojść do początku.

– Nie musimy się spieszyć. – Patrzyła na niego z zainteresowaniem.

– Tak, ma pani rację. Pięć lat temu zadzwonił do mnie adwokat. Oznajmił, że prowadzi naszą sprawę spadkową. Moja mama za nic nie chciała do niego iść, mówiła, że to strata czasu, że nie mamy bogatych krewnych. A ja poszedłem. Wziąłem ze sobą nasze dokumenty. Kiedy wróciłem do domu, długo nie mogłem wydobyć z siebie głosu. Nawet nie chodziło o pieniądze – dużą sumę, którą odziedziczyła mama. Tylko o mały album ze starymi fotografiami i listy w blaszanym pudełku po duńskich ciastkach – zamyślił się. – Moja babcia miała siostrę. A dokładniej, było ich trzy siostry i jeden brat: Barbara, Ewa, Maria i Marcin. Na początku lat dwudziestych Barbara i Ewa wyjechały z ojcem do małego miasteczka we Francji, a roczna Marysia i trzyletni Marcin zostali z matką w Polsce. Dlaczego tak się stało, pewnie już się nie dowiem. Może ich rodzice się pokłócili, a może rozstali. Maria była chorowitym, wątłym dzieckiem, a Marcin krótko potem zmarł na dyfteryt.

Pięćdziesiąt lat później Maria została moją babcią. O swoich siostrach i ojcu prawie nic nie wiedziała, ale na wszelki wypadek dawała na mszę w ich intencji.

Kiedy Barbara i Ewa dorosły, pojechały studiować do Paryża. Ewa rozpoczęła naukę na uniwersytecie, ale szybko ją porzuciła i zapisała się do znanej ze skandali obyczajowych szkoły teatralnej. Jednak aktorką nie została – wróciła do ojca, który w miejscowej szkole uczył języków klasycznych. Barbara uczyła tam rosyjskiego i gimnastyki.

W trzydziestym dziewiątym wybuchła wojna, a w czterdziestym pierwszym pewien młody człowiek, wychowany w porządnej niemieckiej rodzinie na południu Niemiec, został żołnierzem armii hitlerowskiej. Trzy lata później został ciężko ranny na froncie wschodnim. Odłamek rozerwał mu brzuch – dusząc się od krzyku, podtrzymywał sine zwoje własnych jelit. Póki szczęśliwie nie stracił przytomności. Został wyniesiony z pola walki przez kolegę z oddziału i po godzinie operował go wojskowy chirurg. Operacja się udała, ale czekało go długie leczenie w szpitalu i rehabilitacja. Po upływie pół roku wysłano go na front zachodni, do Francji. Właśnie tam zaczął szukać możliwości ucieczki i ratunku. Niemiecka obowiązkowość i gorliwość w wypełnianiu rozkazów ustąpiła miejsca świadomości koszmaru wojny.

Los okazał się dla niego łaskawy i po kolejnej wymianie ognia wszedł w posiadanie dokumentów zabitego Francuza Henri Roché. Zdezerterował, długo przebijał się przez Francję; we Włoszech jakimś cudem udało mu się wsiąść na parowiec pełen uchodźców i wylądował w Vancouver. Nikt nie podejrzewał, przez co przeszedł.

W Kanadzie został pomocnikiem kucharza w restauracji rosyjskiej. Tam w czterdziestym szóstym poznał Barbarę Wojciechowską. Jej siostra Ewa i ojciec zginęli w Oświęcimiu. Ona sama w czterdziestym drugim uciekła z przyjaciółką przed nazistami do Anglii, a stamtąd dwa lata później przedostała się do Kanady. Pracowała w bibliotece, mieszkała w małym mieszkaniu z widokiem na ocean. Lubiła czytać i jeździć na rowerze.

Wzięli ślub, urodził im się syn, którego nazwali Aron, na cześć dziadka, który zginął w Oświęcimiu.

Rodzice Arona nie byli zbyt towarzyscy i nie lubili zawierać nowych znajomości. Ich życie wypełniała praca. Na początku lat pięćdziesiątych otworzyli własną restaurację, też rosyjską. Interes kwitł – Barbara okazała się wspaniałą kucharką. Pod koniec lat sześćdziesiątych prowadzili już trzy restauracje.

Nie mieli więcej dzieci. Aron poznał prawdę o ojcu dopiero po jego śmierci. Po uroczystości pogrzebowej na małym zadbanym cmentarzu wsiadł z matką do samochodu i ta, patrząc w pustkę, opowiedziała mu, kim był jej mąż i jak się naprawdę nazywał.

– Jak to możliwe? – cicho spytała Anna. – Co mogło łączyć tych ludzi, ofiarę i kata?

– Nie wiem – odparł Wodosławski – naprawdę nie wiem. Może miłość? Aron się nie ożenił, zarządzał restauracjami, podwajając ich liczbę. Pochował matkę. I postanowił znaleźć jej krewnych w Polsce. Maria po wojnie wyszła za mąż, urodziła córeczkę – na cześć siostry nazwała ją Barbara.

– To pana mama? – domyśliła się.

– Tak. Gorzko płakała, trzymając w rękach stare czarno-białe fotografie, które przyjechały do niej zza dwóch oceanów po pięćdziesięciu latach. Jej łzy kapały na blaszaną pokrywkę pudełka po duńskich ciastkach, na której rumiane dziewczynki i chłopcy jeździli na sankach.

Warszawa, 5 kwietnia, poniedziałek

Warszawa...

Zawsze była dla mnie Warszawą. Żadnym Warschau, żadnym Warsaw, żadną Varsovie i żadnym innym. Zawsze w rodzaju żeńskim. Zawsze też o Warszawie myślałem jak o kobiecie. Mój ojciec urodził się w polskim jeszcze wtedy Lwowie, matka w ciągle jeszcze niemieckim wtedy Szczecinie, brat w powojennym polskim Krakowie. A nasza siostrzyczka, która zdarzyła się rodzicom, gdy mój brat był już dorosły, a ja, chociaż o wiele od niego młodszy, tej dorosłości boleśnie doświadczałem, w Wiedniu. Dwa dni później tam też umarła. Mój ojciec był ekstremalnie zacofanym polskim nacjonalistą i uważał, że nie można Polki pochować w ziemi, która „wydała na świat Hitlera". Nie zważając na obowiązujące przepisy o przewożeniu zwłok oraz ignorując prośby przerażonej matki, wykradł z kostnicy wiedeńskiego szpitala ciałko Martusi, owinął je wykrochmalonym niebieskawym prześcieradłem, położył w bagażniku swojej łady i prosto sprzed kostnicy ruszył do Polski. Celnicy na granicy pomiędzy Austrią i Czechosłowacją przeszukali ich samochód. Szukali ulotek i „wrogiej literatury", a znaleźli przewiązany sznurem tobołek ze zwłokami Martusi. Natychmiast aresztowali ojca i matkę. Skuli ich razem kajdankami i przepędzili do zakratowanej celi w budynku urzędu celnego. Ponad trzy tygodnie trwała procedura wyjaśniania tego makabrycznie kuriozalnego wydarzenia. Z udziałem policji w Austrii, milicji w Czechosłowacji, polskiej ambasady w Wiedniu i polskiego konsulatu w Brnie. W końcu wypuścili z aresztu rodziców, zatrzasnęli Martusię w małej aluminiowej trumnie i specjalnym samochodem wysłali do Polski. Mój ojciec jechał za tym samochodem w swojej ładzie. W okolicach Ołomuńca, odurzony lekami uspokajającymi, które regularnie połykał, zasnął przy kierownicy i uderzając w drzewo, zabił siebie i matkę. Miałem wtedy szesnaście lat. Jako małoletniemu nie dano mi zezwolenia na wyjazd do Ołomuńca, a mój dorosły brat był już wtedy bardzo daleko. W Sydney. Ale był jeszcze zbyt biedny, aby kupić bilet lotniczy i przylecieć z Australii do Warszawy, Wiednia lub Pragi i dotrzeć do Ołomuńca. Dlatego grób Martusi, ojca i matki jest w Bratysławie. Grób. Nie groby.

Jeden grób dla trojga. Bo tak było taniej. Dla polskiego konsulatu w Brnie – wyrażającego, jak przypuszczam, interesy jakiegoś głównego księgowego mojego kraju, Polski – było to najtańsze.

Pierwszy i ostatni raz na cmentarzu w Bratysławie byłem sześć lat temu. Usypana gruda rdzawego piasku znajdowała się przy śmietnikach. Tuż za grudą wepchnięto drewniany krzyż. Na białej tabliczce przybitej jednym gwoździem do krzyża były imiona ojca „Andzej", matki „Stefiana" i mojej siostry „Martina". Chociaż mój ojciec miał na imię Andrzej, matka Sefania, a Martynka miała mieć na imię Marta. Wyrwałem z wściekłością ten krzyż z ziemi i wrzuciłem go do śmietnika. Dłonią zebrałem garść piasku z grudy, wsypałem go do kieszeni i wróciłem do samochodu. Pamiętam, że kilka tygodni później część tego piasku wysłałem w paczce do Sydney. Jak dotychczas nie otrzymałem żadnej odpowiedzi.

Pozostałą część tego piasku trzymam w metalowej kasecie, która zawiera najważniejsze przedmioty w mojej biografii: akt urodzenia, dokument potwierdzający „wydalenie ze Szkoły Muzycznej numer 4 w Warszawie za zniszczenie fortepianu", czarny klawisz ze zniszczonego fortepianu Szkoły Muzycznej numer 4 w Warszawie, zasuszony opłatek Pierwszej Komunii (nie połknąłem go, bo wsuwał mi go do ust ksiądz, który pił wódkę z moim ojcem i często pijany sadzał mnie na swoich kolanach i dotykał mojego krocza), dyplom na czerpanym papierze Akademii Muzycznej w Gdańsku, ogromne bawełniane majtki Joanny R., która uwiodła mnie na plaży w Ustce, odmowa bez uzasadnienia wydania paszportu „w związku z podaniem o wyjazd do Norymbergi, RFN" wystawiona przez Wydział Paszportów Milicji Obywatelskiej w Warszawie w osiemdziesiątym ósmym roku, wycinek z artykułem w „Gazecie Wyborczej" z moją recenzją koncertów Kevina Kennera w 1990 roku podczas konkursu szopenowskiego w Warszawie (miałem wtedy 22 lata i byłem studentem), pierwszy ząb mojej córki, akt rozwodu z matką mojej córki, akt przyznania mi niemieckiego obywatelstwa, pismo z odmową zrzeczenia się polskiego obywatelstwa, dokumentacja krytyk koncertów fortepianowych mojego brata podczas występów w Dusznikach (porównywałem go, między innymi, do „miernej kopii podstarzałego Ivo Pogorelića"), list od mojego brata, który wyrzeka się jakichkolwiek związków ze mną, pognieciona kartka papieru z informacją o odebraniu mi „w procedurze dyscyplinarnej" stanowiska profesora wykładowcy w Akademii Muzycznej w Poznaniu, odpis wyroku berlińskiego sądu w związku z pobiciem „urzędnika państwowego" (a ja przecież broniłem tylko swojego pianina przed komornikiem), pierwszy – pisany ręką – tekst dla Johanna von A., wyjątkowo niezdolnego krytyka muzycznego, który opublikował później ten – i następne moje teksty – pod swoim nazwiskiem, banknot 50 euro, którym mi za to pisanie na kolanie zapłacił. Tak naprawdę, gdy się zastanawiam nad tym, to dochodzę do wniosku, iż zbieram – masochistycznie – dowody swoich kolejnych sprzeniewierzeń, porażek, zdrad i upadków...

Tylko ja z całej naszej rodziny urodziłem się w Warszawie. Chociaż to w Warszawie wydarzyły się w życiu tej rodziny najważniejsze rzeczy. Gdy w Niemczech przysyłano mi do podpisania jakieś dokumenty zawierające „miejsce urodzenia: Warschau", to przekreślałem „Warschau", wpisywałem „Warszawa" i prosiłem o przysłanie mi ich ponownie. Przypuszczam, że był to rodzaj szykany dla niemieckich urzędników. Gdy ponownie w przysłanym dokumencie było „Warschau", to wrzucałem go do kosza i więcej go nie odsyłałem. Nawet gdy był to dokument, który mógł zapewnić mi pieniądze na czynsz. W odpowiedzi na podanie do psychiatryka w Pankow także tak zrobiłem.

Pewnego dnia nieróżniącego się niczym od innych zbiegałem po schodach na dół, uciekając przed samotnością, brakiem alkoholu lub gdziekolwiek. W strachu przed kolejnym porankiem. Dzisiaj już tego dokładnie nie pamiętam. Wiem tylko, że uciekałem przed czymś. Znowu czegoś się bałem. Ja wtedy od długiego czasu przed wszystkim uciekałem. Listonosz zatrzymał mnie na pierwszym piętrze. Podał mi szarą kopertę. Otworzyłem ją, biegnąc. Na druku w tekście zauważyłem „Pankow", u dołu strony była „Warszawa". Tak jak chciałem. Mogłem wtedy tę kartkę zgnieść lub podrzeć i wyrzucić. Mogłem pobiec z nią do następnego kiosku, wziąć u znajomego Turka „na krechę" małą butelkę „owocówki", zatrzymać się, wypić duszkiem na pusty żołądek, poczuć ulgę, którą dawał alkohol, przetrwać jakoś we mgle odurzenia do wieczora i znaleźć tę kartkę pomiętą w mojej kieszeni następnego ranka. Ale nie zrobiłem tego. Pobiegłem z tą kartką do Pankow. Chociaż to było – licząc od mojego domu – ponad dziesięć kilometrów. Gdyby nie słowo „Warszawa" w odpowiedniej rubryce, nigdy nie dotarłbym w moim życiu do Pankow. Ale dotarłem.

Chociaż nie wierzę w przeznaczenie, to gdy dzisiaj o tym myślę, zaczynam powątpiewać, czy mam do końca rację. Przybiegłem do Pankow właściwego dnia o właściwym czasie. W piątek drugiego października 2009 roku około trzynastej. Strażnik Hartmut „na bramce" był nieobecny, ponieważ w życiu mężczyzny „porządny obiad o tej samej porze chroni przed wszystkimi rakami", a psycholog Aneta akurat skończyła jeść swój lunch i spotkała mnie na korytarzu, wychodząc ze stołówki. Po dziesięciu kilometrach biegu musiałem wyglądać „zastanawiająco", więc zaprosiła mnie do swojego gabinetu. Najpierw przeczytała uważnie dokument, z którym przybiegłem, potem – oddalając się ode mnie tak, abym nie słyszał – odbyła szeptem kilka rozmów telefonicznych, a na końcu poprosiła o moją kartę ubezpieczenia.

Odkąd pisałem teksty dla Johanna von A., przestałem być bezrobotny. Sumy przez niego wpłacane na moje konto pod tytułem „konsultacje" były zbyt duże, aby potraktować je jako „odliczalne świadczenia". Z punktu widzenia biura opieki socjalnej i niemieckiego urzędu skarbowego stałem się „przedsiębiorcą", tracąc automatycznie prawo do darmowego, państwowego ubezpieczenia lekarskiego. Musiałem płacić za nie sam. Wybrałem ubezpieczenie prywatne. Bo tak, paradoksalnie, było taniej. W Niemczech każdy ubezpieczony prywatnie przenosi się automatycznie na poziom klasy wyróżnionej. To nie jest solidarne, sprawiedliwe i socjalistyczne, ale jest ekonomiczne. Niemcy mają z tym polityczno-etyczny problem, ponieważ okazuje się, iż rak prostaty robotnika nie jest tak samo ważny jak rak prostaty kapitalisty, który tego robotnika zatrudnia. Robotnika nie stać na ubezpieczenie prywatne, więc jego rak jest leczony, skracając cały wywód, mniej uważnie. W szpitalach na przykład ubezpieczeni prywatnie umierają lub zdrowieją w jednoosobowych salach z telefonem na stoliku nocnym i bezprzewodowym internetem, a ubezpieczeni państwowo w salach dwunastoosobowych. Dla mnie osobiście to, gdzie umrę, nie ma znaczenia, ale dla wielu ma. Klasowość opieki lekarskiej jest w Niemczech tematem, który zamiata się od wielu lat cichutko pod dywan. W Ameryce nikt nie ma z tym problemu. Tam tylko w momencie urodzenia wszyscy są równi. W sekundę po urodzeniu, aż po moment śmierci, ta „równość" pozostaje tylko zapisem w konstytucji. Amerykanie to akceptują bez mrugnięcia okiem. Rodzisz się równy, ale zaraz potem stajesz się albo bogaty, albo biedny. Jeśli jesteś biedny, to przecież masz szansę stać się bogaty, nawet gdy urodzono cię w śmierdzącym lizolem szpitalu w rejonie slumsów na nowojorskim Bronksie. Taki jest świat. Europejczycy, o dziwo – to chyba nieustająca czkawka po rewolucji francuskiej – mają z takim światem jakiś problem. Nie pasuje im to w ramy historycznego obrazu rzeczywistości, gdzie może nie wszyscy mają takie same żołądki i takie same mózgi, ale prostaty, płuca, piersi, macice, jelita grube i cienkie jednak tak.

Dzisiaj już dokładnie nie pamiętam, co odpowiedziałem doktor Anecie Röder na kurtuazyjne pytanie: „Co pana do nas sprowadza?". To było chyba najbardziej idiotyczne pytanie, jakie można w takich okolicznościach zadać. Czasami wymuszona, nadmierna grzeczność brzmi jak atak śmiechu w kostnicy. Pamiętam tylko, że wymamrotałem coś o „utracie sensu", „niepokoju duszy", „obsesji śmierci". To było wtedy bardzo szczere. Chciałem wreszcie komuś powiedzieć, że chciałbym umrzeć. Bo wtedy był taki czas, że życia się bardziej bałem niż śmierci, że myśl o własnej śmierci dodawała mi wtedy otuchy. Nikogo oprócz mnie to wtedy nie obchodziło. Nie ma chyba większej samotności niż brak człowieka, któremu ufa się na tyle, iż chciałoby się mu wyznać swoje pragnienie lub zamiar zakończenia życia. To pewnie dlatego przybiegłem tego dnia do Pankow. Psycholog Aneta zaniepokojona wysłuchała mojego wywodu, zerknęła na moją kartę ubezpieczenia i odetchnęła z ulgą. Byłem ubezpieczony prywatnie. To była dla psychiatryka w Pankow dobra nowina. Prywatnie ubezpieczeni mogą wariować, gdy tylko zechcą. Także w piątek po lunchu.

Przywołana po chwili pielęgniarka zaprowadziła mnie do pokoju na trzecim piętrze. Usiadłem wtedy – zrozpaczony swoim przyzwoleniem na to, co się dzieje – na łóżku. Po kilku godzinach obudziłem się, nie wiem, czy ze snu czy z letargu. Pamiętam jedynie, że siedziałem w tej samej pozycji z kartką papieru na udach i czułem tę samą rozpacz. Nagle poczułem dotkliwy głód i pragnienie. I rozpacz przestała być aż taka ważna. Zszedłem na pierwsze piętro do stołówki. Z talerzem, na którym leżała kromka razowego chleba i kawałek brązowawej masy przypominającej pasztet, dosiadłem się do stolika, przy którym siedział mężczyzna w okularach. Podniósł wzrok znad książki, która zakrywała połowę jego talerza, i popatrzył na mnie z uwagą. Zerkając na mój talerz, sięgnął do kieszeni spodni, wyciągnął mały słoiczek i stawiając go przede mną, powiedział:

– Bez ostrej musztardy lub wódki trudno to kulinarne obrzydlistwo przełknąć. Witam na pokładzie. Mam na imię Sven...

Dzisiaj, po blisko sześciu miesiącach od tamtego dnia, jako inny człowiek, dotarłem do Warszawy. Dworzec był opustoszały. Wypełniona zazwyczaj tłumem i tętniąca życiem hala kasowa nad peronami ukazywała przy tej pustce całą swoją brzydotę. Dworzec Centralny w Warszawie, dumna budowa socjalistycznej Polski, wznoszona „rękami i sercami polskich robotników i inżynierów", przypominał halę jakiegoś zdewastowanego magazynu. Pierwszy raz w życiu poczułem się na tym dworcu tak przerażająco obco. Wyszedłem na zewnątrz i paląc papierosa, zastanawiałem się, co ze sobą zrobić. To była wprawdzie moja Warszawa, ale nie miałem tutaj już od dawna żadnego adresu, który kojarzyłby mi się z „moim" domem.

No właśnie. Dom. Co to jest teraz dla mnie? Pojęcie domu jest po latach emigracji cokolwiek rozmyte. Co kojarzy mi się, gdy nagle usłyszę pytanie: „jak sprawy w domu?". W którym domu? Tym tutaj w Berlinie czy tamtym w Warszawie? Czy dom to adres wyryty w naszej pamięci, czy adres wpisany od lat do dowodu osobistego. Od którego momentu te dwa zapisy pokryją się ze sobą? I czy w przypadku Polaka jest to w ogóle możliwe?

Odziedziczone po rodzicach mieszkanie w starej kamienicy na Mokotowie już od dawna należało do kogoś innego. Sprzedałem je – jak twierdzą ci, którym opowiedziałem o tej transakcji – „za bezcen" w okresie, kiedy „bezcen" był dla mnie, z powodu długów, jedynym ratunkiem, aby zachować resztkę honoru i nie gardzić sobą jeszcze bardziej.

Poza tym nie było w Warszawie takiego miejsca, w którym czekałoby na mnie jakieś łóżko, w którym mógłbym zasnąć. Od dawna nie miałem w notesie numerów telefonu kobiet w Polsce, które gotowe były dać mi dach nad głową, nakarmić, powiesić czysty ręcznik w łazience, wejść ze mną pod prysznic lub do wanny, wpuścić mnie do swojego życia – i do swojego łóżka – na kilka godzin, zjeść ze mną śniadanie rano i uwierzyć w te wszystkie bzdurne obietnice, które im przy porannej kawie składałem. Te czasy, pełne obrzydliwych kłamstw, już dawno minęły.

Wsiadłem do taksówki i kazałem się zawieźć do Żelazowej Woli. Kierowca zapytał o adres.

– Do dworku... – odparłem.

Zauważyłem zdziwienie w jego oczach, ale nie zapytał o nic więcej i ruszył. Bo w Polsce wszyscy taksówkarze wiedzą, co to jest „dworek" w Żelazowej Woli.

Tego dnia mimo wiosennej, zachęcającej do spacerów, słonecznej pogody brama prowadząca do ogrodu otaczającego budynki dworku była zamknięta. Przedpołudnie Wielkanocnego Poniedziałku Polacy spędzają w kościołach, a potem zazwyczaj wracają do swoich domów i zasiadają przy suto zastawionym świątecznym stole. A potem najedzeni, po obiedzie, ruszają w odwiedziny do swoich rodzin lub przyjaciół i znowu jedzą. Zarządcy Muzeum Szopena w Żelazowej Woli doskonale wiedzą, że w Wielkanocny Poniedziałek nie można zarobić na Szopenie nawet w Polsce.

Ale za to była rzadka tutaj pustka. I jeszcze rzadsza cisza. Dla mnie – paradoksalnie akurat w tym miejscu – absolutnie zrozumiała. Mało kto zauważał, jak dużo miejsca w muzyce Szopena zajmowała cisza. A kompozytorów, którzy potrafili opowiedzieć magię i dobrodziejstwo ciszy dźwiękami, można policzyć na palcach jednej ręki. I do tego tak genialnie, że mózg słuchacza to natychmiast rejestrował. Dokładnie wiem, o czym mówię, ponieważ rozpisywałem się o tym w swojej pracy dyplomowej, której duża część powstawała również tutaj, niedaleko dworku w Żelazowej Woli. Zdarzało się, iż przyjeżdżałem ostatnim autobusem z Warszawy, późną nocą docierałem pod dworek, siadałem na trawie nieopodal zamkniętej bramy i przy świetle latarki pisałem o „ekspresji ciszy w muzyce Fryderyka Szopena". Potem podniecony brzmieniem tej ciszy i odurzony chemią, którą w moim mózgu wygenerowała muzyka, wracałem pospiesznie pierwszym porannym autobusem do domu i próbowałem tę ciszę naśladować, siadając do fortepianu. Pamiętam, że za każdym razem czułem się po tym żałośnie. Bo ja nie potrafiłem nawet naśladować! Potrafiłem tylko opisywać muzykę. Czułem się jak impotent, który doskonale wie, jak to robić, ale zrobić tego nie jest w stanie. Bo opisywanie muzyki słowami, nawet jeśli nie jest łatwe, bardzo przypomina historię nawiedzonego astronoma, który podczas spaceru po plaży z wycieczką ślepców postanowił opowiedzieć im piękno zachodu słońca, zaczynając od zdania: „Słońce jest średniej wielkości gwiazdą w której wnętrzu zachodzi termojądrowa reakcja łączenia się dwóch izotopów wodoru w atom helu...". Nawet jeśli jest to najważniejsza prawda o Słońcu – bo w istocie tak jest – to z pięknem nie ma ona absolutnie nic wspólnego. Bardzo często miałem w swoim życiu wrażenie, iż przez cały czas jestem jak ten astronom prowadzący wycieczkę niewidomych, którym mam opisać magię obrazu malowaną skrywającym się za linią horyzontu słońcem. A ja? Ja mam jedynie wiedzę o gwieździe Słońce i do przeżycia piękna zachodu słońca nigdy ich nie doprowadzę. Dzisiaj wiem, że gdybym tylko potrafił się z tym pogodzić, to moje życie wyglądałoby zupełnie inaczej. Ale ja przez długi czas nie zdawałem sobie sprawy, że to głównie kwestia rozstania się na zawsze z kilkoma marzeniami, wyzbycia się uczucia najpierw zawiści, a potem zazdrości, oraz zawarcia trwałego pokoju ze swoimi ambicjami. Ja chciałem wchodzić do ogrodu i nie zauważając w nim zepsutej, skrzypiącej furtki, podziwiać rosnące w nim kwiaty, a okazało się, że wprawdzie urodę kwiatów zauważam, ale najlepiej znam się jednak na „wyszukiwaniu zepsutych furtek". Zbyt późno odkryłem, że również tacy jak ja przydają się muzyce.

W zasadzie wcale nie ja to odkryłem. Ja jedynie najpierw przyjąłem do wiadomości, a następnie w to uwierzyłem. I tylko dlatego, że przekonała mnie do tego niezwykła kobieta. Bywałem z nią także tutaj, przy dworku Szopena. Ze wszystkich kobiet, które w swoim życiu unieszczęśliwiłem, tylko ona jedna nigdy nie starała się wywołać we mnie poczucia winy. Bez słów żalu, bez skarg i bez pretensji akceptowała moje odejścia i powroty. Wiedziałem, że mnie kocha, ale wiedziałem również, że nie potrafię tego odwzajemnić. Paradoksalnie to jej, a nie kobietom, z którymi aktualnie byłem, potrafiłem opowiedzieć wszystko, łącznie z historiami swoich lęków, słabości, kompleksów, ale także zachwytów, zauroczeń, snów i najskrytszych marzeń. Chwilowo zakochany – bo to tak naprawdę były wypełnione pożądaniem chwile – w innych kobietach, najważniejsze rzeczy chciałem opowiedzieć jej i nikomu innemu. Wysłuchiwała mnie, dzieliła ze mną radość, wypłakiwała ze mną rozpacz i milczała ze mną, gdy milczenie było tym najlepszym, co mogła dla mnie zrobić. Nigdy nie zepsuła niczego jakimś banalnym wyznaniem typu „kocham cię". Wiedziała, że byłoby to dla mnie, i także dla niej, jak dysonans. Tylko jeden jedyny raz, sześć lat temu, podczas Wigilii, którą spędzałem tylko z nią, w jej mieszkaniu w Krakowie, odważyła się poprosić o coś dla siebie. Pod choinką w małym kartoniku owiniętym czarną jedwabną cienką jak muślin wstążką znalazłem pierścionek z białego złota. Na karteczce przywiązanej do pierścionka napisała:

Wsuń mi ten pierścionek na palec i zaręcz się ze mną. Na całe życie. Albo chociaż na siedem dni. Tyle czasu trwa prawo do zwrotu w sklepie jubilerskim. Podaruj mi siebie na ten tydzień. Zacznij ze mną Nowy Rok. Chociaż raz.

Twoja Joanna M.

W nocy, po pasterce w kościele Mariackim wróciliśmy do mieszkania Joanny. Rozmawialiśmy, piliśmy wino, słuchaliśmy kolęd, a potem Schumanna, dotykaliśmy swoich dłoni i twarzy. To wtedy, pomiędzy jednym i kolejnym pocałunkiem, powiedziała:

– Odnajdowanie zepsutych furtek prowadzących do ogrodów jest tak samo ważne jak zachwyty nad ogrodami, do których te furtki prowadzą. Wyszukiwanie niedoskonałości w muzyce klasyków jest aktem odwagi, a krytykowanie ich publicznie jest swoistym bohaterstwem. Pogódź się z tym, że tych, którzy wpychają kij w mrowisko, lubi niewielu, a reszta nienawidzi. Ale większość – ta inteligentna większość – mimo wszystko ich szanuje. Ciebie może bardziej niż innych, bo jesteś dociekliwy, masz analityczny umysł i wyborne pióro. Jest wielu Salierich krytyki muzycznej, z dużą wiedzą i opanowanym rzemiosłem. Ty jesteś jednakże jej Mozartem.

Poza tym w każdym twoim zdaniu oprócz mądrości są między wierszami także przeprosiny. Chociaż nie masz za co przepraszać. Ty powinieneś się chwalić tym, co potrafisz najlepiej. Sam się chwalić. I nie czekać, aż zaczną chwalić cię inni, którzy się gówno znają. Ale ty nigdy się na to nie zdobędziesz.

Wybacz mi, proszę, teraz szorstkość, ale ty jesteś tak przeświadczony o swojej marności, że aż budzisz tym litość. Czasami przypominasz mi, pozostając w twoim muzycznym światku, Horowitza, który do końca życia nie potrafił pogodzić się z tym, że nie docenia się go jako kompozytora, a widzi się w nim jedynie pianistę. A on to przecież cesarz cesarzy pianistów. Znasz może lepszego pianistę niż Horowitz?!

Uważasz, że – moim zdaniem idiotyczny – koronny argument krytykowanych przez ciebie prawdziwych lub tylko tak zwanych wirtuozów dotyczy ciebie. Uważasz, że oni mają rację, gdy ziejąc jadem, szepczą pod nosem lub wykrzykują na całą salę koncertową: „Ten zawistny gnojek, ten zasrany gryzipór od siedmiu boleści, ten kanałowy szczur z wadą słuchu śmie wypominać mi akordy, które brzmią jak fałsz?! A on?! Czy on chociaż potrafi grać na organkach?! Jak taki geniusz jest, to niech zagra lepiej!!!".

A ty? Ty czujesz się w tym momencie zduszony jak mrówka nadepnięta przez słonia i chciałbyś się otrząsnąć, i zagrać lepiej. Bo ty od zawsze chciałeś grać, a nie pisać o graniu. A najbardziej chciałbyś grać lepiej niż oni i w ten sposób posiąść ostateczne i niepodważalne prawo do pisania o ich graniu. Ale to byłoby zbyt wiele jak na jednego człowieka. Talenty to dobro deficytowe i dlatego muszą być rozdzielane – nie wiem przez kogo – jak kiedyś w Polsce mięso na kartki. Pamiętasz przecież jak to było, prawda? Niektórzy dostali polędwicę, inni kawałek schabu, kilku podroby, a większości ludzi w kolejce kazano przyjść innym razem. Ty dostałeś nie to, co chciałeś, ale nie odszedłeś przecież z pustymi rękami.

Posiadasz pewną – wrodzoną chyba – cechę wychwytywania muzyki we wszystkim, co cię otacza. Rejestrujesz dźwięki, których nie słyszą nawet nietoperze. Dla ciebie zwykłe pukanie do drzwi, szuranie łopatą po cemencie podczas odgarniania śniegu, stukanie przykrywki czajnika z wrzącą wodą lub wycie wiatru przeciskającego się przez szpary w oknach jest fragmentem jakiegoś koncertu. Prawda, że tak jest? To musi być bardzo dokuczliwe. To jest jak nerwica natręctw. Jedni muszą myć co dziesięć minut ręce, a ty nawet w pierdzeniu musisz doszukać się nokturnów. Tak już po prostu masz. To poniekąd rodzaj choroby. Dla ciebie jest to przekleństwem, dla tych, których odgrywaną muzykę całkujesz, różniczkujesz, rozkładasz na atomy, jesteś znienawidzonym demonem, ale dla tych, którzy chcą widzieć w muzyce czyste piękno, jesteś geniuszem. Ci od grania muzyki, ci, którym słusznie wytykasz, że gwałcą na przykład Rachmaninowa, zawsze mogą ci wypomnieć, że nigdy nie zagrasz tak jak oni. No i co, że nie zagrasz? Ty nie jesteś od grania. Ty jesteś od znajdowania w ich graniu zgrzytów, przekłamanych rytmów, zaginionych lub niepotrzebnych taktów. I je znajdujesz.

Ale ty chciałbyś grać tak jak oni, prawda? Bo to na nich spadają splendory, ich nazwiska wypisują na błyszczących okładkach i w encyklopediach, prawda? A twoje tylko podpisują małą czcionką pod tekstami w gazetach. No i co z tego?! No i co, kurwa, z tego? Potrzebujesz tej sławy?! Do czego ci ona? Wyobraź sobie, że ci sławni po koncercie idą na przyjęcia opłacane przez innych sławnych lub tych, którzy sławnymi stać się dopiero chcą, ale skacowani po przyjęciu rano zrywają się niecierpliwi, nerwowi, niespokojni i wylęknieni ze swoich łóżek w „ogwieżdżonych" hotelach, aby jak najszybciej podnieść gazetę leżącą na dywanie za drzwiami i przeczytać o sobie. Najpierw się boją, że nikt o nich nic nie napisze, a potem boją się tego, co właśnie ty napisałeś. Czy to nie jest dowodem, że robisz ważne rzeczy? No, sam powiedz...

Gdy mówiła, leżałem na kanapie z głową pomiędzy jej udami odurzony nastrojem tej niezwykłej nocy, winem, mruczeniem jej kota przytulonego do mojego brzucha, ciepłem, muzyką, przytulnością i dotykiem jej dłoni gładzących delikatnie moje włosy. W swoim monologu przy każdym pytaniu do mnie zaciskała delikatnie uda, ugniatała palcami skórę na mojej głowie i na krótką chwilę milkła. Nie powiedziała niczego takiego, czego już sam nie wiedziałem. Ale nareszcie usłyszałem to wypowiedziane nie swoim głosem. I to przez kogoś, komu bezgranicznie ufałem.

Tej wigilijnej nocy pierwszy raz się zapomniała i pozwoliła mi dotknąć się całej, i potem zasnąć przy sobie.

Nie wsunąłem żadnego pierścionka na jej palec. Zostawiłem go pod poduszką w jej łóżku. Rano spakowałem swoją walizkę i nie budząc jej, wyszedłem. Taksówką pojechałem na lotnisko. Wieczorem wysłuchałem świątecznego koncertu New York Philharmonic w wiedeńskiej Staats Oper. W nocy, w hotelu, pisząc recenzję z tego koncertu dla niemieckiego tygodnika, przeczytałem e-mail od Joanny:

Dlaczego nic nie zjadłeś, wychodząc? W lodówce był Twój ulubiony twaróg i rzodkiewki, i pokrojona w małe kostki czerwona cebula. Tak jak lubisz. Zostawiłeś swój szalik na wieszaku w przedpokoju. Jeśli tam, gdzie jesteś teraz, jest zimno, to koniecznie kup sobie nowy.

Joanna M.

PS Przez cały dzień oswajam się dzisiaj z myślą, że przestałam być dziewicą, nie będąc kochaną…

Pamiętam, że w pierwszej chwili sięgnąłem po telefon. Chciałem ją przeprosić, usprawiedliwić się jakimś kłamstwem, poprosić o wybaczenie. Ale nie zadzwoniłem. Joanna i tak nie uwierzyłaby w żadne kłamstwo.

Tydzień później w kuchni mieszkania moich przyjaciół w Wenecji pisałem odurzony *La Traviatą* Verdiego, której wysłuchałem w trakcie uroczystego koncertu noworocznego. Nad ranem, ciągle w amoku, podczas pisania odebrałem wiadomość od Joanny:

Zacząłeś ze mną Nowy Rok.

Nie tak wprawdzie, jak sobie wymarzyłam, bo nie ma Cię blisko, ale wmówiłam sobie, że odległość to tylko umowa geografów z geometrami…

Nie poszłam do jubilera, aby oddać pierścionek. Zadzwoniłam do niego i przekonałam staruszka, aby rozłożył mi dług na dwanaście rat. Zgodził się.

Pokochałam ten pierścionek. Chcę go mieć. Jest taki śliczny…

O północy sama wsunęłam go sobie na serdeczny palec prawej dłoni. Jest mój. Gdy zechcesz, aby był nasz, przełożysz mi go kiedyś na palec mojej lewej dłoni.

A potem spłacisz mi wszystkie raty…

Poza tym powiesiłam dziś w mojej sypialni kalendarz na nowy rok. Mam tylko cztery Twoje fotografie. Każdą powieliłam trzy razy w Photoshopie. W kolorze, w czerni i bieli i w sepii. Wydrukowałam i nakleiłam je na puste kartki, na których napisałam nazwy miesięcy. Taka dokładność mi wystarczy. Z Tobą czas mierzy się w latach, a gdy ma się szczęście, to w miesiącach. Tygodnie lub dni się nie liczą.

Pamiętasz te fotografie? Pewnie nie.

Na pierwszej siedzisz na trawie i grasz na gitarze przy ognisku, gdzieś na Mazurach.

Jesteś wychudzony, masz czarny rozciągnięty sweter, bose stopy wydostające się z dziurawych trampek, przepiękne, długie, opalone dłonie i patrzysz tak jak ktoś, kto dokładnie w tej chwili odgadł sens życia.

Na drugiej stoisz przy fortepianie.

Na podłodze pomiędzy pustymi butelkami po winie leżą pomięte kartki. Masz demoniczną złość w oczach. Nikt, kogo znam, nie ma tak pięknych oczu jak Ty w tym momencie.

Na trzeciej spacerujesz brzegiem morza po plaży.

Niesiesz na ramionach dziewczynkę, która swoimi małymi rączkami obejmuje Twoje czoło. Nikt, kogo znam, nie ma tak szczęśliwych oczu niż Ty w tym momencie.

Na czwartej nie ma Twoich oczu.

Jest tylko Twój penis. Pamiętam, że zapytałam Cię w e-mailu, o czym teraz myślisz. Byłeś chyba wtedy w Bostonie czy Filadelfii. Odpowiedziałeś mi wtedy, że myślisz „o erekcji". Byłam pewna, że żartujesz. Zapytałam o jakiej. Odpisałeś mi wtedy: „o mojej", i załączyłeś mi tę fotografię. Pamiętam, że w pierwszej chwili zaniemówiłam, a potem wstając gwałtownie od biurka, na którym stoi mój laptop, rozlałam filiżankę z kawą. Do naszej nocy wigilijnej sądziłam, że to jakiś Twój kolejny żart, że skopiowałeś tę fotografię z jakiejś pornostrony i przesłałeś dalej do mnie. Ale teraz jestem pewna, że na tej fotografii jest Twój penis. Od niedawna wiem, że rozpoznałabym go wszędzie. Także z zamkniętymi oczami, po smaku…

Te cztery fotografie są w moim kalendarzu.

Erekcję masz w lutym, maju, sierpniu i w grudniu.

Zakryłam ją czterema kawałkami materiału wyciętego z szalika, który zapomniałeś zabrać do Wiednia (nie martw się, kupiłam identyczny; czeka na Ciebie na wieszaku w przedpokoju). Nie chcę, aby Agusia, moja przyjaciółka, która czasami ze mną spędza wieczory i niekiedy, gdy wypije zbyt dużo, przesypia noc na materacu w mojej sypialni, oglądała coś, co jej się nie należy. Bo ona jako jedyna wie coś o Tobie. I ta wiedza jest niebezpieczna, bo Ty kradniesz kobiety, zachwycasz, wchodzisz w umysł, podobasz się, bo z Tobą chciałoby się nawet krzywdy.

A na tych fotografiach Ty należysz przecież tylko do mnie! Ostatnio przerzucam sobie kalendarz na stronę z majem (tam jesteś w kolorze), kładę się naga na łóżku i sobie seksualnie fantazjuję. Z szeroko otwartymi oczami. I wystarczy, że we właściwym momencie dotknę się tam tylko jeden raz, na krótko. Wtedy najpierw odpływam, a potem spływam wilgocią jak fontanna.

Mój ginekolog i dentysta mówią, że ja mam coś nie tak z zakończeniami nerwowymi. Albo że przysadka mi wariuje, albo że mam dwa układy nerwowe, albo że to niby po zapaleniu opon mózgowych. Ale oni się nie znają. Gdyby wiedzieli o mojej abstynencji seksualnej, to przestaliby się wymądrzać na dwa głosy. Ale im to nawet przez myśl nie przejdzie, bo jeden myśli, że jak masz fiksację na punkcie higieny jamy ustnej, to pewnie się dużo całujesz, a drugi jest święcie przekonany, że jak zakładasz sobie spiralę, to po to, żeby ktoś zostawiał w tobie swój ślad i nie było z tego konsekwencji. Ale ja nie jestem logiczna. Ja nie chcę być logiczna. Bo gdybym była, to poszłabym w końcu z kimś do łóżka. Ale się boję, że jak zamknę oczy, to Ciebie będę widziała. I kiedy je otworzę, Ciebie też zobaczę...

Twoja Joanna M.

Przez ostatnie sześć lat Joanna trwała przy mnie. Gdy tylko coś ważnego wydarzyło się w jej życiu, natychmiast mi o tym opowiadała. Wiedziałem o niej więcej niż na przykład o mojej żonie. Wiedziałem, że zrobiła doktorat z historii sztuki na Jagiellońskim, przeniosła się do Warszawy, wyjechała na dwa lata do Paryża pracować w Muzeum d'Orsay, poroniła dziecko, wyszła za mąż w Barcelonie, po rozwodzie uciekła na rok do Mongolii, potem wróciła do Krakowa i jest „szczęśliwą, niespełnioną nauczycielką polskiego w liceum w Nowej Hucie". Ostatni e-mail wysłała mi kilka tygodni temu. Odebrałem go na komputerze w świetlicy w Pankow. Pisała wtedy:

Słuchaj, no, kurczę, miałam Ci o tym już nie pisać, ale dostałam okres i pewnie dlatego to załamanie. Poza tym o wiele za dużo dzisiaj wypiłam. Przez ostatnie lata zdążyłam Ci powiedzieć o wszystkim, nawet o tym, że wyprałam sąsiadce wycieraczkę i że w Caritasie brakuje podpasek, i że mój młody sąsiad powiesił się na żyrandolu, i że Joanna od Aniołów uśpiła psa, a ciocia Tola przysłała mi paczkę, bo po 35 latach chciała mi przypomnieć dzieciństwo. A ja i tak podałam ją do domu dziecka. Ale ciocia nigdy się o tym nie dowie. Chyba tylko nie wiesz, że ostatnio na przyjęciu u Agusi popiliśmy i pobawiliśmy się w rozbieraną butelkę. Nieźle nam odbiło. Szczególnie że byłyśmy tylko we dwie i nie było żadnego mężczyzny. To już nawet w saunie ma to większy sens. Dlatego nie piję, bo wtedy mam tendencję do rozbierania się. Innym wmawiam, że nie piję ze względu na moje chore serce. To ostatnie jest akurat prawdą. Serce mam poharatane, ale to nie jest przypadek dla kardiologa. Raczej dla psychiatry. Tobie nigdy nic nie wmawiałam, więc i teraz nie będę. Tobie nie muszę. Przez ostatnich kilka lat rozebrałam Cię tysiące razy i tyle samo razy ubierałam jak choinkę przed Wigilią. Pamiętasz tę naszą jedyną i ostatnią choinkę? W międzyczasie całowałam Twój brzuch i „niebrzuch", kochałam się z Tobą i przesypiałam w łóżku, pod łóżkiem i na podłodze, całowałam końcówki Twoich palców u rąk i u nóg, a także policzyłam wszystkie Twoje zmarszczki mimiczne, wpieprzałam z Tobą kaszankę z kiszoną kapustą i wylizywałam po Tobie talerz, i lubiłam przy tym wymawiać Twoje imię, nazywać Cię „Mój Najdroższy" i oblewać Cię winem. Nie jest mi z tego powodu ani wstyd, ani głupio, ani źle. A może powinno?!

Jest mi z tego powodu dobrze.

A może to błąd? Może powinnam pisać do Ciebie o obieraniu kartofli, a nie o pożądaniu?

Dziś w nocy przeczytam całą korespondencję do Ciebie i będzie mi lepiej. Tę niewysłaną także. Bo i taka jest. Nie czekam teraz na żadnego mężczyznę. Nie czekam na nikogo. Chciałabym jedynie czekać na powrót córki ze szkoły.

Naszej córki...

Czasami budzę się rano i upadam od razu na twarz, zamiast na kolana. A potem chcę na tych kolanach iść za kimś. Aż na koniec świata. Ale nikt nie chce tych kolan. Też tak masz czasami?

Był taki okres, że nie potrafiłam sobie z tym sama poradzić. Tak się przydarzyło, iż mój blok w Hucie znajduje się pomiędzy kościołem i sklepem monopolowym. Pomyślałam, że może to nie jest jednak sprytny plan komunistów i jest w tym jakiś transcendentalny symbol lub przesłanie. Po kilku miesiącach, gdy przestałam w monopolowym kupować drogie wino i przeszłam na tanią wódkę, zrozumiałam, że chyba jednak powinnam wychodzić z bloku i nie skręcać w lewo, a w prawo. Do kościoła. Pójść, posiedzieć, posłuchać ciszy, zastanowić się nad przemijaniem, nabrać dystansu do teraźniejszości, odszukać jakiś wyższy cel. Nie żeby od razu się nawrócić. Czasami wieczorami przychodził tam stary, kaszlący ksiądz, siadał w konfesjonale i czekał na penitentów. Kiedyś zrobiło mi się go żal – bo tak siedzi tam sobie w tej zimnej klatce sam i nikt do niego nie przychodzi – podeszłam do konfesjonału, uklękłam i zaczęłam z nim rozmawiać przez tę ażurową przegrodę.

Ale oprócz tego, że nie wierzę w Boga, to ja nie mam prawie żadnych grzechów.

Nikogo nie zdradzam, nie kradnę, nie mam nieślubnych dzieci, nie zrobiłam skrobanki, nie łykam żadnych pigułek, nie mam seksu przed ślubem, piję (ostatnio) w miarę jak każdy, nie „wymawiam imienia Boga nadaremno". No, w ogóle prawie nic. Oprócz tego, że nie „święcę dnia świętego", nie modlę się i że się masturbuję, to w ogóle zupełnie nic. Ja chciałam sobie pogadać, a on – chyba z wdzięczności – chciał mnie rozgrzeszyć. Ale nie mógł, bo, po pierwsze, ja nie jestem jego targetem, a po drugie, uparcie nie obiecuję poprawy. Któregoś razu uśmiechnął się do mnie i powiedział, żebym przestała do niego przychodzić, „bo takie grzechy to nie grzechy, takie grzechy to nuda…".

Mam nadzieję, że ten list zaginie teraz gdzieś pomiędzy czyimś jednym listem a drugim. Ale jeśli nie zaginie, to nie czytaj go dosłownie. Jestem pijana i dawno się nie kochałam. Mogę nie być normalna…

Ale nie na tyle, aby nie być Twoją

Joanna M.

PS I nie śnij mi się tak, proszę! Nie dlatego że nie wypada, ale dlatego że mnie tym zabijasz…

Wydrukowałem ten list i czasami czytałem go sobie na głos w kotłowni w Pankow. Zabrałem go ze sobą i teraz tutaj, przy opustoszałym dworku w Żelazowej Woli, także go przeczytałem. A potem spacerowałem, dotykając kwiatów, które przecisnęły się przez kraty płotu. I ogarnęła mnie obsesja wyczytywania muzyki ze wszystkiego, co mnie otacza. Wychwytywałem poszczególne dźwięki z przykucniętych wróbli, roztrzepanych na gałęziach jabłoni rozciągających swe konary w ogrodzie. I z sęków rozrzuconych w deskach. Usadzałem żonkile przycupnięte blisko ciągle zziębniętej ziemi na niewidzialnych kreskach pięciolinii. I wszystko mi grało. Tulipany, przebiśniegi i pierwiosnki układały się w melodie. Szedłem wzdłuż ogrodzenia parku i składałem nuty. Główki narcyzów w bukiety, a potem zaraz w nokturny... Nie, Joanna M. nie ma racji. Ja nie jestem „poniekąd chory". Ja jestem chory.

Pamiętam, jak swego czasu długo dyskutowałem o tej mojej „chorobie" z pewnym młodym „nawiedzonym" neurobiologiem, absolwentem Harvardu, Polakiem z pochodzenia, mieszkającym jednak niemalże od urodzenia w Melbourne, gdzie po wybuchu stanu wojennego przywieźli go emigrujący z Polski rodzice. Jego pracą i zarazem pasją był ludzki mózg, którego funkcjonowanie, łącznie z pojęciem świadomości, chciał objaśnić na poziomie czysto molekularnym. Ponieważ sam, jak twierdził, „bez muzyki nie potrafiłby nic ważnego w życiu wymyślić", zajął się także percepcją muzyki przez ludzki mózg. Percepcją szczególną, na poziomie przepływu sygnałów elektrycznych między synapsami i związków chemicznych, które tym przepływom towarzyszą. Twierdził, że aktywność mózgu „przetwarzającego" muzykę przypomina aktywność zaobserwowaną podczas przeżyć mistycznych. Nie ma więc w tym absolutnie nic, jego zdaniem, dziwnego, iż prawie wszystkie obrzędy religijne lub spirytystyczne wprowadzają muzykę, śpiew, a niekiedy i rytmiczny taniec jako element ceremoniału. Dotyczy to wszystkich kultur, nawet tych, które nie miały nigdy ze sobą żadnego kontaktu. I tak prymitywnych jak Ju'hoansi z Botswany i Namibii i tak rozwiniętych jak tak zwana biała rasa kojarzona z technologicznymi cywilizacjami Zachodu. Odbiór muzyki przekłada się wyraźnie na przebieg linii wykresów na encefalogramach z mózgów badanych osób, jak również jest wyraźnie rozpoznawany na ekranach podłączonych do tomografów skanujących mózgi słuchających muzyki ludzi. Te ostatnie dowodzą, że w pobudzonych obszarach wzrasta koncentracja dopaminy, która uznawana jest za „hormon szczęścia". Na dodatek elektryczna i chemiczna aktywność mózgu bardzo wyraźnie zależy od rodzaju słuchanej muzyki i przede wszystkim od jej rytmu. Inne obrazy pokazują tomografy, gdy badane osoby słuchały podniecających kawałków z *IV Symfonii* f-moll, opus 36 Czajkowskiego, a inne gdy była to spokojna, usypiająca niemalże muzyka z *VI Symfonii* a-moll Gustava Mahlera. O emocjonalnym, więc ewolucyjnie najstarszym, czyli biologicznie wbudowanym, a nie intelektualnym, czyli wyuczonym, pochodzeniu obszarów mózgu pobudzanych przez muzykę świadczy fakt, że u osób, które na przykład wskutek wylewu krwi do mózgu utraciły zdolność mówienia lub rozumienia mowy, nie zauważono utraty zdolności muzycznych. Na przykład sowiecki kompozytor Wissarion Szebalin, który całkowicie w wyniku dwóch kolejnych wylewów utracił zdolność mówienia, komponował do końca swojego życia, a jego *V Symfonia*, ukończona tuż przed śmiercią, oczarowała samego Szostakowicza.

Jednakże zdaniem młodego neurobiologa z Melbourne bardziej spektakularny jest przypadek pewnej kobiety, której mózg podczas trepanacji czaszki został uszkodzony w taki sposób, że stała się muzycznie całkowicie niekompetentna, nie potrafiąc odróżnić od siebie żadnych słyszanych kawałków. Mimo to twierdziła, że „muzyka ją uszczęśliwia". Aby sprawdzić jej prawdomówność, lekarze podłączyli ją do wszelakich urządzeń, które mierzyły najróżniejsze parametry fizjologiczne, i zaczęli odtwarzać przy niej różne gatunki muzyki, szybkie, powolne, w tonacji molowej, w tonacji durowej i tak dalej. Fizjologiczna reakcja tej kobiety była całkowicie normalna, identyczna jak u zdrowego czlowieka. Fragmenty, które winny wywoływać ekscytację, podniecały ją, kawałki, które winny uspokajać, uspokajały.

Wykładając mi to wszystko przy kilku szklankach guinessa w barze w Dublinie, młody australijski fachowiec od mózgu starał się mnie przekonać, że ta moja „choroba" nie jest w rzeczy samej chorobą. Mam widocznie pewne obszary mózgu po prostu inaczej rozwinięte niż inni ludzie, w związku z czym też są inaczej chemicznie pobudzane. Jego zdaniem muzyka „zalewa" mi ścieżkę nagrody w moim układzie limbicznym – tam gdzie jest centrum emocji – dopaminą bardziej, niż czyni to na przykład seks lub nikotyna. Muszę więc, zakończył żartobliwie, posiadać tam więcej otwieranych muzyką zamiast na przykład „opiatowymi endorfinami" receptorów, które uaktywniają się, gdy ludzie się dotykają. Jednym słowem, muzyka bardziej mnie kręci niż seks lub papierosy. A to nie jest żadna choroba. Wręcz przeciwnie, przynajmniej jego zdaniem, to „niezwykły podarunek od Ewolucji".

Chodziłem wzdłuż płotu dworku w Żelazowej Woli, sadziłem kwiaty na pięciolinii w moim układzie limbicznym i zastanawiałem się, dlaczego akurat receptorów Szopena mam więcej niż jakichkolwiek innych...

Późnym popołudniem przeszedłem do przystanku autobusowego na rynku miasteczka Żelazowej Woli. Usiadłem na drewnianych deskach ławy pod wiatą, która dokładnie tak jak wtedy – kiedy bywałem tu przed laty – była na całej swojej powierzchni brunatnoczarna od przyklejonych do niej liści i nie przepuszczała promieni słońca. Staruszka siedząca na drugim końcu ławki odmawiała głośno Różaniec, pokrzykując co chwilę na psa, który wygrzebywał piasek z dziury w chodniku. Po chwili nadjechał pusty autobus. Pies natychmiast przestał kopać, wskoczył na ławkę i siadając obok staruszki, zaczął głośno warczeć. Czekałem przy otwartych drzwiach, aby ją przepuścić. Staruszka, nie wstając z ławki, uśmiechnęła się do mnie, zrobiła rękami znak krzyża – jak błogosławieństwo na drogę – i wróciła do odmawiania swojego Różańca. Wieczorem na Dworcu Centralnym wsiadłem do pociągu.

Oprócz mężczyzny siedzącego pod oknem przedział był zupełnie pusty. Młoda dziewczyna w kasie na dworcu przekonywała mnie, że „jedyne miejsca siedzące w ekspresie do Krakowa są w pierwszej klasie". Uwierzyłem jej. Z reguły, gdy mogę, wybieram drugą klasę. Jest tam ciaśniej, wącha się dość pospolite zapachy, jednakże ludzie, których spotyka się w przedziałach drugiej klasy, są z reguły bardziej interesujący.

Usiadłem przy drzwiach i wydobyłem wszystkie gazety ze swojej torby. Czytałem. W pewnym momencie, jak wyrwany ze snu, usłyszałem głos mężczyzny:

– Przepraszam, że pozwalam sobie panu przeszkadzać. Ale czy może mi pan zdradzić, czym pan pachnie?

Pamiętam, że w pierwszej chwili z trudem kryłem zdumienie. To już kolejny mężczyzna, który w ciągu ostatnich dwóch dni zadał mi to pytanie! W drodze z Pankow do dworca w Berlinie kierowca taksówki zapytał mnie dokładnie o to samo.

– Dlaczego się pan śmieje? Czy to niefortunne pytanie?

– Ależ skąd! – odparłem. – Zastanawiam się jedynie, cóż takiego jest w tym zapachu, że zwraca on uwagę częściej mężczyzn niż kobiet. Proszę sobie wyobrazić, że nie dalej niż wczoraj zapytał mnie o to samo egipski taksówkarz w Berlinie. I gdy tylko dotarliśmy do dworca, zostawił swoje auto na parkingu i pobiegł do perfumerii. Używam tych perfum tak długo, że chyba mój nos już ich nie rejestruje – dodałem. – A pan? Zna się pan na zapachach? – zapytałem zaciekawiony.

Mężczyzna milczał chwilę, zastanawiając się nad odpowiedzią. Zerknąłem na niego uważniej. Nie potrafiłem sobie przypomnieć, ale kogoś mi przypominał. Był ubrany w szary elegancki garnitur i czarną koszulę. Mankiety jego koszuli wystające spod rękawów marynarki były spięte srebrzystymi błyszczącymi spinkami. Na nogach miał czarne, idealnie wypolerowane półbuty, błyszczące w świetle lamp oświetlających przedział. Jego szyję owijał czarnooliwkowy długi szal opadający wzdłuż ramion. Na siedzeniu obok niego leżała brązowa skórzana torba lekarska z pozłacaną, pobłyskującą listwą. Na środkowym palcu lewej dłoni położonej na rozwartej książce pobłyskiwał złocisty sygnet z ogromnym rubinowym kamieniem. Pamiętam, że w pewnej chwili pociąg wjechał do tunelu i zgasło na chwilę światło, a ja, o dziwo, ciągle miałem w pamięci błysk jego spinek, sygnetu, złotej listwy jego torby i połysk nienagannie wypolerowanych butów...

– Nie wiem, czy można to tak ująć – odparł, gdy ucichł przerażający łomot i pociąg wyjechał z tunelu – powiedziałbym raczej, że z racji, nazwałbym to, powołania mam częsty dostęp do wielu bardzo różnych zapachów. Ale na ten pański, muszę przyznać, jeszcze się nie natknąłem. Jest oryginalny i ma ciekawą, bardzo męską nutę... – dodał z uśmiechem.

W tym momencie rozsunęły się drzwi i kelnerka z wagonu restauracyjnego obdarowała nas przynależną pasażerom pierwszej klasy kanapką, i zapytała o preferowany napój. Obydwaj poprosiliśmy o kawę. Mężczyzna pospiesznie postawił plastikowy brunatny kubek na stoliku pod oknem, zdjął szal, złożył go pedantycznie w prostokątną kostkę i wsunął do lekarskiej torby. Podniosłem wzrok znad gazety, chcąc go zapytać, „jakiż to zawód ma szczęście nazywać swoim powołaniem". W pierwszym momencie wydawało mi się to jak omam. Ale on nie znikał. Szyję mężczyzny otaczała koloratka. Na chwilę zamarłem, patrząc w milczeniu, jak przysuwa do ust kubek z kawą. Miał identyczny profil jak Konstanty! Tak samo wklęsłe policzki, tak samo niskie czoło i tak samo kobiece, pełne wargi. Ukrywając zdenerwowanie, zapytałem, czy nie będzie miał nic przeciwko temu, jeśli zapalę. Spojrzał na mnie zdziwiony i nie odpowiadał.

Wyszedłem bez słowa na korytarz, opuściłem okno i wysunąłem głowę. Zacisnąłem powieki i szeroko otworzyłem usta. Strumień zimnego powietrza targał moje włosy, wciskając się do gardła. Pomimo ogłuszającego powiewu powietrza i stukotu kół pociągu o szyny z oddali słyszałem niewyraźny głos Svena, który stojąc na koksie w kotłowni, wydycha dym zebrany aż spod żołądka i kaszląc, pyta:

– A ty, Struna, to po co tu jesteś? Zwariowałeś przez liście, muzykę czy przez kobietę?

Cofnąłem głowę do wnętrza pociągu. Mężczyzna z przedziału odsunął drzwi i zapytał, czy dobrze się czuję. Skinąłem tylko głową i bez słowa oddaliłem się w kierunku toalety. Stanąłem za zaułkiem korytarza, przy drzwiach prowadzących do toalety wagonu, i zapaliłem papierosa.

Nie wiem dlaczego, ale gdy Sven wtedy w kotłowni tak nagle i bez ostrzeżenia zadał to pytanie, zacząłem mówić. I to wcale nie dlatego, że byłem na rauszu od marihuany. Po prostu nadszedł taki moment, że chciałem to w końcu wyrzucić z siebie. Nie przed lekarzem i tym bardziej niepublicznie „na grupie". Sven wyświęcony swoim cierpieniem i swoją rozpaczą wydał mi się jedynym człowiekiem, który ma prawo to usłyszeć. I na dodatek tego dnia były moje urodziny...

Po koncercie – to był początek września 2001 – w kościele klasztoru Eberbach w Eltville czekałem, aż sala całkowicie opustoszeje. Na końcu, gdy zostałem sam, wykrzykiwałem jakieś bzdury po polsku, aby usłyszeć zwielokrotnione, nakładające się na siebie echo, które zdarza się rzekomo tylko tam. Architekci klasztoru Eberbach musieli być genialnymi muzykami. Inaczej to miejsce nie byłoby tak magiczne. Szkoda, że zabrali swoją tajemnicę do grobu. W tym miejscu nawet brzęczenie kolibra rozeszłoby się słyszalnym echem.

Przyleciałem z Berlina do Frankfurtu nad Menem. Z lotniska odebrał mnie duchowny. Nie wiedziałem, czy jest księdzem, czy mnichem. Nie rozróżniałem wtedy tego. Miał na imię Konstanty i tak naprawdę to on ściągnął mnie na ten koncert w Eberbach. W korespondencji nadsyłanej z biura niemieckiego episkopatu przedstawił się jako „opiekun i promotor nieodkrytych talentów" i wychwalał pod niebiosa małą, nieznaną orkiestrę kameralną z Moguncji. Uważał, że jej koncert w Eberbach może stać się „prawdziwym muzycznym wydarzeniem" i że moje „wysoko cenione, ważące, łaskawe słowo" o tym koncercie pozwoli tej grupie „utalentowanych dusz pojawić się na firmamencie współczesnej muzyki kameralnej Niemiec, a może i świata". Nie podobały mi się te jego patetyczno-podniosłe opisy, ale w końcu, po kolejnym liście, dałem się przekonać. Nigdy nie byłem w Eltville nad Renem, klasztor Cystersów w Eberbach – po kultowym filmie *Imię róży*, z niepowtarzalnie piękną muzyką chóralną – stał się powszechnie znany, a ja na dodatek miałem akurat wolny weekend. Poleciałem.

Koncert nie był wydarzeniem w skali oczekiwanej przez mnicha, ale był niezły. Bardziej w tym zasługa akustyki i mistycznej atmosfery klasztornego kościoła niż samych muzyków. Gdy w opustoszałej środkowej nawie kościoła, po koncercie, wsłuchiwałem się jak dziecko w echo swoich okrzyków, zobaczyłem podchodzących do mnie Konstantego i młodą kobietę. Natychmiast ją rozpoznałem. W orkiestrze grała na wiolonczeli. Tak naprawdę to ona „uratowała" ten koncert.

Wiolonczela posiada piękne, niskie, melancholijne brzmienie, choć w wysokim rejestrze brzmi jasno, czasem nawet „błyskotliwie". Jej udało się to wszystko bardzo poprawnie wydobyć. Ale też miała ułatwione zadanie. *Koncert wiolonczelowy* Chaczaturiana, który grali tego wieczoru, to jak wyniesienie instrumentu wiolonczeli na piedestał. To wiolonczeli w tym utworze mają służyć dźwięki pozostałych instrumentów.

Była jedyną kobietą w zespole. Nawet w kwartecie smyczkowym grali sami mężczyźni. Ubrana w zawiązywaną na szyi, długą czarną suknię, odważnie – jak na to miejsce –

odsłaniającą dekolt, zwracała uwagę swoją urodą. I nie tylko nią. Suknia miała wysokie rozcięcia po obu stronach. Blond włosy spięła w kok, odsłaniając szyję. Miała ogromne oczy, wysokie czoło i wystające zalotnie kości policzkowe. Podczas koncertu zajmowała krzesło wysunięte do przodu. Gdy po pojawieniu się orkiestry na scenie ucichły oklaski, skłoniła się i szeroko rozsunęła nogi, stawiając pomiędzy nimi wiolonczelę. Dopiero wówczas powoli usiadła na krześle. Zepchnięty szerokim pudłem rezonansowym wiolonczeli materiał sukni podniósł się do góry i odsłonił jej uda. Wiolonczela przez swoją konstrukcję miała przez bardzo długi czas taką specyfikę, że ze względów obyczajowych na wiolonczeli grywali niemal wyłącznie mężczyźni. Jeszcze w początkach XX wieku nieliczne kobiety wiolonczelistki trzymały instrument z boku, a nie tak, jak jest dziś normą, czyli między nogami. Od pierwszego taktu byłem przekonany, że zdecydowana większość mężczyzn, która przyszła wysłuchać tego koncertu, zapamięta z niego, jeśli nie jedynie, to przede wszystkim widok ud wiolonczelistki. Szczególnie mężczyźni z pierwszych rzędów.

Najpierw podszedł do mnie ksiądz Konstanty. Kobieta zatrzymała się kilka metrów od nas. Gdy kroki księdza ucichły, złożyła dłonie jak do modlitwy i zaczęła śpiewać:

A kiedy przyjdzie także po mnie zegarmistrz światła purpurowy,
by mi zabełtać błękit w głowie,
to będę jasny i gotowy,
spłyną przeze mnie dni na przestrzał,
zgasną podłogi i powietrza,
na wszystko jeszcze raz popatrzę…

Nagle poczułem dreszcze przebiegające po moich plecach. Zbliżyłem się do niej. Teraz z bliska, z rozpuszczonymi włosami i delikatnym, dziewczęcym aksamitem różowych policzków, wydawała się piękniejsza niż na scenie. Otworzyła oczy i dotykając splecionymi dłońmi na przemian obu stron mojej twarzy, śpiewała:

Spłyną przeze mnie dni na przestrzał,
zgasną podłogi i powietrza,
na wszystko jeszcze raz popatrzę...

Na chwilę umilkła i gdy ucichły chóry echa, wyszeptałem:

... i pójdę nie wiem gdzie na zawsze...

Skłoniła się przede mną jak zawstydzona dziewczynka po wydeklamowaniu wiersza w przedszkolu i zaczęła mówić. Bez przerwy, na bezdechu, jak ktoś, kto obawia się, aby mu przypadkiem nie przerwano:

– Słyszał pan gitarę? Mam na imię Izabella, ale to nieważne. Ja słyszałam pana gitarę. Gdyby gospel urodził się w Polsce, to zacząłby się od tej pieśni. Zgodzi się pan ze mną? Ma pan taki smutek w oczach. Wiem, wiem... nie grałam jak Rostropowicz. Ale się bardzo starałam. I ma pan delikatne wargi. Zostanie pan z nami? Wypije pan ze mną, to znaczy z nami, herbatę? Kiedy był pan ostatni raz w Polsce? Ja jestem Polką. Mam na imię Izabella. Czy ja już tego panu nie mówiłam?! Słuchałam pana wykładów w Poznaniu. Trzeba było przyjść na godzinę przed otwarciem sali, aby znaleźć jakieś wolne miejsce.

Wszystkie dziewczyny się w panu podkochiwały. Tak pięknie opowiadał pan muzykę. I ten biały fortepian na środku auli. Zasiadał pan przy nim, aby zagrać to, co pan przed chwilą opowiedział. Nigdy nie zapomnę, jak porównał pan Japończyków grających Szopena do matematyków rozwiązujących równania matematyczne. A po chwili zapisał pan całą tablicę jakimiś równaniami z artykułów Einsteina i odegrał to w jakiejś niesamowitej improwizacji. *Chapeau bas!* Pana Einstein miał więcej Szopena niż japoński Szopen. Pamiętam też pana ze studenckiego klubu, do którego pan czasami zaglądał. Najczęściej tuż przed północą. Albo jeszcze później. Przepychał się pan ukradkiem przez tłum tańczących ludzi, stawał pan przy barze i zamawiał pan guinessa. To był klub w akademiku, w którym pan nocował podczas pobytów w Poznaniu. Dorabiałam potem w tym barze jako kelnerka i dziewczyny opowiadały mi o tych pana niezapowiedzianych wizytach. Po kwadransie od pana przyjścia cichła muzyka i ktoś stawiał krzesło na scenie. Potem ktoś inny przynosił gitarę. Potem mikrofon. Potem drugi. A na końcu stawiali przy krześle skrzynkę z guinessem. I potem DJ tego klubu wypowiadał pana nazwisko. Nic więcej, tylko to. I zapadała cisza. A po krótkiej chwili siadał pan na tym krześle, witał się z gitarą i zaczynał pan grać i śpiewać. Okudżawę, Kinga, Wysockiego, Kaczmarskiego, Claptona. Nigdy pan nic nie mówił. Nikt także nie wiedział, kiedy pan skończy. Dopiero po którymś razie skojarzono, że kończy pan zawsze Woźniakiem. I gdy wyszeptał pan w pół śpiewie i w pół recytacji „… i pójdę nie wiem gdzie na zawsze…", i gdy cała sala jak w jakimś totalnym amoku wyła: „a kiedy przyjdzie także po mnie zegarmistrz światła purpurowy…", wstawał pan z krzesła i bez słowa wychodził. Wie pan, że ludzie płakali, gdy kładł pan gitarę na podłodze i ze schyloną głową, aby ukryć swoje łzy, schodził z tej sceny? Ja także płakałam. A teraz jest pan tutaj. Tak blisko. Mam na imię Izabella.

Na chwilę zamilkła i gdy ja, nic nie mówiąc, uścisnąłem jej dłonie, szeptem dodała:

– Ale ja chyba już to panu mówiłam, prawda?

Tak poznałem moją żonę...

Nie wróciłem do Berlina w niedzielę wieczorem. Zostałem w Moguncji przez dwa następne tygodnie. Odwołałem wszystkie terminy, redaktorom z gazet czekającym na moje teksty bez drżenia w głosie kłamałem, że jestem „poważnie chory". W pewnym sensie byłem. Bo jak inaczej niż chorobą wytłumaczyć fakt, że w pewnym sensie oślepłem, na swój sposób ogłuchłem i przestałem racjonalnie myśleć? Poza tym utraciłem poczucie czasu i byłem nieustannie szczęśliwy. Tak mają przecież tylko skrajne przypadki świrusów w Pankow, nieprawdaż, Sven?!

Po tygodniu z hotelu przeniosłem się do małego mieszkania Izabelli na Oder Strasse w Moguncji. Miałem dosyś uśmieszków recepcjonistek, które witały nas schodzących razem na śniadanie. Ale przede wszystkim miałem dosyć jej nieobecności. Chciałem być blisko niej. Jeśli nie cały czas niej samej, to chociaż miejsc, w których bywa, przedmiotów, których dotyka, zapachów, które wącha, widoków, które ogląda. Oszalałem na jej punkcie. Najpierw błąkałem się po mieście, aby przeczekać jakoś czas, gdy wychodziła rano do konserwatorium i wieczorem przychodziła do mnie do hotelu. Potem błąkałem się po pokoju jej maleńkiego mieszkania, czekając, aż usłyszę chrobot klucza przekręcanego w zamku. Nie mogłem pracować, nie potrafiłem w skupieniu cokolwiek czytać, denerwował mnie każdy dźwięk. Każdy był hałasem. Nie mogłem słuchać nic oprócz odgłosów dochodzących z korytarza za drzwiami. Nie mogłem nawet znieść obecności księdza Konstantego, który jako sprawca wszystkiego czuł się zobowiązany, aby dawać znać o sobie, i pojawiał się najpierw w hotelu, a potem także w mieszkaniu Izabelli, aby dotrzymywać mi towarzystwa. Wydawało mi się to bardzo grzeczne i przyjazne z jego strony, ale pomimo to denerwowała mnie ta jego obecność. Chciałem jedynie albo myśleć i tęsknić za nią, albo być z nią. Zupełnie sam albo tylko z nią. Każdy inny człowiek mi w tym przeszkadzał. Pragnąłem czuć swój smutek tęsknoty do niej lub przeżywać swoje zamyślenie o niej w absolutnej samotności i ciszy. Tylko wtedy było to pełne i dawało mi jeśli nie zadowolenie, to przynajmniej spokój od niepokoju i niecierpliwości czekania na nią.

W sobotę późnym wieczorem, dokładnie dwa tygodnie od koncertu w klasztorze Eberbach, zapytałem Izabellę, czy zostanie moją żoną. Pamiętam jej westchnienie i odgłos ciszy, która na chwilę zapadła. I jej dziwne spojrzenie. Najpierw pełne lęku, zaraz potem spokoju, a na końcu radości. Pamiętam także jej pocałunki i szepty z tej nocy. Inne. Nie do końca takie, jakie znałem.

Potem latałem jak jakiś pilot lub steward Lufthansy pomiędzy Berlinem i Frankfurtem. Izabella miała kontrakt z konserwatorium i nie mogła przenieść się do Berlina. Ja ciągle miałem mnóstwo powiązań z Berlinem i nie mogłem przenieść się w krótkim czasie do Moguncji. Pewnego piątku w marcu 2002 roku poleciałem do Wrocławia. Izabella przyjechała tam samochodem z Konstantym. W sobotę w małym kościółku we wsi Bytowo niedaleko Szczecina dwóch księży, ojciec

Władysław po polsku i ojciec Konstanty po niemiecku, udzieliło nam ślubu. Rok później w tym samym kościele ochrzcili naszą córkę. To nie było przypadkowe miejsce. W Bytowie urodziła się moja matka.

Dzień, w którym pierwszy raz wziąłem na ręce moje dziecko, tuż po porodzie w szpitalu, był najpiękniejszym i najważniejszym dniem mojego życia. Do dzisiaj pamiętam dwa uczucia tamtej chwili. Nieskończoną miłość, a zaraz potem ogromny lęk, że coś może przydarzyć się tej miłości...

Od momentu gdy na świecie pojawiła się Dobrusia, nie potrafiłem pojąć, dlaczego Izabella przykuła się jak kajdanami do Moguncji. Chciałem mieć swoją córkę i swoją żonę blisko siebie. I to nie tylko przez weekend lub w trakcie urlopów. Dwa lata takiego wędrowania pomiędzy Berlinem i Moguncją wystarczyły. Udało mi się znaleźć uznaną orkiestrę w Berlinie, która czekała na wiolonczelistkę, znalazłem – co w Berlinie nie jest specjalnie trudne – polską opiekunkę do dziecka, tak aby Dobrusia nauczyła się mówić po polsku, znalazłem duże mieszkanie niedaleko stacji metra, obiecałem nie podróżować zbyt wiele. Wszystko to stało się mało ważne, gdy w Mediolanie dyrektor tamtejszej orkiestry symfonicznej podczas przyjęcia po koncercie zapytał mnie, czy nie znam dobrej wiolonczelistki godnej polecenia. Utalentowana Ukrainka, która gra dla nich od czterech lat, zaszła w ciążę i wraca do Kijowa. Od nowego sezonu ma wakat. Zapytałem go, czy może pojechać ze mną do hotelu. Pojechał. W pokoju odtworzyłem mu z DVD fragment jej występu. Ten w Alte Oper we Frankfurcie rok temu. Jej najlepszy jak dotąd. Był oczarowany. Zapytał tylko, „czy *madame* jest droga". Powiedziałem, że jest droga, ale skłonna do kompromisu. Zapytał, skąd o tym wiem.

Odpowiedziałem, że tak się zdarzyło, że jest matką mojej córki i nie zajdzie w ciążę przez najbliższe cztery lata. Uśmiechnął się i powiedział, że jutro zostanie przygotowana umowa. Obejmie także koszty „zamieszkania w Mediolanie". Na cztery lata. Z możliwością przedłużenia. Byłem taki szczęśliwy. Ze wszystkich sił starałem się tego nie okazać. Od dawna wiedziałem, iż dyrektorom orkiestr lub oper powinno się w każdych okolicznościach okazywać rodzaj zblazowanej nudy i braku zainteresowania. Wtedy kontrakty zawierają zupełnie inne liczby w najważniejszych paragrafach.

Izabella zawsze wspominała, że chciałaby zamieszkać we Włoszech. Mediolan to wprawdzie nie Toskania, ale nie można mieć od razu wszystkiego. Nie wróciłem z Mediolanu do Berlina. Poleciałem jakimś koszmarnym lotem przez Rzym, Zurych i Monachium do Frankfurtu. Stamtąd taksówką pojechałem do Moguncji. Świtało, gdy dotarłem do domu. Nie czułem zmęczenia. Byłem podniecony planem przekazania Izabelli tej niezwykłej wiadomości. I cieszyłem się na radość Dobrusi zawieszającej się na mojej szyi. Zdjąłem buty i zostawiłem je na wycieraczce w korytarzu. Jak najciszej otworzyłem drzwi. Nie zapalałem światła. Postawiłem walizkę w przedpokoju i wszedłem przez salon na balkon. Wiedziałem, że drzwi na balkon z sypialni będą otwarte. Izabella sypiała przy otwartym oknie, nawet gdy na dworze był siarczysty mróz. W sypialni paliła się lampka na stoliku nocnym. Izabella panicznie bała się pająków i ciemności. Zasypialiśmy zawsze przy zapalonej lampce. Podszedłem do szyby. Izabella z rękami uniesionymi do góry unosiła się i opadała rytmicznie, siedząc z rozsuniętymi udami na biodrach mężczyzny. Na materacu przed łóżkiem w różowej piżamce spała Dobrusia, ssając swój palec. Obok materca, na dywanie, leżały spodnie i czarna koszula z białą koloratką. Pamiętam, że zacisnąłem mocno dłonie w pięści i poczułem ucisk w gardle. Upadając do tyłu, usiadłem na doniczce kwiatu. Po chwili zebrałem siły, podniosłem się i zbliżyłem ponownie do szyby. Mężczyzna stał w rozkroku przed łóżkiem, nad śpiącą Dobrusią, i wsuwał swój penis w rozwarte usta Izy, leżącej z głową na krawędzi łóżka. Opadłem na kolana i zwymiotowałem. Zamiast krzyczeć z nienawiści i złości, tłuc pięściami po mordzie tego mężczyznę, rzygałem sobie cicho na balkonie swojego mieszkania, przed sypialnią, w której ojciec chrzestny mojej córeczki przed chwilą wytrysnął swoją spermę w usta mojej żony. Wstydząc się swojej obecności. Bo przecież jeśli ja nie potrafię zerżnąć swojej kobiety, to lepiej mogą zrobić to inni. Ja jestem tylko jak ten astronom na plaży...

Po chwili, gdy znowu mogłem się poruszać, na kolanach wróciłem do przedpokoju, na korytarzu założyłem buty i wyszedłem na ulicę. Autobusem pojechałem na lotnisko i wróciłem do Berlina.

Przez dwa lata walczyłem w sądach o prawo do spotkań z Dobrusią. Jako biologiczny ojciec, płacący regularnie alimenty. Po roku od tych dwóch lat okazało się, że nie jestem żadnym biologicznym ojcem. W załączniku do listu była kopia potwierdzonego sądownie certyfikatu analizy DNA z jakiegoś instytutu w Hamburgu. Pół roku później przeczytałem wyciąg z aktu notarialnego złożonego w sądzie w Moguncji. Informowano mnie, że „imię niesłusznie domniemanej przez Pana córki Dobrosławy Marii zostało wpisem w akta o numerze 18-IKW-10-10-2005 zmienione na Constance Annelise za zgodą obojga biologicznych rodziców. Przysługuje Panu prawo odwołania się od tej decyzji w ciągu...".

– Nie odwołałem się, Sven. Już bardziej wolałem zwariować. I tak trafiłem do Pankow. Myślisz, że to błąd? Może powinienem się odwołać, Sven? Jak myślisz? – zapytałem.

Sven stał przede mną i zatykał uszy palcami. Nie wiem, od którego momentu nie potrafił mnie słuchać. Przez cały czas gdy mówiłem, miałem zamknięte oczy.

Usłyszałem nagle głos:

– Tutaj nie wolno palić, proszę pana...

Otworzyłem oczy. Młoda konduktorka uśmiechała się do mnie, grożąc palcem. Gdy przeszła dalej, zapaliłem kolejnego papierosa. Wróciłem do przedziału dopiero gdy pociąg dojechał do Krakowa i całkowicie opustoszał.

Moskwa, 4 kwietnia, niedziela, późny wieczór

Na lotnisku czekał na Annę kierowca Siergieja.

„Nie ma się czemu dziwić – pomyślała. – To nawet lepiej!"

Kierowca skinął Annie w milczeniu, wziął walizki jej i Mariny Pietrowny, po czym skierował się do samochodu. Anny nie opuszczało poczucie, że w Berlinie uświadomiła sobie coś ważnego, ale zmęczenie nie pozwalało jej jasno myśleć. Po drodze zapadła w drzemkę i przebudziła się tylko na chwilę, żeby pożegnać się z Mariną Pietrowną.

– Wspaniały miałyśmy wyjazd, prawda, Aneczko? – Marina Pietrowna uśmiechnęła się ze smutkiem. – Dlaczego wszystko, co dobre, tak szybko się kończy? – Powoli poszła w stronę odrapanej klatki schodowej, tak kontrastującej z jej eleganckim kapeluszem.

Kierowca przyniósł bagaże Anny do jej mieszkania i pożegnał się skinieniem głowy, bez słowa. „Człowiek ryba" – podsumowała w myślach.

Szczęknięcie zamka w drzwiach odbiło się echem w całej kamienicy. Była sama. Siergiej wyjechał w delegację na północ.

Anna zdziwiła się, widząc, że w kuchni pali się światło. Poza tym w mieszkaniu unosił się przyjemny zapach czosnku i ziół. Głęboko wciągnęła powietrze nosem. Przeleciało jej przez myśl, że Siergiej zrobił niespodziankę i gotuje uroczystą kolację. Ale to było nieprawdopodobne. Rzuciła walizkę, poszła do kuchni i zamarła.

Piękna brunetka z lekko skośnymi kocimi oczami zwróciła się ku Annie z uśmiechem, nie wypuszczając z rąk garnka, który akurat szorowała. Miała na sobie jej fartuch kuchenny.

– Czy pomyliłam adres? – spytała Anna bardziej siebie niż dziewczynę.

– Pani jest Anna, prawda? – nie przestając się uśmiechać, powiedziała dziewczyna. – Siergiej Walentynowicz uprzedził mnie, że pani dzisiaj przyjedzie.

– Ach, Siergiej Walentynowicz... Może mi pani wyjaśni, o co tu chodzi?

– Tylko niech się pani nie denerwuje. Może zaparzę herbatę? – zaproponowała brunetka z przyjemnie brzmiącym akcentem, zdradzającym jej ukraińskie korzenie.

– Nie, czekam na wyjaśnienia.

– Siergiej Walentynowicz szukał gospodyni, a ja ostatnio nie miałam stałego zajęcia. Więc postanowiłam spróbować swoich sił w nowej roli, jeśli oczywiście nie będzie pani miała nic przeciwko.

„Nic przeciwko? – zdziwiła się Anna. – A kogo obchodzi moje zdanie?"

– Jak się pani nazywa?

– Daria. Dasza – odparła dziewczyna.

– Piękne imię. Niech pani powie, Daszo, co tak smakowicie pachnie? Co pani gotuje?

Dasza podeszła do kuchenki i uchyliła pokrywkę patelni.

– Cepeliny – powiedziała – tylko trochę zmieniłam przepis. Smażę je, zamiast gotować. Takie są lepsze. Lubi pani cepeliny?

– Kluski ziemniaczane z nadzieniem z białego sera?

– Można i z sera – przytaknęła Dasza – ale ja robię z mięsem. Pomyślałam, że pani z drogi, głodna…

Anna uśmiechnęła się. Ktoś ugotował coś dla niej. Ostatni raz robił to jej dziadek.

– Wie pani co, Daszo, napijmy się wina. Na apetyt. Przywiozłam z Niemiec znakomite wino, prosto z winnicy. Co pani na to?

Zdjęła płaszcz i wyjęła z torby zieloną butelkę. Dasza postawiła na stole kieliszki i zaczęła kroić błyszczące jabłka.

– Śliczne! Jak z obrazka.

Miała alabastrowe dłonie z zadbanymi paznokciami. Sukienka z dzianiny opływała jej zgrabną figurę.

– Pani wróciła z delegacji, prawda? – spytała Dasza z ciekawością w głosie.

– Tak, byliśmy w Berlinie na otwarciu wystawy rzadkich fotografii z czasów drugiej wojny. Berlin jest po prostu niesamowity. Piękny, żywy, ogromny. Później pokażę pani zdjęcia.

Anna złapała się na myśli, że obecność tej sympatycznej dziewczyny wybawiła ją od samotności i pustki dużego mieszkania.

Dasza zdjęła fartuch i usiadła z rękami na stole. Anna nalała wino.

– Za znajomość! – uśmiechnęła się, zdając sobie sprawę z absurdalności sytuacji. „Dlaczego nie? – przemknęło jej przez myśl. – Ostatecznie poszukiwanie prawdy i tworzenie nowych dogmatów przeszkadzają cieszyć się życiem i doprowadzają je do absurdu".

– Kocham Berlin. Mieszkałam tam jakiś czas – powiedziała Dasza z melancholią w głosie. – To była piękna i bardzo smutna historia.

– Wie pani, starożytni mówili, że za piękno trzeba płacić.

– Dokładnie tak było.

Policzki Anny zaróżowiły się. Zdjęła żakiet i została w lekkiej bluzeczce.

– Ma pani piękną skórę – powiedziała Dasza po cichu.

Anna się zmieszała, ale ta uwaga sprawiła jej przyjemność. Dopiła wino, otworzyła barek – dumę jej męża, i wyjęła pierwszą butelkę z brzegu.

– Co pani powie na tequilę? Sto lat już jej nie piłam.

– A ja w ogóle nie próbowałam. Słyszałam tylko, że trzeba ją pić z cytryną.

– Tak, to ważny szczegół. A przecież szczegóły decydują o wszystkim. Wypijmy za to.

– Najważniejsze, żeby pokochać siebie – odparła Dasza. – I wybaczyć sobie. Wszystko, nawet największe błędy.

– Tak. I nie wspominać swojej historii, tylko ją tworzyć – głośno powiedziała Anna i nasypała sobie soli na grzbiet dłoni. Wzięła plasterek cytryny, zlizała sól. Wypiła do dna i zamaszyście odstawiła kieliszek.

– Jak można nie wspominać? – zdziwiła się Dasza. – Nie, trzeba pamiętać.

– O czym?

– Na przykład o tym, że istnieje Człowiek Obojętny, który ma w nosie twoje uczucia i ambicje. Przyciąga go twoje ciało, jak głodnego świeża bułka. Chciałby się w nie wessać twarzą, ustami, rękami, nasycić do granic. A potem nagle traci zainteresowanie. Jakby niczego nie było.

– Obojętny, mówi pani – Anna słuchała z uwagą.

– Tak! Przecież zwykle tak jest. Z początku kobieta jest nim oczarowana, prawie się do niego modli. O, Wielki Nauczycielu, o, Mądry Przewodniku, obdarz mnie swoją uwagą, a uczynisz mnie szczęśliwą teraz i na zawsze! Tak. Na zawsze! – Oczy Daszy zabłysły. Chwyciła butelkę z tequilą i napełniła kieliszki. – Mija kilka tygodni wspólnego życia i zaczyna jej działać na nerwy obojętne: „tak, tak, moja droga, oczywiście, słoneczko!". A co ma być oczywiste, on nie ma pojęcia, bo po prostu nie słucha, nie przyjmuje do siebie, patrzy i nie widzi. Nasycił się twoim ciałem i już go nie potrzebuje, a to znaczy, że nie potrzebuje ciebie. Nie jest już nauczycielem ani przewodnikiem. Tylko tak udawał, żeby zaspokoić swoje żądze.

– Daszo – Anna pogładziła dziewczynę po ręku. – Daszo, ja wszystko rozumiem.

– Na szczęście nie wszystko! – Dasza przymknęła oczy. – Proszę mi wybaczyć. Te rozmowy o miłości, o prawdziwych mężczyznach. Gdzie są ci prawdziwi mężczyźni? Mój tatuś, na przykład, tak pijany, że ledwie się trzymał na nogach, wylał mamie na twarz garnek z wrzącą malinową konfiturą. Mężczyźni...

– Daszo! – krzyknęła osłupiała Anna. – Co pani wygaduje!

– Przepraszam. – Dasza gwałtownie wstała, podeszła do okna. – Nagadałam głupstw.

– Nic się nie stało.

– Niech pani nie sądzi, że przekreślam miłość. Bardzo kochałam jednego człowieka.

– Tak?

– Tak. Kobietę. Poznałyśmy się w Berlinie. Dzięki pani sobie przypomniałam. Chociaż po co kłamię? Nie zapominam o tym ani na chwilę. Anno, moja droga! Może lepiej... na przykład zatańczymy. Dlaczego nie miałybyśmy zatańczyć?

– No właśnie.

Anna uśmiechnęła się i włączyła płytę. Od kiedy weszła do kuchni i zobaczyła przed sobą tę dziewczynę, upłynęły tylko dwie godziny, a zdawało się jej, że zna ją całe życie.

– Pierwszy koncert Mozarta – oznajmiła uroczyście.

– Magda też lubiła Mozarta – cicho powiedziała Dasza.

– Magda? – spytała Anna. – Co za imię... Mocne, powiedziałabym.

– Moje ulubione.

Dasza wstała lekko i podeszła do Anny. Położyła delikatne dłonie na jej biodrach i zaczęła się płynnie kołysać. Anna przycisnęła swój ciepły policzek do chłodnej twarzy dziewczyny.

Czuła na skórze muskający dotyk warg. Własne ciało zdawało się jej lekkie i piękne.

– Kiedy pani była ostatni raz szczęśliwa? – spytała Dasza nieoczekiwanie. – Wie pani, o czym mówię. O tym tajemniczym odczuciu, niczym nieuwarunkowanym.

Anna odsunęła się, zamyśliła. „Niczego sobie gospodyni. Nieuwarunkowane szczęście...". Odpowiedziała po chwili:

– Przedwczoraj, na dyskotece w Berlinie. Bawiłam się, tańczyłam i nawet flirtowałam. Wtedy przepełniło mnie poczucie takiego doraźnego szczęścia.

– Rozumiem – skinęła głową Dasza. – Kiedy zobaczyłam Magdę po raz pierwszy... jej piękne i bezradne ciało, nagle bardzo zapragnęłam kochać ją, całować jej skronie, palce, włosy... To była chwila cichego, tak ważnego dla każdego z nas szczęścia. Właśnie wtedy. Niczego sobie nie wyjaśniałyśmy, nie zadawałyśmy pytań. Po prostu smakowałyśmy nieoczekiwaną i piękną bliskość. – Dasza tkliwie dotknęła wargami ust Anny.

Rozbrzmiewała muzyka.

W upojne dźwięki wdarł się ciężki kaszel.

– Nie, nie przeszkadzajcie sobie, to jest nawet ciekawe.

Anna zrozumiała, że teraz nie pomoże jej nawet tequila.

– Mam panią odprowadzić do wyjścia, Dario? – powiedział Siergiej. – Czy sama pani wie, że już pora się wynosić?

– Dlaczego taki jesteś? – wyrwało się Annie.

– A ty siedź cicho! – krzyknął Siergiej i wyszedł, trzaskając drzwiami.

Daria szybko napisała coś na serwetce i też wyszła.

Anna ciężko opadła na krzesło. Od razu poczuła dobrze znany ciężar w piersiach.

Bywają takie dni, a zwłaszcza poranki, kiedy człowiek, próbując otrząsnąć się z trzech godzin niespokojnego, lepkiego snu, niespodziewanie natyka się na uroki kwietniowej wiosny, świeżą trawę i kwitnące krokusy. I we mgle wiarołomnego świtu, na twarzach bezlitośnie rozświetlonych słońcem, widzi śmierć. Na każdej z nich – ze śladami odciśniętej poduszki, z bezładem zmarszczek. Wtedy zdaje sobie sprawę: wszystko dzieje się na próżno i bez przyczyny. I jedyna prawda w bezcelowym i rozpaczliwie krótkim życiu zawiera się w tym, że nikt nie może zrozumieć drugiego człowieka.

W zwierciadłach twarzy można ujrzeć własne odbicie i pojąć, że bez względu na to, w jakiej rzeczywistości żyjemy, wszyscy jesteśmy martwi. I nasze życie jest śmiercią.

Anna odłożyła dziennik i rozpłakała się. Obok głośno chrapał Siergiej.

Kraków, 4 kwietnia, Niedziela Wielkanocna, późny wieczór

Z dworca, ciągnąc za sobą walizkę, przeszedłem do Barbakanu, a potem wąskimi uliczkami starówki przedostałem się na Rynek. Zbliżała się północ, było wietrznie i chłodno, nazajutrz miał zacząć się normalny roboczy dzień, ale pomimo to krakowski Rynek Główny tętnił życiem. Przed wejściem do Sukiennic przeraźliwie fałszował długowłosy saksofonista otoczony wianuszkiem wpatrzonych w niego licealistek. Na łańcuchach rozpiętych pomiędzy marmurowymi słupkami ogradzającymi pomnik Mickiewicza, nazywanego tutaj pieszczotliwie „Adasiem", siedzieli młodzi ludzie, pijąc piwo z puszek lub butelek i przekrzykując się nawzajem. Przed bramą prowadzącą do kościoła Mariackiego rozłożyła swoje sztalugi grupa malarzy, krzyk kwiaciarek zachęcających mimo nocnej pory do kupna kwiatów przeplatał się z odgłosami końskich kopyt przejeżdżających dorożek. Przez witryny restauracji dojrzeć można było wypełnione ludźmi sale. Kraków wcale nie miał zamiaru zasnąć...

Lubiłem to miasto. Był nawet taki okres w moim życiu, że poważnie planowałem wynająć swoje mieszkanie w Warszawie, przenieść się do Krakowa i zamieszkać w małym drewnianym domku na Kazimierzu, w historycznej dzielnicy żydowskiej, która czaruje swoim bohemicznym flairem. Był to czas mojej fascynacji muzyką chasydzką i klezmerską. Nie ma w Polsce lepszego miejsca do słuchania klezmerów niż małe salki żydowskich restauracji na krakowskim Kazimierzu. Planowałem zająć się zjawiskiem przenikania do tej muzyki jazzu, folku, rocka, reagge, a nawet hip-hopu. Nikt o tym wtedy nie wiedział, ale chciałem się pracą na ten temat doktoryzować. Potem, gdy wyjechałem do Berlina, stało się to wszystko nieaktualne.

Kraków miał, i do dzisiaj ma, w sobie – pomimo turystycznego zgiełku i związanej z tym nieuchronnej komercji – aurę nastroju, który powoduje w człowieku rodzaj spowolnienia, zadumy i spokoju. O ile Warszawa kojarzy się Polakom z pośpiechem, gonitwą, zadyszką podczas wyścigu szczurów, drobnomieszczańskim blichtrem, rozrzutnością i nowobogackim zadęciem, o tyle Kraków z pewną ślamazarnością, z tradycją, pielęgnacją arystokratycznych upodobań, skąpstwem, historią i przede wszystkim z kulturą. Warszawiacy chętnie do Krakowa przyjeżdżają odetchnąć, a krakowiacy chętnie do Warszawy by imigrowali, bo tam widzą lepsze możliwości zrobienia kariery i zarobienia pieniędzy, których zawsze im za mało. Chociaż nigdy prawdziwy krakus tego warszawiakowi oczywiście nie powie. Znane są zabawne zgryźliwości krakowskich patriotów twierdzących, iż stolica Polski została przeniesiona z Krakowa do Warszawy tylko dlatego, że... na wsi jest zdrowsze powietrze. To ostatnie akurat się zgadza. Zanieczyszczenie powietrza w Krakowie jest jedno z najwyższych w Polsce.

Poczułem głód. Ostatnie, co jadłem, to kromka razowego chleba posmarowana odrobiną wstrętnego pasztetu podczas mojej ostatniej kolacji w Pankow. W pierwszej chwili sięgnąłem po pudełko z papierosami. Przez ostatnie miesiące często oszukiwałem głód nikotyną i litrami wypijanej kawy. Jedzenie, które kiedyś celebrowałem, stało się dla mnie mało ważnym wydarzeniem, nieomal obowiązkiem. Podczas pobytu w klinice w Pankow – ważono nas tam bardzo regularnie – schudłem ponad szesnaście kilogramów. Co było paradoksalne, ponieważ antydepresanty zazwyczaj powodują podwyższone łaknienie, przyspieszają metabolizm i co za tym idzie, tycie.

W pudełku nie znalazłem żadnego papierosa. Nie miałem ochoty na kolację, chciałem raczej przełknąć coś małego i mieć pretekst, aby napić się wina. Usiadłem przy wolnym stoliku w restauracji nieopodal kościoła Mariackiego, stawiając na krześle obok moją walizkę. Kelner w smokingu i z farbowanymi włosami zaczął zachwalać wszystko, co było w menu. Wielu nazw, które wymieniał, w ogóle nie znałem: „królik w ziołach prowansalskich jest znakomity, beef rydberg to specjalność kuchni, grillowane tournedos są najlepsze w mieście, a taki rarytas jak comber z sarny można zjeść tylko u nas...". Po jego długim monologu zapytałem, czy mają kaszankę z kiszoną kapustą i szturanymi ziemniakami. Najpierw spojrzał na mnie jak na analfabetę, natychmiast zmienił ton głosu z uniżonego na nieuprzejmy, potem z przekąsem zauważył, że walizkę powinienem zostawić w szatni, a na końcu z nieukrywaną drwiną w głosie poinformował mnie, że w ich restauracji serwuje się ziemniaki przygotowywane na czternaście różnych sposobów, ale o ziemniakach „szturanych" to on jeszcze nigdy w życiu nie słyszał. Odparłem, że w takim razie ominęło go w życiu wiele dobrego, poprosiłem o koszyk z pokrojoną świeżą bagietką i o listę win. Przez kilka sekund patrzył na mnie jak na bezdomnego, który przyplątał się na uroczystość wręczania Nagród Nobla, jednakże odszedł bez słowa komentarza i po chwili pojawiła się młoda praktykantka, kładąc przede mną kartę win. Cała sytuacja, zamiast mnie zdenerwować, zaczynała mnie powoli bawić. Zamówiłem kieliszek najdroższego wina, które było na liście. Gdy okazało się, że „wina za ponad tysiąc złotych z oczywistych względów nie sprzedajemy na kieliszki", poprosiłem o całą butelkę. Dziewczyna, upewniając się, powtórzyła, zresztą niepoprawnie, nazwę francuskiego château, uśmiechnęła się zalotnie i odeszła. Ufarbowany kelner w smokingu, tak jak się spodziewałem, błyskawicznie powrócił. To był najprawdopodobniej jego rewir w tej restauracji i perspektywa czterocyfrowej sumy utargu, bez udziału w nim kucharzy, przekonała go, że warto ponownie przyjąć postawę uniżoną. Z namaszczeniem otwierał butelkę, podczas gdy towarzysząca mu praktykantka zdejmowała z tacy kieliszek, kosz z parującą ciągle bagietką i kilka porcelanowych miseczek z egzotycznymi olejami. Zrezygnowałem z degustacji, prosząc o nalanie wina do pełna. Gdy skłonił się, dodałem:

– Mogę pana zapewnić, że wino sprawi mi więcej radości, gdy pierwszy kieliszek wypełni pana urocza koleżanka. I następne także. Jednym słowem, bardzo uprzejmie pana proszę, aby nie zbliżał się pan więcej do mojego stolika.

Zacisnął wargi i spojrzał na mnie z wściekłością w oczach. Uprzedzając jego komentarz, pospiesznie dodałem:

– Jeśli to panu z jakiegoś powodu nie odpowiada, to proszę zabrać wino i poprosić kierownika tej restauracji.

W tym momencie drżącymi rękami przekazał butelkę dziewczynie i odszedł.

Wino było wyborne. Z każdym kolejnym łykiem czułem rozprzestrzeniające się we mnie ciepło i rodzaj otulającej mnie powoli błogości. Już dawno nie było we mnie tyle wewnętrznego wyciszenia i spokoju. Przez okno restauracji przypatrywałem się spacerującym po Rynku ludziom. Czasami spoglądałem ukradkiem na siedzące przy sąsiednich stolikach szepczące do siebie pary, zauważając ich splecione dłonie. Znowu, od długiego czasu, nie miałem przy tym poczucia osamotnienia. Nie było też we mnie tej towarzyszącej mi przez ostatnie miesiące paraliżującej obojętności i znużenia wszystkim, co działo się na zewnatrz, w świecie, który istniał jak gdyby obok mnie. Nie mój, ponieważ znajdował się poza moimi myślami i poza moim cierpieniem. Nie byłem wprawdzie radosny, ale także nie byłem smutny. Nie myślałem o przeszłości, ale także nie obawiałem się przyszłości. Wyobraziłem sobie, że gdybym w Pankow „na grupie" wyznał, jak się teraz czuję, to psycholog Aneta powiedziałaby dyplomatycznie, że „robię zdumiewające postępy", Joshua zachichotałby szyderczo, dodając, że przyszłość to „wymysł chciwych żydowskich bankierów, którzy potrzebują naszego przed nią strachu i dlatego należy ją, to znaczy przyszłość, pierdolić z definicji", Sven oderwałby w tym momencie wzrok od książki, którą akurat czyta, i poprosiłby Joshuę, aby „nie rozpowszechniał antysemickich bzdur i co ważniejsze, nie przeklinał przy kobietach", Magda Schmitova wysyczałaby ze złością, że „Joshua mnie permanentnie wkurwia i powinien być wyrzucony z tej grupy na zbity pysk", a profesor Mielke, chcąc załagodzić sytuację, zapytałby grzecznie: „jaka przyszłość zdaniem pana nie wzbudza w panu lęku?". W tym momencie Joshua przeklą łby siarczyście w jidysz, Sven wróciłby do czytania, psycholog Aneta udawałaby, że coś notuje, Magda Schmitova wyszłaby z pokoju, trzaskając drzwiami, a ja zbierałbym myśli, aby wybrnąć jakoś z sytuacji, którą sprowokowałem. W Pankow optymistyczne myślenie o przyszłości zawsze powodowało problemy. Powinienem to wiedzieć.

Ale ja teraz nie byłem w Pankow. Teraz powoli upijałem się w Krakowie. Jedyne, co z pewnością wiedziałem o swojej przyszłości, to smutna konstatacja, że wino w butelce się niebawem skończy. Pamiętałem także swoje postanowienie, aby do Pankow już więcej – jako pacjent albo jako „gość", jak ujmowała to psycholog Aneta – nie powrócić. Poza tym wiedziałem, że jestem w podróży do Moskwy, gdzie muszę odnaleźć rosyjską lesbijkę o imieniu Daria. Miałem więc plan, a dla wielu to warunek istnienia przyszłości jako takiej. Plan na przyszłość odległą, ponieważ ta bliższa była mi raczej nieznana. Nie wiedziałem na przykład, gdzie spędzę resztę dzisiejszej nocy. Ale poza tym miałem w miarę komfortową sytuację. Poruszałem się na granicy kilku warunków brzegowych, które na moją przyszłość istotnie wpływały.

Po pierwsze, nie miałem trosk finansowych. Za teksty, które pisałem dla Johanna von A., otrzymywałem sowite wynagrodzenie. Z każdym napisanym tekstem wyższe. Nie odzwierciedlało to w żadnym wypadku jakości moich tekstów. Odzwierciedlało to jedynie rosnący poziom lęku u Johanna von A. Nigdy w naszych rozmowach nie padło słowo „szantaż", ale i on, i ja wiedzieliśmy, że takie słowo paść kiedyś mogło. Ja słuchałem koncertów, na które on za swoje pieniądze mnie wysyłał. Potem pisałem ich krytyki, a następnie on wysyłał te teksty, pod swoim nazwiskiem, do dostojnych, niskonakładowych, ale wpływowych niemieckich, austriackich, szwajcarskich i amerykańskich czasopism. Po każdym artykule gardziłem sobą, podobnie, jak przypuszczam, jak i on. Ale za to jego ojciec, współwłaściciel ogromnego europejskiego konsorcjum budowlanego, czuł dumę z syna jedynaka, który nie zna się wprawdzie na architekturze, ale za to okazał się „wrażliwym i cenionym znawcą muzyki". Johann von A. – moimi tekstami – wpisywał się w historię swojego rodu i przenosił akcent z pogardzanego talentu do wylewania betonu na wysublimowany talent oceniania poziomu kultury. To zawsze bardzo dobrze robi arystokratom. A gdy tak się zdarza, wtedy pieniądze nie grają większej roli. Szczególnie gdy ma się ich tak dużo jak klan rodziny Johanna von A.

Po drugie, miałem bardzo mało do stracenia, ponieważ i tak utraciłem już prawie wszystko. Honor. Nazwisko. Żonę. Córkę. Godność. Szacunek do siebie. Nadzieję. Nie straciłem jedynie tego, co usłyszałem przez całe swoje życie, i nie utraciłem tego, czego się przy tym nauczyłem. Joanna nazwałaby to „wyjściowym stanem zerowym o dużym potencjale początkowym". Pamiętam, jak po powrocie ze swojej ucieczki do Mongolii dokładnie tak opisywała mi to, co czuje, zaczynając wszystko od początku. Wypijając ostatni łyk wina w opustoszałej w międzyczasie restauracji przy Rynku w Krakowie, miałem uczucie, iż faktycznie mam szansę rozpocząć wszystko od początku.

– I to jest jak dla mnie jak brak lęku przed przyszłością, panie profesorze Mielke – wymamrotałem do siebie.

Młoda praktykantka zrozumiała moje bredzenie opacznie. Podeszła bliżej i zapytała, czy mam jeszcze jakieś „ostatnie życzenie". Rozglądnąłem się wokół i zauważyłem, że jestem jedynym gościem, który pozostał w restauracji. Poprosiłem, aby przyniosła mi jeszcze jedną butelkę tego samego wina, wystawiła rachunek i zamówiła taksówkę.

– I proszę nie otwierać tej butelki – dodałem.

Nie znałem dokładnie adresu Joanny. Gdy powiedziałem taksówkarzowi, że chcę dojechać w Nowej Hucie do „pewnego bloku mieszkalnego pomiędzy sklepem monopolowym i kościołem", natychmiast wiedział, o jakie miejsce mi chodzi. Nowa Huta jest dzielnicą Krakowa. Jedną z największych i według niektórych także najbrzydszych. Kiedyś samodzielne miasto zapoczątkowane w końcu lat czerdziestych ubiegłego wieku jako największe centrum polskiego przemysłu metalurgicznego z legendarną Hutą imienia Lenina. Socrealistyczny moloch, zbudowany od radzieckich podstaw. Stalinowski, ciężki i przesadzony monumentalizm placu Centralnego pomieszany z brzydotą labiryntów tak zwanych nowych bloków, w których mieszkała klasa robotnicza socjalistycznej Polski, a teraz mieszkają ci, których nie stać, aby zamieszkać w apartamentowcach.

Blok, przy którym wysiadłem z taksówki, znajdował się w dzielnicy, jak poinformował mnie kierowca, o symbolicznej dla Polaków nazwie Szklane Domy. Kłamstwo Seweryna Baryki, bohatera *Przedwiośnia* Żeromskiego, snującego przed synem zmyśloną opowieść o szklanych domach w bogatej i sprawiedliwej Polsce, uzyskało w tym momencie swój namacalny dowód. Zastanawiałem się, jaki szyderca mógł nazwać w taki sposób to miejsce...

Blok miał kilka klatek schodowych. Zaczynając od tej najbliżej sklepu, zacząłem odczytywać nazwiska na zdewastowanych, metalowych, pordzewiałych kasetach wystających lub zwisających ze ścian. Nie przy wszystkich przyciskach dzwonków były nazwiska. Ale przy niektórych były. Jej nazwisko było w ostatnim rzędzie przy trzeciej klatce. Nie nacisnąłem przycisku. Akurat ktoś wychodził i korzystając z sytuacji, wślizgnąłem się do środka. Windą pojechałem na ostatnie, szóste piętro. Schodziłem na dół, odczytując nazwiska na mosiężnych tabliczkach przybitych do drzwi. Na czwartym piętrze po lewej stronie, licząc od windy, odczytałem jej nazwisko. Poczułem rodzaj niepokoju. Joanna nigdy nie kojarzyła mi się z kimś, kto ma nazwisko. Zawsze miała tylko imię. Czasami inicjał drugiego imienia. Ale nigdy nazwiska. Nie nacisnąłem przycisku dzwonka. Wydawało mi się, że obudzę tym cały blok. Cicho zapukałem. Po chwili skrzypnął klucz w zamku otwieranych drzwi. Na chwilę oślepiło mnie światło żarówki w przedpokoju. Kobieta w szlafroku, stojąca na progu, podniosła się na palcach jak baletnica, wyciągnęła ręce i dotknęła mojej twarzy.

– Wychudłeś... – wyszeptała, patrząc mi w oczy.

Obmacywała palcami moją twarz. Uważnie i powoli. Dokładnie jak ślepiec. Uśmiechała się. Nie było w jej wzroku żadnego zdziwienia. Tak jak gdyby to, że pojawiłem się nagle, bez zapowiedzi, po ponad sześciu latach w drzwiach jej mieszkania, było czymś zupełnie normalnym. Tak jak gdyby właśnie czekała na moje przyjście. Stałem w progu i nie byłem w stanie nic sensownego wydusić z siebie. Po chwili otarła łzy, schwyciła moje dłonie i wciągnęła do środka. Usłyszałem odgłos zatrzaskiwanych drzwi, a zaraz po tym żałosne miauczenie kota. Joanna poprowadziła mnie do pokoju, posadziła na kanapie i zniknęła za drzwiami prowadzącymi do przedpokoju. Kot natychmiast wskoczył na moje kolana i zaczął mruczeć, gdy drapałem go za uszami. Ten sam kot. Sześć lat starszy, dwa razy grubszy, z kosmykami szarej sierści wokół pyska, ale mruczał tak samo jak tamtej pamiętnej wigilijnej nocy. Jak gdyby czas się zatrzymał.

Rozglądałem się po małym przytulnym pokoju. Skórzana, miejscami popękana kanapa, stół z nieoszlifowanego drewna, ściany zasłonięte szczelnie półkami na książki, otwarte gazety leżące na dywanie, biurko przykryte szkolnymi zeszytami, mrugający laptop stojący na parapecie, kubek z niedopitą herbatą na małym inkrustowanym stoliku przy kaloryferze, przy framudze drzwi otwarty na oścież futerał na skrzypce wypełniony banknotami i monetami, na półce serwantki, pomiędzy porcelanowymi filiżankami, ramki z fotografiami uśmiechniętych staruszków, wyłożony słomą wiklinowy koszyk z kolorowymi pisankami i cukrowymi owieczkami na bujanym krześle pod lampą, przewrócony pusty kieliszek na wino leżący obok koszyka. W tym momencie przypomniałem sobie, że moja walizka powinna stać przed drzwiami do mieszkania Joanny. Oszołomiony powitaniem, zupełnie o niej zapomniałem. Zerwałem się z kanapy. Gdy przechodziłem obok drzwi łazienki, usłyszałem przerażony głos Joanny:

– Nie znikniesz mi teraz na kolejne sześć lat, prawda? Nie zrobisz mi tego?! Zostań chociaż do rana. Proszę...

Stanąłem jak wryty, szarpnąłem drzwi łazienki. Joanna stała naga przed lustrem i suszyła swoje włosy.

– Zostawiłem walizkę na korytarzu. W niej jest wino dla nas. Nigdzie nie zniknę – powiedziałem – nigdzie nie zniknę... – Wszedłem do łazienki i pocałowałem ją. – Ja już teraz nie znikam jak kiedyś. Teraz to inni mi znikają... – dodałem szeptem.

Joanna położyła suszarkę na podłodze. Zdjęła moją marynarkę, rozpięła pasek u spodni, powoli odpięła guziki przy koszuli. Zostawiła mnie tak na pół rozebranego i weszła do wanny, stając pod prysznicem. Poczułem dotyk sierści kota ocierającego się o moje łydki. Schyliłem się, wziąłem go na ręce i wystawiłem za drzwi łazienki. Zdążył jeszcze przed tym zasyczeć i ze złości zadrapać głęboko, do krwi, moją skórę na nadgarstku. Rozbierając się w pośpiechu, plamiłem krwią koszulę i spodnie. Przez chwilę słyszałem głośne skrobanie jego pazurów po drzwiach. Potem odgłos strumienia wody z prysznica zagłuszył wszystko...

Rano w łóżku kot rozłożył się pomiędzy Joanną i mną i czasami swoim chropowatym ciepłym języczkiem lizał mój zraniony nadgarstek. Gdy zadzwonił budzik, zerwał się gwałtownie, zeskoczył z łóżka i pobiegł pospiesznie do kuchni. Joanna przytuliła się do mnie i całując moje ramię, wyszeptała:

– Dobrze, że jesteś. Tak tęsknię za tobą. Nawet jeszcze teraz...

Po chwili wstała. Wychodząc, obudziła mnie i nachylając się nade mną, powiedziała:

– Masz szczęście. Walizki nie ukradli. Stoi w przedpokoju. Kawa jest w szafce w kuchni. Druga półka od dołu. Twaróg jest w lodówce. Nie dawaj kotu nic do jedzenia, nawet gdyby zaczął płakać ludzkim głosem. On tak wszystkich nabiera. Gdybyś nie mógł zostać do wieczora, to nie zapomnij zabrać swojego szalika. Wisi na wieszaku w przedpokoju. Ostatnim razem zapomniałeś...

Przebudzony tak nagle, dopiero po pewnym czasie zrozumiałem, co do mnie mówi. Chciałem odpowiedzieć, że jeśli mi pozwoli, to będę wieczorem i że jest to niezwykłe, iż pamięta o moim twarogu, a także to, że jest mi bardzo bliska, tak naprawdę to najbliższa, i że wieczorem...

Ale nie zdążyłem przed trzaśnięciem drzwi.

Wyszedłem na balkon i zapaliłem papierosa. Kot przecisnął głowę pomiędzy metalowymi listwami poręczy. Oceniłem natychmiast, że był zbyt gruby, aby przecinąć się w całości i na przykład wyskoczyć z czwartego piętra na cementowy chodnik przed blokiem. Nerwowo miauczał, spoglądając na przelatujące ptaki. Świeciło słońce. Z radia dochodziła muzyka, na dole toczyło się życie, które przestało mi być obojętne. Może tylko teraz, na chwilę, a może już na zawsze.

Potem powoli celebrowałem codzienność. Zapach kawy w filiżance, smak razowego chleba z twarogiem, ciepła kąpiel w wannie, artykuł przeczytany w gazecie, muzyka Vivaldiego na skrzypce w wykonaniu Nigela Kennedy'ego. Ze zdumieniem przeczytałem na obwolucie płyty, że Kennedy od kilku lat mieszka w Krakowie. Ostatnim razem byłem na jego koncercie w Edynburgu, gdzie opowiadał o swoim notorycznym przywiązaniu do Anglii. Wyglądało na to, że powoli odpadam od „mainstreamu" biografii muzyków. Swoją drogą, nie rozumiałem fenomenu Kennedy'ego. Wiele wykonań *Czterech pór roku* Vivaldiego ma o wiele większą ekspresję niż ta wydobyta ze skrzypiec Kennedy'ego. Może być, że zadziałał tutaj jego medialny *image* punkowego, *offline*'owego skrzypka. Nigel Kennedy był dla mnie męskim odpowiednikiem Vanessy Mae, tyle tylko że nie tak ładnym.

Po południu, stojąc na drabinie, dokładnie przeszukałem półki z książkami Joanny. Moim zdaniem jest to jak wkraczanie w czyjś bardzo intymny świat. Książki na półkach więcej mówią o człowieku niż jego życiorys zapisany odręcznie na kartce papieru. Ale z Joanną łączyła mnie przecież intymność. I to wcale nie tylko ta wynikająca z krótkiej historii połączeń naszych ciał. Stojąc na drabinie i otwierając jej książki, zastanawiałem się, jak opisać moją relację z Joanną M.

Dla mnie byliśmy w układzie. Tak. Układ. To chyba najlepsze słowo. Nigdy nie byliśmy w związku. Spotkałem ją, dobrze mi się z nią rozmawiało, czułem się przy niej bezpiecznie, czułem łączącą nas nić porozumienia. Przytulaliśmy się, całowaliśmy się, mieliśmy seks.

Bliskość fizyczna dla ludzi bez zobowiązań nie jest zobowiązująca. Powstała więź, tyle że bez przywiązania. Ona nie może mnie zranić porzuceniem i odejściem. Ja nie złożyłem jej żadnych obietnic i odchodząc, nie muszę mieć poczucia winy. Mam z nią układ. Nie związek. Układ jest z natury hedonistyczny, nie ma w nim odpowiedzialności. I mało jest w nim zaufania. Gdy tak stałem na tej drabinie i otwierałem książki czytane przez Joannę, zdałem sobie sprawę z paradoksu tej sytuacji. Nie było w moim życiu żadnej innej kobiety, której ufałem bardziej niż Joannie. Mimo to nigdy nie dążyłem do bycia w związku z nią.

– Kinja, posłuchaj teraz uważnie, ludzie są bardziej popierdoleni, niż ci się wydaje – wykrzyknąłem do kota drapiącego pazurami drabinę.

Kinja wcale nie przestała drapać. W tym momencie zadzwonił telefon. Nie miałem odwagi podnieść słuchawki. To był telefon ze świata Joanny i wydawało mi się, że nie mam do tego prawa. Po chwili zadzwonił znowu. Potem znowu. Gdy ciągle nie przestawał dzwonić, wyciągnąłem wtyczkę z gniazdka w ścianie. Z książką Schönberga o Horowitzu usiadłem na kanapie. Po kilku minutach usłyszałem głośne dzwonienie i zaraz potem pukanie do drzwi. Na progu stała staruszka. Zaciągnęła się papierosem i po tym jak przestała kaszleć, powiedziała ochrypłym głosem:

– Asieńka jest na pana zła. Nie odbiera pan telefonu. Jest pan głuchy czy co?!

Mruknąłem coś pod nosem.

– Ona wisi teraz u mnie na linii. Jeśli pan chce, to może pan z nią porozmawiać – dodała.

W tym momencie zauważyłem kątem oka, jak kot wybiega z mieszkania. Opuściłem książkę na podłogę i pogoniłem za nim po schodach. Zatrzymał się na najwyższym piętrze przy zakratowanych drzwiach. Wziąłem go na ręce. Gdy wróciłem z nim na czwarte piętro, staruszka ciągle stała na korytarzu. Drzwi do mieszkania Joanny były zamknięte. Nie miałem klucza. Staruszka, kiwając głową, zaprosiła mnie do siebie. Nagle pojawił się charczący, kulawy jamnik i zaczął głośno szczekać. Kot, wpijając się pazurami w mój brzuch, trząsł się ze strachu. Staruszka zdjęła rzemień wiszący na haku i siarczyście klnąc, przegoniła jamnika. Kot rozrywał pazurami moją koszulę. W tym momencie zadzwonił telefon. Jamnik przestał szczekać, kot przestał mnie drapać, staruszka przestała krzyczeć. Pokuśtykała do telefonu i podając mi słuchawkę, powiedziała, że to „znowu pani Asia". Opuściłem kota, który natychmiast przebiegł za firanki przy oknie i zaczął je nerwowo szarpać.

– Słuchaj, tak pomyślałam, że jeśli chcesz polecieć do Rosji, to potrzebujesz wizy – usłyszałem spokojny głos Joanny – wspominałeś coś o następnym poniedziałku. Aby dostać wizę, trzeba mieć paszport, zaproszenie lub jakiś voucher.

– Joasiu, jaką wizę? Rosja to nie Związek Radziecki...

– Tak myślisz? Ja nie jestem tego tak pewna. Ale pomijając to, wizy potrzebujesz. Do Rosji podróżuje się z wizą w paszporcie. Uwierz mi. Masz w ogóle jakiś paszport ze sobą?

– Myślę, że mam. Powinien być w walizce.

– Polski czy niemiecki?

– Myślę, że mam oba.

– To cudownie. Załatwiłam ci w biurze podróży voucher na niemiecki paszport. Ta wiza to trochę trwa. Najlepiej gdybyś przyjechał teraz do mnie do szkoły, odebrał ten voucher i pojechał do rosyjskiego konsulatu na Biskupiej. To niedaleko od Bramy Floriańskiej. Dzwoniłam tam. Mają dzisiaj otwarte do osiemnastej.

– Nie przyjadę, Joasiu.

– Dlaczego? – zapytała zaniepokojona.

– Zatrzasnęły mi się drzwi, gdy goniłem Kinję, która uciekała nam z domu. Jestem u pani... u pani sąsiadki, co ma groźnego jamnika, i będę tutaj, zanim mnie nie odbierzesz.

– U pani Anastazji jesteś – odparła, śmiejąc się – mój ty szczęśliwcu. Przyjadę jak najprędzej.

Pani Anastazja w międzyczasie nakryła stół obrusem i postawiła talerz z zupą.

– Niech pan siada. Wygląda pan jak wychudzony więzień z obozu. Dzisiaj z Fredą mamy grochówkę. Freda jest wybredna. Nie lubi grochówki. Ale ja lubię. Chociaż dzisiaj to nie ten sam groch co kiedyś...

Usiadłem. Pani Anastazja podparła się na łokciach i z zadowoleniem patrzyła, jak jem.

– Wczoraj zrobił pan hałas na klatce. Myślałam, że to znowu ci pijacy. Oni czasami śpią na korytarzu. Jak nie rzygają, to mi to nie przeszkadza. Ale wczoraj to był pan, a nie pijacy.

Zostawił pan walizkę przed drzwiami. Patrzyłam na nią przez judasza. Bo wie pan, tutaj nie wolno nic zostawiać. No bo kradną. Mi ukradli doniczkę z paprotką. Postawiłam ją na parapecie, aby było ładniej, i na drugi dzień jej nie było. Naród taki jakiś nienasycony się zrobił. I nie mogłam spać. Podchodziłam do judasza i patrzyłam. Bo to jest piękna walizka. Szkoda, żeby ukradli. Potem mnie zmorzył sen i przestałam czuwać. Złodzieje także muszą spać. Rano widziałam, jak pani Asia wepchnęła walizkę do mieszakania. Uspokoiłam się. A grochówka panu smakowała? – zapytała, gdy położyłem łyżkę w pustym talerzu.

– Bardzo. A może mi pani dać dolewkę? Ja lubię grochówkę z kapustą kiszoną. Ma pani może kapustę?

Staruszka uśmiechnęła się i wstała od stołu.

– Mój świętej pamięci mąż Borys też lubił grochówkę z kapustą. A jak nie było w domu kapusty, to chciał octu. Lubił wszystko na kwaśno. Ale Borys był z Pomorza. Tam wszystko jedzą na kwaśno. Czy pan też jest z Pomorza?

Zjadłem jeszcze dwa następne talerze grochówki. Z kapustą. A potem pani Anastazja przyniosła szklanki z herbatą i wyciągnęła z kredensu albumy z fotografiami. Najpierw pokazywała mi swoje wnuczki. Potem rodziców, a na końcu dziadków w Wilnie. Opowiadała mi historię Polski, której nie znałem. W jej historii to nie Niemcy byli wrogami, ale Rosjanie. Moja matka nigdy nic złego nie powiedziała o Rosjanach. Traktowała ich jak wyzwolicieli, a nie jak okupantów. Gdy zabrzęczał dzwonek u drzwi, rozgrzebywałem z panią Anastazją skomplikowaną polsko-niemiecko-rosyjską historię drugiej wojny światowej. Ona miała swoją pamięć i fotografie, a ja jedynie niekompletną – a może i nieprawdziwą – wiedzę oraz wspomnienia po opowieściach rodziców.

Pani Anastazja podreptała do drzwi. Po chwili w pokoju pojawiła się z Joanną. Kot wskoczył na stół, rozpryskując merdającym ogonem resztki grochówki z talerza, jamnik zaczął wściekle ujadać, a pani Anastazja pospiesznie składała albumy. Uśmiechałem się do Joanny. Nie zdejmując płaszcza, usiadła na moich kolanach. Pani Anastazja, patrząc na nas, powiedziała:

– Pani Asiu, musi mu pani gotować grochówkę. Zjadł mi cały garnek. Z kapustą lubi, jak mój Borysek. Chłop, jak go baba dobrze karmi, to nigdy nie pójdzie do innej. Niech mi pani wierzy. W łóżku każda jest taka sama, ale w kuchni nie – dodała z uśmiechem.

Zostaliśmy u pani Anastazji do późnego wieczora. Opowiadała nam o tym, jak była młoda i Borys zakochał się w niej podczas potańcówki w domu kultury, tutaj w Nowej Hucie, w pięćdziesiątym pierwszym na zabawie z okazji urodzin Stalina. Miała wtedy dwadzieścia lat. Była krawcową, miała dobry zawód, a Borys był tylko murarzem, bez wykształcenia. Ale miał takie piękne, mocne ręce i zawsze czyste buty. Rodzice nie chcieli zgodzić się na ślub, bo Borys nie chciał w kościele. W ZMP był. Ale nie był komuchem. Kazali mu wstąpić do ZMP, bo inaczej nie dostałby pracy przy budowie huty. Dlatego gdy była już w ciąży z Irenką, to uciekli z Borysem na Ziemie Odzyskane, do Choszczna niedaleko Stargardu Szczecińskiego. Tam także potrzebowali murarzy i krawcowych. I tam wzięli ślub. Także w kościele, ale tak, aby oprócz księdza, ministrantów, organisty i świadków nikt o tym nie wiedział. Irenka urodziła się w Choszcznie, ale Walduś już w Nowej Hucie. Borysa zawsze ciągnęło do huty. Ojciec, gdy przekonał się, że Borysek to dobry człowiek, żaden fircyk w zalotach i że żaden z niego komunista, tylko taki farbowany, wybaczył wszystko. Załatwił po znajomości mieszkanie w bloku i nawet kupił meble.

– A na pogrzebie Boryska to nawet płakał... – zakończyła, ocierając łzy.

Wróciliśmy do mieszkania Joanny tuż przed północą. Z niecierpliwości kochaliśmy się na podłodze przy kanapie. Pamiętam, że nie udało mi się do końca zdjąć płaszcza z Joanny.

Potem, łamiąc wszystkie zasady, piliśmy dostojne château „za ponad tysiąc złotych" z butelki na balkonie, patrząc na gwiazdy, a potem prawie nadzy, ubrani tylko w słuchawki na uszach, na kanapie ogrzewaliśmy się nawzajem, dłońmi i ustami, słuchając muzyki wybranej przez Joannę. Na końcu w sypialni, w łóżku, przytuleni do siebie, nie mogliśmy nasycić się rozmową.

Opowiadałem Joannie, często wyrwane z kontekstu, fragmenty mojej biografii za ostatnie sześć lat. Czasami wracałem do czasu sprzed tych sześciu lat. Cały kalejdoskop tęsknot, uniesień, upadków, nadziei, poniżeń, nienawiści, bezsilności i euforii przeplatanej bezdennym smutkiem i rozpaczą. Kalejdoskop ludzi i imion. Dobrusia, Izabella, Konstanty, Joshua, Aneta, Sven, Norbert, Daria, Magda Schmitova, Johann. Czasami, opowiadając, miałem wrażenie, że czytam Joannie na głos jakąś kiczowatą książkę, której autor koniecznie chciał na dwustu stronach opisać dwieście jeden tragedii. W którymś momencie Joanna zasłoniła moje usta swoją dłonią i powiedziała:

– Znajdziesz Darię, odnajdziesz siebie. Wszystko będzie dobrze. Zobaczysz. Wiem, że tęsknisz za tym. A tęsknota to nadzieja. Wierz mi. Znam się na tym...

Następnego dnia rano Joanna zawiozła mnie najpierw do fotografa, a potem do rosyjskiego konsulatu na Biskupiej.

Wystałem cierpliwie w długiej kolejce swoje prawo do złożenia wniosku o wizę. Młody urzędnik był trochę zdziwiony faktem, że przedkładam niemiecki paszport, ale w końcu był skłonny przyjąć wniosek. Największy problem pojawił się przy określeniu długości mojego pobytu w Rosji. Sam nie wiedziałem, jak długo tam pozostanę. W pierwszej reakcji poprosiłem o wizę półroczną. Spojrzał na mnie zdziwiony i powiedział, że „nie wydajemy turystycznych wiz półrocznych". Stanęło na tym, że mogę złożyć podanie o wizę maksymalnie sześciotygodniową. Potem nacierpiałem się w długiej kolejce do kasy. W ciasnym pokoiku mężczyźni tłoczący się za mną zionęli, mimo wczesnej porannej pory, smrodem wódki pomieszanej z czosnkiem. To chyba najgorszy, przyprawiający o mdłości odór, jaki można sobie wyobrazić. Miałem wrócić do konsulatu po paszport z wklejoną wizą dokładnie za tydzień, czternastego kwietnia, ale „być może paszport będzie gotowy do odbioru już w poniedziałek, dwunastego", poinformował mnie uprzejmie urzędnik, gdy dostarczyłem mu wypisany ręką rachunek z kasy.

Z konsulatu przeszedłem do biura podróży na Stolarskiej. Zarezerwowałem lot do Moskwy na późne popołudnie we środę czternastego kwietnia. Nie znając dokładnej daty powrotu, wykupiłem otwarty bilet. Mogłem wrócić z Moskwy, kiedy tylko zechcę. Potem w księgarni na Rynku kupiłem kilka podręczników i płyt do nauki języka rosyjskiego. Jestem wprawdzie z pokolenia, które miało obowiązkowo rosyjski i w szkole podstawowej, i w ogólniaku, i także przez dwa lata na studiach, ale wynikający z tego poziom znajomości języka nie może o tym zaświadczyć. Nie uczyć się rosyjskiego było, przynajmniej w moim środowisku, dowodem postawy patriotycznej. Nie będziemy się uczyć języka okupantów. Nie, i już! Gdy teraz o tym myślę, wydaje mi się to absurdalnie śmieszną dziecinadą, ale wtedy pojmowałem to inaczej. Miałem kilka sporadycznych, krótkotrwałych kontaktów z językiem rosyjskim na żywo. Nigdy wprawdzie nie byłem w Związku Radzieckim, a potem, po pieriestrojce, w Rosji, jednakże stykałem się z radzieckimi, a następnie rosyjskimi muzykami koncertującymi we wszystkich krajach świata od Sydney po Seattle. Czasami w trakcie takich spotkań, szczególnie po winie lub szampanie, mój rosyjski wydostawał się jakoś tajemnymi ścieżkami z dna czeluści zapomnienia i brylowałem wtedy jako językowy multitalent. Nie dość, że niemiecki, angielski i polski, to do tego nawet egzotyczny rosyjski. A ja przecież, jak mi się wydawało, mówiłem po polsku, tyle tylko że konsekwentnie zmieniałem końcówki i inaczej akcentowałem słowa. Rosjanie byli tym zachwyceni, a cała reszta i tak nic nie rozumiała. Wiedziałem, że za tydzień w Moskwie będzie zupełnie inaczej.

Potem wróciłem do Nowej Huty i przeszedłem do Lasku Mogilskiego. Byłem taki dumny z siebie. Znowu byłem jak dawniej. Organizowałem. Przewidywałem. Planowałem. Cieszyłem się. Chciałem to odkrycie nowego siebie wykrzyczeć i las wydał mi się najlepszym do tego miejscem. Spacerowałem pomiędzy drzewami i rozmawiałem ze sobą. Poklepywałem się po ramieniu, dodawałem sobie otuchy. Chciałem, aby to zmartwychwstanie trwało. Czułem, że ta Wielkanoc, co dopiero minęła, była także moją małą Wielką Nocą. Zerwałem wszystkie pierwiosnki, jakie znalazłem na łące, i pojechałem do szkoły Joanny. Stanąłem na parkingu obok jej samochodu. Przywołana telefonem, zeszła na dół. Stałem zawstydzony, zakrywając twarz bukietem. Podeszła do mnie i powiedziała:

– Śniło mi się dzisiaj, że staniesz się nudny. Nigdzie nie wyjedziesz, zbudujesz dom, zasadzisz drzewo, a ja urodzę ci syna. A ty mi tu nagle kwiaty przynosisz. Nie rób tego, proszę. Nie rób. Ja nie potrafię kochać cię już bardziej. Nie potrafię...

Nie wzięła ode mnie tych kwiatów. Wróciła do szkoły.

Wieczorem jedliśmy kolację z panią Anastazją, która na tę okazję ubrała się odświętnie w czarną suknię. Była grochówka z kapustą i była golonka, której ja nienawidzę, ale którą uwielbiał świętej pamięci Borys, mąż pani Anastazji. Joanna o tym wiedziała. Obok słoika musztardy na stole w wazonie stał bukiet pierwiosnków. W nocy najpierw kochaliśmy się, a potem rozmawialiśmy o miłości. To, co mówiła Joanna, było pełne goryczy.

– No bo popatrz na to tak realnie – zaczęła, siadając na łóżku i przepędzając kota. – Na pewno istnieją różne odmiany miłości. Myślę, że ta między kobietą a mężczyzną to choroba, do tego bardzo podstępna, bo przychodzi znienacka. To fascynujące, że ludzie z taką łatwością poddają się euforycznemu uczuciu zakochania, by potem najczęściej cierpieć. Zastanawiało mnie przez chwilę, czy można opracować strategię bezbolesnego zakochania. Zakochać się raz a dobrze, bez zranień i rozstań. Choć z drugiej strony czym byłaby miłość bez bagażu doświadczeń, bez cierpienia i dreszczu niepewności? Dla wielu „jednorazowa" miłość stanowiłaby wręcz tragedię nie do udźwignięcia. Od jakiegoś czasu życie skłania mnie do konkluzji, że miłość długotrwała, spełniona, wraz z upływem czasu ulega metamorfozie. Z fazy zmysłowego przyciągania, burzy doznań, całej gamy reakcji chemicznych przekształca się w stan przywiązania, stabilizacji. Owo przywiązanie jest czasem równie mocne jak przyciąganie z miłosnego początku, na tyle że jedna osoba nie może żyć bez tej drugiej. Jednak zanim nastąpi ten okres spokojnej miłości, może nachodzić głód dawnych przeżyć, bo miłość jest jak upojenie narkotyczne. Być może kryzysy małżeńskie można w pewnym sensie uznać za proces wychodzenia z miłosnego nałogu. Gdy nachodzi wypalenie, monotonia, czasem nawet uczuciowy chłód, rozczarowanie, a w głębi tęsknota za tym wszystkim, co było na początku. Problem w tym, że raczej nie da się tego „początku" przeżyć ponownie z tą samą osobą. Pewnie nawet wehikuł czasu by nie pomógł, chyba że miałby wbudowaną funkcję wymazywania z pamięci wydarzeń nie tylko z przeszlości, ale również z przyszłości. Jak myślisz? – zapytała, nie czekając na moją odpowiedź. – Ja myślę, że te dwie fazy, zakochanie i przywiązanie, mogą niekiedy ze sobą rywalizować. Wtedy nazywa się to trójkątem miłosnym. Pytanie: w której fazie miłość okazuje się silniejsza? Przyciągania czy przywiązania? Należałoby pewnie zajrzeć w statystyki i porównać, czy osoby zdradzające swoich partnerów chętniej i częściej opuszczają długoletnie związki miłosne w imię nowo nawiązanych, czy też dzieje się odwrotnie. Skoro już o zdradach, odrzuceniach i rozstaniach, to wydaje mi się, że kryzys w miłości jest niczym w porównaniu z miłością utraconą, z milczeniem i obojętnością, które nieuchronnie poprzedzają koniec. Kryzysy przynajmniej przeżywa się we dwoje, rozstania w dwóch odrębnych przestrzeniach samotności. Zatem czy stan zakochania to po części pragnienie zdobywania i próba usidlenia drugiej osoby na własność, wyraz ludzkiej słabości i uległości pokusom? A może raczej miłość to odzwierciedlenie atawistycznej siły człowieka zdolnego do obdarzania uczuciem? Bo nawet jeśli jest ona w rezultacie zwykłym przywiązaniem, to gdy prawdziwa, wyraża się we wzajemnej trosce, opiece, zrozumieniu, wsparciu, przyjaźni dusz... Czy wtedy jest łatwiej, gdy się nie przywiązujemy? Ludzie tak nieodparcie pragną być wolni, a przecież miłość zniewala, ogranicza, pogrąża w niepewności, w paraliżującym strachu przed jej utratą. Mówi się nawet o sidłach miłości. To absolutny odwrót od umiłowanej przez człowieka wolności. Jak to zatem jest? Zakochać się jeden raz albo i więcej, a może wcale?

Na chwilę zapadła cisza. Przygarnąłem ją bez slowa do siebie i całowałem jej powieki.

– A może warto czekać całe życie na pierwiosnki od ciebie i nie zastanawiać się nad niczym? – wyszeptała.

Każdego dnia bardziej przywiązywałem się do Nowej Huty. Joanna rano wychodziła do szkoły, ja w tajemnicy tuczyłem kolejną puszką kota, jadłem śniadanie, potem szedłem do sklepiku i robiłem zakupy. W południe brałem taksówkę, jechałem do Krakowa i włóczyłem się po krakowskiej starówce. Popołudniem wracałem na osiedle Szklane Domy. Słuchałem muzyki, uczyłem się rosyjskiego, rozmawiałem z panią Anastazją, gotowałem żurek dla Joanny, uczyłem się na pamięć wierszy, które ona lubi, sprawdzałem zeszyty z klasówkami i wystawiałem jej uczniom oceny. Potem wracała Joanna. Opowiadała mi o swoim życiu, a ja opowiadałem jej o swoim. Wieczorami zapalaliśmy świece, czytaliśmy sobie na głos wiersze Leśmiana i dyskutowaliśmy o literaturze.

Najczęściej były to monologi Joanny, która literaturę kochała i nienawidziła jednocześnie. Jak sama wyznała, była „chorobliwie uzależniona od czytania, taki literacki ćpun". Czytała kilka książek jednocześnie. Nie była najlepszego zdania o literatach. Twierdziła, że są próżni, narcystyczni, że wdzięczą się do ludzi, że oszukańczo sprzedają nadzieję, piszą ku pokrzepieniu serc, wiedząc, że to obłudne, i że tak naprawdę pisarze nie lubią ludzi. Poza tym wbrew temu, co twierdzą, nie stoją po stronie prawdy. Jednocześnie uważała, że tylko z powodu tych ich wad i słabości powstają niekiedy wielkie dzieła. Ale tylko niekiedy. Bo większość literatury to zapisana na papierze plotka. Powielana w ogromnych nakładach. Niekiedy jednak taka plotka staje się mitem, a czasami Pismem Świętym. Któregoś razu zapytałem, dlaczego sama nie pisze. Jest przecież humanistką z wykształcenia, od zawsze posługiwała się słowem, zna tajniki warsztatu, przesączyła przez swój mózg miliony stron tekstów, jest empatyczna, uważna, dostrzega w wydarzeniach, w których uczestniczy, o wiele więcej niż normalny człowiek. Odparła, że szkoda jej na to czasu, ponieważ gdyby pisała, to pisałaby wyłącznie dla siebie. Nigdy nie odważyłaby się podzielić tym z innymi, poza być może kilkoma osobami. A to przecież zaprzecza celowi literatury. Tylko literatura czytana przez innych ma jakiś sens. I to wcale nieważne, że w bibliotekach jest nieporównywalnie więcej książek nieprzeczytanych niż przeczytanych. Pisanie to ekshibicjonistyczne wystawianie siebie na ciosy. To w rzeczy samej rodzaj masochizmu. Poza tym nie dotarłaby nigdy do momentu ukończenia książki. Każdego następnego dnia chciałaby zmieniać to, co napisała wczoraj.

Potem ja po rosyjsku opowiadałem jej, co usłyszałem w radiu, a ona mi, co z tego zrozumiała. Około północy, czasami na kanapie w pokoju, czasami na łóżku w sypialni, czasami w łazience, dotykaliśmy siebie. Oboje wiedzieliśmy, że taki stan potrwa do środy następnego tygodnia. I tak naprawdę oboje czekaliśmy na tę środę. Ona chciała, abym wyjechał i zechciał wrócić do niej. Ja chciałem wyjechać i poczuć tęsknotę.

W sobotę rano obudziło nas głośne pukanie do drzwi. Owinięty prześcieradłem otworzyłem. Pani Anastazja stała w progu i roztrzęsiona krzyczała:

– Ruscy zabili naszego prezydenta! Ja wiedziałam, że to się tak skończy. Niech pan włączy telewizor. Ja panu mówiłam, że Ruskim nie można wierzyć...

Po chwili pojawiła się Joanna.

– Niech pani się uspokoi, pani Anastazjo. Jakiego prezydenta, pani Anastazjo?

– Jak to jakiego? No, Lecha!

– Wałęsę?

– Nie. Naszego! Kaczyńskiego! Wałęsy nikt nie chciałby przecież zabić. To przecież ich agent był...

– Niech pani się uspokoi, pani Anastazjo. To na pewno się wyjaśni – spokojnie mówiła Joanna, odprowadzając ją do drzwi.

Pobiegłem do pokoju i włączyłem radio. Smoleńsk. Katyń. Prezydent. Tragedia. Para prezydencka, gęsta mgła... Te słowa pojawiały się najczęściej. Joanna usiadła przy mnie na podłodze. Słuchaliśmy głosu spikera, nie wierząc w to, co słyszymy. Wydawało się to nam niedorzeczne, abstrakcyjne, nieprawdziwe.

Ani ona, ani ja nie nie mieliśmy żadnych bezpośrednich powiązań z ludobójstwem w Katyniu. Nikt w naszych rodzinach także ich nie miał. Ale w Polsce każdy jest jakoś Katyniem napiętnowany. Tak było i tak – teraz, po tym co się dzisiaj rano wydarzyło – jeszcze bardzo długo, jeśli nie na całą wieczność, będzie. Katyń jako najbardziej rozpoznawalna nazwa wcielenia narodowej martyrologii prędzej czy później pojawia się w świadomości każdej Polki i każdego Polaka. Nie tylko przez dokonany tam bestialski mord, bo w innych miejscach w Polsce zabito w tamtych czasach nie mniej ludzi, ale głównie przez pogardę dla prawdy. W Katyniu w 1940 roku Rosjanie zamordowali Polaków. Co do tego nie mają wątpliwości nawet sami Rosjanie. Nawet jeśli nie mówią tego oficjalnie. Beria, ówczesny szef NKWD, zaproponował piątego marca 1940 roku wymordowanie polskich oficerów, Biuro Polityczne Komitetu Centralnego KPZR, ze Stalinem na czele, podpisało sformułowany na tę okoliczność odpowiedni dokument, a zaraz potem, już w kwietniu, kule z pistoletów radzieckich czerwonoarmistów dziurawiły czaszki tysięcy polskich oficerów.

W Katyniu Rosjanie strzelali nie tylko polskim oficerom w tył głowy. Oni strzelali całej Polsce w tył głowy. Polacy brzydzą się śmiercią zadaną strzałami w tył głowy. Podobnie zresztą jak Rosjanie. Nic w tym dziwnego, bo honor to wspólna słowiańska cecha. Tyle że Sowieci, jak mawiał mój ojciec, „nie dość, że zapomnieli przez ten komunizm, że są Rosjanami, to odurzeni komunizmem, zapomnieli także, że są Słowianami". Polacy zawsze ginęli z dumą za ojczyznę, gdy kule wystrzelone z karabinów plutonów egzekucyjnych rozrywały ich serca, a nie jak w Katyniu, zdradziecko, ich mózgi. Rosjanie w Katyniu nie tylko zabili tysiące Polaków, nie pozwalając im godnie umrzeć. Rosjanie w Katyniu sponiewierali, podeptali i opluli polską godność. Moją także. Dlatego dla Polaków słowo „Katyń" jest i będzie słowem biblijnym.

Taka jest prawda wyrywana przez lata z gardła historii. Ja uczyłem się w szkole prawdy zupełnie innej. Mord na Polakach w Katyniu popełniły „dzikie hitlerowskie hordy". A potem w domu ojciec opowiadał mi, że to wierutne, wstrętne, obrzydliwe, brudne kłamstwo „wasali Kremla, gnid bez honoru i godności, zaprzańców i sprzedawczyków". Bo Polaków w Katyniu

„zamordowali Sowieci". To wiedzieli po pewnym czasie wszyscy w Polsce. Nawet ci zakłamani, oportunistyczni urzędnicy ustalający programy lekcji historii do polskich szkół. Oni wiedzieli to już od początku, od Bieruta, „wasala numer jeden", jak nazywał go mój ojciec.

Naród dowiedział się i potem pielęgnował tę wiedzę, dodając do niej mity. Ale jeden fakt pozostaje faktem: w Katyniu „to Ruscy wymordowali Polaków". Kropka. Niemcy wymordowali wielu innych, kiedy indziej i gdzie indziej. Ale w Katyniu tę hałdę trupów usypali Rosjanie. Wykopane tysiące czaszek z oczodołami jak wejścia do jaskiń przedziurawili Rosjanie. Kropka.

I teraz, gdy nareszcie zbliżał się, po siedemdziesięciu latach, moment zapisania tej prawdy na zawsze do wieczystych ksiąg narodowej pamięci wraz ze świadectwem okazanej przez Rosjan skruchy, zdarzył się Smoleńsk. A już było przecież tak blisko. Jeszcze w minioną środę, na cztery dni przed katastrofą, w Katyniu pojawił się nie tylko szef polskiego rządu – co było oczywiste – ale pojawił się tam sam Putin, co oczywiste nie było zupełnie. Skruchy, jakiej oczekują Polacy, wprawdzie nie okazał, ale powiedział o „zbrodni totalitarnego systemu". To już było dla Polaków bardzo wiele. Ta wiadomość obiegła świat.

Ale kilka dni później „wydarzył się Smoleńsk". Znowu w kwietniu, znowu blisko wioski Katyń. Surrealistyczny zbieg okoliczności urastający do rangi polskiego Przeznaczenia czy na odwrót: polskie Przeznaczenie objawiające się surrealistycznym przypadkiem? Gdyby ten tupolew rozbił się, podchodząc we mgle do lądowania w pobliżu Monte Cassino, to także byłoby to polskie przeznaczenie przez duże P. Ale to Przeznaczenie naznaczone byłoby z definicji Chwałą przez duże C i pani Anastazja nie wyklułaby natychmiast w swoim mózgu teorii o tym, że „makaroniarze zabili naszego prezydenta". Ale to zdarzyło się w Katyniu, a uporczywe mataczenie Rosjan w sprawie tego mordu przez długie siedemdziesiąt lat dawało pani Anastazji prawo do natychmiastowego wysnucia swojej spiskowej teorii dziejów. Jeśli wtedy, w kwietniu czterdziestego roku, Polaków rozstrzeliwali Rosjanie i się do tego do dzisiaj oficjalnie nie przyznali, to dlaczego pani Anastazja, do kości antyrosyjska z powodu biografii swojej przepędzonej z Wilna rodziny, ma wierzyć, że „samolot rozbił się, podchodząc do lądowania w gęstej jak mleko mgle, że nie powinien tam lądować, że to tragiczna lotnicza katastrofa, że wieża kontrolna przecież informowała, że Putin przesłał kondolencje, a Miedwiediew „łączy się z Polakami w bólu"? Gdy surrealizm zbiegów okoliczności osiąga masę krytyczną, to – jak bomba atomowa – w którymś momencie eksploduje, razi falą uderzeniową absurdu i zaczyna napromieniowywć ludzi psychotycznym szaleństwem. Tak ująłby to profesor Mielke z Pankow, oczekując za swoje krasomówstwo pochwalnych spojrzeń i szmeru podziwu. Co do porażenia absurdem, miałby zupełną rację. Po Smoleńsku normalny człowiek przestawał rozumieć świat. Człowiek w takim stanie jest labilny i oczekuje uspokojenia. Nie może pogodzić się, że nie wszystko rozumie. Odkrycie, że we wszystkim jest zmowa i jakiś układ, przywraca mu wiarę, że jednak tak nie jest. Zrozumienie powraca. Nagle wiadomo, kto za tym stoi. No tak. To jednak nie żaden niewytłumaczalny przypadek. To znowu Ruscy. Zrobili to raz, to mogą zrobić po raz drugi. Zbiorowe urojenie zbiorowej paranoi pozyskuje kolejnego zwolennika...

Słuchaliśmy radia, wczytywaliśmy się w wiadomości płynące z internetu. Chcieliśmy najpierw jak najwięcej wiedzieć, a potem mieć szansę zrozumieć. Dlaczego samolot nie lądował gdzie indziej? Dlaczego na pokładzie jednego samolotu zebrano taką liczbę osób, które decydowały o losach Polski? Przecież nawet ośmioosobowe orkiestry kameralne w Niemczech nigdy nie latają razem, aby przypadkiem razem nie umrzeć. Dlaczego?

Około południa zadzwonił do mnie Sven. Musiał telefonować z aparatu wiszącego na ścianie w stołówce w Pankow. Poznałem to po odgłosach talerzy stawianych na metalowych wózkach stojących w pobliżu.

– Słuchaj, Struna – mówił spokojnym głosem – ja mam kolegę, radioastronoma, Polaka. Z Torunia. Pracowaliśmy razem w Arecibo. Jego ojca zabili w Katyniu. Czasami opowiadał mi o tym. Poza tym widziałem ten film Wajdy. Na końcu, gdy w kinie zapadła cisza, trzymałem się za czaszkę i czułem, jak pomiędzy palcami wypływa mi krew po obu stronach głowy. No więc chcę ci, Struna, powiedzieć, że za Smoleńsk odpowiadają Niemcy. Bez nas nie byłoby Katynia i nie byłoby teraz Smoleńska. Tylko to chcę ci teraz powiedzieć, Struna, tylko to. I przepraszam cię za to... – dodał, odkładając słuchawkę.

Po południu pojechaliśmy z Joanną do miasta. Na wielu mijanych ulicznych latarniach powiewały flagi przeplatające się z czarnymi wstęgami. Na chodniku pod latarniami paliły się znicze i leżały wiązanki kwiatów. Potem spacerowaliśmy uliczkami krakowskiej starówki. W pewnym momencie Joanna uścisnęła moją rękę. Na parterze wyjątkowej rudery, za brudną szybą, stały obok siebie obrazek z Matką Boską i obwiązana różańcem fotografia uśmiechniętej Marii Kaczyńskiej.

A pomiędzy ramkami dwóch fotografii wygasła świeca. Niewypalony do końca wosk i sterczący osmolony knot. Na dachu podwórka krakały wrony...

Niedaleko za rogiem zaczynał się zadbany, turystyczny Kraków. Na parterze odnowionej kamienicy mieściła się wykwintna cukiernia. Joanna zatrzymała się przy witrynie. Zauważyłem, że kiwa głową jak ktoś, kto nie może w coś uwierzyć. Podszedłem bliżej. Po lewej stronie za szybą ciastko piramidka, obsypane migdałami, z podpisem „Dzwon Zygmunta", po prawej śmietanowa kula, otulona wiórkami kokosowymi o dostojnej nazwie „Bona", a pośrodku stał tort. Czerwona okrągła, lukrowa bryła z wizerunkiem czekoladowego, nieskazitelnie białego orła w złotej koronie z migdałowymi pazurami, opasana czarnym kirem. Kilkanaście godzin po katastrofie w Smoleńsku w witrynie cukierni pojawił się smoleński tort. Czerwono-biała polewa do zjedzenia, orzeł w koronie do schrupania i czarny kir do zjedzenia. Skoro można zarobić na królowej Bonie i na dzwonie Zygmunta, to dlaczego nie na smoleńskim torcie? Im szybciej, tym lepiej. Tort na polską narodową stypę już był. Tylko dlaczego nie ma na nim świeczek do zdmuchania?! Ile powinno ich być? Czy tylko siedemdziesiąt, bo to siedemdziesiąt lat od Katynia? A może dziewięćdziesiąt pięć z jedną ogromną w środku, bo tyle jest ofiar? A może dodać te dwie liczby i pomieścić od razu sto sześćdziesiąt sześć? A potem jakaś wróżka Aida doda do siebie jeden plus sześć plus sześć i wyjdzie jej trzynastu, a nie dwunastu apostołów. I będzie to według niej koronny dowód na to, że Maria Magdalena także była apostołem. Z kolei inna wróżka, która nie chcąc być mniej medialną niż koleżanka Aida, natychmiast doda, że miała widzenie i wie, iż „zdrajcą nie jest Judasz, ale mężczyzna o imieniu Władimir".

Przeszliśmy na Rynek. Było bardzo cicho. Przemieszczający się powoli, jak w jakimś cmentarnym korowodzie chochołów, tłum szeptał. W okolicach bramy prowadzącej do kościoła Mariackiego rósł z minuty na minutę stos kwiatów. Białych i czerwonych. Na obrzeżach leżały krzyże, zwoje różańców, fotografie prezydenckiej pary, paliły się znicze i świece. Ludzie klękali i modlili się. Obejmowali się lub podawali sobie ręce. Polskę znowu ogarnęło narodowe poruszenie. Zastanawiałem się, dlaczego Polacy tak pięknie jednoczą się tylko przy wspólnym cierpieniu.

Późnym wieczorem w domu słuchaliśmy Beethovena. W pewnym momencie Joanna wydobyła z szafy w przedpokoju trzy ogromne kartony z płytami. Tylko klasyka. Niektóre plastikowe pudełka ciągle były nieodpakowane. Nie znałem nikogo, kto posiada większą kolekcję płyt niż ta, która znajdowała się w tych kartonach! Widząc moje zdumienie, powiedziała cichym głosem:

– Bo widzisz, ja chciałam, tak na wszelki wypadek, mieć wszystko, o czym napisałeś, piszesz lub o czym jeszcze w przyszłości napiszesz...

Przytuliłem ją, a potem całowałem jej dłonie. Po chwili wyszeptała:

– A teraz przestań się dziwić i wybierz coś najsmutniejszego, proszę – poprosiła – coś, co chciałbyś dzisiaj i właśnie teraz usłyszeć.

W pierwszej reakcji pomyślałem o *Koncercie Brandenburskim* Bacha, ale potem, klęcząc nad kartonami i czytając nazwiska kompozytorów z okładek płyt, przypomniałem sobie nagle o Amerykaninie Samuelu Barberze. Tak! Tylko jego *Adagio for Strings.* Największe wrażenie wywarła na mnie ta muzyka wcale nie w sali koncertowej, ale w małym kinie we Wrocławiu. Scena z niezapomnianego filmu *Pluton* Olivera Stone'a. Patrol żołnierzy amerykańskich opuszczający płonącą wietnamską wioskę i zagłębiający się w dżunglę. Ogień trawi bambusowe chaty, niebo zasnuwają kłęby dymu i w tle przejmujący płacz smyczków przesuwających się po strunach skrzypiec, kontrabasów i wiolonczeli. A potem wbijająca się w uszy i kończąca się raptownie kulminacja. I moje rozdygotanie, i moje łzy, i moje *katharsis*, gdy w kinowej sali zapadła grobowa cisza. Bardzo trudno, szczególnie mnie, pomierzyć natężenia smutku generowane w człowieku muzyką. Gdybym miał cokolwiek porównać z *Adagio for Strings* Barbera, to przychodziły mi do głowy *Dido's Lament* Purcella, *Adagietto* z *V Symfonii* Mahlera, *Metamorfozy* Straussa. Ale Barber ze swoim *Adagio for Strings* był nieporównywalny z nikim innym. Gdy zmarł prezydent Roosevelt, grano je w amerykańskim radiu, brzmiał podczas pogrzebu Einsteina, a także ostatnio, w 2001 roku, w Royal Albert Hall w Londynie, podczas ceremonii upamiętniającej ofiary zamachu z jedenastego września w Nowym Jorku. Wyrzucałem pospiesznie płyty z kartonów, szukając Barbera. Nie mogłem sobie przypomnieć, czy w Polsce wydano antologię jego muzyki. Ale na jakiejś „składance" klasyki powinien się przecież znaleźć. W końcu znalazłem, położyłem płytę w odtwarzaczu i z zazdrością obserwowałem, jak Joanna pięknie przeżywa smutek.

Następnego dnia, w niedzielę rano, Polska nie była już tak „zjednoczona w bólu". Zaczęto szukać winnych Smoleńska. Rozpoczęła się polsko-polska wojna o prawdę. Wystartował proces inkwizytorów. Politycy różnych maści znowu otrzymali od losu szansę, aby zaistnieć. Alchemicy czarnej propagandy podpalili ogień pod swoimi kotłami i zaczęli stapiać z niczego „prawdziwe złoto". Już nawet tylko z oparów nad kotłami ekstrahowali „najprawdziwszą prawdę". Ktoś widział nad szczątkami samolotu dwa krzyże utworzone przez podnoszącą się mgłę, inni twierdzili, że ta mgła była sztuczna, celowo skondensowana przez Rosjan, niektórzy wierzyli w teorię ogromnego magnesu, który zakłócił funkcjonowanie urządzeń pokładowych w tupolewie, inni w bombę podrzuconą na pokład przez KGB, jeszcze inni, ci z największym porażeniem mózgowym, słyszeli strzały z pistoletów i jęki dobijanych ofiar. To właśnie oni, już na dzień po katastrofie, zestawiali Smoleńsk 2010 z Katyniem 1940. Katastrofę zaczęli nazywać zbrodnią, a ofiary katastrofy poległymi. To, co mogą przy tym czuć rodziny zamordowanych w Katyniu, było dla nich nieważne. Chodziło o to, aby wskrzesić polski romantyczny antyrosyjski mesjanizm. A przy okazji znowu Rosjan zdemonizować. Ale to były dopiero opary. Prawdziwe złoto dopiero się przecież wytapia...

W poniedziałek około południa pojechałem do rosyjskiego konsulatu sprawdzić status mojej wizy. Biało-błękitno-czerwona flaga na maszcie przed budynkiem była opuszczona do połowy. W pokoju, w którym przyjmowano wnioski i wydawano paszporty z wizą, na specjalnym stoliku stała przewiązana czarną wstążką fotografia Putina ściskającego rękę Tuska przy zgliszczach samolotu w Smoleńsku. Przed fotografią leżała wiązanka biało-czerwonych goździków. Pomarszczonych ze starości, wyglądających jak wyciągnięte z cmentarnego kontenera. Obok do stolika przyklejona była kartka z napisem po polsku i po rosyjsku: „Zapalanie świec i zniczy jest surowo wzbronione". Zastanawiałem się, dlaczego Rosjanie, mając tak szlachetne intencje, psują to wszystko swoim niepotrzebnym urzędniczym grubiaństwem. Urzędniczym, ponieważ z natury są przecież delikatni i wrażliwi. A może to wcale nie grubiaństwo? Może tak należy w Rosji? Na wszelki wypadek surowo zabraniać i nie myśleć, co będzie dalej? W Pankow poznałem tylko jednego Rosjanina. On twierdził, że Rosjaninem, „sława Bogu", nie jest, bo urodził się w Ałma Acie w Kazachstanie. Ale mówił tylko po rosyjsku i bardzo niepoprawnie po niemiecku. Kiedyś powiedział mi, że jeśli w Rosji coś jest „surowo wzbronione", to oznacza tylko tyle, że „lepiej nie dać się na tym przyłapać", a jeśli napisane jest „bezwzględnie zakazane", to znaczy, że nie zaszkodzi tego zrobić.

Wystarczyło przecież zamiast na korytarzu konsulatu postawić niedaleko stolika nudzącego się z bezczynności ochroniarza. A poza tym goździki to w Polsce najtańsze kwiaty. Wydawało mi się, że urzędnik za szybą musiał mnie rozpoznać. Zanim przez wąską szczelinę wysunął mój paszport, powiedział z udawanym patosem w głosie:

– Pana prezydent zabił się pod Smoleńskiem, to wielka tragedia dla narodu polskiego i rosyjskiego.

Po chwili zrozumiałem, że wcale mnie nie rozpoznał. Dokładnie to samo powiedział czarnoskóremu studentowi z somalijskim paszportem, który stał w kolejce za mną i Polakiem, jak domniemałem, raczej nie był.

We wtorek Joanna wróciła do domu bardzo późno. Z reguły cicho otwierała drzwi, bezszelestnie wchodziła do pokoju, kładła torbę na podłodze, stawała za kanapą i delikatnie wargami muskała moją szyję. We wtorek wieczorem było inaczej. Zupełnie inaczej... Usłyszałem głośne pukanie do drzwi.

W progu stała Joanna. W długim czarnym płaszczu zapiętym jednym guzikiem na wysokości brzucha. W lewej ręce trzymała swoją skórzaną aktówkę, a w prawej otwartą butelkę z winem.

– Zaryzykujesz i wpuścisz mnie do siebie? – zapytała kokieteryjnie

Weszła, zatrzaskując nogą drzwi. Podała mi butelkę z winem i rozpięła guzik u płaszcza. Była całkiem naga. Aktówką przegoniła kota, który zaczął się ocierać o jej nogi, przyparła mnie do ściany, zsunęła moje spodnie i uklękła...

W nocy obudziła mnie przerażona i zapytała, czy na pewno mam w telefonie zapisany jej numer. Dzwoniliśmy tyle razy do siebie. Ale ona koniecznie teraz chciała się upewnić. Potem wstała i w kuchni prasowała moje koszule. We środę rano, nie budząc mnie, wyszła do szkoły. Na spakowanej walizce przy drzwiach w przedpokoju leżał mój szalik i papierowa torebka z kanapkami. Dzwoniłem do niej z lotniska przed odlotem. Nie odbierała telefonu. Potem w toalecie samolotu przypomniałem sobie, że „surowo wzbronione" w Rosji oznacza przecież dokładnie to samo także w Polsce: „lepiej nie dać się na tym przyłapać", więc postanowiłem zadzwonić. Ale przedtem odebrałem jej wiadomości. W dwóch pierwszych pisała: „*Gdy zechcesz wrócić, to po prostu przyjedź, nie musisz dzwonić. Ten numer był tylko dla Ciebie. Ale ja nie chcę nic wiedzieć o Tobie, teraz, w Rosji. Odszukaj tam Darię i siebie w spokoju. Dlatego zablokuję ten numer*". W trzeciej, wysłanej godzinę później, dodała: „*Znowu tęsknię za Tobą. Kinja drapie wściekle pazurami po drzwiach łazienki. Ale jestem teraz bardzo zajęta Tobą i sobą i jej nie otworzę*". Wybrałem jej numer. Był faktycznie niedostępny...

Moskwa, 10 kwietnia, sobota, poranek

Anna otworzyła oczy. Naciągnęła kołdrę pod brodę. Od dzieciństwa miała taki zwyczaj. W małym mieszkaniu w Orle, gdzie mieszkała z dziadkiem, było chłodno nawet latem. A co dopiero zimą, kiedy wiało z każdej szczeliny. Podczas gdy dziadek szykował śniadanie, lubiła siedzieć pod pierzyną i wyobrażać sobie, że jest Śpiącą Królewną albo perską księżniczką. Dziadek smażył jajecznicę – zapach skwarek przyjemnie drażnił powonienie. Rozmarzona, biegła do kuchni we flanelowej piżamce i ściskała go z całych sił.

Ciepła łza spłynęła jej po policzku, za nią kolejna. Anna otarła je poszewką.

Dlaczego łzy są słone? Tego smaku nie można pomylić z żadnym innym. Trudno uwierzyć, że jeden gruczoł może wyprodukować tyle słonej wody. Gdyby zebrać łzy tych wszystkich, dla których życie jest za słone, powstałoby morze albo i ocean.

Z łazienki dochodził szum wody i śpiew. Siergiej zawsze śpiewał pod prysznicem i zawsze rano był w dobrym nastroju. Nie wiedział, co to smutek. Umiał się tylko złościć. Zazwyczaj z dwóch powodów. Kiedy grzejniki źle się sprzedawały i kiedy ona, Anna, zaczynała mówić o dziecku.

Obudziła się pełna złych przeczuć. W jej głowie siedział mały świerszcz i ćwierkał uporczywie. Jak katarynka. Nie pozwalał jej się skupić, psuł nastrój. Może przeczucia dotyczyły proszonej kolacji, zaplanowanej na siódmą wieczorem? Siergiej zaprosił przyjaciół, których krąg ograniczał się do ludzi użytecznych i potrzebnych – jak warzywa na sałatkę. Miał ku temu uzasadniony powód – uruchomienie nowej linii produkcyjnej w Murmańsku.

Anna powoli opuściła nogi na podłogę i poczuła przyjemny chłód parkietu. Wzięła z szafki dziennik, gwałtownie opadła na fotel. Siergiej i tak nie wyjdzie wcześniej niż za dwadzieścia minut. Mycie było dla niego rytuałem niczym ablucje dla kapłana.

Sięgnęła po długopis, który podarował jej Manfred w Berlinie. Powoli, w skupieniu, zapisywała każdą literę:

Stać się silną.

Wiecie może, jak to się robi? Czasem nie pozostaje nic innego. Kiedy człowiek tak nienawidzi siebie za słabość, że wstydzi się patrzeć w lustro. Wymyśla sam sobie, bije po policzkach, może nawet kłuje się szpilką albo nadrywa kolczykiem ucho. Mówi groźnie: „Daję ci dziesięć minut, nie więcej". Mija dziesięć minut, potem piętnaście. Krew na płatku ucha zasycha. Szpilka leży na podłodze, podnosisz ją. Lustro urąga ci w milczeniu, krzywi się swoim amalgamatem. Przecież nie potrafisz uzyskać potrzebnego stanu skupienia. Na przykład stać się ciałem stałym. Przelewasz się i chlupoczesz jak ciecz. Masz objętość gazu. I nic więcej.

Gdyby tak istniał jakiś prosty sposób. Na przykład: zażyć dwie tabletki no-spy, splunąć trzy razy na północ i podskoczyć na lewej nodze. Albo bardziej skomplikowany: stanąć na głowie, odgwizdać Bohemian Rhapsody, *potem zjeść surowy topinambur bez soli i pieprzu i wznieść się ponad ziemię.*

Ale gotowych recept brak, za każdym razem próbujesz czegoś nowego. Eksperymentujesz. Wychodzisz na dwór w złą pogodę, kupujesz drożdżówkę z nie wiadomo jakim nadzieniem, odgryzasz kawałek, wypluwasz, zdejmujesz buty i dalej idziesz boso.

Siadasz na ławce, potem się kładziesz. Nie przejmujesz się, co ludzie pomyślą. Patrzysz w niebo. Albo na ziemię, na mrówki i podłużne czerwone pluskwy. Zamykasz oczy. Słuchasz przejeżdżających samochodów. Jeśli ci się poszczęści, usłyszysz dzwonek tramwaju, przypominający dzieciństwo. Wymyślasz nowe dobre życie. Piszesz nowe wiersze, niedługie. Wysyłasz esemesa przyjaciółce, żeby ją rozbawić. Ruszasz w powietrzu palcami rąk albo nóg. Sprawdzasz, czy twój stan skupienia już się zmienił. Nie, wszystko zostało po staremu.

– Już jestem, moja droga.

Do pokoju wszedł Siergiej – rozpromieniony, rumiany, przepasany turkusowym ręcznikiem. Wokół niego roznosił się zapach perfum.

– Ach, ty moja myszko – ciągnął pieszczotliwie. Anna się nastroszyła. – Jaka mądra myszka, siedzi sobie na foteliku, czeka na swojego kocurka. A co powiesz na to, żebyśmy zrobili sobie dobrze? Chodź tu do mnie, koteczku – zamruczał.

Od razu poczuła, że zbliża się atak, i nerwowo rozejrzała się za inhalatorem. Co za obrzydliwe słowa: koteczek, rybka, myszka! Czemu nie można powiedzieć: kochana?

„Zrobić sobie dobrze" w ich intymnym pożyciu zwykle oznaczało dwie rzeczy.

Pierwsza. Pogładzi Annę po włosach. Potem chwyci jej głowę i zepchnie na wysokość bioder. Nawet bohaterowie filmów Tinto Brassa wykazywali więcej fantazji, zanim przeszli do istoty rzeczy.

Druga. Podejdzie do niej od tyłu, bardzo blisko. Popchnie ją w stronę łóżka, póki nie rozpłaszczy się na kołdrze jak zestrzelona kaczka. Potem będzie długo dyszał i jęczał. Po czym triumfująco zapyta: „Było ci dobrze, dziecinko, prawda?".

Anna przypomniała sobie niedawną rozmowę w pracy. Jej dwie młode koleżanki dyskutowały, jaki powinien być kochanek. Pierwsza z nich, piękna kobieta o rubensowskich kształtach, powiedziała: „Miałam wspaniałych kochanków. W każdym razie tak mi się wydawało. Do niedawna. Bo jednak każdemu czegoś brakowało. Jeden, na przykład, miał świetną figurę i mógł uprawiać seks w nieskończoność, ale był nieuleczalnie głupi. Po miesiącu miałam go dość, w końcu z kochankiem trzeba też czasem porozmawiać. Inny za szybko kończył, a ja lubię, żeby to trwało przynajmniej piętnaście minut. Ale mija już prawie rok od chwili, kiedy poznałam idealnego kochanka. Tylko mnie dotknie, od razu jakby mnie prąd przeszedł, pragnę go zawsze i wszędzie. Jest w stanie kochać się cztery razy dziennie. Nigdy nie kończy przede mną. Nie przerażają go moje zachcianki, a są one, lekko mówiąc, dość niecodzienne. Przeciwnie – podobają mu się i chętnie włącza się do gry. Przy tym potrafi być nieskończenie czuły. Wiele razy wydawało mi się, że to już szczyt marzeń, odlatuję w kosmos, lepiej być nie może, ale przy kolejnym spotkaniu wydarza się coś nowego, jeszcze lepszego. Nie mogę uwierzyć, że tak mi się poszczęściło. To musi być miłość...". Druga dziewczyna odparła: „Rzeczywiście, masz szczęście. Większość mężczyzn nie ma wyobraźni w seksie, są wręcz leniwi. Nie wiem, może to kwestia wychowania. Albo raczej jego braku".

Anna nie wiedziała, co było przyczyną seksualnych nawyków Siergieja.

Z początku Anna próbowała mu wyjaśnić, że uprawianie seksu dotyczy obu stron. Ale bez skutku. Dlatego wypracowała dla siebie „strategię tchórza" – starała się, aby to nie trwało dłużej niż trzy minuty. Wtedy istniała szansa, że atak nie zdąży się rozpocząć i wszystko skończy się na lekkim bólu głowy. A potem znów przyjdzie pustka.

Nie wiedziała, ile czasu stała pod prysznicem. Z rozmyślań wyrwało ją stukanie do drzwi.

– Żabko, pospiesz się, musimy jeszcze zrobić zakupy. A ty masz naszykować tartinki.

Anna wyczuła, że Siergiej uśmiechnął się ironicznie, i zmartwiała. Poszła do kuchni i zrobiła to, co robi dziewięćdziesiąt procent kobiet, często nawet nie wiedząc po co. Zaparzyła kawę i usmażyła omlet – z trzech jaj na chudym mleku, jak lubił Siergiej. Potem ukroiła mu plasterek cytryny, nalała sobie herbatę i w milczeniu usiadła przy stole.

– A w co się dziś ubierzesz? – spytał Siergiej z powagą.

– Czy to ważne? – zainteresowała się.

– Anka – Siergiej spojrzał jej w oczy – nie zadawaj głupich pytań. Wiadomo, że intelekt nie jest mocną stroną kobiet, ale nadmiar głupoty zdecydowanie je szpeci.

– Sierioża, zrozum w końcu! To, co na powierzchni, nie ma żadnego znaczenia. Schopenhauer twierdził, że szczęście można osiągnąć tylko we własnym wnętrzu.

– Filozofia jest nauką darmozjadów i bałaganiarzy – obwieścił Siergiej tonem nieznoszącym sprzeciwu. – Albo bogatych idiotów, którzy z nudów szerzą demagogię.

– Gdybyś powiedział, że mam cię dzisiaj oczarować, zrobiłabym wszystko, żeby ci się podobać. Ale dla ciebie liczy się tylko to, co pomyślą twoi goście.

– I może na tym skończymy. Wszystko komplikujesz, szukasz prawdy tam, gdzie jej nie ma. Dla mnie jest ważne, żeby ludzie, którzy do nas przyjdą, pomyśleli: „Jaką ma piękną żonę!". Jasne?

– Tak jest! – Anna wstała od stołu i poszła się ubrać.

Siergiej demonstracyjnie rozłożył gazetę.

Pół godziny później wsiedli do samochodu i pojechali po zakupy na Targ Dorogomiłowski.

Paradoksalnie nawet bogaci robią zakupy na targach. Wszystko można tam powąchać, pomacać, dokładnie obejrzeć, a przede wszystkim wybrać, kierując się własnym rozumem i intuicyjnymi doznaniami świeżości, zapachu i smaku.

Siergiej niósł siatki pełne prowiantu, z zadowoleniem nucąc pod nosem jakiś rosyjski przebój. Anna go nie znała. W samochodzie słuchała Szopena i Mozarta. Pomagało jej to w zmaganiach z korkami, dziurawymi drogami i nieudolnością kierowców. *XL Symfonię* znała prawie na pamięć, umiała zagwizdać całe fragmenty.

Schowali ciężkie torby do bagażnika. Siergiej zasiadł za kierownicą.

– Zagorski umrze z zawiści – triumfująco zacierał ręce. – Tym razem przegrał z kretesem. Mało, że nie wierzył w powodzenie pomysłu z Murmańskiem, to jeszcze weszli w to Niemcy.

Anna milczała. Namolny świerszcz ciągnął w jej głowie piosenkę o ludzkim smutku.

Samochód ostro ruszył z miejsca. Automatycznie włączyło się radio. Melodia urwała się na ostatnich tonach i rozpoczęły się wiadomości. Monotonny głos lektora oznajmił: „Pod Smoleńskiem doszło do katastrofy samolotu prezydenta Rzeczypospolitej Polskiej. Według wstępnych informacji śmierć ponieśli wszyscy pasażerowie wraz z prezydentem Lechem Kaczyńskim i jego małżonką. Samolot rozbił się o godzinie 10.50 niedaleko miejscowości Pieczersk w obwodzie smoleńskim podczas próby lądowania na lotnisku Siewiernyj. Kontroler lotów zalecał kapitanowi załogi lądowanie w Mińsku, jednak ten, mimo niesprzyjających warunków pogodowych, podjął decyzję o lądowaniu w Smoleńsku. MSZ Polski podaje, że Lech Kaczyński wraz z oficjalną polską delegacją zmierzał do Katynia na obchody 70-lecia tragicznych wydarzeń".

Anna poczuła pulsowanie w skroniach. Świerszcz umilkł.

Siergiej obojętnie wzruszył ramionami i wyciągnął rękę, żeby włączyć płytę.

– Siergiej – Annie zaczęło się robić duszno i nerwowo sięgnęła do torebki po inhalator. – Jak możesz? Boże, przecież ci Polacy tyle przeszli.

– Nie zaczynaj, proszę. Wszystkim było ciężko. Przestań dramatyzować. Mamy dzisiaj gości, życie toczy się dalej. Poza tym same urzędasy zginęły. Biurokraci i łapownicy.

Chwyciła inhalator i wciągnęła w płuca lekarstwo. Po chwili było jej nieco łatwiej oddychać.

– Ci ludzie lecieli uczcić pamięć pomordowanych w Katyniu. Na rozkaz naszych, jak mówisz, biurokratów.

– Zmieńmy temat!

– Chyba odwołasz przyjęcie? Przecież to nie po ludzku!

– Kicham na to, słyszysz? Mało mam swoich problemów?!

Anna znowu zaczęła się dusić.

– Zatrzymaj się! – krzyknęła.

Niespodziewanie posłusznie zjechał na pobocze, zatrzymał samochód i przechylając się przed Anną, otworzył jej drzwi.

– Proszę bardzo! Spacer dobrze ci zrobi. Podrzucę zakupy do domu i pojadę do biura na dwie, trzy godziny.

Zobaczę, jak się ułoży. W każdym razie będę z powrotem przed siódmą.

Anna wysiadła. Zarzuciła na ramię torebkę na cienkim pasku. Poprawiła jasny płaszcz i dostrzegła na kieszeni plamkę przypominającą ślad szminki. Wiśniowej, takiej, jaką miała Dasza. „Co za głupstwa przychodzą mi do głowy – pomyślała i przyspieszyła kroku. – Szminka Daszy, wargi Daszy... A tu taka bezsensowna śmierć! Kilka godzin temu ci ludzie nie zdawali sobie sprawy, że widzą swoich bliskich po raz ostatni".

Zachciało się jej palić. Anna nie paliła od dziesięciu lat. Tak naprawdę nigdy nie była nałogową palaczką – paliła, ot, tak, dla kaprysu. Przeszła przez ulicę. W kiosku kupiła papierosy i zapalniczkę. Zaciągnęła się chciwie, trzymając papierosa w drżących palcach. „Mam to gdzieś. Co będzie, to będzie". Zaciągnęła się głęboko kolejny raz i wyrzuciła papierosa.

Droga prowadziła przez skwer. Ze zdumieniem zauważyła, że gdzieniegdzie jeszcze leży śnieg. Trawniki ożyły, na brzozie pojawiły się pąki, a krzewy rozcapierzyły gałązki pokryte delikatną zielenią. Anna przystanęła i wystawiła twarz do nieśmiałego słońca. Przymknęła oczy. Nagle ktoś dotknął jej łokcia.

– Przepraszam panią. Proszę się nie niepokoić, niedawno się poznałyśmy!

Do Anny uśmiechała się kobieta na wózku inwalidzkim. Na płaszczu miała robione na drutach poncho w wesołych kolorach. Obok niej stała nastoletnia dziewczynka w krótkiej kurtce, granatowych spodniach i modnych adidasach. Wokół dziewczyny skakał dwuletni grubasek w jasnym kombinezonie i czapce z zajęczymi uszkami. Anna uznała, że to chłopiec.

– Przepraszam – pokręciła głową – nie przypominam sobie.

– W teatrze – kobieta machnęła ręką w nieokreślonym kierunku – na Festiwalu Czechowa.

Anna się zarumieniła. Oczywiście, jak mogła zapomnieć!

– Nie szkodzi – poklepała ją po ręku kobieta. – Pani uroda zapada w pamięć! Ma pani taką szlachetną twarz.

– Dziękuję – zmieszała się Anna. – A pani pewnie gdzieś niedaleko mieszka? Wzięła pani dzieci na spacer?

– To zawsze pozostaje kwestią dyskusyjną, kto kogo wziął na spacer – kobieta się roześmiała. – Moja Krystyna jest wspaniałą dziewczynką. Bez niej bym przepadła! Bo odkąd Wanieczkę urodziłam, już nie chodzę. Kręgosłup nie wytrzymał.

– Bardzo mi przykro – wyszeptała Anna.

– Mnie też jest przykro – zgodziła się kobieta – ale nic nie można na to poradzić. Musiałam to zaakceptować i żyć dalej. Krystynka mi się udała i męża też mam wspaniałego! Kiedy to się stało, przez tydzień nie spał i nie jadł. Powiedział: „Modliłem się, żebyś nie straciła chęci życia". Jego modlitwy pomogły: każdego ranka budzę się z radością, że żyję, że jestem tutaj.

Dziewczynka pobiegła za braciszkiem w głąb skweru, w stronę niewielkiego placu zabaw z huśtawkami, górką i domkiem. Wypadało coś odpowiedzieć tej kobiecie, ale Anna nie potrafiła znaleźć właściwych słów.

– I przestałam się bać – dodała tamta, po czym, zręcznie manewrując wózkiem, pojechała za dziećmi. – Przed strachem nie da się uciec. Można go tylko przepuścić przez siebie. Dopiero wtedy okazuje się, że strachu nie ma. Jestem tylko ja.

– Dziękuję pani – Anna ledwie powstrzymywała łzy – dziękuję. Powiedziała pani coś bardzo ważnego.

I oddaliła się, prawie biegnąc. „Przepuścić przez siebie swój strach. – myślała. – Ale ona przynajmniej ma dzieci – dla nich walczy i zwycięża. A ja nie mam nic".

– Nic! – krzyknęła w pewnym momencie Anna.

Staruszek, niosący w wyciągniętych rękach wielkie opakowanie jajek, łypnął na nią ze zdziwieniem.

Godzinę później była już w swojej kuchni. Siergiej ustawił torby z zakupami na podłodze. Jedynie paczka krakersów wyślizgnęła się i leżała osobno.

– Świetnie – powiedziała Anna na głos. – Wobec tego zacznę od krakersów.

Rozmieściła je na wielkich talerzach. Posmarowała masłem. Ułożyła na nich plasterki sera, szynkę i oliwki. Ostrożnie przebiła każdy plastikową szpadką.

Dawno już wypracowała koncepcję przygotowywania domowych przyjęć. Oprócz „krakersowego" istniał wariant „eklerkowy" i „roladowy". Tym razem zamierzała je ze sobą połączyć – miało przyjść wielu gości i trzeba było stanąć na wysokości zadania.

„Jakie jest to moje zadanie? – spytała samą siebie. – Robić wrażenie dobrej gospodyni?"

Rozłożyła na stolnicy lawasz, posmarowała go masą z tartego sera i majonezu, skrupulatnie zwinęła w roladę, omotała ją nitką i schowała do lodówki.

Oparła się o parapet, westchnęła. Dlaczego wydaje się jej, że przyszła jesień? Jest smutno, tęskno i nic się nie chce.

Pokroiła łososia i pstrąga. Nagle roześmiała się głośno.

„Pociąg... Specyficzny zapach kolei, natrętni konduktorzy. Za stukotem kół można schronić się przed opowiadaniami i pytaniami, wyciągnąć na niewygodnej kuszetce. Kołysząc się rytmicznie, jechać i o niczym nie myśleć. Ale dokąd jechać, Boże?"

Czekało ją jeszcze przygotowanie deseru. Wiśnie moczyły się przez noc w likierze Grand Marnier – lubiła jego cierpki morelowy smak i aromat szlachetnego koniaku. Wyjęła pękatą butelkę z lakową pieczęcią, napełniła kieliszek. Z przyjemnością wypiła zawartość.

„Wspaniale, niedługo zacznę pić od ósmej rano".

Pierwsi, jak zwykle, przyszli Swiridowowie. Dwadzieścia lat wcześniej Siergiej z dobrodusznym, pogodnym Antonem Swiridowym rozpoczął swoją karierę w biznesie. Razem gromadzili dokumenty, przeszli przez wszystkie szczeble biurokracji. Potem pili szampana w świeżo wynajętym na biuro zapuszczonym lokalu. Sami naklejali tapety, wnosili meble. Po roku cieszyli się pierwszymi zarobionymi pieniędzmi i urlopem w Turcji. Wszystko to było nowe i wydawało się snem. Głowy mieli pełne marzeń, a ich przyjaźń była prosta i uczciwa. Dopóki nie przekształciła się w zażartą konkurencję.

Swiridow z upływem lat przeistoczył się w zwalistego, łysiejącego mężczyznę. Jego żona, absolwentka szkoły baletowej, imienniczka Anny, zawsze przedstawiała się jako Aniuta, co w jej wieku brzmiało żałośnie.

– Anno, moja droga – wykrzyknęła Aniuta, zrzucając z ramion wprost do rąk Siergieja etolę ze strzyżonych norek. – Co się z tobą dzieje? Wyglądasz na bardzo zmęczoną! Nie masz nad sobą litości!

– Ostatnio nie mogłam spać – odparła Anna powściągliwie. – Dużo pracowałam. Dopiero wróciłam z Berlina, otworzyliśmy tam wystawę.

– Ha, ha! – dźwięcznie roześmiała się Aniuta. – Otworzyłaś wystawę! To z ciebie przodownica pracy!

Aniuta ukończyła szkołę baletową, ale nigdy nie pracowała. Jako panienka z dobrego domu bardzo wcześnie została wydana za mąż – rodzina znalazła jej „dobrą partię". Urodziła troje dzieci. Starsza córka była już zaręczona z odpowiednim młodym człowiekiem, synem wpływowego bankiera. Życie Aniuty wydawało się Annie nudnym ciągiem luksusowych bankietów. Aniuta piła, co było, ma się rozumieć, tajemnicą poliszynela.

– Ty za to wyglądasz kwitnąco – uśmiechnęła się Anna, oglądając jej wieczorową suknię na cienkich ramiączkach i mieniący się naszyjnik z brylantów.

– Coś ty, włożyłam pierwszą rzecz, jaka mi wpadła w ręce – wzruszyła nagimi ramionami Aniuta i sięgnęła po szklankę whisky podaną na tacy przez kelnera.

Siergiej zaprowadził mężczyzn do gabinetu, żeby zademonstrować im nowy zakup – zrobioną na zamówienie dwururkę. Uwielbiał broń, chociaż nigdy nie polował.

Wciąż przybywali nowi goście. Anna witała panie i prowadziła je do salonu.

– Witaj, kochana – złapała ją za obnażony łokieć Tatiana, szefowa znanego pisma dla kobiet, blondynka z fachowym makijażem. Anna ją lubiła – głównie dlatego, że można było rozmawiać z nią nie tylko o modzie.

Tatiana, z kieliszkiem czerwonego wina w dłoni, dobrze postawionym głosem opowiadała:

– Pewnego razu, w początkach kariery, dostałam w redakcji zadanie: naświetlić temat „Wakacyjny romans". Miałam problem, bo nigdy nie spędzałam wakacji typowo, wolę inne formy wypoczynku.

Kobiety pokiwały głowami. Pasja Tatiany do spadochroniarstwa i sportów wodnych była ogólnie znana.

– Myślałam i myślałam – ciągnęła – aż wymyśliłam, że wakacyjnym można nazwać każdy romans, który ma z góry określoną datę początku i końca. Niekoniecznie w wakacje. Na przykład moja kuzynka pracowała jako starszy menedżer sprzedaży armatury łazienkowej. Mało romantyczne zajęcie, zdawałoby się. Ale tylko na pozór. Dlatego że często jeździła na targi handlowe. Woziła swoją armaturę, prezentowała nowości. Targi z reguły trwały pięć dni. Oto czego mi trzeba, pomyślałam: z góry określony początek i koniec.

– No, wiesz, pięć dni – zdziwiła się Anna. – Niepoważne. Co to za romans! Chyba dla żartu.

– To nie są żarty – Tatiana napiła się wina. – Zapewniam cię, moja kuzynka ze wszystkim się wyrabiała. Miała precyzyjny plan działania. Na otwarciu targów wybierała sobie w miarę atrakcyjnego mężczyznę, najlepiej też przyjezdnego, żeby łatwiej było utrzymać formułę znajomości. Podchodziła do niego i pytała, czy nie wie, gdzie można napić się kawy. Zwykle to wystarczało. Dla mężczyzn pięciodniowy romans z zagwarantowanym finałem to wszystko, czego im trzeba, więc kuzynka nie musiała nikogo namawiać.

– Można pójść jeszcze dalej – podchwyciła jej koleżanka z redakcji, wyrazista brunetka ze szlachetną linią nosa. – Pamiętasz Wieroczkę? Przez pewien czas była gospodynią domową. Zajmowała się synami, których dzielił rok różnicy. Dawali jej popalić! Dla utrzymania się w formie nawiązywała krótkie, ale namiętne romanse na czatach. Wirtualne randki odbywała, kiedy dzieci spały po obiedzie. Po tygodniu albo dwóch zmieniała nick i bezlitośnie kasowała profil – nie chodziło jej o trwałość, tylko o burzę namiętności, byle z zaplanowanym finałem. Typowe wakacyjne romanse!

Anna śmiała się ze wszystkimi, mimo że te historie wydały się jej prymitywne. Nagle pojawił się Siergiej, obrzucił ją czujnym spojrzeniem i przywołał skinieniem głowy. Małżonkowie wyszli na korytarz.

– Nie bardzo rozumiem – spytał zimnym tonem – skąd u ciebie na twarzy ten ból istnienia? Wciąż opłakujesz polskiego prezydenta?

– Przestań – poprosiła Anna. – Odnoszę wrażenie, że dobrze sobie radzę z rolą gospodyni.

– A ja nie odnoszę takiego wrażenia. – Siergiej ścisnął jej nadgarstek. – Dobra gospodyni z żałobną fizjonomią! Zachowujesz się nie-przy-zwo-i-cie!

Odwrócił się na pięcie i poszedł do gabinetu. Obok Anny przechodził kelner. Wzięła z tacy pierwszy z brzegu kieliszek. Wypiła duszkiem. Koniak. Po ciele rozeszło się przyjemne ciepło. Teraz już mogła wrócić do gości.

Przyszła kolej na solówkę Anastazji, żony współpracownika Siergieja. Minęło już kilka lat, odkąd obchodziła czterdzieste urodziny, ale tego trudno się było domyślić. Wyglądała wspaniale, codziennie odwiedzała kosmetyczkę, klub fitness i inne miejsca, w których spędzały czas kobiety jej pokroju. Poza tym była niezastąpioną przewodniczącą komitetu rodzicielskiego w klasie, do której chodziły jej bliźniaczki. Dbała, żeby rozwijały swoje talenty plastyczne i muzyczne. Kiedy powiedziała, że zna wszystkich dobrych nauczycieli gry na pianinie w Moskwie, Anna uwierzyła jej bez wahania.

– Chyba wszystkich przebiła moja koleżanka z klasy – opowiadała Anastazja z przejęciem, pijąc wodę mineralną małymi łyczkami. – Annuszka powinna ją pamiętać, teraz jest żoną prefekta jednego z okręgów. Raz w tygodniu w ramach lekcji chodziliśmy do zakładu szkoleniowo-produkcyjnego. Dla uczniów całego okręgu prowadzili tam zajęcia mające pomóc w zdobyciu zawodu – Anastazja się roześmiała.

– W zdobyciu zawodu! – zapiszczała Aniuta. – Ojej! W zdobyciu zawodu!

– Tak – potwierdziła Anastazja i kolejny raz napiła się wody – moja koleżanka zdobywała zawód montera łożysk. Ale nie w tym rzecz. Otóż raz w tygodniu wybierała sobie jakiegoś chłopca z sąsiedniej szkoły i rano przekazywała mu liścik, naznaczając schadzkę po zajęciach. Niektórzy tchórzyli, ale większość przychodziła. Koleżanka każdemu mówiła, że jest jedyny i niezwykły. To on ją odprowadzał do domu i zapraszał na lody. Po tygodniu zastępował go inny.

– A jak reagowali ci odrzuceni? – z zainteresowaniem spytała Tatiana, sięgając po tartinkę z serem.

– Kilka razy zdarzyły się konflikty – skinęła głową Anastazja – ale na niewielką skalę.

– Ja wam mówię, że kontroler lotów nie mógł im niczego zakazać! – Do salonu wkroczyli mężczyźni. Mąż Anastazji, przystojny Wadim, mówił, gwałtownie gestykulując: – Kontrolerzy tylko przekazują informacje na pokład, a wszystkie decyzje podejmuje kapitan! – Był bardzo wzburzony i perorując, wylał z kieliszka trochę wódki. – Na to jest kapitanem!

Siergiej zaśmiał się krótko:

– Od razu żonie powiedziałem, że to wszystko przez polską pychę. Polacy z niej słyną!

– Siergiej, proszę cię – Anna surowo spojrzała na męża – tylu ludzi zginęło, nie wypada…

– Nie wypada? – Siergiej zacisnął szczęki, żyły wystąpiły mu na skronie. – Chcesz mnie uczyć, co jest dobre, a co złe?

– Sierioża, zostaw żonę w spokoju! – Wadim uśmiechnął się do Anny. – U kobiety to normalne, że jej żal tych, co zginęli. Po prostu my mamy szersze horyzonty.

– Tak! – Siergiej chwycił z tacy kieliszek i wychylił go do dna. – Niech to diabli, masz rację!

– O, mój Boże – westchnęła Aniuta przeciągle – no, dlaczego, dlaczego mężczyźni nie mogą rozmawiać o czymś przyjemnym? Na przykład o rozwodzie Turaginów.

– Co?! – Anastazja podeszła bliżej. – Turaginowie się rozeszli?

– Tak, jaki był skandal! – Aniuta wytrzeszczyła oczy z przejęcia. – On przyłapał ją w łóżku z nastolatkiem.

– Z nastolatkiem?! – przeraziła się Anna, która nie interesowała się plotkami.

– No, może niezupełnie z nastolatkiem – ostudziła atmosferę Aniuta. – Z korepetytorem syna, studentem. To był koszmar, prawdziwy koszmar! Tak się skompromitować! Z jakimś szczeniakiem.

Anastazja zmrużyła oczy. Wszyscy słyszeli o jej burzliwym romansie z artystą cyrkowym, osiemnastoletnim woltyżerem. Ale ona nie dała się przyłapać, a zatem – była niewinna.

Anna westchnęła.

– Więc możesz być pewny – Siergiej wziął Wadima pod ramię – że Polacy zaczną teraz wylewać na nas pomyje. Że to niby spisek, żeby nie mogli uczcić pomordowanych, bla-bla-bla... Sam zobaczysz!

Anna wyszła do kuchni. Rola gospodyni pozwalała jej zniknąć na kilka minut, kiedy goście byli zajęci rozmową.

Po chwili przyłączyła się do niej Sofia, żona ważnego urzędnika z merostwa, na przyjaźni z którym bardzo zależało Siergiejowi. Kobieta była tęga i miała nieproporcjonalnie małą głowę. Zaczesywała się gładko do tyłu, a przy tym pogardzała farbowaniem – przy ciemnych włosach jej siwe kosmyki szczególnie rzucały się w oczy. Anna darzyła ją sympatią. Wiedziała, że zanim szczęśliwie poznała męża-urzędnika, Sofia samotnie wychowywała dwóch synów.

– Aneczko – powiedziała – ja do pani! Nie chcę słuchać, co mówią o polskim prezydencie. Nie w dzień tragedii.

Pojawił się kelner z tacą i oznajmił, że goście mają ochotę na szampana. Z pokojów dochodził głos Siergieja. Krzyczał, że z perspektywy historycznej Polska należy do Rosji. Anna ścisnęła palcami skronie. Mają ochotę na szampana... Nagle spytała:

– Jak to się stało, że pani wyszła za mąż za Walerija Siemionowicza?

Sofia uśmiechnęła się.

– Moja historia jest całkiem zwyczajna. Wzięłam ślub na ostatnim roku studiów, urodziłam dziecko, rok później – drugie, a po czterech latach się rozwiedliśmy. Wtedy w ogóle nie wiedziałam, czym jest miłość. Ani nie orientowałam się w swoich uczuciach. Z pierwszym mężczyzną w grę wchodzi czysta fizjologia. Bez porównań i ocen. Mogliśmy się wcześniej rozstać, ale nie było takiej konieczności, do czasu kiedy zaczął romansować na boku. Ja byłam już nudna i niepotrzebna. Nawet się ucieszyłam. Wzięłam się w garść i odeszłam. Wie pani, miałam takie poczucie, że przez wszystkie te lata żył za mnie kto inny. Wszystko zniknęło z pamięci. Nawet jego twarz ledwie sobie przypominam. Z początku mieszkałam z dziećmi w hotelu robotniczym zajezdni tramwajowej. To było... niech policzę... siedem lat temu. Albo osiem.

– Nieważne kiedy – niecierpliwie przerwała Anna. – Ważne, jak pani sobie poradziła. Jak by to powiedzieć. Z życiem, z rozwodem.

– Rozwód był koszmarny: podział majątku, sądy, awantury. Nie warto wspominać! – Sofia sięgnęła po filiżankę. – Sprzedawaliśmy mieszkanie i w ogóle nie mogliśmy się dogadać. Były mąż własnym dzieciom nie chciał ustąpić ani metra, ostatecznie kupiłam zapuszczone mieszkanie w bloku, tylko na tyle starczyło.

Anna słuchała z zainteresowaniem. „Jaka silna kobieta – myślała. – Nie bała się, zabrała dzieci i odeszła. Donikąd. Przetrwała i znalazła nową miłość".

– Przepraszam – spytała z przejęciem – a jak pani poznała drugiego męża?

– Jak go poznałam? – uśmiechnęła się Sofia. – Nie uwierzy pani: żyłam sobie spokojnie, wszystko się układało, dzieci rosły, dobrze się uczyły, rodzice nas wspierali. Czego więcej potrzeba? Okazało się, że jest coś takiego. Gdybym leżała z nogami w gipsie, bez wody i jedzenia, marzyłabym o spacerze w lesie i talerzu zupy. A że byłam zdrowa, to chciałam czegoś więcej. Na przykład miłości. Więc zaczęłam szukać.

– Anno! – do kuchni wszedł Siergiej gotów robić jej wymówki. Zobaczył jednak małżonkę „użytecznego człowieka", więc się uśmiechnął i serdecznie poklepał Annę po policzku. – Ach, te dziewczyny – powiedział z zadowoleniem – tylko szczebioczą i szczebioczą!

– Pana żona jest czarująca – odezwała się Sofia. – Aż chce się jak najdłużej przebywać w jej towarzystwie!

Siergiej wziął tacę z zakąskami i wyszedł. Anna zauważyła mimochodem, że świetnie wygląda i bardzo mu do twarzy w nowym garniturze.

– Mam starą przyjaciółkę – ciągnęła Sofia – jeszcze ze szkoły. Pewnego razu wybierała się do klubu randkowego. A dokładniej, na wieczór ekspres randek. Wcześniej mieszkała w Petersburgu, a tam to jest popularne. Takie kluby mają bardzo romantyczne nazwy: „Świat flirtu", „Strzała Amora". Szczerze mówiąc, słowo „ekspres" z początku mnie zniechęciło. Znajomość na jeden wieczór? To nie dla mnie. Wolę poważne relacje. Próbowałam ją od tego odwieść, że niby wszystko to przelotne, nic niewarte. Za to ona mówiła: „Głupia jesteś, po prostu masz jak na talerzu sytuację, której sama nie umiesz stworzyć. A jak długo potrwa nowa znajomość, to już zależy od ciebie. I czy w ogóle coś z tego będzie". Pomyślałam, że ma rację. Rzeczywiście, od dawna nie udawało mi się znaleźć w sytuacji, nazwijmy ją: „ja z mężczyzną w tym samym pomieszczeniu". Mimo że próbowałam. Przed miłością nie da się uciec. Ona jest jak przekleństwo. Albo wielki dar od losu. Miałam sąsiada. Rozwiedziony, wychowywał dziesięcioletnią córkę. Spotkaliśmy się. Może nie powinnam tego wszystkiego opowiadać, ale przy pani jakoś mnie wzięło na wyznania. Tę córkę wszędzie ze sobą zabierał. Śliczne dziecko, z loczkami, wesołe. Aż zrozumiałam, że szuka matki dla dziewczynki, a nie bliskiego człowieka dla siebie. Współczułam mu, ale ja muszę najpierw kogoś pokochać, jeśli mnie pani rozumie. Pokochać...

Anna przełknęła ślinę. Świetnie rozumiała.

– Innym razem umówiłam się na spotkanie z pewnym człowiekiem – tak dobrze nam się rozmawiało przez telefon, prawie co godzinę przysyłał mi bardzo miłe esemesy. A jak go zobaczyłam z daleka, zaczęłam się modlić: o nie, błagam, niech to nie będzie on! Od razu poczułam, że nie mój typ. Różnie bywało – jeden zniechęcił mnie tym, że miał długie włosy. Do pasa, przysięgam! Nosił je rozpuszczone. Wstyd przyznać, ale okazało się, że jest dla mnie ważne, żeby mężczyzna był porządnie ostrzyżony.

– A co z ekspres randkami? – chciała wiedzieć Anna.

– Poszłyśmy tam. Wylądowałam przy stoliku z jednym takim. I umówiliśmy się. Ale nie przyszedł. Czekając na niego, poznałam Walerija. Przyjechał zamówić salę na firmową imprezę. Zobaczył, że siedzę smutna i samotna. Tak się zaczęło. – Sofia się uśmiechnęła. – Nigdy nie wiadomo, co przyniesie życie.

Anna odpowiedziała jej uśmiechem i powoli wyszła z kuchni. Szła przez swoje wielkie i komfortowe mieszkanie, stawiając miarowe kroki na dębowym parkiecie. Otaczały ją piękne przedmioty. Wazon z Murano, który podarował jej mąż z okazji jakiegoś bezsensownego święta, pewnie na Dzień Kobiet. Fotel dostarczony z Anglii, prawdziwy chippendale, wart fortunę. Na ścianie obraz nieznanego rosyjskiego malarza dziewiętnastowiecznego: portret długowłosej dziewczyny w ciemnej sukience. Siergiej zwykł mawiać, że jest bardzo podobna do Anny...

Spoglądała na to wszystko i nie mogła otrząsnąć się z wrażenia nierzeczywistości.

– Kochanie...

Wzdrygnęła się, kiedy mąż zwrócił się do niej w nietypowy sposób.

– Kochanie, nie poznałaś jeszcze Iriny.

Obok Siergieja stała niewysoka kobieta koło czterdziestki w żakiecie i spodniach.

– Mówiłem ci już, że Irina jest dyrektorem handlowym linii lotniczych. – Siergiej wymienił nazwę znanego prywatnego przewoźnika i Anna uniosła brwi ze zdziwieniem. Irina nie wyglądała na bizneswoman.

– Musi pilnie sprawdzić korespondencję firmową – ciągnął Siergiej z ożywieniem. – Czy mogłabyś pokazać jej, gdzie jest komputer?

Irina uśmiechnęła się i dodała:

– Jeśli nie sprawi to pani kłopotu.

– Żaden kłopot! – odpowiedział za Annę mąż. – Proszę czuć się jak u siebie.

Anna zaprowadziła kobietę do gabinetu i wskazała laptop. Irina usiadła w fotelu. Anna oparła się o ścianę i zaczęła przyglądać się nowej znajomej. Miała jasnobłękitne oczy, jakby pokryte warstwą emalii.

– Czy stało się coś złego? – delikatnie spytała ją Irina. Wtedy Anna niespodziewanie dla samej siebie wybuchnęła płaczem.

Irina wstała, wzięła Annę za ramiona i przycisnęła jej pedantycznie uczesaną głowę do swojej piersi. Łkając i dziwiąc się sobie, Anna nagle zaczęła opowiadać. Chaotycznie wyrzucała z siebie, że nie ma dziecka, nie ma miłości ani sensu w życiu, ale przede wszystkim nie ma dziecka i nie będzie mieć.

– Nigdy – płakała – nigdy!

Do pokoju zajrzał Siergiej, zmarszczył brwi, ale Irina na migi poprosiła go, żeby wyszedł. Nie wypuszczając jej z objęć, zaprowadziła Annę ku niewielkiej skórzanej sofie, usiadła obok niej. Jej troska dodała Annie otuchy, ale łzy nie przestawały płynąć.

– Niech mnie pani posłucha – powiedziała Irina spokojnie. – Nikomu tego nie mówiłam, ale myślę, że pani powinna to usłyszeć. Oprócz tego, co sami dla siebie wybraliśmy, zawsze istnieją inne możliwości. Dwadzieścia lat temu zaczęłam pracę jako stewardesa. To było tak dawno. W pierwszy rejs poleciałam z Wierą. Wiera...

Irina zamilkła. Anna otarła palcami mokre policzki.

– Kilka lat później porównałabym ją do Mariny Chlebnikowej, ale wtedy jeszcze nie wiedziałam, kim jest Chlebnikowa. Kiedy Wiera się przedstawiała, lubiła dodawać prowokującym tonem, że jest niewierząca. Należała do tej rzadkiej kategorii kobiet, które pojawiają się po cichu, zakładają nogę na nogę, kładą dłonie na kolanach i milczą, co najwyżej pochrząkując z wdziękiem. A z jakiegoś powodu wszyscy otaczają je uwielbieniem, całują im ręce, nazywają boginiami. Wiera nie ukrywała swojego wieku – skończyła czterdzieści pięć lat – i podkreślała, że jest emerytką: stewardesom przysługuje wcześniejsza emerytura. Miała długie rozpuszczone włosy i ani śladu siwizny; ciemnoszare oczy z obfitym makijażem, w duchu lat dziewięćdziesiątych, gęstą grzywkę i cienkie brwi.

– Przepraszam – Anna zakasłała – napije się pani wina? Albo herbaty? Chętnie przyniosę.

– Nie, dziękuję – uśmiechnęła się Irina – może później. Chciałabym dokończyć moją historię.

– Tak, tak, oczywiście! – pokiwała głową Anna.

– Mam szczęście do ludzi, którzy lubią się opiekować innymi, szczególnie do kobiet. Wiera Niewierząca miała wysoką pozycję w pracy i od razu wzięła mnie pod swoje skrzydła. Pożytku ze mnie wiele nie miała, tyle że byłam śmieszką i umiałam dochowywać sekretów. Przydzielała mnie na najlepsze rejsy, broniła przed kierownictwem, nie dopuszczała do mnie plotek, zdobyła dla mnie austriackie pantofle na obcasie i pilnowała, żebym nie przesadzała z alkoholem.

Nie miała rodziny w tradycyjnym sensie, ale miała ukochanego człowieka. Oczywiście pilota, oczywiście kapitana samolotu – przystojnego siwiejącego mężczyznę o szerokich barkach, wielkich dłoniach i z obrączką na palcu.

Spotykali się, na ile pozwalał im grafik rejsów, w jej garsonierze niedaleko lotniska. Mieszkanie było służbowe i sąsiedzi lotnicy serdecznie witali się z kapitanem, kiedy pojawiał się w bloku. Wierę szanowano, bo angażowała się w walkę ze służbami komunalnymi i z różnymi problemami. Romans ciągnął się prawie dwadzieścia lat, co wymagało od Wiery – zrozumiałam to później – wielkiego wysiłku, cierpliwości i miłości, przede wszystkim miłości.

Pewnego razu leciałyśmy do Taszkientu, a ja zauważyłam, że źle wygląda. Wyznała mi: „Jestem w ciąży, już kilka tygodni". Byłam wstrząśnięta. Moja mama była młodsza od Wiery siedem lat i wydawało się to nie do pojęcia, jak mogła zajść w ciążę. „Zrobiłam już siedem aborcji – powiedziała Wiera. – A może i dziesięć. Wystarczy. Tym razem urodzę". Zamilkła. W jej oczach widziałam własne odbicie.

Odeszła z pracy po dwóch tygodniach – miała wysokie ciśnienie, problemy z nerkami, białko w moczu, stan przedrzucawkowy. „Czego pani chce, w tym wieku..." – cynicznie mówili młodzi lekarze. Rzadko spotykała się z koleżankami, nie chciała, żeby widziały ją w złej formie. Kapitanowi samolotu zabroniła pojawiać się wcześniej niż za pół roku. Wydzwaniał, stał pod jej blokiem, kupował jedzenie, kwiaty i zostawiał jej pod drzwiami – pakunki zabierała, kiedy odchodził, i pisała do niego listy, pewnie bardzo piękne, o miłości, bo o czymże innym.

Trzy miesiące leżała przykuta do łóżka w Centralnym Szpitalu Klinicznym. W okna zaglądały zielone gałęzie klonu, które potem pożółkły, a kiedy opadły z nich liście, urodziła się dziewczynka. Wiera zmarła na drugi dzień po porodzie. Przy cesarce wykryli u niej raka nerki, bardzo zaawansowanego, nie wiem, czemu nie zdiagnozowali go wcześniej.

Irina lekko się odsunęła, wyjęła z kieszeni komórkę. Wyszukała coś, pokazała Annie. Na ekranie telefonu widniało zdjęcie dziewczyny z kręconymi włosami i z kolczykiem na łuku brwiowym. Dziewczyna uśmiechała się szeroko.

– Moja Wieroczka. – Irina pogładziła palcem twarz nastolatki. – Zabrałam ją do siebie. Musiałam nawet wziąć fikcyjny ślub, bo na adopcję zezwalali wtedy tylko małżeństwom.

Anna w milczeniu przeniosła wzrok z Wiery na Irinę. Spytała przez łzy:

– A co z kapitanem?

– Zmarł dwa lata po śmierci Wiery. Zaczął chorować, miał zawał. Półtora roku leżał w szpitalu. Jego starszy syn pracuje teraz w naszej firmie. Mądry, porządny chłopak. Podobny do ojca. Tylko trochę niższy. No, dość już tego, Aneczko, po prostu chciałam pani udowodnić, że życie jest całkowicie nieprzewidywalne i nie wolno się poddawać. Nigdy.

Nareszcie ten dzień się skończył. Był taki moment, kiedy wydawało mi się, że nie dociągnę do końca przyjęcia, po prostu umrę. I nikt nie będzie po mnie płakał. Siergiej wyprawi mi wystawny pogrzeb, a za trzy miesiące przyprowadzi do domu ładną i zdrową dziewczynę. Ona urodzi mu trzech chłopaków i będzie gotować pełnowartościowe obiady złożone z zupy, drugiego i kompotu.

Znowu twarze przed oczyma, każdego dnia twarze. Nowe. Różne. Pewnie to właśnie jest życie. Raz w stanie zawieszenia, raz w pędzie jak na zjeżdżalni. Taki globalny aquapark.

A ja bym chciała przepaść bez śladu.

Zniknąć z powierzchni ziemi i z pamięci większości znajomych. Może rozpłynąć się o poranku, w mrocznej mgle, albo jak cień w nocy. Niechby moi rodzice mieli inną córkę, a dziadek – inną wnuczkę. Normalną, która potrafiłaby sprostać rzeczywistości. Moja nieskładna historia się kończy, a moje poukładane życie się rozpada.

Nie wiadomo czemu, przypomniało mi się, jak latem byłam w delegacji w Rostowie nad Donem – dziwnym mieście, bardzo południowym, hałaśliwym i gorącym.

Po pracy siedzę na jakimś skrawku wybrzeża, na pustej plaży. Nie mogę się uporać z wyskakującą z ucha słuchawką – jak zwykle za dużą. Mrużę oczy, zaczynam wsłuchiwać się w siebie.

Na odległym ciemnym horyzoncie zapala się i gaśnie latarnia morska. Z pobliskiej dyskoteki dochodzi ogłuszające: „Ty na lądzie, ja na morzu, nigdy nie spotkamy się". A po co mają się spotkać? Spotkanie przepaliłoby ich życie na wskroś, a tak przynajmniej mogą się sobie wydawać inni, niż są naprawdę.

Siedzę na brzegu.

Mam ze sobą tanie wino. Siergiej parsknąłby z pogardą, ale mnie takie wystarcza. Donikąd się nie spieszę. Nagle czuję, że pękł srebrny kolczyk, który obracałam w palcach. Podchodzi do mnie mała staruszka, jak z bajki.

– Przepraszam, nie widziała pani pieska? Ma na imię Szczęściarz.

– Nie, nie widziałam.

– Szczęściarz, Szczęściarz, gdzie jesteś?
Odchodzi. Siedzę na brzegu. W oddali miga światło latarni. Szczęściarzu, gdzie jesteś?

Moskwa, 14 kwietnia, środa, wieczór

Byłem na lotnisku Szeremietiewo-2 w Moskwie. Międzynarodowy terminal najstarszego moskiewskiego lotniska, do niedawna największego lotniska w Rosji. W ogromnej hali, przesuwając się w długiej kolejce oczekujących na kontrolę paszportową, poczułem najpierw nerwowość, a potem rodzaj ogarniającego mnie powoli wewnętrznego niepokoju. Naszedł mnie nagle i nieoczekiwanie. Jak jakaś dokuczliwa czkawka, której nie potrafiłem opanować. Przypomniała mi „starą" Polskę z odległych czasów, tę socjalistyczną. Wtedy także za każdym razem czułem niepokój, gdy wracając do siebie, do domu, czy to pociągiem, czy to samolotem, czy samochodem, trzeba było komuś w mundurze pokazać swój paszport. I teraz tutaj, w Moskwie, ta czkawka do mnie nagle powróciła. Nigdy ostatnio nie pojawiała się w Warszawie, Londynie, Dublinie, Pradze, Berlinie, Rzymie, Tokio czy w Sztokholmie. W Moskwie jednak tak. Bo Moskwa, jak żadne inne miasto, kojarzyła mi się z „tamtymi czasami". A w tamtych czasach paszport był dokumentem wydawanym na chwilę, nie własnym, należącym do jakiegoś urzędnika, który z „polecenia Polski" chował go w pancernej szafie zamykanej na jeden albo nawet dwa klucze. W tamtych czasach posiadanie paszportu było okresowym i warunkowym przywilejem, nieomal wyróżnieniem. Paszport! Wystana w wielogodzinnych kolejkach i chroniona jak najświętszy talizman książeczka do obywatelskiego nabożeństwa. Utracenie paszportu, na przykład przez jego zagubienie, było traktowane przez milicyjnych urzędników jak akt narodowego nieposłuszeństwa na pograniczu zdrady kraju. Na wakacjach w Jugosławii mógł w pożarze spłonąć doszczętnie cały hotel, ale obywatel Polski powinien „swój" paszport z pogorzeliska uratować. A najlepiej także paszporty swoich dzieci. Na dodatek w tamtych czasach to nie był *de facto* paszport mój, obywatela Polski. Już na pierwszej stronie informowano mnie i wszystkich pozostałych, iż „niniejszy paszport jest własnością Polskiej Rzeczpospolitej Ludowej". Tylko fotografia i podpis były wtedy w nim moje. To nic, że teraz, w 2010 roku, w Moskwie, stałem w kolejce z moim własnym niemieckim paszportem. Z wklejoną w niego legalną wizą noszącą oficjalny numer i ozdobioną błyszczącym hologramem nadającym jej prawdziwości i powagi. Niepokój „tamtych czasów" powrócił do mnie tutaj, w Moskwie, z całą mocą. Jak się okazało, zupełnie niepotrzebnie...

Za szybą umundurowana urzędniczka z pucołowatą twarzą dziewczynki z ilustracji do rosyjskiej bajki uśmiechała się przyjaźnie do mnie i dyskretnie poprawiała włosy, gdy wpatrywałem się w jej oczy, podczas gdy ona kładła mój rozwarty paszport na jakimś elektronicznym czytniku. Wcale nie chciała obejrzeć i zarejestrować odcisków moich palców, tak jak ostatnio w Nowym Jorku. Nie wypytywała mnie nieufnie i z podejrzliwością w głosie, „po co i dlaczego przyjechałem do Kanady", tak jak w Toronto. Ani w Nowym Jorku, ani w Toronto nie życzono mi „wszystkiego dobrego", oddając mój paszport po kontroli. O dziwo, to tutaj, w Moskwie, dziewczyna za pancerną szybą dała mi odczuć, że nie jestem tylko numerem paszportu lub numerem na wklejonej wizie.

Przemierzałem, zbłąkany, kilometry korytarzy, próbując odszukać karuzelę z bagażami lotu z Krakowa. Na betonowej podłodze spali w dużych grupach ludzie. Miałem niekiedy uczucie, że jestem w dworcowej poczekalni zapełnionej bezdomnymi.

Walizka dotarła. Po drodze do wyjścia wypatrywałem jakiegoś banku lub kantoru, gdzie mógłbym zamienić moje euro na ruble. Obok wejścia do ekskluzywnej restauracji pojawił się napis „Exchange". Wszedłem przez szklane drzwi do czegoś, co przypominało mi butik. Na skórzanej kanapie, w środku sali, siedział mężczyzna. Miał na sobie czarny mundur i hełm. Tuż przy jego kolanach leżał karabin maszynowy i plastikowe pudełko z resztkami jedzenia z McDonalda. Nie zwrócił na mnie uwagi zajęty swoim telefonem komórkowym. Podszedłem do biurka. Młody, pryszczaty chłopak w granatowym garniturze oderwał się natychmiast od książki, którą czytał.

– Ile rubli, tak średnio, potrzeba, aby przeżyć jeden dzień w Moskwie? – zapytałem po angielsku.

Spojrzał na mnie rozbawiony. Chwilę pomyślał i odparł ze śmiechem w głosie:

– Ja potrzebuję około pięćdziesięciu rubli na papierosy, sto dwadzieścia rubli na bilet do metra i sto rubli na wódkę. Czyli razem tak około dwustu siedemdziesięciu rubli. Pan jest z Europy czy z Ameryki? – odpowiedział bezbłędnym angielskim.

– Jestem z Polski.

– Czyli z Europy. To się przekłada, po naszym dzisiejszym kursie, na około siedmiu do ośmiu euro – odparł, przechodząc na rosyjski.

– A ile kosztuje przejazd taksówką z lotniska do centrum Moskwy? – zapytałem rozbawiony.

– Tego nikt dokładnie nie wie, proszę pana – odparł – to zależy od tego, czy jedzie pan w taksówce sam, czy z Rosjaninem.

– A można wiedzieć dlaczego? – zapytałem zaciekawiony.

– No bo gdy z Rosjaninem, to bywa, że około czterdziestu razy mniej. Znam przypadki Japończyków, którzy za swój kurs z lotniska do hotelu zamiast w rublach zapłacili odpowiednik w euro. Bo nie zrozumieli do końca wszystkiego, mimo iż...

– To zdarza się także w Warszawie – przerwałem mu.

– Jasne – odparł chłopak, wybuchając śmiechem – tyle że w Warszawie euro kosztuje cztery złote, a tu u nas, w Moskwie, czterdzieści rubli. Tak średnio. Normalnie koszt przejazdu do centrum miasta to nie więcej niż tysiąc dwieście rubli. Ci Japończycy płacili więc około tysiąca dwustu euro. Za tę cenę można przejechać z Szeremietiewa do centrum, ale Sankt Petersburga...

– No tak, ma pan rację. Proszę wymienić mi więc dwieście siedemdziesiąt euro. Tak dla pewności, abym miał na papierosy – zaśmiałem się.

Chłopak poprosił o mój paszport. Przez chwilę wpisywał jakiś długi elaborat w swój komputer. W końcu, oddając mi mój paszport i gruby plik banknotów, powiedział z wahaniem w głosie:

– Wybaczy pan? Mówił pan, że jest Polakiem, ale ma pan niemiecki paszport. Ja myślałem, że Polacy nie mogą stać się Niemcami. Mój dziadek mówił, że Polacy...

Wiedziałem, do cholery, co mógł mówić dziadek tego rosyjskiego chłopaka o Polakach z niemieckim paszportem. To samo pewnie powiedziałby i mój dziadek. Gdyby żył. Tak mówią wszyscy dziadkowie, jeśli ciągle żyją. Kantor wymiany walut na lotnisku w Moskwie nie wydał mi się dobrym miejscem do prowadzenia dysput o historii. Szczególnie gdy czuje się w sobie złość. Poza tym paszport to tylko dokument, a nie książeczka do nabożeństwa. Przypomniałem sobie w tym momencie swoje rozważania na drabinie w mieszkaniu Joanny. Ja byłem z Niemcami w układzie, a nie w związku. Nie chciało mi się z tego tłumaczyć nikomu, a szczególnie młodemu kasjerowi w kantorze na lotnisku Szeremietiewo. Za żadne skarby. Poza tym bardzo chciało mi się palić. Schowałem pospiesznie plik banknotów w kieszeni płaszcza, paszport wepchnąłem do torby i wyszedłem bez słowa.

Na chodniku przed budynkiem terminalu zapaliłem papierosa. Po chwili wąsaty, dobrze zbudowany mężczyzna o lekko skośnych oczach zapytał mnie łamanym angielskim, czy potrzebuję „taxi". Potrzebowałem. Sam dokładnie nie wiedziałem, gdzie mam pojechać. Chciałem dotrzeć do centrum miasta. Dla pewności powiedziałem mu, że chcę na plac Czerwony albo pod Kreml. Pomyślałem, że wokół tych miejsc powinny być jakieś przyzwoite hotele. Kierowca zaśmiał się rubasznie i błyskawicznie podniósł klapę bagażnika swojej pomarańczowej poobijanej łady. Chciał mi pokazać, że wypełniony dwoma kołami zapasowymi i stertą narzędzi bagażnik nie może pomieścić mojej walizki. Potem szarmancko otworzył drzwi i gdy usiadłem, przytulając się do swojej walizki, z piskiem opon ruszył.

Po kilku minutach jechaliśmy szerokimi alejami. W taksówce śmierdziało benzyną, cebulą i wódką. Na podłodze dźwięczały zderzające się ze sobą butelki. W pewnym momencie kierowca zapalił papierosa i gdy ja się bałem, że opary benzyny za chwilę eksplodują, zapytał spokojnie: „*Wy zaczem w Moskwu?*". Starałem się wydobyć z pamięci cały swój rosyjski. Po kilku lekcjach z książkami w Krakowie i dużej ilości wina w samolocie powinien być jeśli nie doskonały, to przynajmniej lepszy. Nie wiem dlaczego, ale zacząłem powoli opowiadać: „*Magda Schmitova, Bierlin, diewoczka Daria, mogła pogibnut', żyła z roditielami w Moskwie, choczu najti Daria, ona krasiwaja mołodaja iz Bierlina, w proszłom godu wiernułas' w Moskwu...*". W pewnym momencie kierowca gwałtownie zjechał na pobocze. Zaczął nerwowo wypytywać. Daria? Berlin? Pan mister z Niemiec? Z Berlina? *Pogibła? Iskajesz?* Mówił tak szybko, że zdążyłem tylko przytakiwać głową i powtarzać: *da, da, da*... Wyciągnął telefon komórkowy z kieszeni i zaczął z kimś głośno rozmawiać. Był bardzo podekscytowany. Mówił dziwnym dialektem. To był wprawdzie rosyjski, ale jakiś inny. Momentami dla mnie zupełnie niezrozumiały. Cały czas powtarzał: „*Daszeńka, Bierlin, gospodin s Giermanii...*". Po chwili ruszył. Nie zwracając uwagi na to, że jesteśmy na autostradzie, przejechał pas zieleni oddzielający przeciwległe kierunki jazdy i po kilkunastu minutach szaleńczej jazdy wjechał w wąskie uliczki pomiędzy blokami ogromnego osiedla. Musiał bywać tutaj często. Nawierzchnia ulic w niektórych miejscach przypominała trakt dopiero co podziurawionego granatami poligonu. Ale pomimo to nie wpadliśmy w żadną dziurę. Nie wiedziałem dokładnie, co się dzieje. Nie rozumiałem, dlaczego zamiast na plac Czerwony albo pod Kreml wiezie mnie akurat tutaj. Przypuszczenie, iż przypadkowo spotkany moskiewski taksówkarz, pierwszy, na którego natknąłem się w moim życiu, zawiezie mnie akurat do tej Darii, którą postanowiłem odszukać, wydawało mi się absurdalnie nieprawdopodobne. Ale z drugiej strony nie miałem żadnego rozsądnego argumentu, aby się temu przeciwstawić.

Zatrzymaliśmy się przy ogromnym śmietniku, otoczonym drutem kolczastym. Przed poszczerbionymi drzwiami prowadzącymi do klatki schodowej stał niski, zgarbiony mężczyzna, ubrany w czarny garnitur, czarny krawat i białą koszulę. Wyglądał jak żałobnik, który dopiero co powrócił z jakiegoś pogrzebu. Taksówkarz wysiadł pospiesznie z auta, podbiegł do mężczyzny, przez chwilę z nim rozmawiał, a potem wrócił i otwierając drzwi taksówki, powiedział:

– *Gospodin Niemiec, eto otiec Daszeńki, Aleksiej Iwanowicz...*

Wysiadłem z taksówki, wyciągając walizkę. Stanąłem przed kierowcą i sięgając po portfel z pieniędzmi, powiedziałem:

– *Ja nie Niemiec. Ja Polak. A skolko wam ja nużen?*

– *Gospodin, no czto wy?! Nie nado! Daszeńka eto kak moja doczeńka. No czto wy!?*

W tym momencie mężczyzna w czarnym garniturze chwycił moją walizkę. Weszliśmy na korytarz klatki schodowej. Cuchnęło zgniłymi łupinami ziemniaków, dymem papierosowym i zapachem gotowanej kapusty. Schody prowadzące na poziom parteru były przykryte rzędem pobielonych pyłem cementu desek. Wjechaliśmy windą na trzecie piętro. Przed otwartymi drzwiami stała kobieta. Wyglądała jak stara babuszka z powieści Tołstoja. Ubrana była w wełniany gruby szary sweter opadający na szeroką czarną spódnicę do ziemi. Spod jej czarnej chustki na głowie wydostawały się kosmyki białosiwych włosów. Dopiero gdy zbliżyłem się do niej i spojrzałem na jej twarz, zauważyłem, że może być niewiele starsza ode mnie. Wyciągnęła rękę w moim kierunku. Schyliłem się i pocałowałem jej dłoń. Rozpłakała się. Weszliśmy przez zagracony korytarz do pokoju. W środku stał ogromny stół nakryty białym obrusem. Pomiędzy wazonem z kwiatami, butelkami z wódką, talerzami, szklankami i kieliszkami stała oprawiona w złotawe ramy fotografia młodej dziewczyny. Obok fotografii w złotym świeczniku paliła się świeca. Na kanapie przesuniętej pod okno leżał ogromny wilczur z kagańcem na pysku. Mężczyzna w czarnym garniturze złapał mnie za rękę i zaprowadził do krzesła wyścielonego wyszywanymi poduszkami. Gdy usiadłem, kobieta w czarnej chuście zapaliła papierosa, sięgnęła po kieliszek z wódką, wypiła i wstając, powiedziała:

– *Ja dumaju, czto Daszeńka tolko was lubiła*...

Potem rozegrał się przede mną jakiś surrealistyczny teatralny spektakl. Brałem w nim udział, nie mając odwagi powiedzieć reżyserowi, że ja nie jestem z tego teatru. Zupełnie nie. Ale ten spektakl się już rozpoczął, a ja nie miałem odwagi go przerwać, schodząc ze sceny. Kobieta, nie zwracając uwagi na moje zakłopotnie i przerażenie, mówiła swoją rolę, jak gdyby ćwiczyła ją od bardzo dawna, a dzisiaj nadeszła długo oczekiwana premiera.

– Daszeńka wyjechała do Berlina. Po studiach uciekła od Moskwy. Kto może, to stąd dzisiaj ucieka. Bo to miasto jest jak piekło. Nie chciała być dla nas ciężarem. Bo ona taka ambitna była. I uparta po ojcu. Najpierw sprzątała u bogatych ludzi mieszkania w Berlinie, potem „nauczyła się komputera" i pracowała dla jakiegoś ważnego biura. A potem „*poznakomiłas' z wami*". Była taka szczęśliwa. Gdy pisała listy, to tylko o panu pisała. Ona taka była „*w was wlublena*". Wy dla niej jak święty obraz w cerkwi byli... Wróciła do Moskwy, w maju zeszłego roku. Na Dzień Zwycięstwa przyjechała.

Na paradę. Nie powinna była wracać. No bo po co? Paradę w telewizji obejrzeć mogła, a my z Aleksiejem i tak tęsknilibyśmy za nią tak samo, a ten jej chłopak nie był tego wart. Młokos był, przystojny, ładny, ale nierozsądny. Nie chciał się uczyć, ale wierszem mówił. Pracować nie chciał, ale na gitarze grał, pieśni dla niej śpiewał, kwiaty jej przynosił, czekoladą karmił, jej włosy głaskał, za kolano łapał, o przyszłości opowiadał i przysięgi składał. W sercu jej namieszał. Ona jechała do Berlina w nim zakochana. Potem były inne kobiety w jego życiu. Nawet my z Aleksiejem musieliśmy o tym słuchać na osiedlu. Ale nic do Daszeńki nie pisaliśmy. Bo to może nieprawda była. Bo to może tylko zawiść i przeciw szczęściu było. Bo młody musi się wyszumieć, gdy kobieta daleko. Ale to prawda była...

W tym momencie kobieta umilkła. Mężczyzna w czarnym garniturze napełnił jej kieliszek wódką. Pogładziła mężczyznę z czułością po włosach, otarła rękawem swetra łzy, wypiła duszkiem z kieliszka i mówiła dalej:

– Przyszła pewnego dnia do nas Ukrainka. Brzuch już duży miała. Opowiadała, że to brzuch od niego, że żoną jego będzie i że Daszeńka już jego kobietą nie jest. Bo to ona nią jest. A że on delikatny i nieśmiały, to Daszeńce o tym napisać odwagi nie ma, to i my powinniśmy. My nie napisaliśmy. Bo to oszukanica mogła być. Bo wie pan, Ukrainki to ladacznice są, kłamią jak z nut i się potem za plecami śmieją. I się nie szanują. Ale coś tam musieli do Berlina napisać inni ludzie. Bo Daszeńka nie pytała już więcej o niego i tylko o panu pisała. I przyjechała na kilka dni w maju. Chciała mu powiedzieć, że nie ma na nią czekać. Bo ona kocha pana. Uczciwa była. Chciała mu to w oczy powiedzieć. Aby czysto było.

I jasno. No i to mu powiedziała. A potem przez całą noc płakała. A ja płakałam z nią. Bo matka powinna płakać z córką, gdy jej się miłość kończy. A potem on chciał ostatniej rozmowy. W Rosji ostatnia rozmowa należy się każdemu. Nawet wrogowi. To my wtedy z Aleksiejem na daczę pojechaliśmy. 8 maja było... Święto nasze ojczyźniane było, ciepło było, słońce świeciło. Pojechaliśmy, aby w domu była dla Daszeńki swoboda. Aby młodzi rozmówić się mogli. I całować, gdy trzeba. I dzieci spłodzić, gdy trzeba. Motorem miał do niej przyjechać. Ona mu ten motor za sprzątanie w Berlinie kupiła. I potem z nią miał pierwszy raz pojechać. A potem się rozmówić. Na daczy od rana cali w nerwach byliśmy. Po południu Aleksiej nie mógł grilla podpalić, tak mu się ręce trzęsły. A i mnie jeść się nie chciało. Wódkę tylko od rana piliśmy i na kota krzyczeliśmy, bo czekał na mięso z grilla i miauczał nieborak wniebogłosy. Na drugi dzień wróciliśmy do Moskwy. Bo Daszeńka nie dzwoniła. Aleksiej chciał już w nocy wracać, ale pijany był tak, że do auta by nie trafił. Więc go odwiodłam. Bo prawa jazdy od ostatnigo razu nie ma i nieszczęście mogłoby się zdarzyć podwójne. W pokoju na stole kwiaty leżały. Białe róże. Tak jak to Dasza lubiła. A na jej łóżku albumy z fotografiami i kilka kartek papieru. Bo Daszeńka dla niego wiersze pisała. Aleksiej do pracy nie poszedł. Chodził tylko po mieszkaniu, na mnie warczał, na kota się wydzierał i przez okno wyglądał. Potem, po południu, zadzwonił dzwonek i do drzwi jak na komendę razem podbiegliśmy...

W tym momencie usłyszałem trzask pękającego szkła. Kobieta powoli strząsała na biały obrus przykrywający stół odłamki kieliszka zgniecionego w dłoni. Usiadła. Złożyła ręce jak do modlitwy i z zamkniętymi oczami zlizywała wypływającą pomiędzy jej palcami krew. Zerwałem się gwałtownie z krzesła. Chciałem uciekać. Miałem dość Pankow. Ja uciekałem przecież od Pankow! Aż tak daleko, aż do Moskwy. Mężczyzna w czarnym garniturze także natychmiast wstał. Trzymając butelkę z wódką w dłoni, zaczął opowiadać, a ja, stojąc, zakleszczony pomiędzy krzesłem i stołem, słuchałem.

– Najpierw pojechaliśmy na komisariat. A potem z naczelnikiem do kostnicy. Daszeńka ciągle miała otwarte oczy. Oprócz sinego guza na czole, pod włosami i zaschniętej strużki krwi przy wargach była jak we śnie, tyle że z otwartymi oczami. Taka była jak uśmiechnięta trochę. Jakby ją nic nie bolało i wcale nie cierpiała... W kostnicy podpisałem jakiś papier i wróciliśmy z komendantem na komisariat. Motocykl uderzył w latarnię przy ulicy. Było sucho, ulica była pusta. To była prosta droga w tamtym miejscu przy latarni, żadnych zakrętów. Oboje mieli kaski na głowach. Motocykl był zupełnie nowy i sprawny. Chłopak zginął na miejscu, Daszeńka umarła kilka minut po tym, jak przyjechała karetka pogotowia. Nic nie powiedziała przed śmiercią. Ani po rosyjsku, ani po niemiecku...

Zapadła cisza. Mężczyzna podniósł butelkę do ust i długo pił. Potem, patrząc mi w oczy, powiedział:

– Pan jej szuka, prawda? Moja żona wiedziała, że na pewno będzie pan jej szukał. I że kiedyś pan nas odnajdzie. Bo tak się należy. Daszeńka tylko o panu mówiła. Tylko o panu...

Stałem tam wtedy z pochyloną głową i zamkniętymi oczami, słysząc głos Joanny, gdy szepcze mi do ucha: *„bo są przecież kłamstwa szlachetne z powodu ich konieczności, takie ratujące nadzieję, takie, za które powinno się iść do nieba. Wtedy kłamać się powinno. Ty tak jeszcze nie potrafisz, ale powinieneś* *się nauczyć. Naucz się. I gdy należy, to okłamuj...*". I otworzyłem wtedy oczy, podniosłem głowę i głośno powiedziałem, obcym, jak gdyby nie moim głosem:

– Daria. Nigdy jej nie zapomnę...

Jedynie na tyle kłamstwa było mnie stać...

Potem ściskaliśmy się, płakaliśmy, piliśmy wódkę, oglądaliśmy albumy ze zdjęciami Darii, a kobieta czytała mi na głos jej wiersze. Gdy kobieta dowiedziała się, że lubię barszcz, to ugotowała mi barszcz, „ukraiński, bo tylko ten jest smaczny i tylko z pampuszkami", gdy mężczyzna dowiedział się, że nie znoszę wódki, to po kilkunastu minutach taksówka przywiozła mi karton wina. Potem jedliśmy bliny, „które tylko od Daszeńki rąk smakowały", a potem kobieta pokazywała mi fotografie grobu na cmentarzu. Siedząc pomiędzy uszczęśliwionymi, na chwilę, moją bliskością ludźmi, którzy ich zdaniem dotykali człowieka, jakiego przed śmiercią kochała ich córka, patrzyłem na stojącą na stole fotografię uśmiechniętej młodej dziewczyny i zastanawiałem się, czy jest mi teraz wdzięczna za moje kłamstwo, czy może mnie teraz za nie nienawidzi...

Nad ranem, gdy robiło się już jasno i zmęczenie pomieszane z alkoholem wyciszyło w nas wszystkich emocje, mężczyzna w czarnym garniturze zszedł ze mną na ulicę, potem przeszliśmy na szeroką aleję i czekaliśmy na „marszrutkę". Nie rozumiałem do końca, co to oznacza, ale ufałem, że dojadę tym do jakiegoś miejsca, w którym będę mógł zasnąć w jakimś łóżku. Po kilku minutach zatrzymał się biały ford focus z zapalonym tylko jednym reflektorem. Mężczyzna długo rozmawiał z kierowcą, coś mu objaśniając. Po chwili podał mu plik banknotów, a potem wepchnął moją walizkę do bagażnika. Gdy siedziałem już w samochodzie, objął mnie na pożeganie i podał bawełnianą torbę ze słoikiem barszczu, pampuszkami owiniętymi pergaminem, blinami w plastikowym pudełku i butelką wina. Przed zamknięciem drzwi samochodu zrobił nad moją głową znak krzyża. Dokładnie tak jak staruszka na przystanku autobusowym w Żelazowej Woli...

Przez kilka minut jechaliśmy w milczeniu. Nie chciałem rozmawiać, nie chciałem nic słyszeć. Pragnąłem ciszy i nie chciałem nic czuć. Zacisnąłem powieki. Obejmowałem rękami bawełnianą torbę, czując na udach ciepło od barszczu w słoiku. Fotografia ze stołu majaczyła mi przed oczami...

W pewnym momencie kierowca zaczął coś mówić.

– Na prospekt Wiernadskiego pojedziemy obok Novotelu, wysadzę najpierw pana, zgadza się pani? – usłyszałem.

Nie rozumiałem, o czym mówi. Po chwili odwróciłem głowę i zauważyłem, że nie jestem jedynym pasażerem w samochodzie. Na tylnym siedzeniu z twarzą przytuloną policzkiem do szyby siedziała jakaś osoba. Spoglądałem kątem oka za siebie, dostrzegając profil kobiety. Jej długie włosy opadały na nagie ramię, z którego zsunęło się ramiączko sukienki. Obok jej kolan na siedzeniu leżały jej buty, otwarta książka i torebka. Usłyszałem cichy szept:

– Oczywiście. Tak jak panu będzie wygodnie.

Jechaliśmy pustymi ulicami. Zaczęły gasnąć przydrożne latarnie. Nad Moskwą zaczęło wschodzić słońce. Zasypiałem i budziłem się. W pewnej chwili poczułem chłód powietrza. Staliśmy na asfaltowym podjeździe prowadzącym do wysokiego, przeszklonego budynku. Wysiadłem. Kierowca postawił przede mną walizkę, wsiadł do samochodu i bez słowa odjechał. Kobieta z tylnego siedzenia patrzyła na mnie, poruszając wargami, jak gdyby coś do mnie mówiła. Patrzyłem za nią, aż samochód zniknie za zakrętem.

Wszedłem do oświetlonego lampami przestronnego hotelowego holu. W połowie drogi pomiędzy rozsuwanymi drzwiami a recepcją opuściłem walizkę i z głośnym krzykiem złości wybiegłem jak oszalały przed hotel. W taksówce została przecież moja bawełniana torba ze słoikiem barszczu i blinami! To, co wydarzyło się za chwilę, do dzisiaj przypomina mi kadry z taniego amerykańskiego kryminału. Po chwili, ze skręconymi do tyłu rękami, leżałem przygnieciony twarzą do betonowego podjazdu. Dwóch umundurowanych mężczyzn z pistoletami w dłoniach wykrzykiwało coś do siebie, rewidując mnie. Potem, chwytając mnie za ręce i nogi, znieśli mnie pospiesznie na parking przed hotelem i rzucili na podłogę w budce wartownika. Po kilku minutach usłyszałem odgłos syren i pisk opon zatrzymujących się samochodów. Próbowałem mówić. W każdym języku, który znałem. Umundurowani mężczyźni nie zwracali na mnie najmniejszej uwagi.

Nie wiem, jak długo leżałem z twarzą przyciskaną do gumolitu na podłodze budki wartowniczej przy parkingu. Może dziesięć minut, może godzinę. Ze strzępków rozmów telefonicznych zrozumiałem słowo „terrorysta", „walizka", „cudzoziemiec". Po chwili zaczęło mi się to wszystko układać w logiczną całość. Rzuciłem walizkę w środku hotelowego holu, wybiegłem z okrzykiem „Boże mój" i z przekleństwami, goniłem jak oszalały w kierunku ulicy. Spanikowani recepcjoniści uznali, że w walizce była bomba. Gdy nie wydarzyła się żadna eksplozja i ekipa wojskowych specjalistów skontrolowała każdy pyłek w mojej walizce, do budki wartowniczej przybyła delegacja w składzie dyrektora hotelu, psychiatry w białym fartuchu, trójki milicjantów i tłumaczki sprowadzonej przez niemiecką ambasadę. Przeszliśmy tylnym wejściem do gabinetu dyrektora. Na skórzanych fotelach, przytuleni do siebie, siedzieli rodzice Darii. W kieszeni mojej marynarki znaleziono kilka złożonych kartek z wierszami Darii. Na jednej z nich był adres. Wyrwano z łóżka rodziców Darii i pędząc na sygnale, przywieziono milicyjnym autem do hotelu. W międzyczasie, poprzez powiadomioną o incydencie niemiecką ambasadę, na podstawie mojego paszportu ustalono, że jestem pacjentem szpitala psychiatrycznego w Berlinie. Wszystko się Niemcom i Rosjanom składało w sensowną całość. Polski świr z niemieckim paszportem, „na gigancie" z psychiatryka, niemogący pogodzić się z tragiczną śmiercią swojej młodej rosyjskiej kochanki, w akcie desperacji przyleciał do Moskwy, aby wysadzić się w powietrze razem z gośćmi hotelu Novotel. Najpierw pojechał się pożegnać z rodzicami dziewczyny, a potem pijany zostawił walizkę z bombą w holu hotelu i tchórząc w ostatnim momencie, zaczął uciekać. Romantyczna, bardzo rosyjska historia, złożona w absurdalny horror z terrorystycznym wątkiem.

W gabinecie dyrektora w trakcie długiego i dostojnego przemówienia zostałem uroczyście za wszystko przeproszony. W końcu nie znaleziono w mojej walizce żadnej bomby. A jak domniemywałem, w żadnych bazach danych na całym świecie nie odkryto śladów moich jakichkolwiek powiązań z organizacjami terrorystycznymi lub sympatykami terrorystów. Oprócz jednej wizyty w Izraelu i znajomości z Joshuą nie byłem nigdy w żadnym kraju arabskim, Pakistanie, Afganistanie czy choćby w Turcji. W Rosji znalazłem się pierwszy raz w życiu i nie przyjechałem tutaj z Czeczenii lub Abchazji, tylko przyleciałem samolotem LOT z polskiego Krakowa. Nie należałem do żadnej partii politycznej, ani w Polsce, ani w Niemczech. Oprócz zakupu kilku petard przed sylwestrową nocą kilka lat temu nie miałem żadnych zainteresowań środkami wybuchowymi. W wojsku, dzięki znajomościom i dużej łapówce, nigdy nie byłem. Z przeprosin dyrektora i jego lizusowskiej postawy wnosiłem, że teraz to on bardziej się boi niż ja. Doskonale wiedział, że wplątanie sieci hoteli Novotel w akt terroryzmu nie bardzo spodobałoby się klientom tej sieci, nie mówiąc o jej właścicielach. Dla dyrektora decyzja w sprawie tego, co ja zrobię po tym incydencie, nabierała charakteru egzystencjalnego „być albo nie być". Długo tłumaczył mi, dlaczego doszło do tego aktu paniki wśród personelu jego hotelu.

– Po wybuchach w metrze, niecałe trzy tygodnie temu, na stacjach Lublanka i Park Kultury ludzie się po prostu boją. Musi pan nas zrozumieć. To było tak niedawno...

Oczywiście, że rozumiałem, ale nie mogłem pojąć, dlaczego z mojego powodu sponiewierano tak rodziców Darii. Milicjanci postanowili do protokołu przyjąć moją wersję historii. Wydawała się im wiarygodna, oprócz tego wątku z bawełnianą torbą, barszczem, pampuszkami i blinami. Gdy to opowiadałem i tłumaczyłem, że to „ważna torba była, bo tak od serca, taka symboliczna", matka Darii wyła na cały głos, a ojciec Darii zapalał papierosa od papierosa i ją uciszał. Najbardziej obawiałem się momentu, gdy milicjanci zapytają, jak poznałem Darię. Moje okrutne kłamstwo, do którego musiałbym się przyznać, byłoby ciosem nie do zniesienia dla jej rodziców. Na szczęście oprócz dyrektora i milicjanci mieli już chyba dość lamentów matki Darii i nie zapytali.

Wszystkim w gabinecie było wiadome, że dyrektor hotelu czekał na moją decyzję.

– Pańska odzież zostanie oczyszczona na koszt naszego hotelu – mówił – pokryjemy koszty zakupu nowej walizki, którą musieliśmy niestety uszkodzić. Nie znam pana planów na czas pobytu w Moskwie. Z pana wizy wynika, że zostaje pan w Rosji przez sześć tygodni. Jeśli zdecyduje się pan pozostać tylko w Moskwie, to nasz hotel jest do pana dyspozycji. Oczywiście bezpłatnie. Polecę, aby przygotowano dla pana najlepszy apartament, jaki posiadamy. Ponadto będzie pan mile widzianym gościem we wszystkich naszych restauracjach i barach. Natychmiast polecę otwarcie panu nieograniczonego kredytu. Pozwolę sobię także oddać do pana dyspozycji jedną z naszych hotelowych limuzyn. Chcemy chociaż w ten sposób zrekompensować wszystkie pana złe wspomnienia wynikające z tego incydentu. Czy byłby pan gotowy przyjąć ten skromny gest jako zadośćuczynienie z naszej strony i zapomnieć o całej sprawie? – zakończył, patrząc błagalnie w moje oczy.

Spoglądałem na swoją rozerwaną koszulę, na podrapane dłonie, na sińce na kolanach wystających przez dziury w spodniach i na stopy bez butów. A potem spojrzałem na rodziców Darii. W swoich siermiężnych ubraniach, w tym dekadenckim gabinecie z wylewającym się z każdego kąta przepychem, wyglądali jak przybysze z innej planety. A oni byli przecież tylko z innej dzielnicy.

– Czy ma pan jakąś wódkę w swoim hotelu? – zapytałem cicho – bo widzi pan, ja wódki nie piję, ale teraz bardzo chce mi się wódki. Aby jak najszybciej zalać te złe wspomnienia.

Dyrektor odetchnął z ulgą, dając znak swojej asystentce. Gdy u Słowian dochodzi do oferty wspólnego picia wódki, to wiadomo, że natychmiast pojawia się również przebaczenie.

– I chciałbym także bardzo, aby przeprosił pan Aleksieja Iwanowicza i jego małżonkę za zakłócenie ich nocnego spokoju. Tak jak ja ich teraz serdecznie za to przepraszam – dodałem.

– Ależ oczywiście. W pana i wszystkich obecności proszę pana Aleksieja Iwanowicza i jego małżonkę o usprawiedliwienie – powiedział dyrektor, wstając zza biurka i podchodząc z wyciągniętą dłonią do wylęknionych rodziców Darii.

Po kilku minutach na stole pojawiły się butelki z wódką, kieliszki i talerze z przystawkami. Milicjanci rozpięli swoje mundury, niemiecka tłumaczka natychmiast wyszła, psychiatra zdjął z głowy swój śmieszny czepek, a dyrektor rozwiązał krawat. Około południa, odprowadzony przez asystentkę, rzuciłem się w ubraniu na ogromne łóżko w ogromnym apartamencie hotelu Novotel w Moskwie i natychmiast zasnąłem.

Anna

Już o dziewiątej rano otworzyła masywne drzwi Archiwum Państwowego. Ochroniarz zdziwił się:

– Nie mogła pani spać, Anno Borysowna? Wiosna w pełni, nikt nie ma energii, witamin ludziom brakuje. A pani tak wcześnie do pracy.

– Rzeczywiście nie mogłam spać, koszmary mnie męczyły – uśmiechnęła się.

Wzięła klucze i szybko weszła po szerokich schodach. Do swojego gabinetu trafiłaby z zamkniętymi oczami. Pamięć płata nam różne figle: przechowuje każdy krok i zakręt na dobrze znanej drodze, a czasami męczy nas widziadłami, powodując przejmujący ból. Anna przypomniała sobie, jak w dzieciństwie chciała zostać aktorką. Uczyła się na pamięć długich wierszy i monologów. Recytowała je dziadkowi przy herbacie. On słuchał z uwagą i komentował jej występy. Myślała wtedy, że ma ludziom coś do powiedzenia, że może być wybranką sztuki. Z zasłon i sukienek mamy szyła kostiumy teatralne, wyobrażała sobie, jak stoi w światłach rampy. A potem porzuciła te marzenia, zdradziła je, nawet nie próbowała ich urzeczywistnić. Na pierwszym etapie egzaminów do szkoły MChAT-u, kiedy w uniesieniu deklamowała wiersz Achmatowej, miała wrażenie, że jeszcze chwila, a przemówi przez nią całe ludzkie cierpienie i miłość. Jednak zasiadająca w komisji blondynka z błękitnymi oczami – Anna nigdy nie poznała jej nazwiska – sprowadziła ją na ziemię.

– Za dużo pomysłów, za dużo emocji. Wszystkiego za dużo...

Nie włączając światła w gabinecie, Anna podeszła do odtwarzacza i nastawiła płytę. W chwilach zagubienia i zwątpienia, w przypływie rozżalenia lubiła słuchać Mozarta. Wydawało się, że zna on odpowiedzi na wszystkie pytania. Jego muzyka napełniała ją wiarą – dobro zawsze zwycięża w niej nad złem. W odróżnieniu od histerycznych utworów Paganiniego. W tej chwili Anna chciała usłyszeć coś harmonijnego. Mozart był geniuszem harmonii.

Przysiadła na krześle, nie zdejmując płaszcza. Zapaliła papierosa i z zamkniętymi oczami wsłuchiwała się w każdy dźwięk.

– Aneczko, moja droga, co pani robi? Pali papierosa? – Marina Pietrowna stanęła w progu i spoglądała na nią z niepokojem.

– Strasznie mi się zachciało.

– Przecież pani ma astmę!

– Nic mi nie będzie.

– Proszę to natychmiast zgasić! Zaparzę nam herbaty.

Anna zdjęła płaszcz, usiadła przy biurku i włączyła komputer. Marina Pietrowna nakryła czajniczek ściereczką i zajęła sąsiednie miejsce.

– Spotkałam rano sąsiada. Był taki smutny! Rok temu jego córka wyszła za Polaka. Jakaś firma budowlana go tu przysłała. Dobry chłopak – szczery, opiekuńczy. Zabrał ją ze sobą do Warszawy. A tu coś takiego! Jak grom z jasnego nieba. Sąsiad powiedział, że Polacy nie mogą się w tym wszystkim odnaleźć. Wielu nie wierzy w przypadek.

– Tak, chcąc nie chcąc, przychodzą takie myśli do głowy – przytaknęła Anna. – Jak to się mogło stać, że cała polityczna elita Polski, dowódcy wojska i duchowni wsiedli do jednego samolotu, który się rozbił? Pamięta pani, Marino Pietrowna, jak w Berlinie rozmawialiśmy o boskiej opatrzności. Takie mądre rzeczy mówiliśmy… – głos Anny drżał. – Jaka opatrzność? Gdy ginie tylu ludzi?

– Nawet nie wiem, co pani odpowiedzieć, Aniu. Sama wczoraj nie mogłam spać, w kółko o tym myślałam. Aż milocardin musiałam zażyć. No, napijmy się herbaty.

Nagromadziło się sporo rzeczy do zrobienia. Anna powinna usystematyzować materiały z wystawy berlińskiej na potrzeby publikacji, ale nie potrafiła się skupić.

Tego dnia obie zostały w pracy po godzinach. Często się to zdarzało. Żadna z nich nie miała się dokąd spieszyć… Niezadowolony ochroniarz dwa razy zaglądał do gabinetu, aż w końcu machnął ręką i z puszką piwa poszedł oglądać mecz.

Po drodze do domu Anna zrobiła zakupy. Weszła do kamienicy, zaczęła powoli odliczać stopnie. Na swoim piętrze zdała sobie sprawę, że najbardziej na świecie chciałaby teraz spotkać się z Daszą. Spędziły ze sobą tylko kilka godzin, ale tyle wystarczyło, by ta dziewczyna stała się jej bliska. Może najbliższa.

Siatkę z zakupami zostawiła na podłodze w przedpokoju i nie zdejmując płaszcza, poszła do sypialni. Otworzyła drzwiczki szafki nocnej. Pod dokumentami i zdjęciami leżała złożona we czworo serwetka z adresem.

Anna przycisnęła ją do policzka. Wyobraziła sobie wargi Daszy, jej niespokojne małe dłonie, ciemne włosy i lekko skośne błyszczące oczy.

– Do diabła, nie rozumiem, co się ze mną dzieje – powiedziała na głos. – I nie chcę rozumieć!

Siergiej znowu wyjechał na północ albo Bóg wie gdzie. Może siedział u kolejnej kochanki. Co za różnica. Tak jest lepiej. Nie będzie musiała się tłumaczyć.

Usiadła na skraju łóżka, ściągnęła buty. Zrzuciła z ramion płaszcz i gwałtownym ruchem – odrywając guzik – zdjęła marynarkę. Kiedy została w samej bieliźnie, otworzyła na oścież szafę i zaczęła przesuwać wieszaki ze spodniami o zaprasowanych kantach, białymi bluzkami i garsonkami w stonowanych barwach.

– Nie to, nie to – mówiła pod nosem.

W końcu wyjęła krótką lawendową sukienkę, kupioną na jakąś okazję, ale nigdy nienoszoną. Była w jej szafie jak intrygujący eksponat w nudnym muzeum. Dużo odsłaniała, na piersiach miała miękką szarfę. Anna ostrożnie rozłożyła ją na haftowanej narzucie łóżka. Ptaki leciały zgrabnym kluczem z północnego zachodu na południowy wschód. Lubiła je gładzić dłonią, w ogóle miała upodobanie do pięknych, wyszukanych przedmiotów – znajdowała w nich pociechę. Prawie pobiegła do łazienki, wzięła prysznic. Nałożyła krem tonujący, złocisty róż, spryskała się ulubionymi perfumami.

Piętnaście minut później schodziła już po schodach. Nie chciała czekać na taksówkę, wolała złapać okazję.

– Dokąd to, ślicznotko, tak na noc? – figlarnie spytała gruba kobieta, sąsiadka spod siódemki. Pełniła obowiązki dozorczyni i niejako za swoją powinność uważała orientowanie się na bieżąco w sprawach lokatorów.

– Do przyjaciółki – odparła Anna. – Może pani to wszystkim ogłosić.

Zamachała ręką. Zatrzymał się pierwszy nadjeżdżający samochód. Ford focus, teraz już mocno przytarty srebrny metalik – z wgnieceniem w przednich drzwiach i rozbitym światłem.

– Zawiezie mnie pan w Aleje Wiernadskiego? – spytała przejęta Anna.

– Nie ma sprawy – rzucił kierowca, młody sympatyczny chłopak z grzywką skośnie opadającą na czoło.

Anna wślizgnęła się na tylne siedzenie, gdzie przyjemnie pachniało wodą po goleniu i ziarnami kawy. Kierowca odwrócił się, uśmiechając serdecznie, a jego regularny profil wydał się jej znajomy.

– Dobry wieczór – przywitał ją z lekkim akcentem. Anna nie rozpoznała z jakim – może niemieckim?

– Dobry wieczór – odpowiedziała i wyjęła z torebki lusterko. Przyjrzała się swojemu odbiciu.

Korków nie było. Na szczęście po nocach ludzie śpią. Po półgodzinie dotarli na miejsce.

Szła prędko pustą ulicą, przytrzymując kołnierz płaszcza.

„Boże, uchroń mnie przed moimi pragnieniami – pomyślała, kupując w nocnym sklepie białe róże. – Pewnie tylko w Rosji można późnym wieczorem kupić kwiaty".

Bez trudu odnalazła adres z kartki.

Dasza otworzyła drzwi z zaspaną, ale urzekającą twarzą – jak przystało pięknej kobiecie. Uśmiechnęła się, wzięła kwiaty, przycisnęła do piersi. Nie było w jej twarzy zdziwienia. Tak jakby spodziewała się jej.

Dziewczyna, nie patrząc, położyła bukiet na stole, niektóre kwiaty spadły, a Anna przykucnęła, żeby je zebrać.

– Mam tylko mały wazon, na konwalie. Wkładam do niego serwetki, jak przychodzą goście. Wszystkim mówię, że nie lubię kwiatów, więc ich nie dostaję – powiedziała Dasza.

Anna podniosła z podłogi ostatnią różę.

Dasza bębni palcami po parapecie, bosą stopą z paznokciami pomalowanymi na ciemnoliliowy, prawie czarny kolor odsuwa na bok leżącą na podłodze płytę. Dziecięcym gestem zakłada włosy za ucho, w którym bieli się perła – idealnie równa, uspokajająco sztuczna. Dasza nie patrzy na Annę, wygładza poły domowej sukienki. Anna nie patrzy na Daszę, stara się uspokoić serce, kładzie palce na skroniach. Jej wargi drżą, kolana się trzęsą. W zagubieniu odwraca się i idzie w stronę drzwi. Dobiega ją hałas rozbijanej ceramiki. Dasza strąciła ze stołu filiżankę, zimna herbata utworzyła przezroczystą kałużę u jej stóp. Na podłodze leżą odłamki porcelany z pięknym wzorem z przeplatających się rumianków.

– Co za idiotka ze mnie. Nawet nie podziękowałam za kwiaty. Jakie piękne pantofle, mogę przymierzyć? – mówi, wciąż trzymając w dłoni różę.

Anna zdejmuje pantofel na wysokim obcasie, zakłada go na stopę Daszy – jej skóra wydaje się cienka i gładka. Wstrzymuje oddech, zakłada jej drugi pantofel. Dasza robi kilka niepewnych kroków w kierunku wielkiego lustra, przygląda się swojemu odbiciu. W lustrze spotykają się wzrokiem.

– Masz świetny gust, moja droga – mówi Dasza i podchodzi bliżej.

Od jej ciała biją wyczuwalne drgania. Anna ma wrażenie, że się sparzy, jeśli dotknie jej czoła.

– Przyszła kontrola gazowa. Dwóch młodych chłopaków, bardzo do siebie podobnych. W dodatku mieli ogromne oczy rzadkiego koloru – zielonego. Jak szmaragdy. Obaj. Tak mnie to ucieszyło, że zaczęłam się śmiać, oni już poszli, a ja się jeszcze śmiałam. Prawda, że to zabawne? Do tego śpiewałam im: „O, o, o, zielonooka taksówka…". Ale przecież dobrze śpiewam?

Anna milczy. A Dasza ciągnie:

– Niedługo przyjdzie lato, naprawdę już niedługo, a ja tak je lubię. Lato jest jak wielki biały talerz ze złocistą obwódką, albo nie, jak kosz ozdobiony kolorowymi wstążkami. Albo inaczej – lato to torba plażowa z przezroczystego plastiku w niebiesko-żółte paski, na dnie leży gruby kryminał, japonki z paciorkami, szorty z obciętych dżinsów, jasny lakier do paznokci i koszulka na ramiączkach. Dużo czereśni, moreli, zimnego krymskiego szampana, który nagrzewa się w torbie, więc można go położyć obok termosu pełnego lodu… Chociaż nie, termos nie pomoże. To już lepiej zabrać ze sobą truskawkową i brzoskwiniową margaritę i kruszon w uzbeckim arbuzie, sandały z cienkimi rzemykami na platformie, okulary przeciwsłoneczne, długą jedwabną sukienkę…

Dasza patrzy z niepokojem i otwiera usta, żeby jeszcze coś powiedzieć, a Anna zdaje sobie sprawę, że od chwili kiedy zadzwoniła do drzwi, wypowiedziała tylko pięć słów: „Przepraszam, że tak bez uprzedzenia".

Nie ma pojęcia, co robić, jeszcze nigdy dotąd... Ale właśnie wtedy Dasza z uśmiechem zawstydzenia ostrożnie bierze ją za rękę. Błyszczące oczy spoglądają na nią spokojnie i czule. Anna lekko odwraca głowę i oddycha Daszy do ucha.

– Masz takie piękne włosy – mówi Anna – zawijają się w pierścienie... Można je nakręcać na palec... Ile razy się uda? Sprawdźmy... Dziesięć i pół, prawie jedenaście. Jak w skomplikowanym zamku – ostatnie pół obrotu to blokada. Okazuje się, że lubię loki, tylko swoich nie mogę znieść. Nie pamiętam już dlaczego. Niedawno śniło mi się, że umarłam i ożyłam w innym świecie. Tam miałam długie, kręcone włosy i brwi takie, jak mam. Byłam dziwnie ubrana – kiedy zaczęłam chodzić do szkoły, moja koleżanka z klasy nosiła chińską bawełnianą bluzkę, czysty koszmar, z wzorem z domków i piesków. Strasznie jej zazdrościłam i też chciałam taką, koniecznie z zielonymi drewnianymi guzikami. We śnie cały czas to ją rozpinałam, to zapinałam, i guziki miała zielone, i te same pieski. Domki też.

Anna ślizga się po brzoskwiniowym prześcieradle, które wydaje się chłodne, jej piersi pokrywają się gęsią skórką. Dasza dotyka ich ustami. Wielki stojący zegar wybija dwanaście uderzeń, wiatr otwiera lufcik, a Anna zamyka oczy, żeby znowu odpłynąć, wznieść się, ulecieć...

– Ale masz sny – mówi Dasza później – straszne... Lubię straszne sny. Po nich weselej się żyje...

Siedzą objęte na szerokim parapecie, zaczyna świtać.

Struna

Było ciemno, gdy obudziło mnie skrobanie do drzwi.

– Kinja – krzyknąłem ze złością – daj sobie spokój, poczekaj do rana. Nakarmię cię. Przecież wiesz.

Wyciągnąłem rękę, szukając Joanny. Otworzyłem oczy. Odwróciłem się z brzucha na plecy. Poczułem dotkliwy ból. Krew z moich poranionych kolan skleiła mnie z powleczeniem kołdry na łóżku. Kiedy je odrywałem, zabolało jak przy gwałtownym usuwaniu starego plastra z rany.

Nie byłem w Nowej Hucie i to nie Kinja skrobała do drzwi. Byłem przecież w Moskwie. Zerknąłem na mrugające w ciemności cyfry zegara pod telewizorem. Dochodziła dwunasta. Było ciemno, więc to musiała być północ. Podreptałem pospiesznie do drzwi. Czułem strużki krwi spływające z moich kolan. Chodzenie sprawiało mi ból. Dopiero teraz poczułem ślady rzucania mną o ziemię i podłogi w trakcie wydarzeń z dzisiejszego poranka. To tak jak po samochodowej kraksie, żebra okazują się połamane i zaczynają boleć dopiero wiele godzin później, gdy opadnie poziom adrenaliny i minie stres lub strach.

Przed drzwiami stała uśmiechnięta dziewczyna, ubrana w strój kelnerki z berlińskiego kabaretu. Miała czarny stanik ciasno opinający jej opalone piersi, była w wysokich szpilkach, a jej biodra zakrywała krótka czarna spódniczka przykryta na podbrzuszu białym małym, trójkątnym, koronkowym fartuszkiem. W obu dłoniach trzymała ciemnozielone butelki z szampanem.

– Pan dyrektor poprosił mnie, abym zapytała, czy aby niczego panu u nas nie brakuje – powiedziała po angielsku, kokieteryjnie oblizując wargi.

Nie mogłem sobie przypomnieć, czy w opitym wódką układzie z „panem dyrektorem" hotelu posunęliśmy się aż tak daleko, że oprócz apartamentu, bezpłatnego wiktu i napitków oraz limuzyny ustaliliśmy także jakiś ekstrabonus zahaczający o gościnność tego typu.

– Brakuje mi, i to bardzo. Potrzebuję wiadra wody do picia i plastrów na moje kolana – odparłem, uśmiechając się do dziewczyny. – Proszę wejść – dodałem, otwierając szeroko drzwi.

Dziewczyna weszła, ocierając się niby przypadkowo o mnie. Na swoich nienaturalnie wysokich obcasach wyglądała jak półnaga kobieta krocząca na dwóch piedestałach. Ja usiadłem na łóżku, ona zakładając nogę na nogę, na blacie dębowego biurka pod oknem. Patrzyła na mnie z niedowierzaniem w oczach. Musiałem w podartej koszuli, dziurawych spodniach, z jedną tylko skarpetą na stopie wyglądać jak postrzelony partyzant. Opowiedziałem jej, że „z powodu pewnego przykrego wydarzenia, o którym ona z pewnością także wie", bardzo chce mi się pić, ponieważ mam „kosmicznego" kaca. Poza tym plamię i pościel, i „ten cenny carski dywan" na podłodze krwią z moich kolan, a na dodatek bolą mnie wszystkie mięśnie. Zsunęła się powoli z biurka. Zauważyłem, że pod spódniczką nie ma żadnych majtek. Wydobyła z minibaru wszystkie butelki z wodą mineralną. Potem zadzwoniła do recepcji, prosząc o plastry, bandaże i jodynę, a na końcu usiadła obok mnie, zapaliła lampę na stoliku nocnym, zsunęła ramiączka stanika i delikatnie uciskała palcami moje dłonie. W pewnej chwili, nie widząc oczekiwanej reakcji z mojej strony, zapytała, czy „na moje obolałe ciało pomógłby jakiś masaż?".

Mrużąc oczy, patrzyłem na nią. Była chyba nawet młodsza niż Daria z fotografii. Gdyby nie przesadzony makijaż na twarzy, wyglądałaby jak nastolatka z nienaturalnie dużymi piersiami. Gdy rozmawiała przez telefon, miała głos dziewczynki, gdy mówiła do mnie, celowo go modulowała, obniżała o kilka oktaw i jakby to powiedzieć: „zachrypiała". Siedziała tak blisko mnie, że nasze głowy nieomal się stykały. Pachniała jaśminową nutą perfum, miętą od żutej gumy i różami od pomadki na wargach.

Doskonale wiedziałem, że przysłano ją do mnie w roli prostytutki. Jeszcze nigdy nikt w moim życiu nie nastręczył mi żadnej kobiety! Nigdy nie byłem u żadnej prostytutki i nigdy żadna prostytutka nie była u mnie. I nigdy nie będzie. Płacenie za seks zawsze kojarzyłem z aktem najbardziej upodlającego męskiego poniżenia. Upodlającego mężczyzn, ponieważ kobiety często nie mają innego wyboru. Ale pomyślałem, że masaż pomógłby mi bardzo i żadnym upodleniem być nie może. Wstałem z łóżka, zdjąłem z siebie resztki ubrania i z butelką wody mineralnej w dłoni poszedłem do łazienki. Wziąłem prysznic, umyłem zęby i wróciłem do pokoju. Dziewczyna, zupełnie naga, siedziała na blacie biurka. Podałem jej znalezione w łazience buteleczki z kremem do ciała i położyłem się na łóżku. Usiadła okrakiem na moich plecach. Zaczęła masować najpierw mój kark, potem plecy, a potem bardzo długo, palcami i nadgarstkiem, miejsce, gdzie kość ogonowa przechodzi w szczelinę pomiędzy pośladkami. Przeżyłem w swoim życiu już wiele masaży, ale jeszcze nigdy nikt nie zajmował się tym miejscem na moim ciele. Delikatnie uciskała, gładziła, czasami nachylała się nad nim i drażniła je wydmuchiwanym z ust powietrzem lub lizała ciepłym, wilgotnym od śliny językiem. To wtedy poczułem nadchodzącą erekcję. Pospiesznie wsunąłem pod brzuch poduszkę leżącą przy mojej głowie.

W międzyczasie rozmawialiśmy o Moskwie, o pogodzie, o samochodach, o jej biografii i o muzyce. Była z Archangielska, od roku studiowała w Moskwie w konserwatorium „w pałacu na Bolszoj Nikitskiej 15", uczyła się grać na skrzypcach na wydziale muzyki orkiestrowej. Gdy w połowie miesiąca braknie jej pieniędzy „na przeżycie, telefon czy taksówki, to dorabia masażami w hotelach". Tak to nazwała.

– To w pewnym sensie jak przedłużenie ćwiczeń – powiedziała z ironią w głosie. – Skrzypkowie i skrzypaczki mają bardzo uwrażliwione i bardzo mocne palce, poza tym prawie zawsze naciskają właściwe miejsca. Moi koledzy mają ostatnio więcej zamówień niż ja. I częściej do mężczyzn niż do kobiet – dodała.

Bardzo dobrze znałem to konserwatorium. Jedno z najlepszych w Europie. Z długą tradycją, założone w połowie XIX wieku. Przez kilkanaście lat teorii muzyki uczył tam sam Czajkowski. Wielu moich zawodowych przyjaciół, szczególnie z Ameryki, marzyło o zatrudnieniu lub chociażby tylko stażu w tej szkole. Moskiewskie Konserwatorium Państwowe imienia Piotra Iljicza Czajkowskiego jest ozdobą *curriculum vitae* każdego człowieka żyjącego w jakiś sposób z muzyki.

Poprosiłem, aby – nie przerywając masażu – zanuciła mi jakiś swój ulubiony koncert skrzypcowy. Wybuchnęła głośnym śmiechem i zamilkła. Przez chwilę słyszałem tylko szelest jej palców przesuwających się po mojej skórze. Nagle zaczęła nucić. Najpierw bardzo cicho, potem z każdą minutą głośniej. Odwróciła mnie na plecy. Usiadła za moją głową i nie przerywając nucenia, masowała moje piersi. Potem uklękła obok mnie i masowała mój brzuch, potem przesunęła się niżej i masowała moje uda. Patrzyłem na jej pośladki, unoszące się i opadające piersi, czułem swoją erekcję i wiedziałem, że ona także ją widzi. W pewnej chwili zacząłem nucić razem z nią.

– Mendelssohn, koncert e-moll, opus 64, prawda? – zapytałem w pewnej chwili, unosząc się na łokciach i nabierając oddechu.

– Tak! – wykrzyknęła i przestała mnie dotykać.

Usiadła przede mną z podkurczonymi pod brodę nogami i patrząc mi w oczy, słuchała.

Gdy zamilkłem, szepnęła:

– Ja nie chciałam. To było tylko zlecenie, proszę mi wybaczyć. Przepraszam pana...

Widziałem, że płacze. Wstała pospiesznie z łóżka, owinęła się narzutą i zbierając swój stanik i spódniczkę z podłogi, poszła do łazienki. Po chwili wybiegła. Usłyszałem trzaśnięcie drzwi.

Leżałem na łóżku, zadziwiony tym, co się przed chwilą zdarzyło. Tak zupełnie nieoczekiwanie. To nie było akurat właściwe słowo. Miałem wrażenie, iż wszystko tutaj, w Moskwie, co przez ostatnie godziny dzieje się w moim życiu, jest „nieoczekiwane", więc wydarzenie sprzed chwili nie odbiegało od moskiewskiej normy. Ale pomijając to wszystko, myślałem o zupełnie czymś innym. Ten koncert Mendelssohna słyszałem ostatnio w Norymberdze. Dwa tygodnie po narodzinach Dobrusi. Stałem się dopiero co ojcem, kochałem wtedy Izabellę bez pamięci. Pamiętam, że czułem ogromne wyrzuty sumienia, zostawiając je na dzień i noc same. Ale to była moja praca, więc w sali koncertowej w Norymberdze być musiałem. Zastanawiałem się, czy gdyby wtedy w Norymberdze, kiedy byłem zakochany w żonie i uwielbiałem urodzoną mi dopiero co przez nią córeczkę, do mojego pokoju w hotelu przyszła półnaga dziewczyna w wieku i o wyglądzie tancerek z kanału MTV, rozebrała się i masowała mnie w taki sposób jak ta rosyjska lolita przed chwilą – zepsułbym wszystko, nucąc jakiś koncert skrzypcowy?! Z powodu okoliczności nie było żadnych barier z jej strony. Oprócz tych etycznych, które w końcu przeważyły. Ale to inna sprawa. One zaistniały przypadkowo, z winy tego mojego *faux pas* z Mendelssohnem. Dziewczyna miała za zadanie, w ramach projektu zleconego przez dyrektora hotelu, „zerżnąć" ważnego gościa, którego trzeba udobruchać w każdy możliwy sposób. Ja jako zdrowy, heteroseksualny mężczyzna, zgodnie z przewidywaniami dyrektora i większości seksuologów, powinienem tego chcieć. Wszystko było ustalone genetycznie uwarunkowaną, naturalną męską skłonnością do cudzołóstwa oraz skonstruowaną okolicznościami sytuacją. Pozostaje mi odpowiedzieć sobie na pytanie najważniejsze: czy ja tego chciałem? Teraz przed chwilą i czy chciałbym teoretycznie wtedy w Norymberdze?

Biologicznie wszystko wskazywało na to, że przed chwilą na pewno tak. Trudno nie mieć erekcji, gdy naga, obca, młoda i śliczna kobieta masuje podbrzusze mężczyzny. Szczególnie gdy ma dłonie skrzypaczki. Poza tym od pewnego momentu scenopis dalszego ciągu był już napisany. Banalnie przewidywalny. Ona miała nachylić się nad moim sterczącym penisem, wziąć go w obie dłonie, a następnie w usta. Albo siadając na mnie, wepchnąć go pomiędzy swoje uda. Ja ani na moment nie przestałbym kochać Izabelli, dziewczyna wcale nie przestałaby kochać swojego chłopaka, którego, jak przypuszczam, miała. Potem, już po wszystkim, przez kilka minut ukrywalibyśmy, tuląc się do siebie, nasze zawstydzenie, a następnie nasze, nazwijmy to, „zbliżenie" byłoby już tylko historią.

Czy byłaby to zdrada? Akt cielesnej niewierności z pewnością tak. Ale czy to powód do tragedii? Do miłosnego zawodu lub nawet rozstania? Jeśli chodzi o złamanie prawa do wyłączności intymnego dotyku, zapewne tak. Jeśli chodzi jednak o wyłączność do miłości, to zdecydowanie nie! Ale czy warto byłoby dla tych kilku minut, nazwijmy to, „przewagi chuci nad opamiętaniem" zniszczyć długo budowaną konstrukcję szacunku, zaufania i bezpieczeństwa? Ależ ja – teraz zupełnie szczerze – nie przestałbym przecież kochać i szanować Izabelli, wyładowując swoje seksualne napięcie w ustach lub w waginie dziewczyny nieznanej mi nawet z imienia! Ale Izabella miałaby prawo sądzić, że jednak tak.

A gdyby się tak stało, to czy moje postępowanie trzeba byłoby uznać za nieetyczne? Bo większość ludzi, gdy słyszy słowo „etyka", to automatycznie kojarzy je z moralnością i ładem seksualnym. Moralny jest ten, kto prowadzi się dobrze, niemoralny jest rozwiązły. Niektórzy dodają do tego jeszcze dwa lub trzy przykazania, odwołując się do Dekalogu. Ale – pozostając tylko przy przykazaniach szóstym i dziewiątym z Dekalogu – istnieją przecież ludzie o innych przekonaniach moralnych. To, co dla jednych jest niegodziwe, dla innych takie być nie musi. Mam kolegę, znanego i poważanego pianistę ze Szwajcarii, który ze swoich romansów nie czyni żadnej tajemnicy. Także przed swoją żoną. Zdarzało mi się odwiedzać go w ich domu w Bazylei. Szczęśliwa, zabiegająca o siebie para ludzi. Trwająca przy sobie i ze sobą od około dwudziestu lat. Dla nich wierność musi posiadać zupełnie inne znaczenie, a ich etyka nie mieści się w uznawanym dogmacie. A może w takich sprawach człowiek nie powinien być posłuszny żadnym dogmatom i autorytetom? Może posłuszeństwo im to właśnie dowód etycznej miernoty? Może w ogóle nie istnieje zbiór reguł, których przestrzeganie gwarantuje człowiekowi tak zwaną przyzwoitość i tak zwaną niewinność?

Wierność sprowadzona do monogamii jest mrzonką, a monogamia jako taka jest absolutnie wbrew naturze. To, że około pięćdziesięciu procent par dochowuje sobie wierności przez całe życie, jest aktem wyrzeczenia. Z obu stron. I zdarza się wyłącznie gatunkowi *homo sapiens* oraz pewnemu pasożytowi rybnemu o nazwie *diplozoon paradoxum*. Już sama nazwa wskazuje, że jest to paradoks natury. W przypadku tego pasożyta samica i samiec spotykają się bardzo wcześnie w życiu i od momentu spotkania ich ciała zrastają się ze sobą. Z przyczyn, nazwijmy je cynicznie, technicznych nie mają możliwości ulec pokusie. Cała reszta stworzeń tego świata nie dochowuje wierności. Przysłowiowa wierność na przykład łabędzi to powoli odstawiana do lamusa legenda. Odkąd możliwe stało się ustalanie ojcostwa za pomocą testów DNA, okazało się, że w gniazdach łabędzi jest sporo „kukułczych jaj" , z których wykluwają się młode, wcale niepoczęte przez partnera samicy łabędzia. W przypadku niektórych gatunków ptaków, które w ogólnym mniemaniu uchodzą za monogamiczne, ilość takich jaj sięga siedemdziesięciu procent. W przypadku ssaków monogamia, poza człowiekiem, w ogóle nie istnieje. Człowiek z natury także nie jest monogamiczny. Staje się takim w wyniku wyparcia się swoich instynktów. Ale tylko połowie z całej populacji się to udaje. Reszta prędzej lub później ulega pokusom. Penelopa i Odyseusz, Romeo i Julia, Orfeusz i Eurydyka to wyjątki, które mają swój przepiękny literacki przekaz, ale w realnym życiu pozostają jedynie niedoścignionymi wzorcami.

Z kolei gdyby ta dziewczyna nie przyszła do mojego pokoju i nie spowodowała mojego podniecenia i napięcia, nigdy nie zaistniałaby pokusa. Ale naga, piękna, świeża jak wiosenne truskawki dwudziestolatka jest przecież zawsze pokusą! Tylko geje i niewidomi bez rąk mogliby temu zaprzeczyć! A może wierność sobie polega na odżegnywaniu się od wszelkich pokus? Ale to jest przecież niemożliwe! Dzisiaj, tutaj, przed chwilą, z powodu Mendelssohna, jakoś mi się tylko tak udało.

Zastanawiałem się, czy gdyby ktoś słyszał teraz tę moją rozprawę wójta we mnie z plebanem we mnie, pomyślałby, że ma do czynienia z zepsutym do kości, hedonistycznym *macho*, który zgrabnie – w zależności od sytuacji i tak jak mu akurat najwygodniej – relatywizuje coś, co powinno być absolutnie absolutne. Trwanie w złożonej sobie obietnicy nie zależy od układu odniesienia, powiedziałby pleban. I miałby rację. Bliźniacy ze słynnego myślowego eksperymentu Einsteina albo są wierni, albo nie, i dylatacja czasu nie ma z tym nic wspólnego. Chociaż z drugiej strony ten brat bliźniak, który się bardzo powoli starzał, miał jednak łatwiej, powiedziałby wójt. I miałby także rację.

– Po prostu najbezpieczniej jest nie otwierać drzwi – powiedziałem, śmiejąc się głośno do siebie.

Akurat dokładnie w tym momencie usłyszałem głośne pukanie. Za progiem stała skrzypaczka z Archangielska.

– Boże! Wybiegłam boso, zapomniałam butów. Wybaczy pan? – zapytała, chichocząc.

– Ależ tak, oczywiście, pani niezwykłe buty– – odparłem, otwierając na oścież drzwi.

Jeden jej but leżał na blacie biurka. Drugiego szukała, klękając na podłodze. Stałem nagi w przedpokoju, przytrzymując plecami zamykające się drzwi, patrząc na jej rozsunięte pośladki. Znalazła go pod łóżkiem. Najpierw wsunęła je na stopy i zaczęła poprawiać fryzurę, wpatrując się w lustro nad biurkiem. Po chwili kątem oka zerknęła na mnie. Uderzyła obu pięściami w blat biurka, zdjęła buty, potargała włosy i podeszła do mnie. Delikatnie głaskała moje czoło i kładąc głowę na moim ramieniu, szeptała:

– Pan jest tak bardzo inny. Wszystko mi pan zburzył, a już tak miałam pięknie poukładane. Kurwom nie nuci się koncertów skrzypcowych, prawda? Żeby pan wiedział, wróciłam, bo te buty nie są moje. Są zbyt drogie, aby mogły być moje. Muszę je oddać. Nie wróciłam aby, no, wie pan... wróciłam tylko po buty. Wierzy mi pan?

Podniosłem jej głowę z mojego ramienia. Powoli układałem jej potargane włosy.

– Dlaczego pamięta pan akurat ten koncert? – zapytała, dotykając palcami moich warg.

– To bardzo długa i bardzo smutna historia. Nie sądzę, żeby chciała pani jej wysłuchać. Poza tym ten koncert to żadne arcydzieło. Jeden z wielu. Mendelssohn nie czuł skrzypiec. Bardziej już fortepian. Wasz Piotr Iljicz komponował o wiele, wiele lepsze. Mam pani coś zanucić?

– Nie! Błagam nie! Nie teraz! – odparła i wybiegła z pokoju.

Wróciłem na łóżko. Przykrywałem się szczelnie kołdrą, bo było mi zimno. Po chwili zrobiło mi się gorąco. Nie mogłem zasnąć. Moskwa na przywitanie mnie poturbowała, rozbudziła i oszołomiła. Potrzebowałem wyciszenia. Potrzebowałem muzyki. Włączyłem telewizor i przyciskając klawisze na pilocie, wędrowałem po kanałach. Wszędzie były jakieś wrzaski, gadające o niczym głowy, reklamy nikomu niepotrzebnych rzeczy, opowieści o katastrofach, nieszczęściach i tragediach, prognozy pogody przy kolorowych mapach, prognozy giełdowe przy tabelach, których nigdy nie rozumiałem. Potem kilka kanałów pornograficznych. Spoceni, urzeźbieni witaminami mężczyźni z penisami słoni, silikonowe kobiety przyjmujące spermę pomiędzy swoje wargi, wyglądające jak pomalowane na różowo dętki w oponach.

Sięgnąłem po telefon, wybrałem numer Joshuy. W Berlinie dochodziła dwudziesta trzecia.

– Joshi, gdzie teraz jesteś? – zapytałem.

– Jak to gdzie, Struna? W kotłowni jestem! A gdzie mam być o tej porze? – odparł.

Jedną z najbardziej uroczych cech Joshuy było to, że on się nigdy niczemu nie dziwił. Gdyby od jutra ludzie zaczęli chodzić na rękach zamiast na nogach, przyjąłby to chyba do wiadomości bez najmniejszego zdziwienia.

– Jesteś sam? – zapytałem.

– Ja nigdy nie jestem sam. Mnie zawsze jest dwóch. To mój problem. Zapomniałeś już, Struna? Podaję się przecież w Pankow za schizofrenika. A tak w ogóle to ta niedopchana pizda Aneta wygłosiła dzisiaj na grupie mowę pożegnalną nad twoim grobem. Nie wiedziałem, że jesteś, że zacytuję, niedocenionym przez samego siebie twórcą kultury, który z pewnością się odnajdzie. I że będzie nam wszystkim, ciągle cytuję, brakować twoich celnych i cennych refleksji. Potem pokazywała jakieś wycinki z gazet w obcych językach z twoimi zdjęciami, a potem cię chwilą ciszy i wykreśleniem z listy obecności uroczyście pochowała. A tak między nami, to gdzie się, Struna, teraz odnajdujesz?

– W Moskwie, Joshua, w Moskwie – odparłem.

– To jest dalej niż Szczecin, Struna, nie mam czasu, aby przywieźć ci towar. To jest chyba na Syberii, co?

– No, nie całkiem Joshi, ale dalej niż Szczecin. To się zgadza. Zagrasz mi coś teraz, Joshua?

– Pijesz, Struna, metanol w Moskwie? Powaliło cię?

– Jeszcze nie. Chce mi się posłuchać coś z twoich słuchawek...

– To idź sobie, kurwa, na balet, tam w Moskwie mają dobry balet i przy okazji naoglądasz się tańczących szkieletów. Sam wiesz, że to zawsze uspokaja.

– No, nie mogę, Joshua, bo tu pierwsza w nocy jest, bolą mnie nogi, mózg mi się w czaszce nie mieści i jestem wkurwiony.

– To od razu trzeba było tak mówić, Struna. Zaczekaj chwilę. A co mam ci zapuścić?

– Jak masz, to Mendelssohna, proszę.

– O nie, Struna! Ja nie słucham Niemców i poza tym on był Żydem. Ich też nie słucham.

– To puść mi coś, byleby to było na skrzypce...

– To puszczcę ci kaprysy Paganiniego. On musiał chyba mieć sześć palców, gdy to grał. Albo pięć, ale za to długich jak zęby u wideł. Przeważnie słucham tego, gdy jestem mocno najarany. Jesteś, Struna, teraz najarany?

– Joshi, wyobrać sobie, że zupełnie nie. Nie mam od kilkunastu godzin kontaktu z żadną chemią poza jodyną.

– Struna, nie powiesz mi chyba, że pijesz w Moskwie jodynę?! To zepsułoby całą twoją reputację! Nawet w moich oczach! W jodynie jest tylko dziewięćdziesiąt procent etanolu. W waszym polskim spirytusie jest go o wiele więcej. W rosyjskim musi być na pewno jeszcze więcej!

Joshua był także uroczy przez to, że potrafił absurd sprowadzać do normalności albo normalność do absurdu w taki sposób, że trzeba było się przy tym najpierw śmiać, a potem myśleć i się zasmucać celnością jego sarkazmu. Na dodatek był ukrywającym się skrzętnie erudytą. Swoją wiedzę zawsze sprzedawał tak jakby przy okazji, od niechcenia, na marginesie, aby rozmówca, broń Boże, nigdy nie odczuł, że Joshua się wymądrza. Dla Svena na przykład Joshua był geniuszem, który robi wszystko, aby się nikt o tym nie dowiedział. Gdy staliśmy czasami we trójkę na koksie i w kotłowni Pankow paliliśmy marihuanę, to gdy rozmowa schodziła na jakieś tematy intelektualne, a przy Svenie zawsze schodziła, to Sven wsłuchiwał się w to, co, jak nazywała psycholog Aneta, „bredzi" Joshua z największą uwagą. Na przykład teraz przed chwilą Joshua nazwał potocznie *24 Capriccia* opus 1 na skrzypce Paganiniego „kaprysami". Takiego slangu używają tylko prawdziwi znawcy jego muzyki. Wiedział, że Paganiniego podejrzewano o chorobę nazywaną zespołem Marfana, stwierdzoną na przykład u innego muzycznego geniusza Siergieja Rachmaninowa. Jednym z jej objawów jest nadrozwój palców, długie „pajęcze" palce, jak zęby u wideł. Wiedział, że w jodynie jest dziewięćdziesiąt procent etanolu, wiedział także, że i w Polsce, i w Rosji pije się spirytus. I wszystko to powiedział tak na marginesie.

– No, to słuchaj teraz kaprysów, Struna – powiedział w pewnej chwili – i opuść spodnie, bo to warte tego...

– Wyobraź sobie, Joshi, że nie mam na sobie spodni od ponad godziny.

– To tym lepiej! Włącz telefon na głośno, aby ta laska na kolanach też słuchała. I staraj się nie kłaść swoich rąk na jej uszach. Kładź tylko na jej włosach – mówił, chichocząc. – Brak mi tu ciebie, Struna. I Svenowi także. Ale się nie dajemy. Gdybyś wracał, to kup koniecznie samogon. Kilka butelek... – dodał po chwili.

Słuchałem. Tęskniąc za Pankow. W tym szpitalu wariatów wszystko było bardziej poukładane niż w tym rzekomo normalnym świecie poza nim. Normalność chyba nie istnieje. W moskiewskim hotelu słuchałem przez telefon komórkowy muzyki z odtwarzacza znajdującego się w kotłowni szpitala psychiatrycznego w Berlinie. I było mi przy tym dobrze. I nie widziałem w tym żadnego absurdu. I żadnego dysonansu.

Rano obudziła mnie gruba sprzątaczka w zielonym fartuchu i lateksowych chirurgicznych rękawiczkach. Postawiła na biurku tacę ze śniadaniem i zaczęła odkurzać pokój. Na plecach miała wypisany białymi literami jakiś numer. Jak więzień z jakiegoś zakładu karnego.

Wydawało mi się, że ten odkurzacz jest głośniejszy od czołgów w czasie defilady na placu Czerwonym. Kawa była zimna, kanapek ze śledziami i cebulą na śniadanie jeszcze nie jadam, kawioru także. Masło było tak zmarznięte, że można było je rozłupać tylko siekierą. Chleb był czerstwy. Postanowiłem, że na śniadanie napiję się wody mineralnej.

Potem z plastikowego niebieskiego worka, w który zebrano rzeczy z mojej walizki, wydobyłem dżinsy, T-shirt i sweter. Nie miałem jednakże butów. Joanna zawsze wyśmiewała moje uparte przywiązanie do jednej pary butów. Ona miała chyba ze trzydzieści par. Pamiętam, że Izabella miała jeszcze więcej. Kobiety chyba z natury fetyszyzują buty. Nie rozumiałem tylko powodów tej natury. Ja na buty kobiet zwracałem uwagę tylko wtedy, gdy w jakiś ekstremalny sposób odbiegały od normy. Na przykład, gdy były to trampki do wieczorowej sukni, zimowe kozaki latem do krótkich spodni i muślinowej bluzki na plaży lub tak jak dzisiejszej nocy u „mojej skrzypaczki", szpilki na obcasach o długości pałeczek do jedzenia w chińskiej restauracji. Poza tym, oglądając nogi kobiet, zatrzymywałem się wzrokiem nie niżej niż na ich kostkach, koncentrując się głównie na udach.

Dzisiaj przyznałem rację Joannie. Czasami warto mieć ze sobą zapasową parę butów. Wybrałem numer telefonu sekretariatu dyrektora hotelu. Wcale nie musiałem się przedstawiać. Asystentka pana dyrektora natychmiast mnie z nim połączyła. Był niezwykle uprzejmy, jeszcze raz mnie za wszystko przeprosił, zapytał mimochodem, czy spędziłem „interesującą pierwszą noc w jego hotelu", a gdy odparłem, że „niespecjalnie interesującą", zamilkł i zaczął mnie wreszcie słuchać. Opowiedziałem mu o swoim problemie z butami. Odetchnął z ulgą. Zapytał, jaki mam rozmiar butów i czy „preferuję jakieś logo". Nie zrozumiałem, o co mu chodzi z tym „logo", prosząc jedynie o „jakiekolwiek buty w rozmiarze czterdzieści cztery". Tak abym mógł wydostać się z hotelu. Poza tym w długim wywodzie, po rosyjsku, doceniłem jego gościnność, objawiającą się przysłaniem mi śniadania do pokoju. Poprosiłem jednak stanowczo, aby było to ostatni raz, ponieważ „ja preferuję spożywanie śniadania przy stole, wśród ludzi". Na końcu zapytałem go, czy kiedykolwiek słyszał warkot odkurzaczy sprzątaczek pracujących w jego hotelu. Teraz on nie zrozumiał, o co mi chodzi. W każdym razie obiecał mi „natychmiastowe rozwiązanie mojego problemu". Pożegnaliśmy się kurtuazyjnymi frazesami. Gdy odłożyłem słuchawkę, zacząłem żałować swojego pochopnego komentarza o „niespecjalnie interesującej nocy". Byłem pewien, że „pan dyrektor" dzwoni teraz do skrzypaczki i informuje się o przebiegu swojego „zlecenia". Bez względu na całą tę pokręconą etykę chciałem jeszcze raz spotkać tę dziewczynę. Ubraną, bez szpilek i bez makijażu...

Paliłem papierosa i przez okno spoglądałem na ulicę. Szeroka aleja z czterema pasami ruchu. Szczelnie zapchana samochodami przesuwającymi się w żółwim tempie. Berlin przy tym wydawał się opustoszałym miasteczkiem. Piesi na chodniku pomimo potykającego się o siebie tłumu poruszali się szybciej niż samochody. Tłum na chodnikach w Berlinie także był inny. Bardziej uporządkowany, ustawiony w regularną kolumnę, trochę podobny do maszerujących żołnierzy. To była przedziwna, ale prawdziwa konstatacja. Często z okna mojego pokoju w szpitalu w Pankow obserwowałem berlińską ulicę. Maszerujący po chodnikach ludzie w Berlinie w jakimś dziwnym odruchu automatycznie ustawiali się w kolumnę. Zresztą słusznie, ponieważ przesuwali się wtedy o wiele szybciej. To nie mogło wynikać, jak ja to nazywałem, z niemieckiego „genu przywiązania do porządku". Berlin przed oknami Pankow nie był obecnie zbyt niemiecki. Prędzej już turecki, chorwacki, wietnamski lub polski. Ale byli też w nim Niemcy. Może to oni ustawiali wszystko jak należy, w szereg?

Potem wędrowałem po swoim apartamencie. Zastanawiałem się, komu potrzebne są w hotelowym apartamencie aż cztery pokoje. Salon, sypialnia, biuro z pełnym wyposażeniem, pokój konferencyjny. Dwie łazienki. Cztery minibary, cztery telewizory, dwa komputery. W łazience przylegającej do pokoju konferencyjnego do ściany, tuż obok aluminiowego uchwytu na papier toaletowy, był przykręcony faks. Kto tego potrzebuje? I po co?

Usiadłem na sedesie w tej łazience i na papierze toaletowym narysowałem kształt buta, dopisując liczbę „44". Potem wsunąłem go do faksu i wysłałem, wybierając numer sekretariatu „pana dyrektora". Potem oderwałem kolejny kawałek papieru toaletowego, wpisałem adres kliniki w Pankow, w książce telefonicznej mojego telefonu znalazłem numer faksu do kliniki, narysowałem widły, napisałem słowo „Caprice" i podpisałem: Struna. W *post scriptum* dodałem swoje imię i nazwisko i po niemiecku dopisałem: „Droga Pani Aneto, proszę dzisiaj na grupie utulić od mnie Joshuę". A potem usłyszałem pukanie do drzwi. Asystentka pana dyrektora zakrywała swój ogromny biust czterema kartonami. Weszła do środka i zrzuciła kartony na kanapę w salonie. Miałem do wyboru cztery pary butów. Czarne, brunatne, brązowe i karmelowe. Przymierzałem po kolei wszystkie, dowiadując się przy tym od podnieconej asystentki, że „buty wybierał sam nasz pan dyrektor", że „to żadna tam chińszczyzna, tylko najlepsza włoska skóra za kilkaset dolarów" i że „wszystkie buty to oczywiście podarunek od Michaiła Władimirowicza...". Po czym nerwowo podsunęła mi jakiś – pomimo że był to przecież „podarunek" – rachunek do podpisania i gdy tylko podpisałem, natychmiast odeszła.

Zbliżało się południe. Siedząc na parapecie okna, spoglądałem na niekończące się mrowisko ludzi na ulicy i zastanawiałem się, gdzie, jak i od czego rozpocząć szukanie Darii. Tak naprawdę to nie miałem żadnego planu. A może to nie ma już sensu? Inne znaczenie miało to postanowienie w Pankow, a inne ma teraz. Pomiędzy Berlinem a Moskwą była przecież Warszawa, potem Kraków i Joanna, potem wstrząs Smoleńska, potem moja żałosna rola w tragifarsie w mieszkaniu zdesperowanych rodziców chcących w końcu ostatecznie pożegnać swoją zmarłą córkę, a na końcu cały ten makabryczny incydent z porzuconą walizką. Wszystko to odcisnęło na mnie ślady, zmieniło mnie. To było pewne. Podobnie jak pewne było, że „odnalezienie Darii" to tylko pretekst do tego, aby wyrwać się w końcu z bezpiecznego przytułka w Pankow. Ściany w Pankow chroniły mnie przed linczem, który przez bardzo długi czas wykonywałem na sobie samym. Utraciłem córkę, utraciłem miłość, potem, z utratą nazwiska pod tym, co piszę, utraciłem także swój honor i godność. W końcu zacząłem tracić zmysły.

Zabijałem się powoli alkoholem, przestałem czytać książki, okaleczałem się żyletkami, zasypiałem zamroczony tabletkami, nawet wówczas gdy słuchałem Vivaldiego, panicznie bałem się dotykać klawiatury swojego fortepianu. Gangreniałem i gniłem. Dopiero Pankow przeskalowało rozmiary moich cierpień, odnosząc je do tragedii innych. Pankow podniosło mnie z kolan, opatrzyło rany, zaopiekowało się mną. Jak chłopcem, którego rodzice wysłali na obóz harcerski lub letnie kolonie. Regularne posiłki w stołówce, program wychowawczo-kulturalny i opiekunowie, którzy dbali, abym nie utonął lub przypadkiem nie skoczył na głowę do zbyt płytkiej mętnej wody i nie złamał kręgosłupa. Ale każde kolonie się kiedyś kończą i trzeba wracać do domu. Bałem się tam wracać. Byłem przerażony myślą, że obudzę się rano i będę musiał przetrwać w bezczynności i bez planu kilkanaście godzin, że nocami z zakamarków szaf wydostaną się znowu demony, że będę obijał się i biodrem, i mózgiem o pianino, które samą tylko swoją obecnością przypomni mi moją niemoc. Nie chciałem tam wracać. Chciałem zacząć wszystko od nowa. Narysować sobie w pamięci jakąś grubą krechę. Uciec od Johanna von A., uciec z Berlina, i nie do przeszłości w Polsce. Moskwa była dobrym miejscem na początek. Joanna miała rację. Powinienem do Moskwy pojechać, aby przekonać się, że taki początek może się na nowo zdarzyć. Obojętnie, co jest pretekstem dla takiej podróży. Ona także uciekała, aż do Mongolii. To w trakcie wolontariatu tam oczyściła się i tam odnalazła sens.

Zjechałem windą. Umundurowani ochroniarze, ci sami, co przyduszali mnie wczoraj twarzą do asfaltowego podjazdu, natychmiast mnie rozpoznali. Uśmiechnąłem się. Jak na komendę zasalutowali. Przez długi parking przeszedłem na ulicę. Było ciepło, świeciło słońce. Wmieszałem się w jazgotliwy tłum i poruszałem się jego tempem. Z ciekawością przyglądałem się mijanym ludziom. Zabiegani mężczyźni z rozpiętymi płaszczami, w za ciasnych garniturach, z telefonami przy uszach, staruszki z kretonowymi torbami, w wyleniałych płaszczach i kwiecistych chustach na głowie. Młode kobiety z przewieszonymi przez ramię płaszczami, stukające swoimi szpilkami o kamienne płyty chodnika. Ich falujące pośladki, głębokie dekolty, spódniczki o długości nie większej niż szerokość mojego szalika, rozpuszczone włosy targane wiatrem. W pewnym momencie dostrzegłem szerokie schody przed budynkiem podobnym do Pałacu Kultury i Nauki w Warszawie. Na schodach stały grupki młodych ludzi. Palili papierosy, rozmawiając ze sobą. Na mosiężnej tablicy odczytałem nazwę jakiegoś instytutu. Wszedłem do środka. Jeśli jest instytut, to powinna być tam także jakaś biblioteka. Bibliotekarki to moim zdaniem najbardziej wykształcone kobiety. W swoim życiu wielu rzeczy dowiedziałem się właśnie od bibliotekarek. A w jednej, mając ze dwanaście lat, byłem przez całą zimę zakochany.

Schodami wszedłem na pierwsze piętro i maszerując wzdłuż rzędu drzwi, odczytywałem nazwy z tabliczek przykręconych do ściany. Najwyraźniej trafiłem do jakiegoś uniwersytetu. W pewnym momencie starsza kobieta ubrana w wełnianą granatową kamizelkę i długą spódnicę z czarnego skaju zapytała mnie po angielsku, czy może mi w czymś pomóc. Zapytałem ją, dlaczego rozmawia ze mną po angielsku.

– Bo widać po panu, że pan nie jest nasz – odparła z uśmiechem, zdejmując okulary.

– A po czym widać? – zapytałem zaciekawiony.

– Chociażby po pana butach.

– Ależ to buty z rosyjskiego sklepu! – odparłem.

– Może i z rosyjskiego, ale akurat w tym budynku, poza niektórymi studentami, mało kogo stać na takie buty. Poza tym gdy pana mijałam przed chwilą, powiedział pan do mnie „*zdrastwujtie*", chociaż mnie pan nie zna. Rosjanie tak nigdy nie robią. I na dodatek uśmiechnął się pan do mnie! Rosjanin raczej rzuci w takiej sytuacji poważne lub gniewne spojrzenie.

– Hmm, to już teraz będę na przyszłość uważał – odparłem rozbawiony – a poza tym to szukam biblioteki.

– A której? Bo my mamy tutaj cztery. Którego fakultetu?

– Nie wiem. Szukam tak naprawdę tylko bibliotekarki.

– A jak się nazywa? – zapytała zainteresowana.

– Nie wiem, szukam jakiejkolwiek bibliotekarki, bo widzi pani, ja przyjechałem do Moskwy odnaleźć pewną kobietę, ona...

Kobieta nie pozwoliła mi dokończyć.

– A jak się nazywa? – zapytała.

– No właśnie nie wiem, ale opowiem pani o tym, gdy mi pani pozwoli – odparłem.

I potem zebrałem w jedną listę wszystko, co wiem o Darii. Młoda, studiowała dziennikarstwo na GUM-ie, potem wyjechała do Berlina, około roku temu wróciła, lesbijka, pisała o tym artykuły, szukała informacji o homoseksualizmie kobiet w Związku Radzieckim i w Rosji, w archiwach tutaj w Moskwie, ale także w innych miastach, chciała napisać o tym książkę.

– Gdzie powinienem zacząć jej szukać? Jak pani myśli?

– W archiwum. Aby wejść i szperać w archiwum, trzeba się wylegitymować– odparła kobieta bez wahania. – Musieli więc ją spisać.

– Ale w jakim? Z pewnością w Moskwie istnieje wiele archiwów...

– Lesbijki zawsze były u nas wrogiem narodu albo pracowały dla KGB – odparła po chwili.

Odczułem, że nie traktuje mnie jak jakiegoś nawiedzonego wariata.

– To znaczy w jakim archiwum? – zapytałem, nie rozumiejąc, co ma na myśli.

– W jednym tylko, w Archiwum Państwowym, na Bierieżkowskiej 28. Jeśli już, to tylko w tym. Do innych, tych utajnionych, nigdy chyba by jej nie wpuścili. A pana tym bardziej i tak nie wpuszczą. Nawet dzisiaj.

– A to daleko stąd? – zapytałem.

– W Moskwie wszystko jest daleko. Stąd, taksówką, teraz, o tej porze dnia, ze dwie, trzy godziny. Moskwa zaczyna wyjeżdżać na dacze. Bo to dzisiaj piątek...

– A metrem? Można dojechać tam metrem?

– Oczywiście, że można! Zapiszę panu nazwę stacji. Mam pan jakąś kartkę i coś do pisania? – zapytała.

Odruchowo zacząłem przeszukiwać kieszenie płaszcza i spodni. Nie miałem. Kobieta wydobyła z kieszonki swojej wełnianej kamizelki szminkę.

– Niech pan podciąga rękaw – rozkazała stanowczo, uśmiechając się do mnie.

Na przedramieniu prawej ręki zapisała adres stacji cyrlicą, a na lewej alfabetem łacińskim.

– A ta Daria to… to ktoś bliski dla pana? – zapytała.

Nie zdążyłem odpowiedzieć. Nagle pojawiła się grupa młodych ludzi, otaczając szczelnie kobietę.

– Pani profesor, czy dzisiaj musimy mieć ten wykład, bo… – dosłuchiwałem się w strzępach głośnych krzyków, zaczynając rozumieć powód całego zamieszania.

Chciałem jej podziękować, próbując przecisnąć się przez otaczający ją krąg ludzi. Po chwili dałem sobie spokój. Gdy dotarłem do schodów, usłyszałem za sobą gromki krzyk kobiety:

– Stacja metra jest niedaleko stąd! Gdy pan wyjdzie z budynku, to na lewo, około stu metrów. A może nawet mniej…

Stacja metra była faktycznie tuż za rogiem. Monumentalny budynek mający chyba w zamyśle architektów naśladować słynny paryski Gare du Nord. Ale sowiecki socrealizm przeważył i oprócz pewnego podobieństwa frontonu głównego wejścia do Gare du Nord reszta to tylko tania nieudana kopia.

Metro – słyszałem tę opinię od wielu ludzi, którzy odwiedzali Moskwę – to jak gdyby oddzielny organizm. Dla wielu zaraz po Kremlu i Galerii Trietiakowskiej to największa atrakcja miasta. Stacje przypominają pałace, pod sufitami wiszą misterne żyrandole, na ścianach ogromne zamknięte w pozłacane ramy freski z martyrologicznymi lub ideologicznymi motywami, podłogi wyłożone marmurami, sklepienia przypominające barokowe kościoły. Schody ruchome prowadzące niekiedy aż ponad sto metrów pod powierzchnię ulicy, prawie dwieście stacji, ponad dwa i pół miliona pasażerów dziennie. Metro w Moskwie powstawało w „trudzie i pocie radzieckich robotników". Dokładnie tak samo jak Nowa Huta i Dworzec Centralny w Warszawie. Takie były czasy, że budowano wszystko „w znoju i trudzie" i z ogromnym opóźnieniem. Ale za to ku „chwale narodu". Otwarcie każdej nowej stacji było wydarzeniem. Głównie propagandowym. Rozgłaszano je z dumą na cały kraj. Od wiosek wokół Brześcia po Władywostok. W uroczystościach otwarcia dużych stacji brał udział sam Stalin. Zjeżdżały wtedy pod ziemię dębowe stoły, wyściełane pluszem krzesła, wyszywane białe obrusy, całe orkiestry wojskowe, skrzynki z wódką, skrzynki z porcelanową zastawą, schłodzone półmiski z kawiorem i całe Biuro Polityczne partii także zjeżdżało.

Myślałem o tym, stojąc w długiej kolejce po bilet. Gdy dotarłem do kasy, podciągnąłem rękaw swetra i podnosząc rękę, pokazałem urzędniczce za pancerną szybą wypisaną szminką na moim przedramieniu nazwę stacji. Zaczęła się głośno śmiać, odliczyła pieniądze z pliku banknotów wepchniętych przez szczelinę pod szybą i podała mi papierowy bilet z magnetycznym paskiem. Potem opowiadała coś o trzech przesiadkach. Następnie zjechałem ruchomymi schodami do poziomu minus jeden, potem kolejnymi do poziomu minus dwa i poprowadzony przez młodego człowieka, który widząc moje zagubienie, zaproponował mi pomoc, wsiadłem do przepełnionego ludźmi wagonu. Potem już sobie jakoś radziłem sam. W wagonach stałem z reguły jak najbliżej drzwi, aby w każdym momencie być gotowym do wyjścia. Pachniało jak w taniej perfumerii. Czasami nakładała się na to woń potu. Prawie nikt ze sobą nie rozmawiał, ale za to jeżeli ktoś akurat nie przysypiał, to czytał. Albo książkę, albo tekst z ekranu swojego telefonu komórkowego. Podejrzałem jeden z ekranów u młodej dziewczyny przygniatającej mnie swoim biodrem do drzwi. To nie były żadne esemesy! To były teksty z rosyjskiej klasyki! Blondynka przyciskająca mnie biodrem czytała z ekranu swojego telefonu komórkowego Czechowa.

Na ławkach siedziały głównie kobiety. Mężczyźni nie odważyliby się chyba siedzieć, gdyby obok nich musiała stać kobieta. Młode siedzące dziewczyny odsłaniały bez skrupułów swoje nogi. W berlińskim, paryskim lub londyńskim metrze byłyby to nogi co najwyżej w obcisłych spodniach. Tutaj były to nogi w pończochach z elastycznymi koronkowymi podwiązkami demostracyjnie wystającymi spod kusych spódniczek. Pomyślałem, iż w Moskwie demonstrowanie seksualnych atrybutów młodości nie było chyba niczym szczególnym. Przyglądałem się twarzom mężczyzn wokół siebie. Nie zauważyłem, aby wpatrywali się w podwiązki tych kobiet z jakimkolwiek zainteresowaniem.

Młodość jest kapitałem, na który się w ogóle nie zapracowało. Posiada go każdy. Przez krótki czas, ale go posiada. Rosjanki, chyba bardziej niż kobiety innych narodów, uważały, że należy się nim posługiwać. Jak walutą, za którą można wiele kupić. Ale być może tutaj, w Rosji, to już zdewaluowana waluta?

W końcu dotarłem do „swojej" stacji. Zapytałem milicjanta stojącego przy wyjściu z peronu o Archiwum. Nigdy o nim nie słyszał. Przez krótkofalówkę zapytał kolegów. Zanotował coś w swoim notesie i wyszedł ze mną na zewnątrz. Byliśmy jakby w innej Moskwie. Ulica na górze była niemal pusta. Zamyślony maszerowałem posłusznie za milicjantem. Zastanawiałem się, czy to jest jakiś znak od przeznaczenia, czy to jedynie standard tutaj, w Moskwie. Odkąd tylko potrzebuję jakiejś pomocy w tym mieście, to natychmiast ją otrzymuję! Ludzie przerywają swoje zajęcia, zmieniają na krótko swoje plany, aby pomóc w realizacji moich. Pomimo zabiegania, pośpiechu i gonitwy za czasem. Nie mniejszych, a może nawet większych, niż w Berlinie, Mediolanie czy Szanghaju. Czy to tylko przypadek? Czy zwiększona porcja szczęścia na początek, abym stąd nie odjeżdżał i trwał w swoim postanowieniu? A jeśli tak, to jaki interes ma w tym Moskwa? A może Rosjanie po prostu tacy są? Z natury?

Po kilku minutach dotarliśmy do niewysokiego budynku otoczonego rusztowaniem. Wszystkie okna były zakratowane. Przez niewielki placyk wypełniony samochodami dotarliśmy do drzwi. Milicjant nacisnął przycisk dzwonka, poprawił płaszcz, kaburę z pistoletem i stanął na baczność. Po chwili drzwi otworzył strażnik w szarym mundurze. Weszliśmy do rodzaju przedpokoju z drewnianą barierką, za którą stały wysokie regały z segregatorami. Przy barierce, odwrócona plecami do mnie, stała kobieta. Telefonowała. Piegowata dziewczyna siedząca przy biurku, widząc milicjanta, natychmiast zdusiła papierosa w popielniczce i poderwała się z krzesła.

– *Gospodin* z zagranicy ma jakąś sprawę do was – powiedział milicjant głosem, w którym brzmiał ton rozkazu.

Doprowadził mnie jak aresztanta do barierki w komisariacie, jakby przekazując dziewczynie, i bez słowa odszedł. Powiedziałem: „*zdrastwujte*", chrząknąłem, zbierając myśli. Pomyślałem, że zamiast oglądać nogi dziewczyn w metrze, powinienem przygotować sobie w myśli chociaż konspekt tego, co powiem w Archiwum. Patrzyłem na zaniepokojoną dziewczynę, przygotowując się do mojej „opowieści o Darii". Miała błękitne oczy i długie pofalowane rude włosy opadające na białą bluzkę. Brązowe plamki piegów miała wszędzie. Na czole, na uszach, na szyi, a także na powiekach. Jej dłonie były poplamione czerwonym atramentem. Zacząłem opowiadać. Stojąca obok kobieta z telefonem najpierw ściszyła głos, a potem odsunęła się od barierki, siadając na parapecie. Ja także ściszyłem głos. Piegowata dziewczyna wysłuchała mnie uważnie i zniknęła na chwilę w sąsiednim pokoju. Po chwili wróciła z jakimś starszym, przeraźliwie chudym mężczyzną. Okazało się, że ze względu na „przepisy o ochronie danych" nie wolno udostępniać „nikomu" listy z informacjami o osobach korzystających z archiwum.

– Musi pan nas zrozumieć – dodał – w pana kraju także obowiązują takie przepisy, prawda?

Nie miałem pojęcia, czy w Polsce lub w Niemczech obowiązują takie przepisy. Moje „dane" jakimś dziwnym trafem znali wszyscy, którzy chcieli. I linie lotnicze, i biura podróży, i sprzedawcy instrumentów muzycznych, i sprzedawcy xanaxu, zolofta, viagry i środków na porost włosów, nie mówiąc o bankach, firmach ubezpieczeniowych i handlarzach samochodów. Musiały jakoś „wyciekną", omijając przepisy o „ochronie danych". Moja skrzynka na listy przed domem była zapchana kopertami od tych, do których trafiły, nie wspominając o rozmiarach spamu, który odfiltrowywano każdego dnia z mojej poczty komputerowej. Wszystkim nadawcom wydawało się, że łysieję, mam problemy z depresją, nie mogę zasnąć bez valium, potrzebuję kredytu, nowego samochodu i chciałbym ciągle gdzieś latać. Najgorsze w tym jest to, że może tylko oprócz zapotrzebowania na viagrę – wszystko to była prawda...

– Jestem szczerze zdumiony postępem demokracji w Rosji – odparłem – ale czy w drodze wyjątku mógłbym dotrzeć do adresów wszystkich kobiet o imieniu Daria, które korzystały z pańskiego archiwum w ostatnich trzech latach? Swoim słowem honoru Polaka gwarantuję, że nie wykorzystam tych danych w jakikolwiek niezgodny z prawem sposób. Poza tym nie wydaje mi się, żeby ta lista mogła być bardzo długa, szanowny panie dyrektorze – zakończyłem, zastanawiając się, czy wmieszanie do całej sprawy Polski pomoże, czy mi raczej zaszkodzi.

Chudy mężczyzna zaczął trzeć nerwowo swoje zmarszczone czoło i wychodząc poza barierkę, zwrócił się do kobiety siedzącej na parapecie:

– A co pani o tym myśli, Aneczko? Czy możemy jakoś pomóc naszemu gościowi z Berlina?

Odwróciłem głowę. Kobieta na parapecie głaskała delikatnie palcami liście paproci opadające na jej uda. Była ubrana w szary kostium i białą koszulową bluzkę. Na nogach miała czarne kozaki. Jej szyję owijała szarozielona apaszka. Miała pociągłą twarz, wysokie czoło i lekko wystające kości policzkowe. Jej ciemnokasztanowe włosy upięte były w nieregularny kok, przewiązany wstążkami w kolorze apaszki. Miała duże piwne oczy w kształcie migdałów. Patrzyła na chudego mężczyznę jak uczennica wyrwana nieoczekiwanie do odpowiedzi przez nauczyciela.

– Naszym gościom z Berlina zawsze powinniśmy pomagać, panie dyrektorze – odpowiedziała cichym głosem. – Berlin także nam pomaga... – Zsunęła się z parapetu i zapinając marynarkę kostiumu, podeszła do barierki. – Maszeńka mogłaby przygotować taką listę – mówiła – na poniedziałek. W jednym egzemplarzu. Nie widzę w tym ryzyka żadnego nadużycia, panie dyrektorze.

Chudy mężczyzna, kiwając przytakująco głową, zwrócił się do piegowatej dziewczyny:

– Mario Andriejewna, proszę przygotować dla naszego gościa taki dokument. Ale najpierw powinien napisać podanie, pozostawić swoje dane i podać cel zdobywanej informacji. Zakładam, że ma pan przy sobie paszport? – zapytał, spoglądając na mnie.

Gdy przytaknąłem, dalej instruował dziewczynę:

– Na poniedziałek rano. I przynieść mi do podpisania. W drodze wyjątku pomożemy naszym przyjaciołom z Berlina...

Piegowata Maria Andriejewna usiadła za biurkiem i zapaliła papierosa, dyrektor bez słowa pożegnania wrócił do swoich spraw, a ja nie mogłem zrozumieć, dlaczego mam czekać na jakiś papier aż do poniedziałku. Poza tym nie miałem pojęcia, co miałbym napisać w takim podaniu. Szczególnie jeśli chodzi o „cel zdobywanej informacji". Kobieta musiała zauważyć moje rozczarowanie. Podeszła do mnie i powiedziała doskonałym niemieckim:

– Musi pan zrozumieć, że to nie jest takie proste. My nie mamy listy naszych gości w komputerze. To nie jest tak, jak pan myśli, że Masza, ot tak, wrzuci słowo „Daria" jak do Google'a i potem szybko wydrukuje wyniki. To są odręczne wpisy do księgi. Tego wymagają nasze zarządzenia. Odręczne wpisy z podpisem urzędnika. Za ten rok księga jest tutaj na górze, ale za ubiegłe lata księgi znajdują się w naszej piwnicy. Masza będzie musiała przejrzeć wszystkie zapisy w księgach i ręcznie zestawić panu listę wszystkich Darii. Podejrzewam, że z tego powodu będzie musiała przyjść jutro, w sobotę, do pracy. Ale proszę się tym nie martwić – dodała z uśmiechem – ona zrobi to bardzo chętnie. Prawda, Masza? – wykrzyknęła po rosyjsku w kierunku piegowatej dziewczyny.

Masza ze słuchawkami na uszach, wpatrzona w ekran komputera, nie odpowiedziała.

Na chwilę zapadła cisza. Kobieta zarumieniła się, rozwiązała apaszkę i zaczęła dyskretnie poprawiać swoją fryzurę. Mogła mieć około trzydziestu pięciu lat. Była szczupła i wysoka. Biała bluzka opadała na obcisłą spódniczkę jej kostiumu. Talię oplatał szeroki czarny skórzany pasek ze srebrzystą klamrą, podkreślając krągłość jej bioder. Oprócz obrączki na kciuku prawej dłoni nie miała na sobie żadnej innej biżuterii.

– Dziękuję pani za wstawiennictwo – powiedziałem, sięgając po jej dłoń.

– Ależ to nic takiego – odparła, nie puszczając mojej ręki – należy pomagać mężczyznom, którzy szukają kobiet. Takich, którzy fatygują się z Berlina aż do Archiwum w Moskwie, jest bardzo mało. Pan jest, szczerze mówiąc, pierwszym, którego poznałam.

Potem opowiadała o swojej niedawnej wizycie w Berlinie. O nienagannej współpracy przy organizacji jakiejś wystawy, o zdumiewającej serdeczności Niemców, o „rodzaju uczucia wolności" w tym mieście, o „kolorycie berlińskiej ulicy" i o gościnności.

– Mieszkałyśmy z koleżanką w małym hoteliku w Pankau czy Pankow, już teraz nie pamiętam. Właścicielka hotelu, bardzo już starsza pani, specjalnie dla nas ugotowała bigos. Myślała, że jesteśmy z Polski – opowiadała rozbawiona – języki się jej pomyliły. Pan jest z Polski, czy tylko się tam pan urodził? – zapytała nagle.

– Ta dzielnica to Pankow. We wschodnim Berlinie – odpowiedziałem zdumiony. – Ja jestem Polakiem. Tylko mieszkam od jakiegoś czasu w Berlinie. Ale bigosu nie znoszę. Najbardziej zapachu gotowanej kapusty.

Potem ja opowiadałem o gościnności Moskwy. O profesorce uniwersytetu, o milicjancie, który mnie tutaj przyprowadził. Ale także o przytłaczającej wielkości tego miasta.

– Czy można polubić ten moloch? – zapytałem w pewnej chwili.

– Każdy w Moskwie ma swoją małą Moskwę – odparła po chwili zastanowienia – i tę swoją kocha. Inaczej można by tutaj oszaleć.

– Pokaże mi pani swoją? Kiedyś?

– Chciałby pan? Naprawdę? – zapytała.

Spojrzała na zegarek. Podeszła do piegowatej dziewczyny, zdjęła słuchawki z jej uszu i szeptała coś przechylona przez barierkę. Najpierw patrzyłem na jej odsłonięte uda, a potem na jej profil. Był bardzo podobny do profilu kobiety w marszrutce wiozącej mnie od rodziców Darii do hotelu. Bardzo podobny. Ale ja wtedy byłem odurzony, więc mogłem się mylić. Podeszła do mnie i powiedziała:

– Proszę zaczekać. Zaraz wracam. Zabiorę tylko swój płaszcz z biura, a potem zabiorę pana do mojej Moskwy. Mam na imię Anna…

Stała bardzo blisko mnie. Gdyby nie to, sięgnąłbym po jej rękę, pocałował i przedstawił się. Ale była zbyt blisko. Dotknąłem delikatnie palcami jej policzka i powiedziałem:

– A ja dla przyjaciół jestem Struna. Zaczekam tutaj na panią, Anno...

Anna

To był zwykły piątek. Miała zajmować się bieżącymi sprawami, ponarzekać na nadmiar pracy, wytrwać, aż wszyscy pójdą do domu i stróż głośno przekręci klucz w kracie przy drzwiach wejściowych. Napić się wina, posłuchać muzyki, przejrzeć książkę, pooglądać albumy i tak dociągnąć do późnego wieczora. Anna starała się robić wrażenie, że jest zawalona robotą, nie na dyrektorze, bo ten był jej obojętny, tylko na mężu. Przekonywała go, że pracuje dla samorealizacji, a nie dla pieniędzy. Siergiej zapewne nie pojmował sensu słowa „samorealizacja", ale budziło ono jego szacunek. Nie rozumiał znaczenia wielu słów, którymi posługiwała się w ostatnim czasie. Pewnie dlatego ich małżeństwo jeszcze istniało. W piątki starała się wracać do domu jak najpóźniej, żeby znaleźć usprawiedliwienie dla swojej oziębłości, zrzucić wszystko na zmęczenie – akurat tego dnia szczególnie nie miała ochoty, żeby mąż jej dotykał. Zwykle w piątki wracał na rauszu, podniecony biustami i biodrami swoich sekretarek i współpracownic. Zmęczenie całym tygodniem pracy wydawało się jej znacznie bardziej przekonującym argumentem niż banalny ból głowy. Bystry mężczyzna już dawno by zrozumiał, co oznaczają te jej piątki. Jednak zaczynała wątpić w możliwości umysłowe swojego męża. Dzień po dniu stawał się jej coraz bardziej obcy.

Nie, jednak ten piątek był inny. W przystojnym i pewnym siebie Polaku z Berlina było coś zagadkowego i pociągającego. Miał miękkie dłonie, pachniał znajomo i mówił w niezwykły sposób. Był taki smutny. I słuchał uważnie. Anny już dawno nikt tak nie słuchał...

Sama nie wiedziała, dlaczego wróciła do gabinetu. Przecież płaszcz został w samochodzie...

Struna

Piegowata dziewczyna po wyjściu Anny poprosiła o mój paszport i skopiowała kilka stron. Potem podała mi przygotowany druk „podania". Odetchnąłem z ulgą. Musiałem jedynie odręcznie wpisać swoje dane i podpisać. Najwięcej kłopotu było z adresem zamieszkania w Moskwie. Oczywiście nie pamiętałem adresu hotelu. Poza tym nie miałem tak zwanej rejestracji. Każdy cudzoziemiec przybywający do Rosji musi się zameldować w ciągu pierwszych dwudziestu czterech godzin. Bez takiego zameldowania, pomimo ważnej wizy, można przy kontroli narazić się na poważne kłopoty. Rosja chce wiedzieć, gdzie zamieszkują ludzie przebywający na jej terytorium. Szczerze mówiąc, nie było to aż takie wyjątkowe. Przy przekraczaniu granicy Stanów Zjednoczonych urzędnik imigracyjny także pyta o adres „zamieszkania na terenie USA". Tyle tylko że wierzy w to, co mu się powie. W Rosji przeważnie takiej rejestracji dokonuje hotel. Nie posiadałem jednakże żadnego takiego dokumentu z hotelu. A powinienem. Obiecałem, że dostarczę go w poniedziałek. W rubryce „cel wykorzystania informacji archiwalnych" bez długiego zastanawiania się po niemiecku napisałem

„dane pilnie potrzebne pacjentce szpitala psychiatrycznego w Berlinie" i podałem pełny adres kliniki w Pankow.

Gdy tylko moje podanie zniknęło w szufladzie, zapadła cisza. Anna nie wracała, a piegowata dziewczyna poczuwała się do dotrzymywania mi towarzystwa. Opowiadała o pogodzie w Moskwie i o tym, że ostatnio jest taka zmienna i że tak pewnie już będzie, i że nie można przewidzieć temperatury, i że deszcze padają albo deszcze ze śniegiem. I to globalne ocieplenie. I inne takie bezsensowne bzdury. W międzyczasie chciała napoić mnie kawą, herbatą i wodą mineralną jednocześnie. A potem, gdy powróciła Anna, oboje odczuliśmy ulgę.

Anna chwyciła mnie za ręke i wyszliśmy na placyk przed budynkiem. Wsiedliśmy do luksusowego samochodu. Przez kilka minut milczała. Potem zaczęła opowiadać mi o Moskwie. Miałem czasami wrażenie, że zna historię każdego mijanego budynku. Jechała jednak zbyt szybko, abym mógł zarejestrować w pamięci wszystko, co mówiła.

– Niech pani, proszę, nie mówi tak szybko – powiedziałem, dotykając jej ręki – nie znam rosyjskiego zbyt dobrze, a chciałbym zrozumieć. Pani mówi ważne rzeczy…

– Pan słucha tak pięknie. To dlatego. Już nic nie powiem…

I faktycznie zamilkła. Wjechaliśmy w szeroką aleję. Gdy tylko zbyt długo staliśmy w korkach, skręcała w małe uliczki i wracaliśmy na aleję kilometr lub dwa dalej.

– W Moskwie najważniejsze słowo to „*probka*". Po niemiecku to „*stau*", prawda? A jak to jest po polsku?

– Korek.

– Mamy w Moskwie straszne *korek*. Okropne *korek* tutaj mamy. Dlatego ja tak się błąkam po tych wąskich uliczkach. Bo ja nie lubię stać w *korek*. W Berlinie nie było takich *korek*.

Zawsze mnie to dziwiło. A może chce się pan czegoś napić? W tym schowku naprzeciwko pana powinna być jakaś cola...

Otworzyłem schowek. Pod stertą jakichś dokumentów i płyt znalazłem butelkę z colą. Była owinięta w koronkowe majtki i przewiązana różową wstążeczką.

– Myśli pani, że wolno mi się napić z tej butelki? – zapytałem zmieszany.

Anna zerknęła na mnie. Westchnęła i powiedziała:

– Przepraszam pana. To jest samochód mojego męża. On czasami robi mi takie niespodzianki. Przepraszam...

Spojrzałem na nią. Nie miałem wrażenia, że jest zawstydzona. Była przerażona. Po chwili zatrzymała auto, wjeżdzając na krawężnik. Stanęliśmy obok małego kiosku. Wysiadła. Po chwili wróciła z butelkami coli, wody mineralnej i soków.

– Przepraszam pana – powiedziała, kładąc butelki na moich kolanach.

I gdy ruszyliśmy, zaczęła płakać. Trzęsła się od łkania. Płakała. Głośno płakała. Tak jak gdyby mnie tam nie było. Wyła jak dziecko, które ktoś bardzo skrzywdził. Nie pamiętam, kiedy ostatni raz widziałem kogoś, kto tak płakał. Sven na koksie w Pankow? Ja sam na balkonie w Moguncji?

Tuliłem do siebie butelki i nie wiedziałem, co mam powiedzieć. Ja przecież nie chciałem tej coli. Ja tak z grzeczności tylko...

– Niech pani powie mi coś o tym budynku, który mijamy. Słyszy pani? Niech pani mi coś teraz natychmiast powie! – mówiłem coraz głośniej. – Teraz! Słyszy pani?!

Gwałtownie zjechała na parking. Wydobyła z torebki chusteczki. Potem poprawiła makijaż.

– Przepraszam pana – wyszeptała, dotykając palcami moich warg – przepraszam...

Po chwili pojechaliśmy dalej.

Zatrzymała samochód niedaleko bramy prowadzącej do – jak mi się wydawało – wielkiego parku. Wysiedliśmy. Zauważyłem, że po obu stronach bramy, wzdłuż płotu, ciągnie się długi rząd straganów z kwiatami i zniczami. To nie był żaden park. To był cmentarz!

– Znowu pana przeraziłam? – zapytała z niepokojem w głosie, widząc moje zdumienie.

– Ależ skąd – odparłem – ja często zachodzę na cmentarze w miastach, do których przyjeżdżam. Czy to jakiś specjalny dla pani cmentarz?

Spacerowaliśmy wąskimi wyasfaltowanymi alejami. Tak ciasnego cmentarza jeszcze nie widziałem. Niekiedy nie było zupełnie przejść pomiędzy grobami.

– Osobiście nie. Grobów moich najbliższych nie ma w Moskwie. Jest kilka mogił ludzi, których znałam poprzez pracę w Archiwum. Ale to nie byli moi przyjaciele. Teraz na Wagańkowskim nie chowa się już normalnych ludzi. Chyba że to jakieś ważne osobistości.

– Wagańkowski? Tak się nazywa? – upewniłem się.

– Tak. Największy w Moskwie. Jest tutaj ponad sto tysięcy grobów. Pochowanych jest ponad pół miliona ludzi. W niektórych grobach, przez setki lat, bo to bardzo stary cmentarz, chowano do dziesięciu zmarłych.

W pewnym momencie zatrzymaliśmy się przy pomniku otoczonym prostokątem płotu. Z porośniętego trawą kwadratu gazonu wystrzeliwała w górę rzeźba mężczyzny wyrastającego z liścia. Był okryty zwiewnym całunem, zza jego pleców wystawała gitara. Spoglądnąłem na jego twarz.

– Wysocki! – wykrzyknąłem poruszony.

– Pamięta go pan?

– To złe słowo. W Polsce Wysockiego się nie „pamięta". Moje pokolenie Wysockiego czciło – odparłem.

– Dlatego pomyślałam, że pana tutaj przyprowadzę. Ile pan miał lat, gdy Wysocki umarł?

– Dwanaście. Wtedy była olimpiada w Moskwie...

– Słuchał go pan wtedy? – zapytała

– Nie. Ale słuchałem go przed osiemdziesiątym dziewiątym. Wtedy go nie tylko słuchałem. Wtedy już go grałem, śpiewałem i uczyłem się jego wierszy na pamięć.

– Chyba tylko w Polsce Wysocki jest tak samo czczony jak u nas – odparła z uśmiechem – dlatego pana tutaj przywiozłam.

– U was także? Sądziłem, że władza nie miała powodu go lubić.

– Władza nie. Ale ludzie go wielbili. Władza zaczęła go lubić, dopiero gdy umarł. Nie tak od razu, ale po jakimś czasie tak. Martwy Wysocki przestał władzę niepokoić. A teraz? Teraz utwory Wysockiego są drukowane w podręcznikach szkolnych jako kanon, jego imię nosi tankowiec, planeta i górska przełęcz na Dalekim Wschodzie, na koperty nakleja się znaczki z wizerunkiem jego twarzy. Jego pieśni na kasetach zabierali w kosmos. Rosja mu wybaczyła...

– Wybaczyła? Przepraszam co?! – zapytałem.

– Jego umieranie... – odparła spokojnie, ignorując moje zdenerwowanie.

– Co było do wybaczenia w jego umieraniu?

– Wszystko. Chciałby pan wiedzieć dokładniej?

– Oczywiście, że tak!

– Mnóstwo ludzi szperało w naszym Archiwum na temat Wysockiego. Szczególnie interesowały ich jego grzechy.

Ludzkie grzechy zawsze są najbardziej interesujące. Przyzna pan? Ludzie uwielbiają odbrązawiać i obsrywać pomniki bohaterów...

– Wysocki pił. Dużo pił. Ale to w Rosji chyba dość normalne, przyzna pani?

– Wysocki nawet jak na Rosję pił zbyt dużo. I proszę się nie denerwować – odparła podniesionym głosem – ja nie mam zamiaru panu burzyć żadnych pana mitów. Nie po to tutaj pana przywiozłam...

– Niech pani jednak spróbuje. Ja nie jestem mitomanem. Zapalę papierosa, a pani mi zacznie burzyć. Może tak być?

Uśmiechnęła się i zapytała:

– Poczęstuje mnie pan także? Ja rzadko palę, ale teraz mam ochotę.

– To mocne udawane polskie marlboro, ostrzegam panią – odparłem z uśmiechem.

– No więc Władimir Siemionowicz Wysocki latem 1980 roku, gdy pan miał dwanaście lat, ja miałam osiem, a Wysocki czterdzieści dwa i w Moskwie odbywała się pamiętna olimpiada, był już tylko ludzkim wrakiem. Kaca po wódce, ataki epilepsji i delirium leczył zastrzykami morfiny. Gdy nie miał pod ręką morfiny, brał wszystko. Amfetaminę, heroinę, wszystkie dostępne środki przeciwbólowe. Tracił momentami pamięć. W teatrze Na Tagance grał wtedy Hamleta. Ponieważ zapominał roli, za kulisami dyżurował ktoś zaufany ze strzykawką, by zaaplikować mu dawkę narkotyku. Poza tym zapominał nie tylko roli. Zapomniał na przykład, że jest ciągle mężem Mariny Vlady. Ale nie przeszkadzało mu to oświadczyć się zakochanej w nim studentce Oksanie. Chciał się z nią ożenić, kupił obrączki, odwiedził nawet kilka cerkwi. Z powodu olimpiady w lipcu 1980 roku milicja oczyściła miasto z dealerów. Coraz trudniej było zdobyć narkotyki. Wysocki nie wytrzymywał abstynencji. Miał halucynacje, ataki paniki. Trwała przy nim jego matka, studentka Oksana, lekarz Fiedotow oraz znajomi aktorzy Bortnik i Abdułow. Obaj alkoholicy. W nocy 21 lipca po pijackiej nocy z Bortnikiem Oksana postanowiła opuścić Wysockiego. Wysocki zagroził jej swoim samobójstwem. Wróciła, widząc, jak zwisa na rękach z balkonu siódmego piętra. Obiecał jej, że przestanie pić. Nie dotrzymał jednak tej obietnicy. Następnego dnia nawet trzy butelki wódki nie zdołały go uspokoić. Dopiero jego lekarz Fiedotow wstrzykiwanymi środkami uspokajającymi go uśpił. Następnego dnia Oksana robiła mu ciepłe uspokajające kąpiele i oszukiwała jego pragnienie alkoholu, podając mu herbatę w kieliszku, którego brzegi dla zapachu moczyła w koniaku. Nocą z Fiedotowem przywiązali go prześcieradłem do łóżka. Po północy był spokojny. Odwiązali go. Wypił butelkę szampana i zasnął po zastrzyku nasennym. Fiedotow także zasnął. Rano, około piątej następnego dnia, Wysocki był martwy. Przed przyjazdem milicji usunięto ampułki z morfiną. Lekarz, który przyjechał, na świadectwie zgonu napisał diagnozę podyktowaną przez Fiedotowa: „Śmierć nastąpiła we śnie na skutek syndromu abstynenckiego i ostrej zapaści serca". Poczęstuje mnie pan jeszcze jednym papierosem? – zapytała i zamilkła.

Poczułem się jak „na grupie" w Pankow. Nic nowego, co byłoby aż tak bardzo inne od tamtych alkoholowych opowieści. Ale pomimo to było jak najbardziej inne. Co innego, gdy o swoim delirium opowiada zupełnie mi obcy niemiecki pracownik banku, którego zwolnili po dwudziestu latach pracy i się „zagubił", a co innego, gdy słucha się o delirium swojego bożyszcza. Patrzyłem na odlaną na zawsze w bryle brązu chłopięcość twarzy Wysockiego i myślałem, czy ta wysłuchana przed chwilą historia w jakiś sposób „odbrązowiła" moją pamięć o nim. A potem przypomniałem sobie osiemdziesiąty siódmy rok. Studencki obóz w Bieszczadach w sierpniu, gdzie na trzy gitary i osiem głosów śpiewaliśmy i gwizdaliśmy pijani przy ognisku:

Jeśli ktoś – nie wiadomo kto! –
czy on wróg, czy on brat, czy swat?
Nie wyczujesz od razu, w mig,
czy on dobry czy zły.

Zaryzykuj i w góry weź.
Nie zostawiaj samego, lecz
jedną liną się z takim zwiąż,
wtedy pojmiesz, w czym rzecz.

Jeśli chłopak od razu zmiękł,
zaraz w krzyk, zaraz wracać chce...
Ledwo poczuł pod stopą lód,
potknął się i chce w dół...

Wtedy wiesz, że to obcy ktoś,
nie zatrzymuj, lecz przepędź go.
Nie dla takich jest grani szczyt,
nie pamięta ich nikt.

Gdy nie skomlał, nie skarżył się,
choć pochmurny i zły, lecz szedł
i gdy nawet odpadłeś ty,
to on drżał, ale trwał...

Jeśli z Tobą jak w dym, tak gnał,
a na grani się śmiał…
wiesz, że możesz zaufać mu,
tak jak sobie byś mógł.

I zapytałem Annę, czy zaczeka na mnie tutaj przez chwilę. I pobiegłem do bramy cmentarza, i kupiłem dwa znicze. Jeden dla mnie, a drugi dla niej…

Potem poszliśmy dalej. Mrowie grobów, tysiące nazwisk wyrytych na kamieniach. Przy niektórych zatrzymywaliśmy się. Dal, Surikow, Sawrasow, Jesienin…

Zapadał zmrok, gdy wróciliśmy do auta. Zapytałem, czy odwiezie mnie do najbliższej stacji metra. Ona zapytała, w którym hotelu mieszkam. Odpowiedziałem, że w Novotelu.

– Takim w centrum miasta, blisko uniwersytetu – dodałem.

Ruszyliśmy. Wydobyła jakąś płytę ze schowka i nagle zabrzmiał Okudżawa. Auto dudniło jego chrapliwym, melancholijnym głosem i muzyką. W pewnej chwili, przy tekście Villona, Anna zaczęła śpiewać…

Пока Земля еще вертится, пока еще ярок свет,
Господи, дай же Ты каждому, чего у него нет:
Мудрому дай голову, трусливому дай коня,
Дай счастливому денег… И не забудь про меня…

I zrobiło się nastrojowo, nieomal uroczyście. Patrzyłem na Moskwę rozpoczynającą swój piątkowy wieczór i cieszyłem się, że mogę tutaj być.

– Zawiozła mnie pani do niezwyczajnego miejsca. Dziękuję – powiedziałem, gdy stanęliśmy przed hotelem. – Podaruje mi pani, do poniedziałku, tego Okudżawę? – zapytałem.

– Podaruję panu tego Okudżawę na zawsze – odparła, wysuwając płytę z odtwarzacza. – Dobrej nocy...

Patrzyłem, jak odjeżdża. Po chwili gwałtownie zahamowała i cofnęła auto. Otworzyła okno i podając mi mój płaszcz, powiedziała:

– Znowu pan czegoś zapomniał. To już drugi raz! Do kieszeni wsunęłam panu butelki z sokiem. Gdyby zachciało się panu w nocy pić. Sok jest zdrowszy niż cola... – dodała z uśmiechem.

W moim hotelowym pokoju na łóżku leżała metalowa walizka z dziękczynną kartką od dyrektora hotelu. I rachunkiem do podpisania. Na biurku, obok komputera, stał porcelanowy półmisek z owocami i srebrzystym termostatem z butelką białego wina zatopioną w kostkach lodu. Na parapecie dostrzegłem duży pogięty karton owiązany sznurkiem. Rozerwałem sznurek na wieku kartonu. W środku między zwojami pogniecionych gazet stała bawełniana torba. Z owiniętym grubym frotowym ręcznikiem słoikiem barszczu, świeżymi pampuszkami w pergaminie i blinami w plastikowym pudełku...

W nocy obudziło mnie pukanie do drzwi. Nie otworzyłem. Usiadłem w fotelu ze słoikiem barszczu pomiędzy moimi udami, na porcelanowy półmisek obok pomarańczy, marakui, kiwi i mandarynek wysypałem pampuszki z pergaminu, a z pudełka wybierałem bliny. Już dawno nie czułem takiej radości z jedzenia.

Potem włączyłem Okudżawę i rozmyślałem o Wysockim. Gdy umarł, byłem za młody, aby to zarejestrować. Nie wiedziałem o jego istnieniu. Gdy się o nim dowiedziałem, już od dawna nie żył. Bardziej interesowało mnie jego życie niż jego śmierć. Gdy ma się osiemnaście lat, informacja o tym, że umarł mężczyzna w wieku czterdziestu dwóch lat, nie jest szokująca. Dla osiemnastolatka mężczyzna w tym wieku wydaje się starcem „stojącym nad grobem". Teraz mam tyle samo lat co Wysocki, gdy umierał. Dzisiaj już tak nie myślę. Teraz wydaje mi się, że Wysocki w tym wieku był niedojrzały do życia, a co dopiero do śmierci. On nie miał w tym wieku świadomości, że kiedyś umrze. Nie mógł jej mieć. Był na to za młody. To ponoć przychodzi u mężczyzny o wiele później. Tak grubo po pięćdziesiątce. I staje się determinantą wszystkiego. To wtedy dopiero kończy się ponoć męska niedojrzałość.

Opowiadał mi o tym trzy lata temu pewien profesor z Lozanny, dyrygent, kompozytor, dyrektor znanej orkiestry. Zbliżał się do sześćdziesiątki. Któregoś razu był ze swoją orkiestrą w Bukareszcie. W nocy do drzwi jego pokoju w hotelu zapukała młoda dziewczyna i zapytała, czy mogłaby u niego przenocować. Była śliczna, młoda. Z plecakiem, w wysokich wojskowych butach i prośbą w oczach. Wpuścił ją do siebie. Rozebrała się i położyła się w jego łóżku. On położył się obok niej. I rano zrozumiał, że chciałby, aby ona nigdy nie oddalała się od niego. Teraz są małżeństwem. On jej pierwszym mężem, ona jego czwartą żoną. I są szczęśliwi. On rozstał się ze swoim dotychczasowym życiem, ona rozpoczęła nowe życie. Zapytałem go, dlaczego, po co, a gdzie strach. I wtedy on mi odpowiedział, że gdy rano ona brała prysznic w łazience, to on przypomniał sobie wiersz Miłosza, „tego waszego polskiego wyrzutu sumienia z Nagrodą Nobla". Ten jego zdaniem najważniejszy jego wiersz *Esse*. Przypomniał sobie i przeraził się, że ta dziewczyna pod prysznicem będzie „dziewczyną z metra" Miłosza, a on – gdy pozwoli jej z tego metra wysiąść – pozostanie „z ogromem rzeczy istniejących, jak gąbka, która cierpi, bo nie może napełnić się wodą, rzeka, która cierpi, bo odbicia obłoków i drzew nie są obłokami i drzewami". I dlatego nie pozwolił jej odejść. Bo gdy ma się tyle lat co on, nie powinno się pozwalać odchodzić „dziewczynom z metra". Bo to mogła być jego ostatnia podróż metrem. O tym, że się umrze, nie myślimy, gdy mamy czterdzieści lat. Dojrzałość to nabycie świadomości, że się umrze. „Ale ta dojrzałość pojawia się o wiele później". Tak powiedział.

A potem zastanawiałem się, dlaczego Wysocki nie znalazł spełnienia. Dlaczego? Najbliżsi go uwielbiali. Ulica go ubóstwiała. Władza go ignorowała, ale to tylko dodawało mu świętości wtedy w Związku Radzieckim. I on o tym musiał wiedzieć. Ale pomimo to nie mógł w to uwierzyć. Tak mi się wydawało.

I wtedy przypomniałem sobie słowa Joanny, gdy rozmawialiśmy którejś nocy o mojej obsesji „zaistnienia". Pamiętam, jak powiedziała, że jest we mnie „demon próżności". A ja się broniłem, twierdząc, że to nieprawda. I ona wtedy powiedziała, że może nawet o tym nie wiem. Bo ten demon zawsze się wkrada. Twierdziła, iż nie da się bez niego być twórcą. Człowiek musi być w zaraniu obarczony ponadprzeciętną pychą, by uważać, że to co tworzy, trzeba światu ogłosić. A potem, gdy się tak już stanie, wyczekuje niecierpliwie aplauzu. Bez tego poklasku niepodobna tworzyć. To takie nieokiełznane łaknienie podziwu, pomieszane z panicznym lękiem przed jego utratą. Obojętnie, jakim się jest mistrzem. Tak widziała to Joanna, a ja w końcu przyznałem jej rację. Pomyślałem, że

Wysocki musiał przeżywać to wszystko wzmocnione poczuciem bycia za kratami klatki systemu, w którym żył. Wiedział, że w takim systemie talent i pracowitość wcale niczego nie gwarantują. Chociaż i tak miał o wiele więcej wolności niż inni twórcy, musiał wiedzieć, że jest to przywilej, który mu można w każdej chwili odebrać jedną decyzją jakiegoś urzędnika. Wysocki, który nie będzie mógł wydawać swoich wierszy, Wysocki, któremu zamknie się furtki do teatrów, Wysocki, któremu zakaże się koncertować, to Wysocki – jako artysta – skończony. A przy charakterze Wysockiego oznaczało to życie w nieustannym egzystencjalnym lęku. I może dlatego nie dawał sobie z tym rady? Albo dawał, oszukując ten lęk alkoholem i chemią?

Ponad dwie trzecie pacjentów Pankow to ludzie niepotrafiący poradzić sobie ze swoim lękiem. Tak ogłosiła kiedyś „na grupie" psycholożka Aneta. Złamani terrorem nieustannego dążenia do sukcesu. I do szczęścia. Bo dzisiaj szczęśliwość stała się podstawowym obowiązkiem człowieka. Jeśli nie jesteś szczęśliwy, to coś z tobą nie tak. A ludzie ze świata poza Pankow to także znarkotyzowane tłumy wystraszonych teraźniejszością i przyszłością konsumentów nikotyny, kofeiny, alkoholu, środków uspokajających, środków pobudzających, tabletek, aby nie bolało, tabletek, żeby zasnąć, tabletek, żeby nie zasnąć, i wszelkich innych magicznych tabletek wpływających na nastrój. Nie mówiąc o tych, co sięgają po marihuanę lub naprawdę coś „twardego". Wszyscy są jakoś dzisiaj „najarani" – jak to ujmował dosadnie Joshua – gdyby nie byli, świat by się im rozpadł w pył...

A potem, gdy Okudżawa znowu zaczął chrapliwie i wzruszająco swoje „*Пока Земля еще вертится, пока еще ярок свет*", pomyślałem o Annie. Wstałem z fotela i z kieszeni płaszcza wiszącego w szafie wydobyłem butelki z sokiem. W poprzek żółtej etykiety na jednej z butelek był zapisany czarnym mazakiem numer telefonu. W pierwszym odruchu chciałem zadzwonić, ale gdy sprawdziłem, jak jest późno, zrezygnowałem.

Anna...

Inteligentna. Elokwentna. Nieskrępowana. Trochę histeryczna. Pociągająca. Ładna. Już nie dziewczęca, ale bardzo kobieca. Nie ma typowej urody Rosjanki. Gdybym spotkał ją przypadkowo na lotnisku poza Rosją, na przykład w Kolonii, nie pomyślałbym nigdy, że jest ze Wschodu. Gdy mówiła do mnie po niemiecku, używała słów, które normalny Niemiec słyszy w dysputach w telewizji na kanałach Kultura lub czyta bez zrozumienia we „Frankfurter Allgemaine Zeitung", gazecie dla intelektualistów lub za takich się uważających. Takich słów czasami używał Sven albo Joshua, kiedy chciał zdenerwować psycholożkę Anetę, która traktowała go jak przygłupa i celowo mówiła do niego językiem innym niż do Svena. Pamiętam, że któregoś dnia wyprowadziło to z równowagi samego Svena, który uważał, że intelektualizm się absolutnie w Niemczech zdewaluował. Pamiętam, jak zwracając się do Anety, powiedział coś, co mnie bardzo rozbawiło: „Teraz intelektualistą czuje się każdy nowobogacki, który wykupi sobie abonament na sezon w operze. Chociaż albo tam nie chodzi, albo zasypia już przy drugim akcie. Ale z podatków sobie to odpisuje".

Ale to językowe niedopasowanie jest typowe. Cudzoziemcy wyuczeni obcego języka na kursach, w językowych szkołach lub samoucy zawsze tak mają. Mój kolega Grzegorz, organista w kościele adwentystów, mieszkający od dwudziestu lat w prowicjonalnym miasteczku w stanie Maine w USA, twierdzi, że przyjeżdżający tam turyści nie potrafią się porozumieć z miejscowymi tylko dlatego, że ci ostatni nie pojmują słów, które wypowiadają turyści. To są absolutnie poprawnie wypowiedziane rzeczowniki lub czasowniki, tyle że dla miejscowych „za mądre".

Anna...

Wydawało mi się, iż przez tylko jeden incydent wiem o jej obecnym życiu więcej, niż byłaby mi zdolna opowiedzieć, gdyby się w ogóle odważyła, przez cały wieczór. Ta przykra historia z butelką coli owiniętą majtkami i jej reakcja na nią to dobry początek interesującej książki. „To samochód mojego męża..." Tak powiedziała. A zamiast dodać, „a te majtki to należały do jednej z jego kochanek", powiedziała dyplomatycznie: „on robi mi czasami takie niespodzianki". Elegancko i dyskretnie. Ale potem nie dała sobie z tą dyplomacją rady i histerycznie płakała. Gdyby to były jej majtki, czułaby co najwyżej zażenowanie lub wstyd. Ale mało prawdopodobne jest, że aż taki, aby z tego powodu wpaść w histerię. Nie byłem pewny, czy płakała tylko z powodu poniżenia, którego doznała w mojej obecności, czy płakała dlatego, że jej mąż przyjmuje i przechowuje w swoim samochodzie takie prezenty. A może płakała, ponieważ zawaliło się jej życie? Pierwszy lub kolejny raz? Pewnie tak, ponieważ tak się płacze, gdy kogoś się bardzo kocha albo kocha, a kochać nie powinno. Z bezsilności się wtedy płacze. Bardziej niż ze smutku lub bólu. Znałem ten rodzaj rozpaczy. Od momentu utraty Izabelli i Dobrusi często przydarzało mi się tak płakać...

Anna...

Pojawiła się tak nagle, przypadkiem. Przypadkiem?! W Moskwie przypadek powinien otrzymać zupełnie inną definicję. Słuchałem Okudżawy i w tle ciągle słyszałem jej mocny, harmonijny głos z samochodu. I odtwarzałem w pamięci obraz jej warg. Miała obrzmiałe wargi nastolatki. Pogryzione, w kolorze dojrzałej maliny, pełne, jak gdyby lekko opuchnięte, spieczone i popękane, z zarysami nieregularnych śladów zasychającego naskórka, który jeszcze nie zniknął. Patrząc na nie, czułem rodzaj ciekawości. Kobiece usta zawsze zatrzymywały mój wzrok i wywoływały emocje. W galeriach, na ulicy, w autobusie, podczas koncertów. Tajemnica smaku i dotyku ust kobiety bardziej mnie fascynowała niż tajemnica jej piersi, ud, pośladków czy jej łona. W samochodzie często dotykała swoich warg palcami. Od czasu do czasu nakładała na nie błyszczyk. Ma kościste nadgarstki, ale smukłe, delikatne dłonie ze zgrabnymi długimi palcami. Jej paznokcie były pomalowane na oliwkowozielony kolor dopasowany do zieleni jej apaszki i wstążki obwiązującej kok z jej kasztanowych włosów. Makijaż na jej twarzy był bardzo delikatny. Oprócz delikatnego cienia na powiekach i przedłużonych maskarą rzęs praktycznie nieobecny. Wokół kącików oczu ma delikatne urocze zmarszczki, wyraźnie widoczne, gdy się uśmiecha. Jej skóra ma ciemną karnację i jest gładka. Odpięte guziki jej białej bluzki odsłaniały dekolt. Jej piersi wypchnięte do góry stanikiem są nieduże. Przez bluzkę, pomimo stanika, wyraźnie przebijały się wypukłości jej sutków, co nieustannie przykuwało moją uwagę. Gdy miała ten swój napad płaczu w samochodzie, to jej sutki urosły jak w jakiejś gigantycznej erekcji, próbując przebić materiał bluzki zmoczonej jej łzami. To także zauważyłem. Ma wąską talię, którą dzisiaj podkreśliła paskiem, i długie zgrabne nogi. Gdy usiadła za kierownicą samochodu, podniosła wysoko obcisłą spódnicę, odsłaniając uda przykryte srebrzystymi pończochami kończącymi się szerokimi, koronkowymi podwiązkami. Tak jak u dziewczyn z metra.

Anna…

Ma na przedramionach delikatny, podniecający meszek krótkich włosków, które podnoszą się i opadają, gdy…

W tym momencie Okudżawa przestał śpiewać. Otworzyłem oczy. Czułem smutek. Ale inny niż ten w Pankow, gdy zapadała cisza na korytarzach szpitala, kończył się dzień, a ja słyszałem tylko odgłosy Berlina za oknem. Odgłosy tutaj, w Moskwie, były bardzo podobne. Tyle że w Berlinie nie tęskniłem za Svenem, Joshuą, a nawet za przemądrzałą Anetą. Wiedziałem bowiem, że spotkam ich następnego dnia. Ta pewność wyznaczała rodzaj bezpieczeństwa. Tutaj jednakże tęskniłem. Dziwacznie nieprawdopodobne, ale prawdziwe. Nie tęskniłem za Joanną. Ona zawsze była. Jak powietrze, którym się oddycha. Obecność powietrza jest tak oczywista, że chyba dopiero topiąc się, zauważamy, jak bardzo myliliśmy się dotychczas. Joanna, jak dotychczas, nigdy nie pozwoliła mi utonąć…

W tym swoim kłębowisku myśli odkryłem, że tęsknię także za Anną. To było chyba najbardziej dziwaczne. Gdy czuje się brak obecności kogoś, to jest to przecież tęsknota? A ja odczuwałem teraz ten brak. Może to Okudżawa, może to Moskwa, może to Wysocki, a może to po prostu oczarowanie tą kobietą?

Sięgnąłem po butelkę z sokiem i przez chwilę spoglądałem na wypisane jej ręką cyfry numeru telefonu na etykiecie. Po chwili przeszedłem do łazienki, wziąłem prysznic i położyłem się spać.

Anna

Struna...

Dziwny i daleki – a taki bliski... Czuła, jak rozbrzmiewa w niej pełny, głęboki dźwięk, jakby tysiąc głosów śpiewało *unisono*. Jego wibracje łaskotały ją lekko i bardzo przyjemnie. Podobne doznania towarzyszą spacerom brzegiem morza, kiedy łagodna bryza spowija ciało. Albo spoglądaniu na uśmiech niemowlęcia. Skąd nagle wzięło się w niej to dawno zapomniane, a może nieznane uczucie harmonii i wewnętrznej wolności? Tak, wolności!

Anna przypomniała sobie, jak w opowiadaniu Heinricha Bölla *Od tej pory jesteśmy razem* główny bohater siedzi na dworcu w poczekalni pogrążony we własnych myślach i co rusz coś przykuwa jego spojrzenie. Wbrew woli powraca wzrokiem w to samo miejsce, jakby coś go przyciągało. Przygląda się z uwagą i widzi dziewczynę.

Böllowi udało się ukazać ledwie uświadamiany w życiu moment emocjonalnej fiksacji – mimowolnego skupienia uwagi na czymś, co odpowiada naszym wewnętrznym skłonnościom. Taka chwila może zmienić cały świat człowieka.

Anna nie mogła pojąć, jak to się stało, że nagle całym sercem, całą swoją istotą zaczęła lgnąć do tego Polaka z błękitnymi smutnymi oczami. I chciała dzielić z nim jego smutek.

Struna...

Z wyglądu miał koło czterdziestki, może trochę więcej. Zmarszczki w kącikach oczu, twardy podbródek i pszeniczne włosy. Wielkie dłonie o długich palcach i dobry uśmiech. Anna czuła, że był bardzo zmęczony, jak piechur po długiej wędrówce. Żałowała tak szybkiego rozstania. Chciała ciągnąć rozmowę, zdradzić mu swoje tajemnice i dotknąć jego sekretów.

Kiedy chodzili po cmentarzu Wagańkowskim, a ona opowiadała mu o Wysockim, był tak blisko, że czuła na policzku jego oddech.

Nagle owładnęło nią pragnienie, żeby podarował jej kwiaty. Bukiet rumianków albo dużą herbacianą różę.

Niespodziewanie, po raz pierwszy od wielu lat, jak gdyby pokonując w sobie jakiś opór, zaczęła z przejęciem recytować swój ulubiony wiersz Achmatowej:

W blaskach zachodu pożółkł świat,
Czule kwietniowy chłód się skrada.
Spóźniłeś się o tyle lat,
A jednak jestem tobie rada.

Siądź bliżej, usiądź przy mnie tuż
I uśmiechając się oczami
Na ten niebieski zeszyt spójrz –
Dziecinny zeszyt mój z wierszami.

Przebacz, że tonąc w smutku złym
Cieszyć się słońcem nie umiałam,
Przebacz i to, że w życiu mym
*Innych za ciebie często brałam**.

Skręciła i utknęła w korku. Przypomniała sobie nowo poznane polskie słowo.

---

* A. Achmatowa, *W blaskach zachodu pożółkł świat*, tłum. A. Stern, [w:] A. Achmatowa, *Poezje*, Kraków 1986 (przyp. tłum.).

Domyśliła, że Struna szuka jej Daszy. Nie mogło być inaczej. Dasza mieszkała w Berlinie. Struna opowiadał o Magdzie Schmitovej i również Dasza mówiła o Magdzie. Co ma teraz zrobić? A jeżeli Struna usłyszy od niej o Daszy i się z nią spotka, a potem uzna, że więcej nie ma w Moskwie nic do roboty? Zniknie z jej życia równie gwałtownie, jak się w nim pojawił? Ogarnął ją dziwny lęk, aż zrobiło się jej gorąco. Czy to możliwe? A co z nią?

Anna prowadziła samochód ze zwykłą uwagą i precyzją, gdy w jej duszy szalała burza.

„Może za bardzo boję się cierpienia, swojego i cudzego? Albo za bardzo je kocham?" Ludzie potrzebują dzielić swój lęk. Na najbliższym skrzyżowaniu Anna zawróciła. Musiała z kimś porozmawiać.

Godzinę później stała pod domem Daszy. Wcisnęła przycisk na domofonie. „Żeby tylko była w domu, żeby tylko była..."

– Tak? – usłyszała jej głos.

– Dasza... – Anna przymknęła oczy z ulgą. – Daszeńko, wpuść mnie, proszę...

Usiadły w kuchni. Pachniało jagodami.

– Rozpyliłam resztki moich zimowych perfum, żebym mogła wyrzucić butelkę – wyjaśniła Dasza.

Słodki zapach. Okropny bałagan. Wszędzie porozrzucane rzeczy.

– Chciałam zrobić porządek w szafie – Dasza uchwyciła jej spojrzenie. – Aż strach, co się tam wyrabiało...

Anna upiła łyk gorącej herbaty i powiedziała:

– Podoba mi się, że jest taki żywy, uczuciowy. Często myślałam o rozstaniu się z życiem. Interesowałam się tajnym bractwem dążących do śmierci, czytałam książki i artykuły, praktycznie stałam na krawędzi... jak emo, tylko bez tej efektownej pozy. Wszyscy tak czy inaczej myślimy o śmierci, ale tylko niektórzy szaleją na punkcie absurdalności życia... Jak to mówił Camus? Człowiek jest na zawsze wygnany, pozbawiony pamięci o raju utraconym i nadziei na jego odzyskanie... On też o tym myślał, jestem pewna! I czuję, że jest tak samo samotny. Na pewno przeżył jakąś tragedię, która zostawiła bliznę na jego duszy. Ja mogę uratować jego, a on – mnie. A poza tym wydaje mi się taki piękny! Właśnie taki.

Dasza słuchała w milczeniu, podczas gdy Anna ciągnęła, energicznie gestykulując:

– Przez te wszystkie lata oglądałam mężczyzn, przymierzałam ich jak sukienki. Żaden mi nie pasował, byłam chora, słaba, śmiałam się, płakałam... A on, wiesz, Daszo, on jest taki... Przy nim mam ochotę być słaba...

Anna raptownie wstała. Aż zadźwięczała filiżanka. Po chwili zamilkła, opadła na krzesło. Dasza podeszła blisko, przycisnęła jej głowę do swojej piersi. Pogładziła jej włosy.

– A teraz – powiedziała spokojnie – opowiedz wszystko od początku.

Struna

Było ciągle ciemno, gdy ze snu wybudził mnie przeraźliwy hałas dochodzący z ulicy. Zerknąłem na wyświetlacz zegara pod telewizorem. Było kilka minut po trzeciej. Podszedłem do otwartego na oścież okna. Na środku ulicy tuż pod budynkiem hotelu silnik śmieciarki ryczał jak wściekły słoń, który ma ataki astmy, wypadające z plastikowych pojemników butelki brzęczały głośnym stukotem, ugniatarka wewnątrz śmieciarki piszczała i dyszała jak nienaoliwiona pompa z pierwszej maszyny parowej, a śmieciarze podsuwający pojemniki do obręczy klęli głośniej niż szewcy. Po chwili do tej histerii hałasu dołączyły alarmy w zaparkowanych na ulicy samochodach. Przezornie zaprogramowane prawdopodobnie już na odgłosy stąpania kota po dywanie, zaczęły wyć jeden po drugim. Ulica w centrum Moskwy. Kilka minut po godzinie trzeciej. Po trzeciej nad ranem!!! Urzędnik, który wysłał śmieciarki na ulicę Moskwy w sobotę w środku nocy, jest najpewniej i tak pokrzywdzony przez los, ponieważ jest najprawdopodobniej głuchy. Niemniej poczułem pragnienie, aby go dodatkowo wykastrować. Ale nie z jąder. Z mózgu.

Zamknąłem szczelnie okno i wróciłem do łóżka. Nie mogąc zasnąć, zastanawiałem się nad tym, co normalny Rosjanin, nie taki turysta jak ja, może myśleć, gdy w środku nocy wyrwie go ze snu śmieciarka. Czy jest z tym pogodzony, czy jest wściekły, bo czuje swoją bezsilność, czy jest logiczny, ponieważ wie, że gdy śmietniki będą opróżnione w nocy, to w dzień będą krótsze korki na ulicach?

W Berlinie coś takiego byłoby porównywane z apokalipsą. Gdyby wydarzyło się więcej niż trzy razy, to przy następnych wyborach partia, która utworzyła magistrat, nigdy by ich nie wygrała. A partia, która dzięki temu wygrałaby wybory, kupiłaby z pewnością nowe śmieciarki. Takie, w których wszystkie śmieci opadają na dno idealnie wytłumionego wnętrza, w zupełnej ciszy. A śmieciarze musieliby najpewniej podpisać oświadczenie, że nie będą przeklinać, a być może w ogóle mówić. W Berlinie, jeśli chodzi o „obrazę obyczajów z powodu nieobyczajnego słownictwa", nie byłby to poważniejszy problem, ponieważ mało kto z Niemców przystępujących do wyborów rozumie turecki, albański, chorwacki lub polski. A śmieciarzami są przeważnie mężczyźni z tych właśnie krajów. Problemem byłoby jedynie zapisane w przepisach „zakłócenie spokoju obywateli pomiędzy 22 wieczorem i 7 rano".

W Warszawie obywatele także poczuliby, że zakłócano ich spokój. Ale nie przełożyliby swojego oburzenia na później, na pisanie pełnych oburzenia petycji lub milczące skreślanie nazwisk na kartach wyborczych. Polacy są chyba najbardziej niecierpliwi ze wszystkich nacji, które znam. W Warszawie Polacy otwieraliby okna i przekrzykując śmieciarkę, wydobywaliby ze swoich gardeł i krtani wszystkie możliwe „kurwy", jakie przyszłyby im do głowy. „Kurwa mać" byłaby pośród nich najbardziej grzeczna. Poza tym zaczęliby rzucać w kierunku śmieciarki wszystkim, co mają pod ręką. Najpewnie zaczęliby od pustych butelek, potem rzucaliby jajkami, a na końcu może także serami topionymi. W międzyczasie doszliby do politycznych powodów obecności śmieciarki w środku nocy. Śmieciarze okazaliby się najpierw sługusami „komuchów", potem „Żydów", a na końcu „tej bandy wyzyskiwaczy nie wiadomo skąd". Lokatorzy z parteru atakowaliby w tym czasie śmieciarzy, grożąc im wieloletnim więzieniem, i dzwoniliby po policję. Po chwili inni lokatorzy utworzyliby komitet obrony prześladowanych śmieciarzy i także dzwonili po policję. Policja miałaby to głęboko w dupie i polecała dzwonić „ze skargą do Urzędu Miasta". Nikt by tam oczywiście nie dzwonił, bo to przecież niedziela, a nawet gdyby był to wtorek, to i po co? I tak do urzędu nigdy nie można się dodzwonić. W międzyczasie śmieciarka by odjechała, alarmy w samochodach umilkły, komitet by się rozwiązał, a sąsiedzi poznaliby poglądy polityczne i religijne innych sąsiadów. I zaczęliby ich nagle szanować lub, na odwrót, nienawidzić. Tak byłoby najpewniej w Warszawie.

Śmieciarka za oknem ucichła, ale włączyła się klimatyzacja. Wentylatory syczały głośnym echem we wszystkich pokojach. Sięgnąłem po telefon.

– Joshua, powiedz mi, czy w Berlinie kiedyś około trzeciej nad ranem chciałeś zabić śmieciarzy? – zapytałem.

Przez chwilę słyszałem dziwne dźwięki w słuchawce. Jak gdyby przelewanie się wody.

– Dzięki ci, Struna, że zadzwoniłeś. Uratowałeś mi chyba telefon. Wyobraź sobie, że moja nokia przetrwała w rurach kanalizacyjnych kibla ponad dwie godziny. Wrzuciłem ją tam przed północą, potem się na nią wysrałem, a potem spuściłem wodę. Ale ona chyba wypłynęła, gdy zadzwoniłeś do mnie. Jesteś magicznym PR-em firmy Nokia. Napiszę do nich. Może dadzą mi inny telefon. Taki kolorowy, za jedno euro. Ale to tak na marginesie. Jesteś naćpany, Struna?

– Nie!

– To dlaczego więc, dzwoniąc z Moskwy, pytasz o śmieciarzy o pierwszej w nocy?

– A ty, Joshua, jesteś?

– Ja także niestety nie. Dałem wszystkie swoje substancje Svenovi. On dzisiaj tego potrzebował. On był dzisiaj w koksowni jak po powrocie z darmowej wycieczki do czyśćca. Ma jakieś rocznice i omamy w mózgu. Był w takim stanie dzisiaj, jak gdyby mieli mu odebrać wszystkie jego lunety. Słuchaj, Struna. Nasz astronom był dzisiaj na samym dole najgłębszego krateru. I chciał się tam zakopać w piasku. Opowiadał mi, cytuję, że nikt nie wie, jak to boli. Że tylko ty jakoś to obejmowałeś rozumem. Wszyscy w Pankow wiedzą, że to jedynie ty, Struna, znasz PIN do kosmosu Svena... Nie żeby się żalił. Po prostu mówił. Bez żadnych lamentów. Sam wiesz, że Sven nie potrafi się nawet prawdziwie popłakać. Zainhalował trochę i było mu lepiej. Ale on ma teraz duży i poważny problem ze smutkiem. Ale to tak na marginesie. O co chodzi ci ze śmieciarzami? Tak dokładnie? Nigdy nie zabiłbym śmieciarza. Sam byłem śmieciarzem przez cztery miesiące. Potem mnie zwolnili, bo nie chciałem zbierać przejechanych kotów z ulicy. Gdybym miał kiedyś pisać swoje CV, to o byciu śmieciarzem napiszę zaraz po nazwisku i dacie urodzenia. Ale o co ci chodzi? Jakiś śmieciarz wybzykał ci twoją Rosjankę?

– Już o nic, Joshua. Tak chciałem tylko pogadać. Z bezsenności. A Sven przychodzi do koksowni z książką?

– No właśnie nie!

– Joshua, będziesz na niego uważał? Proszę.

– O co ci chodzi, Struna? Mam wykupić w Berlinie wszystkie żyletki i brzytwy?

– Co ty bredzisz!? Nie aż tak. On ma już to za sobą. Po prostu często rozmawiaj z nim. Najlepiej o nauce. I nie przekarm go chemią. Co mu dałeś dzisiaj?

– Kwas mu dałem. Potrzebował dzisiaj kwasu.

– Joshua, proszę, nie dawaj mu LSD! On może poczuć, że mu mózg od ciała się oddzielił, i zrobić coś złego ciału. Joshua, proszę cię! On ceni tylko swój mózg...

– Nie marudź, Struna. Nie miałem dzisiaj nic innego słabszego. Nie histeryzuj. Zadbam o niego, pochylę. Kiedy wracasz, Struna?

– Nie wiem, Joshua. Najbardziej chciałbym nie wrócić do Pankow już nigdy.

– Nie możesz mi tego zrobić, Struna! Dzisiaj Schmitova spotkała mnie w sklepiku i pytała o ciebie. Powiedziałem jej, że powiem jej, kiedy wracasz, jak się ze mną prześpi. A ona mi na to, że sypia z lesbijkami, a nie z pedałami, ale gdy ty wrócisz, to „może to przemyśli". Musisz wrócić, Struna. Słyszysz? Musisz! Mam takie mocne przeczucie, że gdybym chociaż raz bzyknął Schmitovą, to się wyprostuję na hetero.

– Dam ci znać, Joshua – odparłem, śmiejąc się głośno w słuchawkę – dam ci znać...

Wiadomość o kryzysie u Svena była niepokojąca. Pod koniec marca urodziła się jego córeczka. Pod koniec marca była także rocznica jego ślubu. On marca, od czasu wypadku na autostradzie, nienawidził. Zbyt mocno przypominał mu to, co utracił. Z końcem marca powracały do Svena demony i wpadał, jak sam to nazywał, w „depresyjną malignę". Tylko mnie o tym opowiedział. Fakt, że wie o tym także Joshua, nie pasował do Svena, który nie znosił uczucia litości lub współczucia. Byłem w Pankow jedyną osobą, przy której Sven pozbywał się na chwilę swojej twardej skorupy, odsłaniając swoje rany i blizny. To, co połączyło mnie w Pankow ze Svenem, było przyjaźnią przemieszaną z zachwytem. Głównie jego mądrością i skromnością. I to właśnie z powodu tego zachwytu czułem często, że to nie jest taka do końca prawdziwa przyjaźń. Bo przyjaźń powinna być absolutnie wolna od oceniania. Byłem pewien, że Sven nigdy nie ocenia nikogo.

Ale ja miałem uczucie, że nie dorównuję mu pod żadnym względem. Wielokrotnie po naszych rozmowach „na koksie w Pankow" byłem zmęczony i upodlony, myśląc: „Boże, ale głąbem jestem".

Niekiedy Joshua myli się, twierdząc, iż Sven nie potrafi „nawet płakać". Często, przeważnie w nocy, pukał cicho do drzwi mojego pokoju w Pankow i przysiadłszy na parapecie okna, pytał mnie:

– Struna, czy mogę ci opowiedzieć coś nowego o mojej żonie? Naprawdę nowego?

I wtedy siadałem na łóżku, zapalałem papierosa i go słuchałem. Bardzo rzadko było to coś nowego. To były przeważnie te same historie, tyle że opowiadane innymi słowami, w innej kolejności lub innym natężeniem głosu. I gdy mi je opowiadał, to za każdym razem płakał. Za każdym razem za wszelką cenę starając się to ukryć. I ja także za każdym razem płakałem...

Poza tym była przecież połowa kwietnia. Z reguły w kwietniu Sven – podpierany zwiększonymi dawkami psychofarmaków – wracał do swojego normalnego poziomu smutku. Musiało wydarzyć się w jego życiu coś osobliwego. Postanowiłem zaczekać kilka dni i dotrzeć do niego, gdy Joshua coś nowego potwierdzi lub czemuś zaprzeczy. Kontakt ze Svenem, gdy nie przebywało się w jego pobliżu, był bardzo utrudniony. Sven nie posiadał telefonu komórkowego. Uważał – podobnie jak Joshua, który z kolei bez telefonu komórkowego nie potrafił funkcjonować – że „cały ten GSM to zmowa szpiegów i pazernych korporacji". Joshua się z tą „zmową" z powodów „głównie finansowo-narkotykowych" pogodził, ale Sven nie. Także w internecie „profesor Sven G.", którego cytowano na niezliczonej liczbie różnych portali, był osobiście w sieci nieobecny, ponieważ Sven odpowiadał wybiórczo jedynie na listy przysyłane do niego na papierze. Takie normalne staroświeckie listy. Podpisane nazwiskiem i imieniem, ze znaczkiem na kopercie oraz adresem zwrotnym. Pomimo że miał osiemnaście różnych adresów e-mailowych. Pośród nich był tylko jeden, z którego komunikował się w przeszłości ze swoją żoną, a teraz z najbliższymi. Te pozostałe obsługiwali asystenci, sekretarze lub rzecznicy. Ja póki co nie stałem się „najbliższym". Prawdopodobnie tylko dlatego, że ani Sven, ani ja nie przypuszczaliśmy, że pomiędzy nami może stanąć kiedyś coś takiego jak odległość i przydałby się nam na coś internet.

Za oknami zaczynało powoli jaśnieć. Wstałem z łóżka i przeszedłem do komputera stojącego na biurku w sąsiednim pokoju. W mojej skrzynce pocztowej oprócz spamu i kilkunastu e-maili od Johanna von A. znalazłem wiadomości od Joanny. Mogłem sobie doskonale wyobrazić, o czym pisze do mnie przerażony moim nagłym zniknięciem Johann von A. Moja odpowiedź, jakakolwiek, zawierałaby kłamstwo. Nie byłem jeszcze gotowy do napisania mu prawdy. Ponadto nie chciałem tej prawdy napisać. Chciałem mu ją powiedzieć, patrząc mu w oczy. Dlatego nawet nie zaglądnąłem do e-maili od Johanna von A.

Joanna w swoim liście pisała:

Kochany,

wybaczysz mi, proszę?

Nie potrafię wytrwać w swoim postanowieniu...

Obiecałam przecież, że na czas Rosji umilknę i nie będę zakłócać sobą Twojego życia. Ale nie potrafię spełnić tej *obietnicy. Ponieważ nieustannie odczuwam pokusy. Za dużo tu Ciebie! Zbyt wiele miejsc zaznaczyłeś sobą na moim terenie. A to Twoja popielniczka na balkonie, a to wypita do połowy butelka szampana w szafce pomiędzy moimi kosmetykami w łazience, a to z kolei Twoje notatki, które znajduję w najdziwniejszych miejscach. Ostatnio trzy zapisane drobnym maczkiem strony o Strawińskim znalazłam w zamrażarce (*sic!*). Postawiłeś na nich garnek z pierogami dla mnie i zapomniałeś mi o tym powiedzieć. Cały Ty. Wczoraj znalazłam ten garnek i odkleiłam kartki od kratek w zamrażarce. Tyłam z radością przy pierogach, czytając przy tym, co napisałeś o Strawińskim (mogłam, prawda?). Przyznam, że nie wiedziałam o jego romansie z Coco Chanel! Sugerujesz, że to miłość do Chanel wpłynęła na zmianę stylu kompozycji Strawińskiego na bardziej swobodny i że to może zauważyć każdy słuchacz. Wyobraź sobie, że nawet ja to zauważyłam, porównując kawałki „sprzed Chanel" i te z okresu „po Chanel". Natomiast nie udało mi się zauważyć „zauważalnego wpływu rozpaczy" na jego muzykę po zakończeniu ich romansu przez Chanel. Ale Ty znasz się i na muzyce, i na rozpaczy o wiele lepiej niż ja...*

No więc przyznasz, że ciągle mam pokusy, prawda? Podreptałam z nimi dzisiaj do mojego kościoła. Pomyślałam, że jak je wyspowiadam, to może być, że im nie ulegnę. Mój ksiądz, gdy dotarłam do słowa „pokusy", otworzył na chwilę oczy, ale zaraz potem znowu był znudzony i chyba przysnął. W każdym razie nie dał mi rozgrzeszenia ze względów ideologicznych, ale stwierdził, że mam „pokusy szlachetne". Z tym poparciem uległam im i piszę do Ciebie...

Jak Ci tam w tej Rosji?

Odnajdujesz tych, których szukasz? A może to oni odnajdują Ciebie? Bo przecież Ty szukasz tam nie tylko tej jednej dziewczyny. Ty szukasz przede wszystkim siebie, a ostatnio nie byłeś w liczbie pojedynczej. Każdego dnia, tutaj ze mną w Hucie, byłeś innym człowiekiem. Za każdym razem wieczorem odkrywałam Cię na nowo. I za każdym razem już wtedy czekałam na kolejny wieczór...

Tęsknię za Tobą. Tak naprawdę to razem z Kinją tęsknimy.

Ona szuka Cię rano w łóżku, a wieczorem w łazience. W nocy zasypia na Twojej poduszce, tej małej, Twojej ulubionej, tej z kurpiowskim haftem od babci Józefy. Tuż obok mojej głowy. Celowo nie wyprałam poszewki, więc ciągle Cię wywąchujemy. Ona z pewnością intensywniej niż ja. Rankiem tak jak ja szuka Twojej dłoni. Czasami jest tak rozczulona, że pomrukuje i depcze bez opamiętania swoimi łapkami po tej poduszce.

Uwiodłeś nie tylko mnie, ale także moją kotkę.

Brakuje nam Ciebie. Wszystkim. Mi, Kinji i pani Anastazji także.

Pani Anstazja uważa Cię za bohatera. Sam fakt, że odważyłeś się polecieć do Rosji „zaraz przecież po tym zamachu w Smoleńsku", jest dla niej heroiczny. Za każdym razem, gdy spotyka mnie na korytarzu lub w windzie, pyta mnie, czy ugotowałam Ci przed „tym niebezpiecznym wyjazdem" grochówkę. A ja nie byłam dobrą kobietą. Nie ugotowałam Ci grochówki. To Ty dla mnie gotowałeś. Nawet nie wiesz, że gdy zbliżałam się do drzwi wieczorem i czułam już na korytarzu zapachy Twojego gotowania z kuchni, to niekiedy zatrzymywałam się przed drzwiami i sobie popłakiwałam chwilę. Tak ze wzruszenia. Bo dla mnie, pomijając kucharki i kucharzy w stołówkach, restauracjach, barach lub kawiarniach, odkąd zmarli moi rodzice, nikt NIGDY nie gotował. Dla NIKOGO nie było to ważne. Ale dla Ciebie tak. I gdybyś nawet czekał na mnie tylko z niedosłodzonym kisielem, to byłby to dla mnie kisiel uroczysty...

Jest w Tobie, w Twoim mózgu, taki obszar, który należy do czułego, wrażliwego, kochającego, romantycznego, zapobiegliwego, opiekuńczego, pełnego troski i empatii mężczyzny. Takiego, z którym chciałoby się mieć od razu wnuki. I wtedy trudno Cię nie kochać, i nie chcieć Cię mieć na wieczną, wyłączną własność. Takiego dobrego i wymarzonego, co to całuje moje rzęsy na dobranoc i od rana troszczy się o wszystko.

Jednak ten obszar nie zawsze jest pobudzony. Ale ja miałam szczęście, bo w Hucie w trakcie naszego życia wielokrotnie był. Nie potrafiłam rozszyfrować tajemnicy tego pobudzenia. Może to Twój spokój, może trochę ja, może to Twoje oddalenie od tzw. wyższych celów. Pamiętasz, jak któregoś poranka cichutko wydostałeś się z moich oplatających Cię rąk i nóg i pobiegłeś w dresie do piekarni po bułki dla nas? Potem w łóżku obżeraliśmy się zenimi, popijąc maślanką z kartoników. Pamiętasz? To wtedy zeszła nam rozmowa na te „wyższe cele". Powiedziałeś wtedy coś, o czym ja dowiedziałam się przed Tobą, w Mongolii. Powiedziałeś, że czujesz taką ogromną złość i żal, że życie jest pełne „wyższych celów", dla których takie drobiazgi jak „piecznie bułek lub dojenie krów" są zupełnie niczym, że nie możemy być po prostu sobą, żyć, nie grając, nie udając kogoś, kim nie jesteśmy. Wszelkie psychologiczne książki lub poradniki pomagające wychodzić ludziom z depresji przypominają o tym, by żyć, dostrzegając promień słońca, rozkwitający kwiat, uśmiech przechodnia, radosne spojrzenie dziecka, wdzięczność żebraka, kołnierzyk z piany, w który obleka się morska fala uderzająca o brzeg. A nagle jednego dnia ktoś dla „wyższych celów" po prostu wyłupuje z oczodołów duszy te wszystkowidzące oczy i człowiek przestaje już widzieć, oślepiony światłami przy drodze do wyższego celu. Tak to nazwałeś. A potem powiedziałeś, że Ci trudno, że nie możesz się z tym pogodzić, że czasem chciałbyś być epizodem w jakiejś wzruszającej książce i zamiast każdego dnia bić się ze światem o to, by móc na nowo żyć, radośnie żyć i dostrzegać te drobiazgi, i mieć w życiu taki „niski cel".

I zrobiło się nam tak jakoś smutno tego poranka w sypialni. I wtedy Ty wstałeś, i zacząłeś przerzucać płyty w jednym z kartonów i potem zagrała nam Szopena pewna kobieta. I stało się jeszcze smutniej. Bo dla Ciebie był to jakiś nokturn c-moll op. 48 nr 1, a dla mnie brzmiało to jak marsz pogrzebowy bez opusu i bez numeru, który słyszałam ostatnio na cmentarzu w dniu Wszystkich Świętych. Pamiętam, że przekonywałeś mnie, że to nieprawda, że to tylko tak brzmi w wykonaniu tej Rosjanki, ale to z muzyką cmentarną nie ma nic wspólnego. Bo to Szopen, a on często bywał „żywym trupem" i często, nawet przed swoją chorobą, w czasie gry widział zjawy wyłaniające się zza fortepianu...

A potem patrzyłam na Ciebie nagiego, jak pijesz maślankę i krztusisz się bułką, nie przestając ani na sekundę tłumaczyć mi, jak gdyby była to sprawa życia i śmierci, „bardzo istotne różnice" pomiędzy marszem pogrzebowym a nokturnem Szopena. I czułam w tym momencie kolejny raz uwielbienie do Ciebie. I przestałam Cię słuchać. Tylko patrzyłam na Ciebie, zakochując się w Tobie jeszcze bardziej...

A potem mówiłeś, że ta młoda Rosjanka jest genialna, gra anielsko, harmonijnie, jak gdyby płynęła na nutach, chcąc dotrzeć do duszy, że ona nie tylko gra na tym fortepianie, ale że ona ma z nim romans...

A na końcu dodałeś, że nazywa się Valentina Igoshina i jest bardzo podobna do mnie. Wiem, że nie pomyliłam i nigdy nie pomylę jej nazwiska, ponieważ następnego dnia na komputerze w szkole natychmiast znalazłam Valentinę na YouTube, aby ją zobaczyć. Nota bene, *gdy na nią patrzyłam, grała akurat ten Twój nokturn numer jeden. To, że widzisz w tej kobiecie podobieństwo do mnie, jest przepięknym komplementem, na który stać tylko takiego bezkrytycznego krytyka muzycznego jak Ty. Ale dzięki temu w przybliżeniu wiem, ciało jakiej kobiety we mnie widzisz. Swoją drogą nie wiem do teraz, skąd wiedziałeś, jak wygląda Igoshina. Na okładce płyty nie było przecież jej fotografii.*

A potem, potem wyjęłam z Twoich dłoni i kartonik z maślanką, i bułkę. Przegoniłam kota z naszej pościeli i gdy tak klęczałeś przede mną, zaczęłam delikatnie całować Twoje podbrzusze. Dopiero wtedy zamilkłeś, to znaczy przestałeś mówić. I kochaliśmy się, rozgniatając w pył naszymi pośladkami i plecami okruchy z bułek, z którymi przybiegłeś do mnie z piekarni za rogiem.

Gdy bardzo tęsknię za Tobą, to oglądamy z Kinją fotografie, które mam w aparacie. Z Huty, z Krakowa, z kuchni, z sypialni i z łazienki. Zawsze, kiedy patrzę na Ciebie, mam nieczyste sumienie.

I kiedy nie patrzę także…

Twoja Joanna M.

PS Najbardziej bolało pakowanie Twojej walizki…

Przez chwilę wpatrywałem się w rozmazujące się za łzami litery na ekranie, nie potrafiąc odnaleźć w swojej pamięci odpowiedniego słowa, aby opisać to, co czuję. Najbliżej było do melancholii, czułości i rozrzewnienia. Joanna potrafiła tak mi opisywać swój świat, że za każdym zdaniem, a czasami tylko za jednym słowem, czaiła się jakaś najważniejsza wiadomość. Czasami wydawało mi się, że odkryła wszystkie moje tajemnice i nie zaskoczy mnie już żadną nową wiadomością. Ale za każdym razem okazywało się to nieprawdą. Ciągle czegoś nowego o sobie dowiadywałem się właśnie od niej.

Joanna była tą kobietą, z którą wielu mężczyzn „chciałoby mieć od razu wnuki". Ona potrafiła właśnie takimi skrótami myślowymi opowiedzieć to, co innym zajęłoby kilka stron lub nawet rozdziałów w książce. To wspaniała cecha u polonistki. Joanna, jak sama mi mówiła, „polonistką stała się z konieczności". Nie była nią z wyboru lub powołania. Ale pomimo to kocha tę pracę. Gdyby nawet zaczęli jej płacić jeszcze mniej lub zupełnie przestali, to także by do szkoły przychodziła. Zazdrościłem jej uczniom. Moja polonistka w liceum zrobiła wszystko, abym odwrócił się plecami do literatury i poezji. To jedynie dzięki rodzicom nie omijałem bibliotek i księgarń szerokim łukiem. Także trochę dzięki bratu. Studiował polonistykę. Ale po wyjeździe z Polski zupełnie się od niej oddalił. Gdy jeszcze korespondowaliśmy, napisał mi, że jest „polonistą upadłym, a taki polonista to gorzej niż upadła kobieta".

W ciągu tych kilku dni z Joanną obserwowałem, jak „robi się lekcję polskiego", taką prawdziwą, tak aby nie była ona jedynie powtarzaniem kanonów obowiązkowych, przestarzałych, mało interesujących młodzież lektur. Widziałem i także uczestniczyłem w komponowaniu jej krótkich czterdziestu pięciu minut lekcji polskiego. Komputer, prezentacja Power Point, szperanie w książkach, szperanie w Google'u, szperanie w notatkach, zaglądanie do encyklopedii, wydobywanie książek i podręczników akademickich z kartonów w piwnicy.

Poszukiwanie punktów zaczepienia. Takich, które zatrzymają, sprowokują, wydobędą to, co siedzi w mózgach tych młodych ludzi. I te tematy! Niezwykłe jak na lekcję polskiego w polskim liceum: „Czy Arthur Miller był tylko mężem Marylin Monroe?" albo: „Czy Żeromski naprawdę kochał Polskę?", albo: „Czy Sienkiewicz pisał dla pieniędzy?, albo: „Czy Orzeszkowa mogłaby napisać dobrego bloga?". Jej to wszystko przychodziło do głowy i chciała, aby z jej głowy dotarło do jej „chłopaków i dziewczyn". I już drugiego dnia w Hucie mnie także zaczęło zależeć, aby dotarło. I schodziłem z nią w nocy do piwnicy, aby rozrywać kartony, i szukałem z nią nad ranem perełek w tym śmietnisku w sieci. A za to ona mi następnego dnia wieczorem przy kolacji w kuchni podniecona opowiadała, że to ma sens, że „wiedzą teraz coś o Millerze i chcą dowiedzieć się więcej o Żeromskim".

Joanna jest poza tym polonistką przepiękną. I tego także zazdroszczę jej uczniom. Nauczycielka, która jest atrakcyjna i nie można jej skojarzyć z żadnym mężczyzną, wywołuje w pokoju nauczycielskim ekscytację pośród nauczycieli i zawistne poruszenie wśród nauczycielek, ale w klasie wywołuje rodzaj niezwykłego zaciekawienia. Sam to pamiętam ze swojej szkoły. Dziewczęta wypatrują u niej z upodobaniem zmarszczek na twarzy i komentują długość jej spódnic, a chłopcy bardzo chcieliby pod te spódnice zaglądnąć. Sam pamiętam, że gdy dorastałem i nie mogąc poradzić sobie z napięciem, masturbowałem się wieczorami w łóżku, to najczęściej fantazjowałem przy tym o mojej nauczycielce biologii. Była zresztą bardzo podobna do Joanny. Pamiętam także, że byłem zawsze „na biologię" dobrze przygotowany, chociaż jako takiej biologii nie znosiłem.

Joanna jest kobietą, z którą wielu mężczyzn chciałoby poczynać dzieci. Wcale nie myśląc przy tym o wnukach. W pewnym sensie ją kocham. Nie tak, jak ona by tego zapewna chciała. Ale ona godzi się z tym „w pewnym sensie". Nie godzi się na to z braku wyboru. Ponieważ Joanna ma wybór ogromny. I ja to wiem. Z jakiegoś powodu jednak czeka na to, że zacznę ją kochać tak jak ona, z największym sensem. I kiedy już zbliżałem się do tego sensu, to zawsze tak mi się przydarzało, że pojawiały się w moim życiu inne ważne kobiety i zaczynały mi go sobą przesłaniać. I to wcale nie było tak, że ja tych kobiet poszukiwałem. Nie jestem tak zwanym kobieciarzem przecież! Nigdy nim nie byłem. Zawsze byłem monogamiczny. Okresowo, ale monogamiczny. Nigdy nie zdradziłem kobiety, której przyrzekałem wierność. Tyle tylko że dotychczas przyrzekłem ją tylko jednej kobiecie, matce mojej Dobrusi. W Hucie często zbliżałem się do takiego momentu, że chciałem złożyć to przyrzeczenie Joannie. Ale nie dobrnąłem do tego momentu. Nie wiem, czy ona to wyczuwała. W każdym razie niczego nie chciała przyspieszać. A teraz, tutaj, w Moskwie, ten moment znowu oddalił się ode mnie...

Wyłączyłem komputer, wstałem od biurka i poszedłem szukać papierosów, a potem, po nikotynie, potrzebowałem muzyki. Włożyłem spodnie, marynarkę, buty na bose stopy i z papierosem w ustach wyszedłem z pokoju. Pamiętałem, że na dole, w restauracji, był fortepian. Biały steinway, na podwyższeniu, tuż przy wejściu. To zauważyłem, nawet póki co nigdy nie zachodząc do tej restauracji. Zjechałem windą na parter. Zmęczone recepcjonistki spały z głowami ułożonymi na kartkach papieru. Starałem się ich nie obudzić. Zdjąłem buty i na palcach przemknąłem do restauracji. Usiadłem na wyścielonym wiśniowym pluszem krześle i dotykałem przez chwilę opuszkami palców śliskości klawiszy. Ten dotyk zawsze mnie odurzał. Oprócz uczucia dotyku włosów na główce Dobrusi nie było innego ważniejszego dotyku w moim życiu. Po chwili zupełnie zapomniałem o śpiących recepcjonistkach, a potem zapomniałem o całym świecie i zacząłem grać. Gdy otworzyłem oczy, wokół fortepianu stały obie recepcjonistki i czterech mężczyzn w mundurach. Nic nie mówili, nie poruszali się, tylko tak w zupełnym milczeniu stali. Patrzyłem po kolei w ich oczy i było mi zupełnie obojętne, co może się za chwilę wydarzyć. I gdy skończyła mi się pamięć nut tego nokturnu numer jeden, o którym pisała Joanna, to przestałem grać. Jeden ze strażników podsunął mi paczkę z papierosami, drugi wysunął rękę z zapalniczką, recepcjonistka przyniosła popielniczkę z restauracyjnego stolika. Zapaliłem papierosa i patrząc na nich wszystkich, zastanawiałem się, czy oni uważają mnie za jeszcze większego wariata niż ten, za którego mieli mnie po tym niefortunnym incydencie z „terroryzmem". I przypomniał mi się w tym momencie Joshua, do którego przysiadłem się w Pankow, gdy grał Schumanna. Kiedyś, po kilku dniach, zapytałem go, co sobie pomyślał, gdy nagle przystawiłem krzesło do fortepianu i zaczęliśmy grać na cztery ręce. Powiedział mi wówczas, że „stałem się jego ulubionym wariatem dokładnie w tym momencie, żaden normalny człowiek nigdy by tego nie zrobił...".

Wstałem od fortepianu, przeprosiłem za zakłócenie spokoju i powróciłem do pokoju. Po kilku minutach usłyszałem głośne pukanie do drzwi. Jeden ze strażników przyniósł mi buty, które zostawiłem pod fortepianem w restauracji. Podając mi buty, powiedział z uśmiechem:

– *Eto priekrasnaja muzyka była. Wy gienialnyj terrorist...*

Kolejny raz tej nocy usiadłem na łóżku. Szczerze mówiąc, byłem wdzięczny temu przygłuchemu urzędnikowi, który wysyła śmieciarki na ulice Moskwy o trzeciej nad ranem, aby budzić swój naród. Bez ich hałasu przespałbym spokojnie całą noc i nie miał tylu przeżyć. Tak naprawdę to już nie była noc. Pomimo bardzo wczesnego sobotniego poranka moskiewska ulica za oknem tętniła i szumiała dźwiękami berlińskiej ulicy. Tyle że taki hałas dochodził w Berlinie zza okien dopiero w piątek wieczór, gdy rozpoczynał się weekend. Jazgotliwe klaksony, odgłosy hamowania, warczenie z rur wydechowych silników w samochodach, których kierowcy koniecznie chcą zwrócić na siebie uwagę, pokrzykiwania. Moskiewska ulica w sobotni ranek wstawała z łóżka o wiele wcześniej niż berlińska.

Włączyłem telewizor i przeszedłem do łazienki. I w Pankow, i u Joanny w Hucie telewizor był mi zupełnie zbędny. Gdyby nie Smoleńsk, nie włączylibyśmy telewizora u Joanny ani razu. Tutaj jednak, w tym hotelu, czułem rodzaj osamotnienia i telewizor stawał się jak gdyby rozmówcą, wypełniał dźwiękami doskwierającą ciszę. To nie przypadek, że w każdym hotelu, w którym byłem, łącznie z drewnianą budą o skrajnie przesadzonej nazwie „motel" – gdzieś w Południowej Dakocie, kiedy wędrowałem na motocyklu przez USA od Bostonu do San Diego – po siedmiogwiazdkowy pałac Burj Al Arab w Dubaju, w każdym hotelu były telewizory.

W niektórych była tylko jedna wspólna – często koedukacyjna – łazienka na całe piętro, ale za to telewizory były w każdym pokoju. Bo hotel to miejsce, gdzie chyba najbardziej może ludzi zaboleć ich samotność. I właściciele hoteli o tym doskonale wiedzą. Nie bez przyczyny wielu ludzi nie odbiera sobie życia w domu, ale dopiero właśnie w jakimś często najbliższym ich domu hotelu decyduje się podciąć sobie żyły, powiesić się na klamce lub spłukać do żołądka pitą z butelki whisky garść połkniętych tabletek...

Nie miałem żadnego planu na te dwa dni w Moskwie. Zupełnie nie pociągało mnie oglądanie mumii Lenina wypięknionej i ulukrowanej pudrami przez armię wizażystek, na Kreml także mnie nic nie pchało, a plac Czerwony i tak przespaceruję. Nie wiedziałem, czy balet Bolszoj jest akurat w Moskwie, bo oni od kilku już lat więcej tańczyli poza Rosją niż u siebie w Rosji. Gdyby jednak był, to postanowiłem, iż odstoję cierpliwie swoje pensum w kolejce po bilety albo kupię je, obojętnie, ile to będzie kosztować, od „konika", w internecie. Na tym mi zależało. Chciałem koniecznie chociaż raz przeżyć występ Bolszogo przed ich własną, rosyjską publicznością.

Kilka lat temu zostałem zaproszony przez żonę pewnego dyrektora orkiestry w Belgii na występ baletu Bolszoj w Brukseli. Leciwa dama, Kanadyjka z francuskojęzycznego Quebec, była rzekomo „oczarowana talentem tych młodych ludzi ze Wschodu". Ponieważ dla niej „Wschód" zaczynał się prawdopodobnie tuż za Berlinem, była przekonana, że tancerki i tancerze z baletu Bolszoj to moi, jak powiedziałby to Polak, krajanie. I w ramach gościnności postanowiła mnie „spotkać w Brukseli z rodakami". Występ Bolszogo nie był tego wieczoru szczególnie wybitny. Bywałem w przeszłości na lepszych przedstawieniach tego zespołu. Ale to był przecież „balet Bolszoj". Tak zwany muzyczny intelektualista powinien go znać i się nim zachwycać. Ten zespół baletowy nosi w swojej nazwie rodzaj jednoznacznie i nieomylnie rozpoznawalnego „logo". Jest w swoim współczesnym brzmieniu na początku drugiej dekady dwudziestego pierwszego wieku dla pewnej grupy ludzi tak samo kultowe jak iPhone, Windows, Tiffany, Nike, Playboy, Google, Twitter lub YouTube. Wydostał się daleko poza lokalne granice „Wschodu". Pośród moich znajomych „spoza Wschodu", którzy nie mają tak emocjonalnego stosunku do Rosji jak ja, a z obecnością Rosji jedynie się godzą i Rosja poza swoją wielkością nie imponuje im niczym specjalnym, słowo „Bolszoj" jednoznacznie kojarzy się im z tym krajem. Tak samo jak słowa „Putin", „Syberia", „Ural", „Stalin", „niedźwiedź", „rewolucja", „komunizm", „mafia", „Gazprom", „Ermitaż", „Sołżenicyn", „Gułag", „Kreml", „KGB", „wódka", „Czarnobyl", „łapówki", „Gagarin", „Dostojewski", „Czeczenia", a ostatnio także „Chodorkowski", „Miedwiediew" i „Politkowska". Pośród nich jest także słowo „Bolszoj". To wydaje się w tym zestawieniu dziwaczną miarą sukcesu, ale niewątpliwie nią – dla tancerek, tancerzy i choreografów baletu Bolszoj – jest.

Dla próżnej żony dyrektora orkiestry z Brukseli „sukces" był słowem przewodnim i podstawowym. Dlatego wytrzymała w teatrze przy balecie Bolszoj i przy mnie całe dwie długie godziny. Tak naprawdę najważniejsze dla niej były antrakty. Mogła wtedy pokazać swoją nową diamentową kolię zwisającą z jej pomarszczonej szyi okropnie kontrastującej z jej nienaturalnie wygładzonym botoksem czołem oraz rozpowszechniać przeczytane w gazecie slogany o „*synergy* kultury Wschodu i Zachodu". Gdy to mówiła, chwytała mnie za rękę i przytulając poufale do swoich ogromnych piersi, przedstawiała swoim koleżankom – wymawiając z kilkoma błędami moje nazwisko i imię – jako „aktywnego ambasadora tego zespolenia, znanego muzykologa z Rosji". Poczułem się wtedy bardziej jak żigolak niż muzykolog, skłaniałem tylko kurtuazyjnie głowę, rezygnując z objaśniania, że Rosja i Polska to dwa różne kraje i na szczęście od 1989 roku „niezespolone".

W Moskwie chciałem także pójść do cerkwi i posłuchać chóru. Właśnie w Moskwie. Bo to tutaj muzyka cerkiewna jest najbardziej bliska swoim staroruskim korzeniom. To kompozycje chorałów moskiewskich, a nie petersburskich, najbardziej oddają staroruską melodykę cerkiewną i jednocześnie uzupełniają ją rosyjskim romantyzmem, na przykład tym Rachmaninowa. Pamiętam, że w Berlinie do cerkwi pierwszy raz zaprowadził mnie mnie mój sąsiad z piętra. Łotysz, marynarz, który nie powrócił któregoś razu na swój, wtedy jeszcze radziecki, statek handlowy w Bremen i uzyskawszy azyl polityczny, osiedlił się w Berlinie. On tolerował moje napady nocnego grania, a ja tolerowałem jego głośne nocne libacje. Któregoś ranka w niedzielę spotkaliśmy się na schodach. Ja go zapytałem po niemiecku: „jak panu idzie?", on zrozumiał: „gdzie pan idzie?", i odparł:

– Ano do cerkwi idę, nie żebym się dużo modlił, bo ja nigdy nie modlę się, gdy jestem pijany. A ponieważ rzadko nie jestem pijany, to nie modlę się prawie wcale. Chóru idę posłuchać.

I tak trafiłem do cerkwi w Berlinie. Małego, wypełnionego zapachami kadzideł drewnianego budynku ze złocistymi malowidłami na każdej ścianie i suficie. Pamiętam, że w pewnym momencie, gdy chór młodych, brodatych mężczyzn w brązowych sutannach wypełnił swoimi głosami całą przestrzeń, wydawało się, że uniesie się za chwilę sufit i przemówi Archanioł. Czułem wówczas w tej cerkwi wzruszenie i rodzaj mistycznego uniesienia. Praktyce liturgicznej żadnej innej religii nie towarzyszy tak uduchowiona w swoim brzmieniu kompozycja dźwięków bez udziału jakiegokolwiek instrumentu muzycznego. Nie potrzeba być wierzącym i nie trzeba rozumieć wyśpiewywanych słów, aby dać się ponieść temu nastrojowi. Potem zachodziłem do tej cerkwi już bez mojego Łotysza. Często też słuchałem muzyki cerkiewnej z płyt, ale zawsze marzyłem o usłyszeniu jej w jakiejś monumentalnej cerkwi, w Rosji, otoczony Rosjanami...

Hotel powoli budził się ze snu. Z korytarza dochodziły odgłosy zatrzaskiwanych drzwi, szmery rozmów, w oddali warczały odkurzacze sprzątaczek. Poczułem głód. Gdy w drodze na śniadanie przechodziłem obok recepcji, obie dziewczyny uśmiechały się do mnie ukradkiem, spoglądając na moje buty. W tym momencie przypomniałem sobie list Joanny i mój żałosny „występ" około czwartej nad ranem. Przypomniałem sobie także Igoshinę. Ona studiowała przecież w Moskwie! W tym słynnym konserwatorium „w pałacu na Bolszoj Nikitskiej 15", tak jak to „biedne" dziewczę z niezwykłymi palcami skrzypaczki i masażystki. Zatrzymałem się przy ladzie recepcji i poprosiłem, aby zlokalizowano mi stację metra w pobliżu „ulicy Nikitskiej 15". Postanowiłem zacząć moją sobotę w Moskwie od odwiedzenia tego miejsca.

Sala restauracyjna była przepełniona. Do stołu, za którym kucharze w białych cylindrach i lateksowych rękawiczkach smażyli omlety i jajecznice, wiła się długa kolejka, biegające kelnerki jak kastanietami stukały szpilkami o parkiet podłogi, roznosząc pospiesznie filiżanki z zamówioną kawą lub herbatą. Dosiadłem się do stolika niedaleko białego fortepianu. Młoda dziewczyna ubrana w długą czarną wieczorową suknię wygrywała na nim standardy Sinatry. Muzyka fortepianowa, na żywo, a nie z głośników, już do śniadania! Podzieliłem się głośno moim zachwytem z parą siedzącą ze mną przy stoliku. Mężczyzna odpowiedział coś niewyraźnie, przełykając ogromny kęs bułki z kawiorem. Kilka kulek zsunęło się z bułki na jego krawat. Młoda kobieta natychmiast sięgnęła po serwetkę i zaczęła usuwać plamę.

– Witalij, proszę cię, nie jedz tak szybko, mamy przecież dużo czasu, kochany, powoli...

Po akcencie nawet ja rozpoznałem, że nie jest Rosjanką. Zaczęliśmy rozmawiać. Po niemiecku. Kobieta, około trzydziestki, była Szwajcarką z Genewy, Witalij, o wiele od niej starszy, Rosjaninem z Kurska. Poznali się trzy lata temu na dworcu w Charkowie. Witalij wracał z delegacji na Ukrainę, a Madeleine, córka bogatego właściciela winnicy w pobliżu Annecy, jako opiekunka studenckiej wyprawy szwajcarskich rusycystów „na daleki Wschód", jechała z Charkowa do Moskwy. Pociąg miał odjeżdżać, a ciągle nie dotarła na dworzec jedna ze studentek. Madeleine biegała zrozpaczona po peronie, przekonując wszystkich napotkanych ludzi w mundurach, aby wstrzymali odjazd pociągu. Konduktorzy tłumaczyli się rozkładem jazdy, a żołnierze nie rozumieli, o co jej chodzi. W pewnym momencie z desperacji zaczęła głośno krzyczeć i płakać. Wtedy podszedł do niej Witalij. Po chwili rozmowy pobiegł do lokomotywy i zaczął dyskutować z maszynistą.

Gdy to nic nie pomagało i zaczęto zamykać drzwi wagonów, i włączono silniki, Witalij zszedł z peronu na tory i usiadł na swojej walizce kilka metrów przed lokomotywą. Zanim ochrona dworca wyszarpała go z torów z powrotem na peron, studentka zdążyła wrócić. Madeleine, gdy zauważyła, co się dzieje, poczuwając się do odpowiedzialności, zapomniała o studentce i pomagała ochronie dworca wyciągać Witalija z torów. Pociąg odjechał ze studentką, ale bez Madeleine i Witalija. A potem siedzieli razem w poczekalni z zakratowanymi oknami na posterunku milicji i Witalij uspokajał ją, że wszystko będzie dobrze. A potem ona rzuciła wszystko w Genewie, pojechała do niego do Kurska, uczy rosyjskie dzieci francuskiego i niemieckiego w szkole i jest szczęśliwa. Cztery dni temu była rocznica ich ślubu. Z tej okazji wrócili do Charkowa i tym samym pociągiem, o 11.05, pojechali przez Kursk do Moskwy w swoją podróż poślubną. Gdy Madeleine o tym wszystkim opowiadała, Witalij przestał jeść, ściskał jej rękę i patrzył na nią jak moja babcia na mnie, gdy przynosiłem piątkę ze szkoły.

Niezwykła para. Łamiąca grasujące po Europie stereotypy. To ona była z tak zwanego Zachodu, a on był z Rosji, to ona przeniosła się do niego na Wschód, a nie na odwrót. To ona była bogata, a on tylko zwykłym inżynierem na państwowej pensji. To on nauczył się dla niej niemieckiego i uczy się także francuskiego, chociaż mieszkają przecież w Rosji. Jedyne stereotypowe w tej konstalacji było to, że ona była piękna i młoda, a on stary i z powierzchowności nieatrakcyjny. Ktoś patrzący na nich z boku mógłby pomyśleć, że oto znowu „obleśny i gruby ruski nowobogacki wyłowił sobie młodą laskę na weekend".

Jak typowi turyści rozmawialiśmy przez kilka minut o tym, skąd ja jestem i dlaczego, i tym podobne. A następnie o Moskwie. Dla Witalija staje się ona „powoli miejscem do wieszania reklam i jak tak dalej pójdzie, to niedługo na ścianach Kremla zawiśnie jakiś kiczowaty billboard Aerofłotu z rozebraną stewardesą reklamująca, przy okazji, odlotowe tampony oczywiście w promocji". Madeleine z kolei „siermiężna komercjalizacja" ulic Moskwy zupełnie nie przeszkadzała. Przytłaczał ją, jako Szwajcarkę z małego kraju, jedynie jej ogrom i to „mrowie ludzi".

– Ale cóż. Tak musi być. Dzisiaj wyczytałam w jakimś przewodniku, że w Moskwie mieszka więcej ludzi niż w Czechach i na Słowacji razem wziętych – powiedziała w pewnym momencie.

Ponadto dowiedziałem się od Witalija, że nie mam co liczyć na balet Bolszoj. Przez następne trzy tygodnie Bolszoj nie będzie występował w Moskwie. Potem Witalij zamówił butelkę szampana i gdy była już pusta, zaczęliśmy żartobliwie dyskutować na temat zbieżności mentalności Polaków i Rosjan, jeśli chodzi o „słabość do alkoholu". Witalij twierdził, że Polacy piją więcej od Rosjan, a ja, że to niemożliwe, bo przecież to Rosjanie piją najwięcej na świecie. Pogodziła nas Madeleine, która od dawna przekonuje swoich przyjaciół w Genewie, że obraz pijanego Rosjanina to „wywietrzały zabobon". Przekonuje ich nie tylko czczym gadaniem, ale liczbami: w 2004 roku dorosły Polak wypił 8,68 litra czystego alkoholu, Rosjanin 10,58, a Szwajcar 17,54 litra! Obydwaj z Witalijem poczuliśmy się tym bardzo dotknięci i wtedy ja zamówiłem drugą butelkę szampana. Gdy i ta była pusta, obiecaliśmy sobie wypatrywać siebie „przy fortepianie" wieczorem. Potem skłoniłem głowę przed pianistką i wróciłem do pokoju z postanowieniem, że zadzwonię do Anny i powiem jej, że chciałbym bardzo, aby był już poniedziałek.

Pokój był posprzątany, na stoliku przed lustrem stał półmisek z owocami i butelka czerwonego wina przewiązana kokardą, w wazonie były świeże tulipany. Nie było jednakże mojej butelki po soku! Tej z żółtą etykietą i numerem telefonu! Wybiegłem, aby odszukać sprzątaczkę. Na każdym piętrze natykałem się na jedną lub dwie. Nie rozumiały, o co mi w ogóle chodzi. Puste butelki trafiają do magazynku w piwnicy, a stamtąd zabierają je ciężarówki. Zjechałem windą do piwnicy. W magazynku skrzynki stały w wysokich rzędach od sufitu do podłogi. Starszy mężczyzna w fartuchu ustawiał kolejne rzędy. Najpierw chciałem mu kolejny raz tłumaczyć, że szukam pewnej pustej butelki po soku, ale po chwili zrozumiałem, że to głupie i na swój sposób żałosne. Co może obchodzić tego obcego człowieka, że ja akurat zatęskniłem za pewną kobietą i że gdybym znalazł tę butelkę, to mógłbym jej o tym opowiedzieć?

Wróciłem do pokoju po marynarkę. W recepcji odebrałem wydrukowaną mapę. Do Nikitskiej 15 było bardzo blisko. Metrem tylko dwie przesiadki. W kopercie z mapą był karnet z biletami do metra, podpięty do wizytówki dyrektora hotelu. Na odwrocie napis *With compliments* i jego zamaszysty podpis. Dyrektor albo nieustannie czuwał, żeby niczego mi nie brakowało, albo skalkulował, że przejazdy metrem są o wiele tańsze niż wożenie mnie po Moskwie hotelową limuzyną. Bardziej przekonywało mnie to drugie.

Moskiewskie Konserwatorium Państwowe imienia Piotra Iljicza Czajkowskiego nie jest zwykłym miejscem, gdzie naucza się ludzi tworzyć, odtwarzać, opisywać, prezentować, także krytykować muzykę. Wchodząc do budynku, poczułem się, jak gdybym wchodził do jakiegoś pałacowego muzeum, a nie do szkoły. Niezatrzymywany przez nikogo, spacerowałem, zaglądając do pustych sal koncertowych. Wielka Sala, Mała Sala, Sala im. Rachmaninowa... Z oddali dochodziła muzyka, a ja przypominałem sobie moją młodość i swoją akademię z Gdańska, która w porównaniu z tym przepychem przypominała wiejski dom kultury. W którymś momencie skończyły się sale pełne barokowych żyrandoli i pozłacanych krzeseł i zaczęły się normalne niewypolerowane schody i jednak normalna szkoła. Cicho otworzyłem drzwi i wsunąłem głowę do sali wykładowej na pierwszym piętrze. Młody człowiek z poczochranymi włosami stał za pulpitem i z batutą w dłoni wykrzykiwał coś na tle muzyki fortepianowej. Przysiadłem na skraju ławki ostatniego rzędu. Sala była pełna studentów. Mężczyzna z batutą rozprawiał o Horowitzu. W pewnym momencie powiedział, że Horowitz „źle grał Szopena, bo wybierał na swoje koncerty instrumenty zbyt nowoczesne, a Szopen bardzo traci na fortepianie nowoczesnym, krótko mówiąc, Szopen nie grałby tak jak Horowitz, a zresztą Horowitz pod koniec życia się wypalił, proszę się dokładnie przysłuchać temu nagraniu". Nie mogłem uwierzyć własnym uszom! W Moskwie rosyjski profesor opowiada takie nieprawdy o rosyjskim pianiście! Zerwałem się z ławki i zbiegłem kilka stopni niżej.

– Co pan bredzi, proszę pana, co pan bredzi?! – zacząłem krzyczeć po angielsku. – Słyszał pan mazurka numer 21 c-moll opus numer 30/4 w wykonaniu Horowitza? Musiał pan słyszeć, on ostatnio wykonał go tutaj w Moskwie, w osiemdziesiątym szóstym, miał wtedy 83 lata. Poza tym można dostać ataku malarii, gdy słyszy się te pana: „Szopen by tak nie grał". Każdy pokręcony juror w Warszawie w trakcie konkursu tak mówi! Jak nie wie, co innego ma powiedzieć. Skąd pan wie, jak grałby Szopen, no skąd? I wie pan co? Chciałbym być tak wypalony jak Horowitz w jego wieku, bardzo bym chciał. Pan musi wiedzieć także, że Horowitz grywał w wielkich salach. I był na tyle mądry, aby wiedzieć, że wykonywanie Szopena w wielkiej sali na instrumentach z epoki to absurd i strzelanie sobie w rękę. Wie pan to?!

Byłem zdenerwowany. Bardzo zdenerwowany. Joanna powiedziałaby, że „właśnie osiągnąłem stan ostatecznego intelektualnego wkurwienia i staję się nieprzewidywalny". Było mi to w tym momencie obojętne. Ten arogancki poczochraniec z batutą dyrygenta opowiadał głosem kaznodziei swoje impresje, zamiast opowiadać prawdę. Na sali było słychać poruszenie i tłumiony chichot.

– Jakim prawem pozwala pan sobie przerywać mój wykład? Proszę natychmiast stąd wyjść – wykrzyknął po rosyjsku poczochraniec, rzucając we mnie batutą i wyciągając z kieszeni telefon komórkowy.

Bez słowa zacząłem iść w kierunku drzwi. Zdenerwowanie mijało, podczas gdy myślałem, że to jednak jego wykład i że może on inaczej słucha niż ja, i że chyba przesadziłem. Przed drzwiami odwróciłem głowę i zwracając się do studentów, powiedziałem po rosyjsku:

– Proszę mi wybaczyć. Nie chciałem państwu zakłócić spokoju. Ale gdy chodzi o Szopena, to się czasami zapominam. Proszę nie wierzyć we wszystko, co opowiada pan dyrygent.

A już zupełnie nie w to, co wam tutaj odgrywa. A ten koncert – dodałem, wykrzykując w kierunku wykładowcy – to przecież nie Horowitz! Musiały się panu pomylić płyty. To wykonanie Skriabina. I na dodatek bardzo niedbale elektronicznie wyczyszczone.

Wyszedłem na korytarz, otworzyłem okno i zapaliłem papierosa. Po chwili poczułem silne szarpnięcie za ramię. Odwróciłem głowę i rozpoznałem twarz skrzypaczki z hotelu. Wyciągnęła papierosa z moich ust i powiedziała przyciszonym głosem:

– Ale mu pan dowalił! Bosko! Myślałam, że się posikam, jak wyciągnął pan z melonika tego asa ze Skriabinem. Uciekajmy stąd! Ten zakompleksiony pajac zadzwonił do dyrektora i kłamał coś o napadzie przez szaleńca. Za chwilę będzie tutaj horda ochroniarzy. Niech pan idzie za mną. Znam wyjście przez ogród...

Podała mi rękę i zaczęliśmy biec labiryntem korytarzy, docierając do wąskiej nieotynkowanej klatki schodowej. Sklepienie sufitu było tak niskie, że musiałem schodzić schylony, co rusz uderzając głową o wilgotne cegły. Potem przez metalowe niewysokie drzwi wbiegliśmy do ogrodu i wąską ścieżką dotarliśmy do ogrodowej bramki. Zatrzymaliśmy się dopiero, gdy budynek konserwatorium zniknął za rogiem. Oparty plecami o pomazaną czarnym graffiti ścianę, starałem się złapać oddech. Dziewczyna przysiadła na chodniku pod ścianą i chusteczką ścierała pot z czoła i policzków.

– Jak pani ma właściwie na imię? – zapytałem po chwili, siadając przy niej.

– Arina. Ale w hotelu znają mnie jako Walerię. A pan?

– Struna. Ale w hotelu też o tym nie wiedzą.

– Struna? Wymyślił pan teraz, na poczekaniu? Dla mnie? – zapytała z uśmiechem.

– Nie. Nie potrafię aż tak dobrze flirtować. Tak nazywają mnie bliscy ludzie.

– Czy struna po polsku to jak struna w skrzypcach po rosyjsku?

– Dokładnie tak.

– Lubię pana, panie Struna. Dzisiaj, gdy zobaczyłam pana na sali wykładowej, pomyślałam, że mam jakiś omam z niewyspania po ostatniej nocy, ale gdy zaczął pan mówić, to się przestraszyłam, że to jednak pan.

– Nie spała pani ostatniej nocy?

– Mało spałam. Ale to nie tak jak pan myśli. Oddałam te buty w hotelu. Raz na zawsze. I spaliłam pokwitowanie.

– A dlaczego się pani przestraszyła? Przecież nie uczyniłem pani żadnej krzywdy.

– Właśnie dlatego – odparła, rumieniąc się.

– Czy mogę zdjąć pyłki z pani twarzy? Przykleiły się do pani policzka w ogrodzie.

– To przez ten pot. Bardzo widać? Mam podać panu chusteczkę?

– Nie, zdejmę je palcami – odparłem, delikatnie pocierając opuszkami palców jej policzek.

W tym momencie stanęła przed nami staruszka w chustce na głowie, w dziurawym prochowcu i wymachując laską, zaczęła głośno wykrzykiwać:

– Już teraz to żadnego wstydu nie mają te lafiryndy. Na ulicy się muszą macać, w biały dzień, pod murem. I to z kim? Z takim staruchem! Fuj!!!

Arina, nie otwierając oczu, przytuliła się mocno do mnie i wyszeptała do ucha:

– Niech pan mnie teraz pocałuje. Tak jak swoją kobietę, za którą pan bardzo tęsknił. Tak na głodzie. Tak żeby tej babci przypomniała się młodość. Niech pan zrobi to dla niej, proszę! – dodała, delikatnie liżąc moje ucho.

Siedząc na chodniku pod murem na ulicy w centrum Moskwy, sprowokowany przez rosyjską babuszkę, całowałem jak nastolatek rosyjską studentkę! Babuszka zamilkła. Gdy otworzyłem oczy, już jej nie było. Głowa Ariny leżała na moim ramieniu, a ja delikatnie gładziłem jej włosy.

– Struna, niech pan mi powie. Czy każdy Polak jest taki jak pan? – zapytała cichym głosem.

– To znaczy jaki?

– No, taki inny. Jak szaleniec. Taki normalny...

– Nie wiem. Oddaliłem się ostatnio od nich, coraz częściej ich nie do końca rozumiem. Ostatnio zdałem sobie sprawę, że ja mało wiem o dzisiejszych Polakach.

– A o Polkach? Czy to prawda, że są takie śliczne?

– Opowiem pani o tym, ale teraz podnieśmy się z tego chodnika, zanim nadejdzie kolejna babuszka i zacznie nas tłuc swoją laską.

Natychmiast wstała i podając mi rękę, powiedziała:

– A ja... ja bym chciała, żeby nadeszła.

Spacerowaliśmy potem ulicami Moskwy. Pomimo kolejnej intymności, która się nam przydarzyła, ja ciągle byłem dla niej „pan Struna", a ona dla mnie „pani Arina". Opowiadała mi o swoich skrzypcach, o swojej muzyce i o swojej samotności w Moskwie. Potem przejechaliśmy metrem do niezwykłego sklepu unikalnych instrumentów, gdzie na pianinie z czarnymi klawiszami po lewej stronie, a białymi po prawej odegrałem dla niej króciutki koncert, potem do Muzeum Bułhakowa, gdzie ona recytowała mi całe fragmenty z *Mistrza i Małgorzaty*. Gdy zaczynało robić się ciemno, odbyliśmy jakąś bardzo długą podróż metrem, aby dotrzeć do restauracji, która według Ariny była wyjątkowa i „z pewnością się panu spodoba".

Po drodze, w metrze, przytulony uciskiem tłumu do jej ciała, zapytałem ją, czy ona także zauważa nogi tych wszystkich dziewcząt na ławkach. Odpowiedziała, że nogi nie, ale zwraca uwagę na pończochy i podwiązki. Bo w Moskwie panuje moda na pończochy z podwiązkami w metrze. W tym roku królują czerwone i szerokie do czarnych pończoch, w ubiegłym roku modne były wąskie, ciemnoszare do pończoch w jasnostalowym kolorze. W tym roku modna jest alabastrowo biała skóra na udach, w zeszłym roku dominowała mocno opalona. W tym roku na koronkowych czerwonych podwiązkach, ponieważ są szerokie, dobrze jest mieć poupinane małe jedwabne wstążeczki, serduszka, kwiatki i tym podobne „słodkości". Mogą być czarne jak rajstopy, ale mogą być także białe. To jest bardzo miłe dla oka i bardzo przyjemne w dotyku. W tym momencie wzięła moją dłoń, wsunęła pod swoją spódniczkę i powoli przesuwając po swoich podwiązkach, zapytała:

– Czuje pan?

Przez chwilę czułem zawstydzenie, zaraz potem moment niepokoju, że ktoś może zauważyć, co ja wyczyniam, a potem rodzaj wzbierającego powoli podniecenia. Arina patrzyła mi w oczy i nie puszczając mojej ręki, opowiadała spokojnie dalej:

– Dobrze jest także mieć stringi w kolorze tych ozdóbek, bo świetnie się to wszystko komponuje, gdy dziewczyny przekładają nogę na nogę. Materiał z przodu stringów powinien mieć strukturę podwiązek, ale nie za grubą, trochę prześwitującą, taką chropowatą, ale nie za bardzo. Miłą w dotyku. Tak jak moja dzisiaj. Chce pan poczuć?

I wtedy kolejka zaczęła hamować, i po chwili dotarliśmy do stacji metro Nowosłobodskaja.

Tajemnicza restauracja nazywała się „W zupełnej ciemności". Jedynie wejście było oświetlone. Pokoje za grubą kurtyną kryła absolutna ciemność. Goście musieli pozostawić w szatni wszystkie przedmioty, które generują światło: telefony komórkowe, latarki, zapalniczki, podświetlane długopisy i tym podobne. Prowadzeni za rękę przez kelnera z czarną opaską na oczach usiedliśmy przy małym stoliku. Słychać było szmery rozmów innych gości i wyciszoną, subtelną muzykę graną na harfie. Taki prosty pomysł! Pozwolić ludziom skupić się na słuchu, smaku, zapachu, dotyku i wyłączyć im zmysł wzroku. Wino nie miało koloru, ale miało intensywniejszy bukiet i głębszy smak. Carpaccio z polędwicy, podgrzane na parze przed podaniem, gdy dotykane palcami, nagle nabierało pod palcami kształtu i wywoływało seksualne fantazje. Vinegrette na liściach sałaty pachniał, a nie tylko smakował. Woda mineralna w kieliszku eksplodowała bąbelkami zatrzymującymi się na skórze dłoni. Bez ciemności nigdy nie odczułbym ich dotyku.

– A ja i tak widzę. Jest pan teraz uśmiechnięty i zdziwiony i myśli pan o tej harfie, prawda? – powiedziała.

– Myślę. Bardzo lubię takie wibracje.

– To nie pochodzi z żadnego koncertu, proszę się nie martwić. To tylko jakieś tanie kawałki zwykłej harfy odgrywane w salonach masażu.

– Myli się pani. Może i odgrywają to przy masażach, pani wie najlepiej, ale to nie jest zwykła harfa. To jest chińska gu zeng, dwadzieścia jeden strun. Przepiękna, kosztuje majątek. I to jest z koncertu, proszę pani. To jest z koncertu w Alte Oper we Frankfurcie nad Menem. Wollenweider grał tam tak, że zerwał jedną ze strun.

– Dlaczego nie może się pan oderwać chociaż na chwilę od muzyki? Myślał pan o tym, jak wyglądałoby pana życie, gdyby pan nagle ogłuchł?

Ogłuchł?! Czasami w moich snach głuchłem, ale zaraz potem się budziłem, więc nic nie pamiętam. To było paradoksalne, ponieważ ostatnie sny się z reguły pamięta i niekiedy do nich wraca. Ale ja po takich snach nie mogłem znowu zasnąć. Na jawie nigdy nie myślałem o tym. To tak jak gdybym myślał, że samolot, którym lecę, za chwilę zestrzelą.

– Myślałem, ale tylko jako o końcu życia.

– Myśli pan o końcu życia? Często?

Często? Nie wiem, co to znaczy często. W Pankow rozmyślałem o „końcu życia" nieustannie. W Pankow to było nieprzerwane. Częste oznacza jakąś kwantowość, a w Pankow było to ciągłe. Może dlatego po pewnym czasie wydawało mi się najbardziej banalnym tematem do rozmyślań.

– Czy moglibyśmy rozmawiać o czymś bardziej... życiowym, Arino?

– Jeśli pan tak chce. Mnie interesuje, co ludzie myślą o śmierci. Ja często myślę o swojej śmierci.

W tym momencie podszedł do nas kelner z butelką wina. Wyciągnął głośno korek i modulowanym głosem zaczął opowiadać, jak dzieciom bajkę na dobranoc, historię winnicy, z której to wino pochodzi. Snuł długą, romantyczną historię o francuskim zamku z nocną damą, która jak duch ukazuje się w ciemności. Po chwili nalał nam do kieliszków wino i zapytał, czy „czujemy się w ciemności dobrze i czy smak tego szlachetnego wina uczyni nasz wieczór piękniejszym".

– To nie jest żadne francuskie château, to jest najtańsze wino, za mniej niż trzysta rubli, ze spożywczaka na rogu – odparłem, przełykając kwaśny płyn – ale opowiadał pan pięknie.

Poczułem kopnięcie w łydkę pod stołem.

– Czy pan musi zawsze psuć wszystko swoją prawdą?! To nie kelner kupował wino w spożywczaku. Oni mu kazali je po prostu nam nalać. Dlaczego go pan poniżył? Lubi pan mieć zawsze rację?

– Nie. Ale mógł nam je nalać i nic nie mówić. Ja bym tak zrobił, gdybym był tutaj kelnerem.

– To zwolniliby pana po pierwszym dniu. Tutaj jest teatr i pan to wie. Czasami trzeba zagrać jakąś rolę. Pan zapatrzył się w prawdę jak Narcyz w swoje odbicie w strumieniu. Nie nadąża pan za modą. Prawda jest dzisiaj *passé*. Pan kiedyś tego pożałuje. Albo już żałuje. Pan gardzi nieprawdą. I gardzi wszystkimi, którzy w niej uczestniczą. Pan jest niedostosowany. Pan jest jak z muzeum. Z muzeum pan jest. Goni pan jakiś cień z przeszłości. Pan mnie wkurwia, wie pan? Wkurwia mnie pan bezgranicznie. Bo pan jest wszystkim, czym chciałabym być i nie mogę. Wie pan to? Bo pan mi burzy wszystko. Przy każdej okazji. Dlaczego pan mi się zdarzył? Miałam zrobić tylko panu loda, wziąć kasę od dyrektora i zapomnieć. A pan pieśni mi wyśpiewał i nawet mnie pan nie zerżnął. A potem przyszedł pan do mojego świata, aby powiedzieć temu zarozumiałemu, wiecznie poczochranemu pajacowi, którego nienawidzę, że jest kosmicznym dupkiem. I powiedział pan to, co wszyscy chcieli mu powiedzieć, ale nie mieli odwagi. A potem wymusiłam na panu pocałunek. Nikt, nawet w łóżku, mnie tak nie całował, jak pan pod tym murem, wie pan? Nikt! Nie znam pana. Może jest pan łajdakiem, a może jest pan aniołem. Nie obchodzi mnie to teraz. I wie pan co? To jest najsmaczniejsze wino, jakie piłam. To musiał być jakiś dobry spożywczak – dodała po chwili z uśmiechem w głosie.

To wino nie było wcale złe. Chciałem jedynie zwrócić uwagę, że to nie jest to wino, o którym ten kelner opowiadał. Tylko to. Nie było w moim głosie też tonu agresji, raczej żartobliwość. Wcale nie byłem przywiązany do tej nieistotnej prawdy. Do innych tak. Ale do tej akurat nie. Zupełnie nie spodziewałem się, że mogę wywołać jednym zdaniem taką reakcję tej dziewczyny. Może w ciemności nie tylko lepiej się słyszy, ale także słyszy się co innego? Pewnie też ciemność dodaje odwagi i mówi się wówczas to, czego patrząc komuś w oczy, nigdy by się nie powiedziało.

Zauważyłem, że szmery rozmów ucichły. Zamiast dźwięków harfy było słychać orientalną muzykę. Bardzo popularną w Pankow podczas sesji autogennego treningu. Ludzkich głosów.

– Czy już zamykają tę restaurację? Zauważyła pani, że zrobiło się bardzo cicho? – zapytałem Ariny.

– Ależ nie! W sobotę musi wyjść ostatni gość, aby zamknęli. Ludzie zajmują się teraz sobą i milczą.

– To znaczy co robią?!

– Całują się, dotykają, rozbierają, niektóre kobiety są pod stolikami między kolanami swoich mężczyzn, a niektóre, gdy stoliki są więcej niż na dwie osoby, między kolanami nie swoich. Niekiedy także mężczyźni są pomiędzy kolanami kobiet.

– Żartuje teraz pani, prawda? – wyszeptałem z niedowierzaniem w głosie.

– Niech pan myśli, co chce. A może jednak nie żartuję? Przecież to fantazja większości mężczyzn, połączyć kolację z seksem bez wychodzenia gdziekolwiek po kolacji. Pana nie? – odparła.

– Nie, bo to czasami nie jest żadną fantazją – odparłem z uśmiechem. – Ostatnią kolację połączoną z seksem bez wychodzenia gdziekolwiek miałem tydzień temu w pewnym polskim mieszkaniu niedaleko Krakowa. Ale o tym, że można to połączyć z kolacją w restauracji, i do tego nie oddalając się do toalety na przykład, to przyznam pani, nie pomyślałem. Oni naprawdę to tutaj robią? – zapytałem, sięgając do kieszeni marynarki.

Pamiętałem, że w którejś z kieszeni powinien być płaski kartonik z zapałkami reklamującymi hotel, w którym mieszkam. Byłem pewny, że nie oddałem go przy wejściu do restauracji.

– Co pan robi? Opuszcza pan spodnie? – wyszeptała, dotykając swoim butem mojej nogi.

– Nie. Jeszcze nie. Teraz szukam zapałek. Powinienem je gdzieś mieć...

– Proszę! Niech pan tego nie robi! Błagam pana! – wykrzyknęła.

Z sali dotarł do nas odgłos chichotu. W tym momencie Arina wstała z krzesła i siadając okrakiem na moich kolanach, chwyciła mnie za obie ręce i oplatając dłońmi przeguby, przycisnęła je do swoich piersi i wyszeptała:

– Proszę, niech pan tego nie robi...

Po chwili przy stoliku usłyszeliśmy głos mężczyzny. Zapytał, czy czegoś nie potrzebujemy. To z pewnością nie był nasz kelner.

– Tak, potrzebujemy – odparła Arina. – Czy mógłby pan nam podać miseczkę świeżych malin z gorącą czekoladą? – Siedziała na moich kolanach i nie wypuszczając moich rąk, mówiła: – Struna, pan jest niekiedy jak mały chłopczyk, taki urwis i łobuziak trochę, jak mój mały braciszek Wania. Wszystko pana ciekawi, w mało co pan wierzy, wszystkiego chce pan dotknąć, rozebrać na części i sprawdzić, co jest w środku. Jak taki mały chłopczyk. Ile pan ma lat?

– W sierpniu skończę czterdzieści trzy...

– Staruch! Fuj!!! – powiedziała, imitując piskliwy głos babuszki z laską.

Kelner przysłany przez ochroniarza przyniósł maliny z czekoladą. Arina poprosiła, aby podał do rąk „temu chłopcu". Trzymałem przez chwilę szklany pucharek pachnący kakaem. W tym czasie Arina zsunęła się z moich kolan. Po chwili wróciła i nie zabierając z moich rąk malin, związała mi ręce.

– Co pani robi? – zapytałem.

– Wiążę pana! Tak będzie bezpieczniej dla zapałek.

– Czym pani mnie wiąże?

– Moją pończochą, tą z lewej nogi.

Potem wpychała palcami maliny do moich ust, momentami zlizywała czekoladę z moich warg, momentami wydobywała kawałki malin swoim językiem z mojego języka, a ja w międzyczasie opowiadałem jej, dlaczego jestem w Moskwie. Gdy skończyłem opowieść o Darii, rozwiązała moje ręce i powiedziała smutnym głosem:

– Panie Struna... pan nie jest normalnym szaleńcem. Gdyby pan był mój, to trzymałabym pana cały czas w zamknięciu, aby nikt mi pana nie odebrał...

Potem wyszła do toalety „doprowadzić się do porządku", podczas gdy ja czekałem na rachunek. Przynaglany kelner powiedział, że „wszystko zostało już uregulowane przez *madame*...".

Potem spacerowaliśmy ulicami, trzymając się za ręce. Zrobiło się późno. Nie miałem ochoty przedzierać się nocą pod Moskwą metrem. Zadzwoniłem po limuzynę. Powiedziałem recepcjonistce, że czekam w jakimś parku, z placem zabaw dla dzieci wokół rozłożystego dębu. Oddałem Arinie telefon, aby podyktowała adres. Wiał ciepły wiatr i pachniały konwalie. Arina usiadła na huśtawce, a ja przy jej nogach na trawie.

– Struna, zanuci mi pan jeszcze raz Mendelssohna? – zapytała w pewnej chwili.

Zacząłem. Po chwili nuciła ze mną. Przestaliśmy, dopiero gdy zabrzmiał klakson.

Limuzyna była białym wydłużonym amerykańskim chryslerem. Kabina pasażerów oddzielona szybą od siedzeń przy kierowcy mogła pomieścić kilkanaście osób. Gdy tylko ruszyliśmy, kierowca opuścił żaluzje. Najpierw pojechaliśmy pod dom Ariny. Nie rozmawialiśmy. Arina zdjęła moją marynarkę, okryła nią swoje kolana, położyła głowę na moim ramieniu i gładziła palcami moje dłonie.

W pewnej chwili miałem rodzaj *déjà vu*. Czy my jedziemy znowu do rodziców Darii?! Bliźniaczo podobne osiedle, podobnie obdrapane bloki, pomiędzy którymi wije się jednakowo wyboista droga, kończąca się przy identycznie ohydnym śmietniku. W tym miejscu ta dekadencka limuzyna mogła przypominać pałacową karocę, która jakimś dziwnym przypadkiem zbłądziła i wjechała do wiejskich pańszczyźnianych czworaków.

Wysiadając z samochodu, Arina powiedziała:

– Struna, niech pan dba o siebie. I długo żyje, bo kiedyś, gdy już nauczę się grać, to odszukam pana. Gdziekolwiek pan będzie...

Po drodze do hotelu zapytałem kierowcę, o której zamykają księgarnie w Moskwie.

– Niektórych w ogóle nie zamykają. W Moskwie wódkę, ogórki i książki można kupić przez całą dobę, siedem dni w tygodniu – odparł z uśmiechem.

– Czy mógłby mnie pan zawieźć do jednej z nich? Nie będę tam długo.

– Ależ oczywiście. Przepraszam, że pytam, wie pan, jakie książki chciałby pan kupić? – odparł.

– Tylko jedną.

– Jeśli napisze mi pan jej tytuł na kartce, to ja zadzwonię tam i zamówię. Gdyby ją mieli, to będzie czekała na pana przy kasie.

– Wiem, oczywiście, że wiem. To naprawdę możliwe? – dopytywałem z niedowierzaniem w głosie.

– Jasne! Niech pan pisze – powiedział, podając mi urwany z gazety kawałek papieru i długopis.

Po chwili słyszałem, jak przez telefon literuje zapisany przeze mnie tytuł, i myślałem, że kapitalizm w Moskwie jest o wiele bardziej rozwinięty niż w Berlinie lub w Warszawie. W Berlinie nie zadałbym nawet takiego pytania, w Warszawie około północy kierowca co najwyżej zawiózłby mnie do saloniku, gdzie byłaby prasa i harlequiny. A ja chciałem przecież książkę, która nawet w dzień nie we wszystkich księgarniach jest dostępna i z reguły trzeba ją zamawić.

– Dziewczyna pyta, czy się pan nie pomylił w nazwisku autora. Pan napisał „o” z dwiema kropkami, a oni mają tylko z „oe” i tylko po angielsku.

Faktycznie, w pośpiechu napisałem błędnie. Powinno być Schoenberg zamiast „Schönberg". On zmienił przecież po emigracji do Ameryki niemieckie „ö" na anglojęzyczne „oe".

– Powinno być „oe". Przepraszam…

Gdy limuzyna zaparkowała przy rozświetlonym budynku księgarni, natychmiast podbiegła do nas dziewczyna z książką i terminalem płatniczym. Sprawdziłem, czy na pewno Schoenberg o Horowitzu, i podałem dziewczynie swoją kartę kredytową. Po nie więcej niż trzech minutach trzymałem w dłoniach swoją książkę i limuzyna odjechała. Kapitalizm w Moskwie jest naprawdę inny. Tutaj oklepane „czas to pieniądze" traktuje się ciągle nie tylko jako slogan…

W hotelu, w rozświetlonym holu przy recepcji falował tłum. Z restauracji dochodziły dzikie wrzaski. Wyglądało na to, że rosyjskie wesele po północy nie różniło się niczym od polskiego. Przeciskałem się pomiędzy gęstwiną ludzi do windy. Kilka razy nie dałem się namówić na wódkę. Trzy razy odpowiedziałem, że nie wiem, gdzie jest teraz Katia, Jurij lub Natasza. Mijąc wejście do restauracji, dostrzegłem, że na przykrywie fortepianu bardzo gruba i ciężka kobieta w podciągniętej do majtek spódnicy tańczy, nie zdjąwszy butów, jakiś taniec, który normalnie tańczy się w Berlinie przy rurze. Zauważyłem, że przy klawiaturze siedzi mężczyzna w smokingu i tłucze w nią bez opamiętania pięściami. Poczułem, jak wzbiera we mnie wściekłość. Rozepchnąłem łokciami ludzi stojących przede mną i podbiegłem do fortepianu. Schwyciłem nogi kobiety i wykrzyknąłem:

– Co pani, do cholery, robi?! Niszczy pani, kurwa, instrument! Niszczy pani ten instrument!

Kobieta przestała tańczyć i zaczęła krzyczeć coś piskliwym głosem w kierunku pianisty. Tłum wokół fortepianu zamilkł.

– Niech pani przestanie, proszę panią, niech pani przestanie! Proszę!

Po krótkiej chwili obok mężczyzny w smokingu stanęła zdenerwowana recepcjonistka. Rozmawiała z nim chwilę, starając się zatrzasnąć pokrywę nad klawiaturą. Mężczyzna, stając się coraz bardziej agresywny, głośno seplenił:

– Ja mogę kupić nie tylko ten rozwalony grat. Ja mogę kupić cały twój hotel, panienko! No nie, Masza?! Powiedz jej i temu gnojkowi z zagranicy, że ja mogę wszystko kupić! No powiedz! Wszystko ci kupię, Masza, wszystko! Fortepian ci kupię. Torebkę ci kupię, iphona ci kupię, trzy fortepiany ci kupię! – wykrzyknął w kierunku grubej kobiety, odpychając brutalnie recepcjonistkę.

Po chwili kilku mężczyzn odciągnęło go siłą od fortepianu i wyprowadziło z restauracji. Gdy tłum wokół się rozstąpił, spokojnie przeszedłem do windy. Po drodze myślałem o tym, co kiedyś powiedział mi Joshua: „Struna, ty się kiedyś naprawdę doigrasz! Ty wpychasz palce między szprychy. Wpychasz w słusznych sprawach. Słusznych dla ciebie. I zawsze ci się udaje je wyciągnąć w ostatnim momencie. Kiedyś ci się nie uda, Struna! Pamiętaj, ty pokręcony uzdrowicielu świata...".

Potrzebowałem więcej alkoholu. W pokoju, nie zapalając światła, podszedłem do lodówki, wyciągnąłem pierwszą z brzegu butelkę, odkręciłem metalową zakrętkę i piłem duszkiem. Potem, leżąc w ubraniu na łóżku, słyszałem harfę, odgłosy metra, kroki na schodach, fortepian, miauczenie kota, stukot klawiatury komputera, śpiew, szum liści, kościelne dzwony, kobiecy krzyk, kobiecy szept, swój głos. Wszystko dziwacznie pomieszane ze sobą w kakofonię dźwięków. Przykryłem głowę poduszką...

Rano skulony i zmarznięty obudziłem się na kanapie. Nie pamiętałem, jak się tam znalazłem. Pusta butelka po ginie leżała na podłodze. Obok na pogniecionej marynarce moje buty. Wstałem, aby zamknąć okno. Na łóżku dostrzegłem przewiązaną szarozieloną wstążką obwolutę płyty. Takiej starej. Z czarnego winylu. Z rowkami na powierzchni. Odwiązałem ostrożnie wstążkę, która wydawała mi się znajoma. To była przecież apaszka Anny! Z pogniecionej, miejscami poplamionej okładki uśmiechał się Wysocki. Do wstążki przyklejona była kartka wyrwana z kalendarza z wczorajszą datą:

Na tej płycie Wysocki brzmi zupełnie inaczej. Chrapliwiej. Dobiera się bardziej do duszy. Odszukałam ją dla Pana w antykwariacie na Arbacie. A gramofon wydobyłam z piwnicy. Schował go tam jeszcze mój Tato. Dopiero dzisiaj odkryłam, że to polski gramofon! Rozmyślam o Panu. Rozmawiam o Panu. Zasmucam się Panem, a potem śmieję się do myśli o Panu.

Anna

PS Gramofon jest opatulony kołdrą w Pana łóżku. Jak garnek z ziemniakami na obiad, z którym na Pana czekałam. Aby był ciągle ciepły.

Moim dotykiem...

Pod poduszką, owinięty oliwkowym suknem, stał gramofon Bambino. Żaden gramofon! Adapter, bo tak go się wtedy nazywało. Stary kultowy Bambino! Moi rodzice także mieli taki. Każdy w Polsce miał taki albo przynajmniej o nim marzył. Gdy byłem dzieckiem, słuchałem bajek z plastikowych płyt kupowanych przez babcię w kiosku z gazetami na rogu. Na prędkości 45 obrotów na minutę. Czasami puszczaliśmy sobie je z bratem na 78 obrotów. Wtedy nawet te bardzo smutne stawały się śmieszne. Nawet ta o wilku, który pożarł babcię, i ta o dziewczynce, która miała zapałki.

Postawiłem gramofon na biurku obok komputera, znalazłem w ścianie gniazdko z prądem i położyłem płytę na talerzu. Z owalnego głośnika w pokrywie wydostał się dźwięk gitary, a potem głos Wysockiego. Skrzypienia i zgrzyty na porysowanej płycie zupełnie mi nie przeszkadzały. Anna miała rację. Wysocki był tylko bardziej „chropowaty"...

Podszedłem do okna i zapaliłem papierosa. Przy muzyce Wysockiego zawsze czułem pewne uniesienie lub wzruszenie. Ale to teraz było inne. Wyobrażałem sobie, jak Anna opatula ten gramofon kołdrą. Ochroniarz, bo pewnie on był z nią w moim pokoju, musiał pomyśleć, że to jakaś skończona wariatka. A może to nie był ochroniarz? Może to była „piętrowa", która też zostawia garnek z ziemniakami pod pierzyną, czekając z obiadem na swojego męża? Ja także tak robiłem. Całkiem niedawno. Czekając na Joannę wracającą ze szkoły w Hucie.

Myślałem także o tym, że spotykam na swojej drodze niezwykłe kobiety i że tak naprawdę nie zasługuję na to. Nie czynię przecież nic niezwykłego, aby zaistnieć w ich życiu. Daruję im swój czas. Wszystkim. Nie tej jednej wybranej. Potem znikam, nie zostawiając za sobą żadnych obietnic. Pomimo to otrzymuję od nich uwagę, czułość i takie gesty jak ten przed chwilą. Tylko jednej kobiecie podarowałem cały swój czas, całą swoją uwagę i całą swoją dobroć. Matce mojej Dobrusi. I w efekcie dotarłem do końca rozpaczy, a potem do Pankow. Może nie powinno się kobiecie dawać całego siebie? Może przez to stajemy się dla niej niezdobyci do końca? Może dobrzy mężczyźni bez tajemnic, zawsze dostępni, przestają być dla kobiet wyzwaniem? Może to jest tajemnica bezdusznych łajdaków kochanych bezwarunkowo przez anioły i aniołów porzucanych bezdusznie dla łajdaków?

Było już zbyt późno, aby zejść na śniadanie. Znalazłem w lodówce zmarznięte krakersy, dwie butelki wody mineralnej i z książką zjechałem na trawnik przed hotelowym parkingiem. Potrzebowałem świeżego powietrza i chciałem czytać. Dotykałem okładki, potem wsunąłem nos między strony i wąchałem. Uwielbiałem zapach papieru nowej książki. Harold Charles Schonberg, *Horowitz. Życie i muzyka*. A więc nie „ö" ani nie „oe", tylko „Schonberg". Dla mnie zawsze „Schönberg". Najważniejszy mędrzec pośród odważnych. Pisał o muzyce, tak jak gdyby mu kazali napisać biblię. Tylko że on nie miał bogów. Więc nie potrafił pisać modlitw. Przed nikim nie ukląkł na kolana. Horowitz go tylko urzekł i przywołał do pokłonu. Ale nie była to czołobitność. Poza tym Horowitz jest w tej książce jak gdyby tylko pretekstem. Ważniejsi są kompozytorzy, których muzykę Horowitz gra. Zaczytany, nie zauważyłem dzieci, trzech chłopców bawiących się „w wojnę" kilka metrów ode mnie. Dopiero gdy jeden z chłopców zaczął głośno płakać, zacząłem przysłuchiwać się ich rozmowie. Każdy z chłopców miał w dłoniach plastikowy karabin maszynowy, a na głowie plastikowy hełm.

Dwóch z nich miało przypięte do spodni plastikowe granaty i pasy z nabojami.

– Ja nie chcę być zawsze Niemcem! – wrzeszczał najmniejszy z chłopców – bo ich zawsze zabijają. Ja chcę być Rosjaninem! Albo jak nie, to chociaż Amerykaninem!

A potem rzucił swoim plastikowym karabinem o ziemię i pobiegł w kierunku budki przy parkingu.

Uśmiechnąłem się. Ja także nie chciałem być nigdy Niemcem, gdy bawiliśmy się na podwórku „w wojnę". Także wtedy nikt nie chciał być Niemcem. Ale Amerykaninem także nie. Bo Amerykanina mógł zabić odważny Wietnamczyk z Vietcongu. Nikt także nie chciał być Rosjaninem. Nikomu to nawet nie przyszło do głowy. Rosjanie byli w telewizji w czasie parad z okazji rewolucji i w czasie akademii pierwszomajowej w szkole i Rosjanie byli martwymi żołnierzami na cmentarzach, głęboko pod ziemią, w mogiłach pokrytych wieńcami kupionymi przez komitety partii, gdy nadchodził ósmy maja. Ale wieczorami, przy kolacji w polskich domach, Rosjanie byli w koszarach na skraju miast i można było od nich, po znajomości, kupić smaczne cukierki owinięte w papierki z twarzą uśmiechniętej dziewczynki albo samogon. Ale poza tym nikt ich w Polsce nie chciał.

„Bo to nie jest ich kraj – jak mawiał mój ojciec – i nigdy nie był. I za cara nie był, i za jakichś Stalinów lub Breżniewów także nie. I nigdy nie będzie. Bo Polacy nigdy nie dadzą się wchłonąć. Nikomu. Nigdy. Rosja, która ośmiela się w to nie wierzyć, to Rosja chora psychicznie lub Rosja zaślepiona pychą..."

Dlatego między innymi w czasie zabawy „w wojnę", kiedy ja byłem dzieckiem, nikt nie chciał być Rosjaninem. Wszyscy chcieli być Polakami i zabijać Niemców jak w tym naiwnym serialu *Czterej pancerni i pies*, w którym nawet pies był mądrzejszy od wszystkich niemieckich generałów. Ale wtedy ze względów patriotycznych przecież o to chodziło.

Chłopcy, którzy byli „Rosjanami" lub „Amerykaninami", nie mając kogo „zabijać" w zabawie „w wojnę", także odbiegli. Trawnik opustoszał. Wróciłem do czytania książki Schönberga. Po kilku minutach jeden z chłopców, mały piegowaty blondynek o niebieskich oczach, podszedł do mnie. W jednej ręce trzymał butelkę z lemoniadą, a w drugiej plastikowy kubek. Podając mi, powiedział:

– Tata mnie przysłał do pana. Mówi, że panu się na pewno chce pić, bo słońce mocno świeci. Chce się panu pić? Bo jak może nie, to ja wypiję. Ja bardzo lubię lemoniadę.

– Hmm, no trochę mi się chce – odparłem rozbawiony – a co byś powiedział na to, że ja wypiję jeden kubek, a ty resztę z butelki? Może tak być?

– Jest pan super! – wykrzyknął malec i zaczął nalewać lemoniadę z butelki. Nalał tylko do połowy kubka i ostrożnie mi go podając, natychmiast przyłożył butelkę do ust. – Czy to prawda, że pan jest niemieckim terrorystą? – zapytał w pewnej chwili.

– Nie. To nieprawda. Na pewno źle zrozumiałeś swojego tatusia. Nie jestem terrorystą – odpowiedziałem, powstrzymując śmiech.

– To chociaż może jest pan Niemcem? – nie dawał za wygraną wyraźnie rozczarowany.

– Nie, nie jestem Niemcem – odparłem, wybuchając śmiechem.

– To co ja teraz powiem chłopakom? – zapytał smutnym głosem malec.

– Powiedz im, że trochę jednak Niemcem jestem – odparłem, siląc się na powagę.

– No dobra – odparł ucieszony, postawił pustą butelkę na trawie i pobiegł w kierunku parkingowej budki.

Potem już nikt mi więcej nie przeszkadzał. Schönberg odkrywał momentami przede mną zupełnie mi nieznanego Horowitza. Tego z lat młodzieńczych, z Kijowa. Czas po tym jak Horowitz wyemigrował z Rosji w 1925 roku, był mi dość dobrze znany. Wiedziałem nie tylko o jego geniuszu. Znałem także, z innych źródeł i monografii, ludzkie słabości Horowitza. Jego neurotyczny charakter, ekstrawagancję, epizody nadużywania alkoholu, depresji leczonej nie tylko psychotropami, ale także elektrowstrząsami, okresy utraty pamięci, fizycznej niemocy, zwątpienia w swój talent, częstych i długotrwałych załamań. Schönberg jedynie wspomina rzekomy homoseksualizm Horowitza, nie poświęcając temu tematowi większej uwagi. Sam Horowitz temu zaprzeczał. I swoimi słowami, i swoim życiem. Żonaty, ojciec córki Soni, która przedwcześnie zmarła w wyniku przedawkowania leków – do dzisiaj nie wyjaśniono, czy był to nieszczęśliwy wypadek czy samobójstwo – dawał raczej świadectwo swojej heteroseksualnej orientacji. Niemniej jednak kiedyś zapytany o to, zażartował: „Istnieją trzy gatunki pianistów: żydowscy pianiści, homoseksualni pianiści i źli pianiści…". Pamiętam, że w innej biografii Horowitza, napisanej przez Plaskina, autor wspomina o tym, że Horowitz poddał się długotrwałej freudowskiej psychoanalizie u znanego amerykańskiego psychiatry, aby „wyegzorcyzmować swój homoseksualny element". Ale także i to nie zostało nigdy oficjalnie potwierdzone w żadnym innym udokumentowanym źródle.

Najbardziej jednak ekscytujące były dla mnie w książce Schönberga jego opisy i głębokie, porywające analizy wykonań przez Horowitza muzyki najróżniejszych kompozytorów. Większość tych wykonań słyszałem i mogłem przywołać je w pamięci. Ale były także takie, o których jedynie czytałem, nigdy ich nie słysząc. Poczułem, że chciałbym być teraz w domu u Joanny, aby móc szperać w jej przepastnych kartonach.

Zaczytany i zasłuchany w swoje wspomnienia zapomniałem o całym świecie i nie zauważyłem zbierających się nad Moskwą chmur. W pewnym momencie lunął rzęsisty wiosenny deszcz. Zanim dotarłem do hotelu, byłem przemoknięty do suchej nitki. W pokoju Wysocki jąkał się zachrypniętym głosem, powtarzając w kółko jedno słowo. Igła w ramieniu adapteru z jakiegoś powodu nie potrafiła przeskoczyć przez rysę na płycie. W międzyczasie adapter rozgrzał się jak ten garnek z ziemniakami pod pierzyną.

Książka Schönberga nie dawała mi spokoju. Myśli o Annie nie dawały mi spokoju. Czułem niecierpliwość. Chciałem, aby był już poniedziałek rano, nie chciałem być sam i nie chciałem włączać telewizora. Na ulicy przed hotelem jak zawsze maszerował tłum. W niedzielę wieczorem nie tak ustawiony w szereg, raczej nieregularny swoim brakiem pośpiechu. Kilka skrzyżowań od hotelu natrafiłem na księgarnię. W kilkupiętrowym, rozświetlonym, przeszklonym budynku było gwarno. Przy regałach z książkami tłoczyli się ludzie, z oddali dochodziły odgłosy oklasków i zapowiedzi konferansjera prowadzącego jakieś autorskie spotkanie. Schodami przeszedłem na ostatnie piętro. Natrętnie wracały myśli o Horowitzu, nie dając spokoju. I on, i Richter grywali *VII Sonatę* Prokofiewa. Obydwaj po mistrzowsku, ale pomimo to wykonanie Richtera było chyba bardziej wyraziste i ekspresyjne. Koniecznie chciałem to sobie przypomnieć.

W sześciu regałach ciągnących się na długości kilkunastu metrów, upakowane ciasno jedno przy drugim, stały pudełka w płytami. Richter miał swoją półkę, Prokofiew miał swoją półkę. Odszukanie wykonywanego w Warszawie koncertu Światosława Richtera grającego *VII Sonatę* Sergiusza Prokofiewa po kilku minutach przeglądania okładek płyt wydało mi się niemożliwe. W pewnej chwili podeszła do mnie niska młoda dziewczyna. Ubrana w za duży, rozciągnięty sweter, czarną spódnicę i czarne wysokie wojskowe buty. Z jej głowy wyrastały krótkie warkocze jak u Pippi Langstrump na ilustracjach z książek Astrid Lindgren. Była zresztą do Pippi bardzo podobna. Te same rude włosy, te same ogromne piegi, ten sam zawadiacki uśmiech. Zapytała, czy może mi w czymś pomóc. Zacząłem opowiadać, o który koncert mi chodzi, niespecjalnie jednak wierząc, że to ma jakiś sens. Dziewczyna wyglądała bardziej na miłośniczkę gotyckiego rocka i zespołu The Cure niż muzyki Prokofiewa. Wysłuchała mnie z uwagą do końca, a potem bez słowa oddaliła się ode mnie i kucając przy najniższej półce w sąsiednim regale, wydobyła cztery pudełka. Wręczając mi je, powiedziała:

– Na tych płytach jest zarejestrowany ten koncert. Jedna jest nasza, rosyjska, jedna polska, a jedna to czeska składanka różnych kompozytorów. Oryginał albo „pirat". Stanowiska ze słuchawkami są przy schodach. Gdyby pan zechciał przesłuchać…

Zaraz potem odeszła przywołana dzwonkiem telefonu przy kasie. Stałem chwilę jak oniemiały. Odwiedzałem w swoim życiu niepoliczalną ilość razy sklepy muzyczne w wielu miastach na czterech kontynentach, ale jeszcze nigdy i nigdzie nie zdarzyło mi się spotkać kogoś, kto bez długotrwałego przeglądania katalogów lub ślęczenia przy komputerze mógłby wiedzieć takie rzeczy. I to w tak ogromnym sklepie jak ten. A punkowa Pippi Langstrump ze sklepu w Moskwie – ot tak – po prostu kucnęła we właściwym miejscu. I na dodatek wiedziała o „czeskiej składance". To było dla mnie w tym wydarzeniu najbardziej niezwykłe. Na granicy magii. A potem jeszcze to szokujące, dla niej pewnie zupełnie normalne: „Oryginał albo »pirat«".

Przesłuchałem wszystkie trzy płyty. W całości. Najpierw chciałem tylko sonatę, ale pokusa była zbyt wielka. Spędziłem w tym sklepie cały wieczór. Było mi tam dobrze. Czasami przemykała obok mnie ta dziewczyna z warkoczami. Uśmiechała się do mnie. Miałem uczucie, że mnie rozumie. Joanna nie mogła mnie czasami zrozumieć. Twierdziła, że jestem „dwubiegunowy cyklofrenik z niebezpiecznymi epizodami manii, bo tylko maniacy wstają o trzeciej w nocy, aby przerzucać kartony i potem słuchać tego, co ich wybudziło ze snu". Ale pomimo to wstawała ze mną o trzeciej nad ranem, parzyła moją ulubioną herbatę poziomkową i siadając z kubkiem obok mnie na kanapie, udawała, że nie widzi mojego płaczu.

Wyszedłem na ulicę, dopiero gdy już dłużej nie potrafiłem opanować głodu nikotyny. Moskwa nie prześladowała nikotynistów tak jak Berlin lub ostatnio i Warszawa, ale pomimo to w księgarniach palić nie było wolno. Nie chciałem palić sam. Chciałem pójść do jakiejś zadymionej knajpy, zamówić piwo i być blisko ludzi. Normalnych ludzi. Miałem już dość geniuszy. Skręciłem w małą ciemną uliczkę. Już po kilkunastu metrach skończył się gładki cement w chodniku i zaczęły się „*katakomby*". Dokładnie tak jak w Warszawie, całkiem niedaleko od Starówki i turystycznych szlaków wyrysowanych w przewodnikach. Obok obdrapanych z farby drzwi kilku ulicznych żuli piło wódkę z butelki. Z podziemi dochodziły wrzaski oraz odgłosy perkusji. Stromymi schodami zszedłem na dół. Przy drewnianych ławach, za parawanem z gęstego dymu, dostrzegłem najpierw rzędy butelek, potem kufle i piramidy żarzących się niedopałków w popielniczkach, a na końcu sylwetki ludzi. Typowy klimat przeciętnie wyrafinowanej „mordowni" na warszawskiej Pradze z czasów, gdy ciągle byłem młody. Przysiadłem się na skraju pierwszej z brzegu ławy. Po chwili cuchnący potem, wytatuowany po pachy, muskularny olbrzym z kolczykami w uszach i w nosie podsunął mi swój kufel z piwem. Nie zdążyłem mu podziękować, ponieważ na małej scenie zbudowanej ze skrzynek po piwie zaczął szarpać struny gitary i bardzo głośno wykrzykiwać długowłosy hipis. Był w moim wieku albo nawet starszy. Przywiązani do wspomnień z Woodstock hipisi w moim wieku są na ogół żałośni, gdy ciągle chcą wyglądać jak „dzieci kwiaty". Nie jestem za tym, aby filozofie życia porzucać z upływem lat, ale jestem za tym, aby – nawet gdy kojarzą się z nieprzeminionym młodzieńczym buntem – nie ośmieszać ich zewnętrznego symbolu swoimi bruzdami zmarszczek, podwójną brodą lub zwałami tłuszczu na brzuchu. To tak, jak gdyby przysiąść się w garniturze, ale z łopatką w dłoni, do chłopców w piaskownicy na przedszkolnym podwórku. Nawet gdy jest w nas ciągle dziecko, to nie powinniśmy tego robić.

To, co zaczęło odbywać się na scenie zbudowanej ze skrzynek po piwie, nie było z pewnością przeznaczone dla dzieci. Ani dla ich oczu, ani tym bardziej dla ich uszu. Trudno było mi uwierzyć w to, co słyszę. Wydawało mi się, że to mogły być jedynie ekscesy jakiegoś wulgarnego, zamroczonego alkoholem solisty osiedlowej kapeli grającej w remizach strażackich na najbardziej zapadłych wsiach Syberii! Praktycznie co drugie słowo wydobywające się z gardła tego hipisa z domu starców było przekleństwem lub wulgaryzmem. Wyśpiewanie tego na przykład po niemiecku nigdy nie byłoby możliwe. Skromniutki niemiecki zestaw przekleństw ze swoją parą słów *Scheiße* i *ficken* po prostu wyczerpałby się już po pierwszej zwrotce. Nie to co rosyjski lub polski. W tych dwóch językach można przeklinać „kunsztownie" w długich balladach. Ale nie wydawało mi się to w żadnym wypadku dobrym pomysłem. Nie znoszę wulgaryzmów, tam gdzie są zbędne, chociaż wiem, iż czasami są z pewnością konieczne. Ale skompilowanie słów „jebać", „kurwa jebana twoja mać", „skurwysyn", „chuj", „pizda" i tym podobnych w tekst piosenki i wyśpiewywanie jej publicznie przekraczało wszelkie granice mojej tolerancji – powiedzmy – jeśli chodzi o prawo do wolności „w artystycznej ekspresji". Po hipisie na skrzynki po piwie wszedł punkowiec. Ale przed tym konferansjer go zapowiedział. Podając tytuł „utworu", autora „tekstu" oraz autora „muzyki". Tym razem na początku był „chuj", a dopiero potem „jeb twoją mać". Wytatuowany olbrzym obok mnie intensywnie ten „koncert" przeżywał. Co rusz walił pięścią w stół i zaraz potem mocno swoim łokciem w moje żebra. Nie mogłem tego dłużej słuchać. Wstałem od ławy i wyszedłem. Zapytałem szatniarki zajętej szydełkowaniem, czy „tutaj tak zawsze śpiewają". Nie zrozumiała mojej ironii. Wskazała ruchem głowy na plakat wiszący przy pordzewiałej gaśnicy. Przeczytałem wypisany odręcznie mazakiem tekst: „18 kwietnia, 2011 roku, godz. 22.00, Festiwal muzyki podziemnej", a pod nim wytłuszczoną kursywą zachęcający tekst: „Nasze piosenki opowiadają tylko o dobrych stronach życia, to znaczy o wódce i kobietach. Siergiej Sznurow, grupa LENINGRAD". Nie sądziłem, iż inwencja ludzka może być aż tak dalece bezgraniczna przy poszukiwaniu chwytliwych skojarzeń, które z prawdą nie mają nic wspólnego. Nazywanie tego bełkotu „muzyką podziemną" to niewiarygodny przykład cynicznej obłudy. To tak jak gdyby nazwać niemieckie „szlagiery" postromantyzmem, a polskie „disco polo" odłamem New Age. Z muzyką podziemną, w moim zrozumieniu nowych trendów, łączył ten spektakl publicznego rzygania obscenicznością jedynie fakt, że odbywał się w śmierdzącym tanim piwem i dymem papierosowym podziemiu. Nie znałem ani Siergieja Sznurowa, ani grupy LENINGRAD. Nie mogłem sobie jednak wyobrazić, aby Sznurow i jego koledzy chcieli świadczyć swoim przesłaniem: „opowiadamy tylko o dobrych stronach życia...", takie intelektualne fekalia. W tekstach, których byłem zmuszony wysłuchać, nie było jednego „dobrego" słowa o kobietach. W tych tekstach kobieta była „kurwą", składającą się wyłącznie z trzech otworów, które można było zatykać penisem i zostawiać w nich spermę. Ohydnie poniżana.

Na zewnątrz wiatr cucił swoim zimnem. W małym kiosku na rogu kupiłem dwie puszki z piwem. Tuż przed skrzyżowaniem ciemnej uliczki z szeroką, rozświetloną aleją przysiadłem na murku kończącym się bramą prowadzącą na podwórze starej kamienicy. Po chwili obok mnie pojawił się chudzielec w brudnym czerwonym dresie posklejanym w kilku miejscach taśmą, jakiej używa się do pakowania przesyłek na poczcie. Na nogach miał poszarpane trampki. Każdy w innym kolorze. Usiadł niedaleko mnie, kładąc na ziemi ogromny plastikowy worek wypełniony butelkami i puszkami po piwie. Siedział w milczeniu, zerkając niekiedy na puszkę, którą podnosiłem do ust. Wyciągnąłem w jego kierunku pudełko z papierosami. Podziękował, nie biorąc papierosa. Zagadnąłem go. Miał na imię Wasilij. Nie pali, bo „to za drogie". Mieszka póki co na ulicy, dwa lata temu przyjechał ze wsi pod Krasnojarskiem, gdy w pożarze chałupy zginęli jego rodzice. Stracił nie tylko ich, ale także cały swój dobytek. Najpierw zbierał butelki i puszki w Krasnojarsku, ale „tutaj, w Moskwie, jest ich o wiele więcej". Nie może znaleźć pracy, bo zna się tylko na rolnictwie, do szkoły nie chce iść, bo się wstydzi swojego wyglądu i swojego pochodzenia. Nie czuje do nikogo żalu, bo „Rosja na prowincji, daleko od Moskwy i Petersburga, zawsze była biedna i dlaczego teraz miałoby być inaczej, teraz tylko to bardziej widać". Nie każdy może być Gagarinem, który z kołchozu trafił do kosmosu. Gdy mu się uda, to wynajmuje się do pracy w ogrodach u nowobogackich, ale czasami dorabia sobie zbieraniem butelek i puszek, gdy ma dodatkowe wydatki. Jego chrześniaczka ma za dwa tygodnie urodziny. Chciałby jej w prezencie kupić nową sukienkę. Brakuje mu jeszcze „tylko osiemdziesiąt butelek lub puszek". Wepchnąłem mu do worka swoją pustą puszkę i sięgnąłem po portfel. Odsunął się natychmiast ode mnie i chwytając worek, wstał pospiesznie z balustrady, mówiąc:

– Dziękuję panu. Proszę tego nie robić. Pan musiał także na swoje pieniądze zapracować. Ja nie jestem żebrakiem. Nigdy nim nie będę. Niech pana Bóg błogosławi.

Do hotelu dotarłem po północy. Długo nie mogłem zasnąć, a potem budziłem się kilkakrotnie. Około trzeciej na ranem usłyszałem odgłosy śmieciarki. Uśmiechnąłem się do siebie. Wszystko w Moskwie było tak jak trzeba. Rozpoczynał się poniedziałek...

Anna

Całą noc przeleżała na ramieniu Daszy, oddychając równo i prawie niesłyszalnie. Dasza bała się poruszyć.

Anna przebudziła się z uśmiechem.

– Ależ mocno spałam! Nic mi się nie śniło, tylko jakieś światło, takie jasne i ciepłe!

Dasza wyswobodziła rękę, przeciągnęła się jak wielka piękna kotka i uniosła się na łokciu, obnażając pełną pierś.

– Dziś dopiero sobota – ciągnęła Anna z nutą żalu. – Do poniedziałku jeszcze cała wieczność... Jak ja lubię poniedziałki! Za każdym razem zaczyna się nowe życie. Myślałaś o tym? Od poniedziałku przechodzimy na dietę, próbujemy coś zmienić, stajemy w korku na drodze życia.

– Gdzie stajemy? – nie zrozumiała Dasza.

– W korku. Piękne słowo, prawda? Koniecznie muszę nauczyć się polskiego.

– A kiedy wraca Siergiej? – spokojnie spytała Dasza.

– Dziś wieczorem. Ale wiesz, wcale się tym nie przejmuję. Nawet on nie jest w stanie zepsuć mi nastroju.

– Skoro tak, to mamy czas napić się kawy i pogadać – uśmiechnęła się Dasza.

– Daszo – powiedziała Anna cicho – Daszeńko, taka ci jestem wdzięczna! Za wszystko! Za siebie i za niego. Przecież gdyby nie ty...

– Jak ma na imię? – zainteresowała się Dasza.

– Bardzo pięknie, muzycznie. Struna! Nigdy nie słyszałam takiego imienia. I kocha muzykę. Gdybyś tylko widziała, jak on mnie słuchał. Jak nikt. W dodatku jednakowo oddychamy.

– Co masz na myśli?

Dasza poszła do kuchni zaparzyć kawę. Zamiast ekspresu używała dżezwy na dwie filiżanki. Podarowanej przez Magdę.

– Zaraz spróbuję ci to wyjaśnić. – Anna przyłączyła się do niej. – Naprawdę chcesz wiedzieć?

– Jasne.

– Pewnie spodziewasz się czegoś poetyckiego, a to bardzo proste. Oddychamy w tym samym rytmie. Jakbyśmy byli jedną osobą, rozumiesz? Jedną istotą. Wdech – wydech... I znowu! Pamiętasz legendę o istotach rozdzielonych na kobietę i mężczyznę? My właśnie jesteśmy taką istotą... Rozumiesz mnie? Zdarzyło ci się coś podobnego?

Dasza nalewała kawę do małych filiżanek.

– Jeśli mam być szczera, to nie wiem, co ci powiedzieć. Nie wierzę mężczyznom. Ani wolnym, ani żonatym. Z żonatymi wielki problem. Czujesz się z nimi jak na lodzie. Idziesz sobie pewnie, aż tu nagle... Kości niby całe, płaszcz się nie wybrudził. Tylko na duszy okropnie zimno. I nikt nie jest winien. Ale wolni mężczyźni też potrafią zniszczyć ci życie. Nie kochają cię, nie rozumieją, a w dodatku nie chcą odejść... Tworzą iluzję. Właśnie wtedy przychodzi rozczarowanie. I bardzo trudno na nowo uwierzyć w siebie.

– Nie – Anna z przejęciem zaczęła chodzić po kuchni – nie, z nim na pewno będzie inaczej... Teraz łapię się na myślach, które do wczoraj nie przyszłyby mi do głowy! I już nie wiem, która ja jest prawdziwa – dzisiejsza czy wczorajsza. A wszystko to dzięki niemu. I tobie... Daszo – chlipnęła – wybacz mi, że ryczę!

Anna jechała do domu ulicami zaskakująco spokojnymi nawet jak na sobotnią Moskwę. Włączyła niedawno kupioną płytę: *Trois Gymnopédies* Erika Satiego. Dźwięki popłynęły jak nagle uwolnione skrywane uczucie. Kiedy Anna usłyszała Satiego po raz pierwszy, był dla niej odkryciem – jednym z tych, których dokonujemy w ciągu całego życia, poznając świat. I zainteresowała się jego twórczością. Zdziwiło ją, że ten utalentowany młody człowiek tak łatwo dostał się do Paryskiego Konserwatorium i tak łatwo je porzucił – czy może został wyrzucony, po tylu latach nie da się orzec z pewnością. Ale najważniejsze jest to, że do ukończenia pięćdziesięciu lat pozostał nieznany szerszej publiczności. Dopiero dzięki Maurice'owi Ravelowi, który organizował mu koncerty i polecił go dobremu wydawcy, zdobył rozgłos. Jednak nie na długo: zmarł, mając pięćdziesiąt dziewięć lat, na marskość wątroby, bowiem od młodości pił, żeby zapomnieć o niesprawiedliwych dysonansach życia.

Słuchając płyty, Anna zatęskniła za Struną. Weszła do domu i uśmiechnęła się do swojego odbicia. Spoglądając na kobietę w lustrze, z błyszczącymi oczami, po raz pierwszy od lat zauważyła Annę z przeszłości. Porządnie powiesiła ubranie w szafie.

– Co włożę w poniedziałek? – spytała głośno. – Oto jest pytanie!

– Z kim rozmawiasz? – spytał zaskoczony Siergiej, wnosząc do mieszkania karton pełen piwa. – A tak w ogóle, to cześć, dawno się nie widzieliśmy!

– Witaj – powiedziała wesoło.

– Właśnie przyjechaliśmy z Michaiłem, chcemy posiedzieć i pogadać. Zrobiłabyś nam coś na szybko?

– Za pół godziny będzie gotowy kurczak – powiedziała Anna i poszła do kuchni.

Pojawił się Michaił, przygładził ciemne kręcone włosy.

Siergiej otworzył piwo. Anna wyjęła kufle, przywiezione rok wcześniej z Oktoberfest. Pokroiła chleb, wyjęła z lodówki paczkowanego łososia i kulki mozarelli.

Mężczyźni głośno rozmawiali, ale ona ich nie słuchała. Nagle kuchnię zalał odblask zachodzącego słońca.

Na obrazach podobne światło pada na półnagich ludzi zastygłych w szacownych pozach, starców rozpościerających ramiona, w pięknie udrapowanych szatach, i rumiane cherubinki siedzące w obłokach jak rodzynki w bitej śmietanie.

Ani cherubinków, ani surowych starców Anna nie zobaczyła, jednak sytuacja była dość nietypowa: kierowcy autobusów wysiedli i spoglądali w niebo, weseli młodzi ludzie z puszkami piwa w dłoniach też zadarli wysoko głowy. Zastygły dzieci na rolkach, dwie starsze kobiety wyskoczyły z sąsiedniej kamienicy i pospiesznie wycelowały aparaty fotograficzne w niebo. Zrobiły po kilka zdjęć, po czym objęły się radośnie.

Wszystko to trwało nie dłużej niż minutę. Światło zagasło, kapiący od złota obłok rozpłynął się wśród zwykłych chmur.

– Widzieliście? – spytała Anna drżącym głosem.

– Co? – rzucił Siergiej pochłonięty dyskusją o interesach.

Anna wyszła z kuchni.

Usiadła w fotelu, sięgnęła po dziennik. Zapisała pospiesznie:

Pokochaj mnie różną – brzydką, krzykliwą i skłonną do płaczu, jaka jestem, kiedy wędruję po ciemnych zakamarkach pamięci, gdzie piętrzą się przykryte zakurzoną czarną płachtą skrzynki złych myśli i złych uczynków, rozpadające się, z ostrymi kantami... Natykam się na nie, kaleczę czoło, palce u nóg i klnę przez zęby... Myślisz, że jestem dobra, a tak naprawdę też zła, niesprawiedliwa, nieszczęśliwa. Łatwo pokochać piękną, ale taką? Dowiedz się, jak to jest – ciągnąć po schodach omdlewające ciało, stąpając po omacku i bez oparcia, kiedy ściskam cię za rękę, żeby nie upaść, to znów odpycham cię i osuwam się po ścianie. Potrzebujesz mnie takiej, chcesz patrzeć, jak padam na łóżko na twarz i gniotę poduszkę, słuchać, jak zasypiając, chrapliwie oddycham, zgrzytam zębami, a mój język staje się szorstki? Podasz mi wodę do picia, a ja sięgnę po inhalator, żeby prysnąć jadem na moje wysuszone gardło. Ale moje wargi pozostaną suche, słyszę mój ciężki oddech, czuję gorycz w ustach, gdzieś na skraju świadomości coś postukuje i ten stukot staje się nocnym deszczem za oknem.

Za dwa dni będzie padał na ciebie, dotknie twojej twarzy chłodnymi cienkimi palcami, i jeśli teraz uchwycę się wodnych strun naciągniętych pomiędzy niebem a ziemią, to za dwa dni, za dwa ciągnące się w nieskończoność dni, będę mogła przylgnąć do twojego ciała ubranego w nocny deszcz, wtulić się w ciebie wargami i dławiąc się szczęściem, pić srebrzysty sok wypełniający dołki twoich obojczyków.

– Jeszcze tylko jeden dzień – wyszeptała Anna – jeden dzień i jedna noc! Proszę, przyjdź do mnie we śnie…

Struna

Rano w restauracji przełknąłem kawałek bułki i popiłem kawą. Zawsze, gdy czułem podekscytowanie, przestawałem odczuwać głód. Joanna twierdziła, że ma to „minimum dwie dobre strony", dodając z uśmiechem: „Masz ciągle młodzieńczą sylwetkę, a uważna kobieta doskonale rozpozna, kiedy masz ochotę na seks…".

Nie mogłem sobie wyobrazić tego, co się dzisiaj wydarzy. Teoretycznie miałem odebrać jedynie listę z nazwiskami i kontaktami do wszystkich Darii, które w ostatnim czasie szperały w danych pewnego moskiewskiego archiwum. Nic poza tym. Nie miałem pojęcia, co zrobię, gdy będę już tę listę posiadał. Nie byłem także do końca przekonany, czy ja ciągle tej listy potrzebuję i czy chcę ją mieć. Praktycznie natomiast chciałem spotkać pewną kobietę, która podarowała mi gramofon, płytę Wysockiego i swoją apaszkę, jaka pachniała na mojej poduszce przez całą noc.

Gdy byłem czymś podniecony lub zaniepokojony, traciłem także orientację czasu. Z hotelu wyszedłem już około siódmej, metro było zbyt punktualne, tak więc znalazłem się przed budynkiem Archiwum na długo przed jego otwarciem. Czekając, spacerowałem wzdłuż bocznej ulicy. Nie chciałem, aby Anna, podjeżdżając pod Archiwum, dostrzegła moją obecność i dowiedziała się o mojej niecierpliwości. Jak nastolatek przed wyczekiwaną pierwszą randką.

Archiwum, według informacji na tablicy, otwierano o dziewiątej. Około ósmej trzydzieści pod bramę podjechał mały srebrzysty samochód. Strażnik otworzył bramę prowadzącą na parking. Z samochodu wysiadła kobieta w białej sukience w duże czerwone grochy. Z uplecionego z jej włosów warkocza zwisała biała długa wstążka. Na nogach miała czerwone ciżemki sięgające jej kostek. Oczy miała przykryte czarnymi eliptycznymi okularami. Otworzyła drzwi do kabiny pasażera, wyciągnęła stamtąd czarny długi do ziemi prochowiec z dużymi białymi guzikami i kieszeniami naszytymi niesymetrycznie po bokach. Jedna z kieszeni była grafitowa z czarnym ornamentem pośrodku. Druga biała, tak jak guziki, z frędzlami jak w podartych dżinsach. Narzuciła go na siebie i zaraz potem owinęła szyję długim białym szalikiem. Na końcu sięgnęła po białą torebkę. Podeszła pospiesznie do schodów prowadzących do Archiwum. Strażnik otworzył przed nią drzwi, skłaniając głowę.

To nie była żadna ustawiona scena do nagrania dla Fashion TV. To była spontaniczna scena, przez nikogo nienagrywana, z urzędniczką, która przyjechała w poniedziałek do pracy w Państwowym Archiwum w Moskwie.

To była Anna...

Odczekałem kilka minut i pomaszerowałem do bramy Archiwum. Strażnik przed drzwiami rozpoznał mnie. Ruda dziewczyna przy komputerze także mnie natychmiast rozpoznała. Zanim o cokolwiek zapytałem, położyła na ladzie recepcji plastikowy skoroszyt, mówiąc:

– Nasze Archiwum w ciągu ostatnich czterech lat odwiedziło dokładnie osiemnaście osób o imieniu Daria. Odpisałam dla pana ręcznie wszystkie dane o tych kobietach. Większość z nich mieszkała w owym czasie w Moskwie lub w okolicy. Tylko cztery osoby są spoza tego regionu. Jedna z Łotwy, dwie z Ukrainy i jedna z Finlandii.

Przerzucałem powoli kartki w skoroszycie. Na każdej były nazwiska, imiona, daty urodzenia, numery paszportów, adresy i obraz skserowanej kopii jakiegoś dokumentu.

– Sądzę, że najbardziej istotne dla pana są daty urodzenia. Ile lat mogła mieć... pana Daria? – zapytała.

– Nie wiem dokładnie, ale według informacji, które posiadam, była młoda, w pani wieku. Dziękuję pani za to, co pani dla mnie zrobiła. Bardzo dziękuję. Doceniam to. Proszę także przekazać ode mnie wyrazy wdzięczności panu dyrektorowi – odparłem.

Zamknąłem skoroszyt, próbując zmieścić go w kieszeni marynarki.

– Musi pan jeszcze tylko podpisać klauzulę poufności – powiedziała dziewczyna – takie mamy przepisy.

– Ależ oczywiście. Rozumiem.

– Dokument klauzuli posiada pani Anna. Czy mam ją przywołać, czy może pan sam pofatyguje się do jej biura? Pierwsze piętro, drugie drzwi po lewej stronie – dodała z uśmiechem.

Drugie drzwi po lewej stronie na pierwszym piętrze były odemknięte. Zapukałem i nie czekając na pozwolenie, wszedłem. Zamknąłem drzwi i oparłem się o nie plecami.

– Ach, to pan – powiedziała, podnosząc głowę znad biurka, nieporadnie udając zdumienie. Zdjęła okulary, poprawiła dyskretnie włosy, opuściła na biurko długopis i złożyła dłonie. – Masza przygotowała dla pana wszystko, prawda?

– Nie wszystko – odparłem – potrzebuję jeszcze pani podpisu na jakiejś klauzuli, bez której...

– Tak, to prawda, mamy tutaj takie przepisy – przerwała mi w pół zdania, wstając od biurka.

Powoli szła w moim kierunku. Światło dochodzące z dworu poprzez zakratowane okno ślizgało się po jej sylwetce i twarzy. Na przemian mrużyła i otwierała szeroko oczy. Momentami czerwone grochy na jej sukience stawały się szkarłatne, nieregularne na krawędziach, postrzępione, jak plamy z krwi. Zatrzymała się bardzo blisko mnie. Wzięła w dłonie wstążkę na swoim warkoczu, delikatnie gładziła ją palcami, zbliżała do swoich warg, całując, potem ugniatała w palcach, potem dotykała nią policzka. Patrzyła mi przy tym cały czas w oczy. W międzyczasie na przemian szeptała lub mówiła stanowczym głosem:

– Mamy tutaj takie przepisy, panie Struna. Myślałam dużo o panu. Ta klauzula jest nam niezbędna. Brakowało mi pana. Takie klauzule są nam potrzebne, gdy dotyczy to osób żyjących. Tęskniłam za panem, bardzo tęskniłam. Musimy chronić ich prywatność. Wróciłam z pana powodu do wierszy Jesienina. Ta klauzula gwarantuje nam, że nie będzie pan rozpowszechniał otrzymanych informacji. I płakałam przez pana, słuchając muzyki. Nasze Archiwum musi się zabezpieczyć przed ewentualnymi zarzutami. A potem, Struna, śniłam sobie pana...

Zamilkła, upuściła z rąk swój warkocz i schyliła głowę. Delikatnie dotykałem wargami jej czoła i włosów.

– Gramofon nie był już ciepły, gdy go znalazłem. Ale pani apaszka ciągle panią pachniała. Także jeszcze dzisiaj w nocy, na mojej poduszce. Sprawiła mi pani ogromne radości. Kilka naraz. Chciałem do pani zadzwonić i o tym opowiedzieć, ale zaginął mi pani numer telefonu z butelki. To skomplikowana historia, w każdym razie utraciłem go.

– Nie odebrałabym telefonu od pana. To także skomplikowana historia – powiedziała z uśmiechem, odsuwając się ode mnie.

– Czy znajdzie pani dla mnie dzisiaj trochę czasu? – zapytałem.

– Nie byłam pewna, czy pan zechce znowu pobyć w mojej Moskwie, ale pomimo to poinformowałam pana dyrektora, że mogę dzisiaj pracować krócej. Tak naprawdę to wzięłam dzień urlopu, aby móc być z panem. Jeśli nie ma pan teraz żadnych innych planów, to możemy za chwilę ruszyć. Jeśli się pospieszymy, to zdążymy na coś, co z pewnością się panu spodoba – dodała, spoglądając na zegarek.

Powróciła do komputera. Po chwili zdjęła z drukarki jakiś dokument i położyła go na biurku. Podając mi długopis, powiedziała:

– Czy zechciałby pan podpisać tę idiotyczną klauzulę? Masza będzie spokojniejsza...

Na dole Anna przez chwilę rozmawiała z rudą dziewczyną, a potem wyszliśmy z budynku Archiwum.

Anna

W końcu nadszedł poranek. Nie mogła spać.

Anna podeszła do okna i otworzyła je. Późną wiosną, kiedy zieleń młodych listków i mnogość kwiatów na miejskich klombach wywalczyły już pełnię praw, zapach ziemi, szczególnie rano, był ostry i świeży.

Wiosną ziemia pachnie wyjątkowo – to nie piaszczysty zapach gleby wypalonej letnim żarem, od którego drapie w gardle, nie aromat grzybów, nie zimowa martwota – nie, wiosenna ziemia pachnie jak niemowlę, które po raz pierwszy wciągnęło powietrze w płuca.

Anna poszła do kuchni, włączyła radio, zalała wrzątkiem płatki owsiane dla Siergieja. Prezenterzy żartowali, przerywając sobie nawzajem. Uśmiechnęła się. Nie irytowały jej dzisiaj ani niezbyt udane żarty, ani natarczywe reklamy. Nawet niezadowolony głos Siergieja nie mógł popsuć jej nastroju.

– Wrócę późno – powiedział głośno – albo wcale. Zależy, jak się ułoży z nowym projektem. Tak że w najlepszym razie będę w nocy.

– Dobrze – uśmiechnęła się Anna.

– Co w tym dobrego? – krzyknął Siergiej. – Haruję jak wół, a ona mówi „dobrze"! Od pół roku nie miałem wolnego dnia!

I wyszedł, trzaskając drzwiami.

– A mnie jest dobrze – powtórzyła cicho.

Wzięła płaszcz i małą białą torebkę, założyła czerwone półbuty do białej sukienki w purpurowe groszki. Wygodnie rozsiadła się za kierownicą samochodu i ruszyła z miejsca. Ze zdumieniem dostrzegała gniewne, niezadowolone twarze przechodniów, zaciśnięte usta, zmarszczone czoła.

– Ludzie, opamiętajcie się! – powiedziała głośno. – Przecież jest wiosna!

Dwa długie dni czekała na poniedziałek i nie mogła pogodzić się z powolnym upływem czasu. Ogarnęły ją czułość, podniecenie, niecierpliwość, brak pewności i niepokój. Wszystko naraz. Czuła się jak nastolatka przed spotkaniem z chłopakiem, szaleńczo zakochana, ale niepewna jego uczuć. Anna chciała znowu być młoda. Stąd jej dziewczęca sukienka w groszki, warkocz ze wstążką i kwiatowe perfumy, jakimi pachniały podlotki na ulicy, w sklepach, w metrze. Chciała znów poczuć to, czego doznawała przed pierwszą randką z Siergiejem...

Z tego wszystkiego najgorsza była niepewność. Anna bała się, że Struna przyjdzie do Archiwum, weźmie listę od Maszy i pójdzie. Ale przecież nie może czekać na niego razem z Maszą albo niby przypadkowo znaleźć się na dole, kiedy się pojawi. Nie powinna dać po sobie poznać, jak bardzo zależy jej na tym spotkaniu. Jednak bała się nawet pomyśleć, że mogłoby do niego nie dojść z powodu jej chorobliwej dumy. Dlatego wymyśliła historyjkę z podpisaniem dokumentu. Masza bardzo się zdziwiła, ale szybko domyśliła się, o co chodzi.

Anna zostawiła drzwi gabinetu uchylone, usiadła przy biurku i czekała. Słyszała, jak rozmawiał z Maszą. Potem rozległy się kroki na schodach. Jej policzki zarumieniły się, poczuła niepokój przypominający tremę aktora przed wyjściem na scenę, w ustach jej zaschło, palce drżały.

Kiedy wszedł i zamknął za sobą drzwi, wstrzymała oddech. Patrzył na nią dokładnie tak, jak to sobie wyobrażała. Podeszła do niego i powiedziała coś. A on pocałował jej włosy i musnął wargami czoło. Anna trzęsła się jak osika, nie wiedziała, co począć z rękami, zaczęła szybciej oddychać, a on cichnącym głosem szeptał jej coś do ucha. W pewnej chwili zrozumiała, że sytuacja wymyka się spod kontroli. Odsunęła się od niego, podeszła do komputera i wydrukowała dokument. Zeszli na dół. Anna uprzedziła Maszę, że prawdopodobnie nie wróci tego dnia do pracy. Masza mrugnęła do niej ze zrozumieniem i obiecała przekazać wiadomość kierownictwu.

Wyszli z budynku, minęli jej samochód. Przez pewien czas szli w milczeniu. Kiedy przed nimi wyrosła stacja metra, Anna powiedziała:

– Teraz pojedziemy do cerkwi.

– Czemu akurat tam? – spytał.

– Nie wiem. – Anna zatrzymała się. – Chociaż… Zwykle ludzie chodzą do kościoła, kiedy im bardzo dobrze albo bardzo źle. Kiedy pan idzie obok mnie, jest mi dobrze. Pewnie nie powinnam tego mówić. Jakoś nieprzyzwoicie to brzmi, jak list Tatiany… A mężczyźni…

– Proszę mnie pozwolić mówić za mężczyzn. – Struna mocno ścisnął jej dłoń. – To stara cerkiew?

– Tak. Wybudowana w 1696 roku. Pod wezwaniem Opieki Matki Boskiej. Mamy wiele cerkwi, które przypominają nam, jak Matka Boska rozpostarła swój maforion nad modlącymi się w świątyni. To było w Konstantynopolu, dawno temu. Na pamiątkę tego zdarzenia obchodzimy święto od XII wieku, od czasów Andrieja Bogolubskiego.

Zeszli na stację, gdzie pachniało uwięzionym wiatrem i rozgrzanym metalem. Od razu podjechało metro. Stanęli na końcu wagonu. Anna poczuła bliskość Struny i przymknęła oczy.

Zapytał z niepokojem:

– Źle się pani czuje?

– Nie, czuję się bardzo dobrze – odpowiedziała. – Opowiem panu historię cerkwi. Stoi u stóp wzgórza, na którym w XIV wieku znajdował się klasztor. Był tam mnichem rodzony brat świętego Siergieja Radoneżskiego, bardzo czczonego w Rosji.

– Czytałem o Siergieju Radoneżskim, ale nie wiedziałem, że miał brata – przyznał Struna.

– Potem klasztor został zlikwidowany w związku z budową umocnień drewnianego grodu. Część wzgórza splantowano i wybudowano cerkiew. Najpierw drewnianą, a pod koniec XVII wieku – kamienną. Dzisiejsza cerkiew postawiona jest na fundamentach poprzedniej... Zaraz wysiadamy.

Anna podniosła głowę. Napotkała jego wzrok. Nie dotykali się – nie trzymali za ręce, nie ocierali ramionami, kiedy szli razem, a jednak jakby przechodził przez nie prąd. Anna przycisnęła dłonie do rozpalonych policzków i ledwie słyszalnie powiedziała:

– To niedaleko. Jeszcze dodam coś o cerkwi. Ucierpiała w 1812 roku, podczas najazdu Francuzów. Została spalona i ograbiona. Ale po dwóch latach odbudowano ją i poświęcono na nowo. Od tamtej pory nigdy nie jest zamknięta. Przez wszystkie te lata, dzień po dniu modlą się w niej ludzie, kapłan pali kadzidło i śpiewa chór... Jesteśmy na miejscu.

Struna

Cerkiew Opieki Matki Boskiej była nieporównywalnie większa od mojej malutkiej cerkwi w Berlinie, jednakże nie przygniatała i nie przerażała swoją monumentalnością. Pomimo swojej długiej i niezwykłej historii bardziej była miejscem modlitw niż muzeum, które tylko czasami bywa świątynią.

Pomimo poniedziałkowego przedpołudnia wypełniona ludźmi, pachnąca kadzidłami i tętniąca życiem. Mój katolicki kościół w Berlinie, który odwiedzałem z reguły właśnie w poniedziałki około południa, był pusty, cmentarnie cichy, jak zapomniane muzeum, które tylko czasami od święta przychodzi się zwiedzać. Tutaj było zupełnie inaczej. W niewielkiej nawie, tuż za ogromnymi rzeźbionymi drzwiami prowadzącymi do cerkwi, znajdowały się dwa ciężkie stoły z surowego drewna. Na jednym z nich leżały pliki karteczek i ołówki. Wokół stołu pochylali się ludzie i pisali coś na tych karteczkach. Przy drugim stole siedziały dwie starsze kobiety w kolorowych chustach na głowie i zbierały te karteczki do jednego drewnianego pudełka i banknoty lub monety do drugiego. Wkrótce zrozumiałem, że na karteczkach składa się na piśmie swoje prośby do Boga. Na jednej karteczce jedna prośba. Cena prośby była ustalona w tej cerkwi na dwadzieścia rubli. W pierwszej chwili wybuchnąłem śmiechem. To było tak absurdalne, że aż śmieszne. Anna uciszyła mnie, przykładając swoją dłoń do moich ust. Rubli dwadzieścia *per* prośba. Coś takiego! Byłem ciekawy, kto ustalił tę cenę i czy prośby do Boga drożeją wraz z inflacją. Bardzo to było podobne do polskiego „co łaska", ale nie mniej niż tysiąc złotych za chrzciny i dwa tysiące za mszę żałobną. Z opowieści moich polskich przyjaciół wiedziałem, że w Polsce „co łaska" nie dopasowywało się do poziomu inflacji. Znacznie go przekraczało.

Anna nie mogła zrozumieć mojego cynizmu. Uważała, że jest to sposób na pokrycie kosztów utrzymania tej cerkwi, jej sprzątania lub renowacji. Opowiadałem jej, że w „moim" kościółku w Berlinie prośby do Boga są za darmo. Pisze się je w specjalnej księdze i Bóg sam je czyta. I to w wielu językach. Włodarze tamtejszego katolickiego kościoła uznali, iż Bóg nie potrzebuje do tego ani pieniędzy, ani lektora. Wtedy, mając całkowitą rację, odparła, że w Niemczech kościoły utrzymuje się z podatków.

Po chwili zapomniałem o rublach, o prośbach, o całym świecie i tak naprawdę także o Bogu. Na środek apsydy spływało światło poprzez szklane zwieńczenie kopuły w dachu cerkwi. Stał tam przed wyzłoconą ikoną chór złożony z kobiet i mężczyzn i śpiewał. Dźwięki odbijały się echem, nakładały na siebie, wzmacniały w harmonicznym rezonansie, wypełniając wibracją całą przestrzeń od podłogi po szklane zwieńczenie kopuły. Przepiękne głosy, które w ogóle nie potrzebowały muzyki. Doskonale pamiętam wykłady z historii muzyki w mojej akademii w Gdańsku. „Na początku był głos… – opowiadał jeden z profesorów – muzyka pojawiła się dopiero później, jako ozdoba i dodatek".

Stało się podniośle, uroczyście, niezwykle. Tak jak sobie to wyobrażałem. Anna stała obok mnie. Głowę nakryła białym całunem. Jak welonem. Znalazła moją dłoń, uścisnęła i przytuliła mocno do swojego biodra. Staliśmy bez ruchu pośród innych, oniemiali, z głowami uniesionymi do góry, z zamkniętymi oczami. Wsłuchani i połączeni ze sobą.

Czułem niezwykłość tego, co się dzieje. Nagle ta kobieta obok stała się mi najbardziej bliska i najważniejsza na świecie. To, że przecież jeszcze trzy dni temu nawet nie wiedziałem o jej istnieniu, nie miało w tym momencie żadnego znaczenia. Nie wiem, od którego momentu zaczyna się zauroczenie i następujące po nim pragnienie, aby to zauroczenie trwało. Chyba nikt tego nie wie...

Anna

Pochylił się nad jej uchem i ostrożnie powiedział:

– Dawno już zdałem sobie sprawę, jakie jest najważniejsze dla mnie kryterium oceny dzieła sztuki: jeśli wywołuje u mnie łzy, niczego więcej nie oczekuję. A jeśli nie – może dla mnie nie istnieć.

Przytaknęła w milczeniu.

Wyszli na zewnątrz. Słońce stało już wysoko, cienie zmalały. Anna zmrużyła oczy, po czym otworzyła je szeroko i odezwała się:

– Zawarłam coś w rodzaju umowy z Bogiem – ja nie przeczę jego istnieniu, a on mnie za to nie karze.

Struna roześmiał się:

– Ma pani wspaniałe poczucie humoru.

Ona nie wiedziała nic o nim ani on o niej. Spotkali się dopiero drugi raz. A jednak czuła się tak, jakby między nimi bardzo wiele już się wydarzyło. I mogła pozwolić sobie na wszystko...

Struna

Po wyjściu z cerkwi oboje milczeliśmy. Spacerowaliśmy w oddaleniu od siebie. Zawstydzeni tym, co się wydarzyło. Potem usiedliśmy na ławce w parku i zapaliliśmy papierosa. To znaczy ja zapaliłem i dzieliłem się nim z Anną. Miała ciągle, jak panna młoda, ten biały welon na głowie. Potem przysunąłem się do niej, zdjąłem delikatnie ten welon i pocałowałem jej usta. A dopiero potem zapytałem, czy wolno mi ją całować. Uśmiechnęła się i zapytała, czy wolno jej się na to zgadzać. A potem opowiadała mi o miejscach w jej Moskwie, które chciałaby mi pokazać. Wymieniała nazwy, które mi nic nie mówiły. Centrum sztuki Winzawod, Rzeczny Dworzec, Hermitage Garden i wiele innych. Na końcu zapytała, gdzie ja chciałbym teraz pójść, co ja chciałbym przeżyć, co ja zobaczyć, co ja usłyszeć. Dla niej było ważne, czego ja chcę. Odpowiedziałem, zupełnie szczerze, że chciałbym teraz wrócić do Archiwum. Z nią do Archiwum. Ja chciałbym. Z nią…

Anna

Anna myślała, jak to się dzieje, że dwoje różnych ludzi pragnie tego samego…

Wcale nie miała teraz ochoty pokazywać Strunie Moskwy. A on, jakby czytając w jej myślach, powiedział, że chciałby ją odprowadzić do Archiwum.

Tak zrobili. Najpierw jednak długo całowali się, nie zważając na mijających ich ludzi.

Przy wejściu do budynku Anna chciała się pożegnać, ale Struna przyciągnął ją do siebie i znowu zaczął całować, obejmując jej talię pod rozpiętym płaszczem.

– Chodź – powiedziała ruchem warg i wzięła go za rękę.

Szli długimi korytarzami, odpowiadali na powitania. Anna udzielała wyjaśnień jakiejś kobiecie, która planowała wyjazd na wyspę Kiży... Ale oto już jej gabinet i drzwi, i klucz. Weszli, zamknęli zamek na dwa i pół obrotu.

Zdjął z niej płaszcz, pociągnął wstążkę, ciemne włosy rozsypały się, zasłaniając jej twarz. Całował je, przeczesywał palcami, wdychał ich zapach. Potem uniósł ją gwałtownie i posadził na stole. Z niecierpliwości rozdarł jej sukienkę.

Struna

W budynku Archiwum mijaliśmy jakichś ludzi. Anna rozmawiała z nimi. Coś im nerwowo tłumaczyła. Opędzając się od nich jak od komarów i niecierpliwie spoglądając na mnie. Dotarliśmy do jej biura. Przekręciła klucz w drzwiach, zastawiła je stolikiem z książkami. Zrzuciła buty. Stanęła przede mną. Zsunąłem wstążkę z jej włosów. Potem płaszcz. Potem sukienkę z jej ramion. Rozpięła stanik. Całowałem jej włosy. Całowałem jej usta. Położyła moje dłonie na swoich piersiach. Całowała moje usta. Po chwili uklękła. Rozpięła pasek i zsunęła moje spodnie. Dotknąłem jej włosów. Potem czoła. Potem powiek. Potem policzków. Potem warg. I gdy dotykałem palcami jej warg, wsunęła mój penis w swoje usta. I jednocześnie wargami dotykała także moich palców. A potem... potem już tylko chcieliśmy się połączyć. Jak najszybciej, gdziekolwiek.

Zdziwienie, zawstydzenie i na końcu nieśmiałość pojawiły się później. Przed kilkunastoma minutami było pożądanie, niecierpliwość, dzikość i wyuzdanie. Ale teraz głównie zdziwienie i zawstydzenie. Wszystkim, co się tutaj tak nieoczekiwanie wydarzyło. Ale nagością przede wszystkim. Bo wszystko inne stało się już przeszłością i można było o tym na przykład nie rozmawiać, ale naszej nagości na biurku opróżnionym jej jednym ruchem ręki ukryć się nie dało. Siedziała z rozsuniętymi szeroko udami na moich biodrach i skrzyżowanymi rękami, zawstydzona, zakrywała swoje piersi. Potargane włosy, obrzmiałe wargi, zamknięte oczy, rozmazany makijaż, rumieniec na twarzy. Ciągle połączeni.

– Zależy mi na tym, aby pan wiedział, że ja bardzo tego chciałam – wyszeptała po chwili, nie otwierając oczu – i że to nie było tylko w jakimś amoku. Ale teraz boję się, że mnie pan opuści. Tak się często zdarza. Bo pan mnie w ogóle nie zdobywał. A ja z takich jestem, co to ciągle uważają, że mężczyzna powinien kobietę zdobywać. Inaczej kobieta daje mu powody, aby jej nie szanował. I bardzo się teraz tego wstydzę. Tej możliwej pana myśli. Bo ja taka nie jestem. Czy dosięgnie pan mojej sukienki? Leży na podłodze. Chciałabym się osłonić przed panem. Chociaż sukienką.

Słuchałem jej. W słowie „pan" za każdym razem wysłuchiwałem rażący dysonans. Naga kobieta, siedząca okrakiem na mnie, ciągle z moim penisem w sobie, zwracała się do mnie przez „pan"! Nie dotarliśmy wprawdzie w żadnym oficjalnym porozumieniu do momentu przyzwolenia na zamianę tej formy na „ty", ale wydawało mi się, że gdy intymność między dwojgiem ludzi osiąga pewną fazę – a ta nasza przed chwilą była i ciągle jest przecież bliska ostatecznej – to w sposób naturalny ucieka się od oficjalności i dystansu i bardzo chce się słyszeć brzmienie swoich imion.

– Anno, czy nie czujesz, że przekroczyliśmy...

– Pan mnie bezgranicznie oczarował – powiedziała, nie dając mi dokończyć – i ten odurzający śpiew, a potem ten napad nienormalnej bliskości w cerkwi. Miałam tam uczucie, że właśnie zostaję pana żoną i że ten chorał jest na naszą cześć, i że od tego momentu należę tylko do pana. Wcale mnie pan nie uwiódł. Niech pan sobie nic takiego nie myśli. Mnie nie można uwieść. Za stara już na to jestem. Uwiedzenie kojarzy mi się z użyciem fortelu, aby osiągnąć jakąś chwilową korzyść. A pan przecież taki nie jest. Chciałam poczuć pana dotyk, usłyszeć pana oddech, gdy się pan zapomina, odkryć pana tajemnicę, aby... no, aby doznać pana w większej całości i mieć wspomnienie na długi czas. Zanim minie mój czas, zanim pan odnajdzie tę swoją Darię, odjedzie i być może zniknie z mojego życia na zawsze. Niech pan zapamięta, że ja pana również nie uwiodłam. Pragnęłam pana i z obawy, że to pragnienie może się nie spełnić, a ja potem będę znowu żałować, że mu się nie poddałam, zapomniałam się tak jak pan. Ja wiem, że kobiety powinny się zapominać o wiele później niż mężczyźni. Ale ja już tak dawno chciałam przypomnieć sobie, jak to jest się zapomnieć. Już tyle razy w życiu rezygnowałam ze swoich pragnień. Bo tak było lepiej. Dla innych lepiej. Uwierzy mi pan, że nie dorabiam teraz wymyślonej filozofii do incydentu pozamałżeńskiego seksu znudzonej mężatki na biurku? Uwierzy mi pan? Z przekonaniem, że pan mi uwierzył, będę czuła się lepiej i godniej. A teraz… czy teraz poda mi pan w końcu moją sukienkę? – zapytała, nachylając się nade mną.

Chciałem jej powiedzieć, że nie ma racji i że nie muszę i nie chcę w nic wierzyć, bo do głowy mi nie przyszło, żeby szacunek do kobiety kojarzyć z faktem przyzwolenia na dotykanie jej ciała. Może jestem do cna zepsuty, ale zdobycie kobiety to dla mnie o wiele, wiele więcej niż jej rozebranie i zainteresowanie jej moim penisem. Zdobycie kobiety do końca jest moim zdaniem niemożliwe, ale jeśli kiedykolwiek udało mi się dotrzeć do czegoś w przybliżeniu podobnego, to zawsze chodziło mi o zdobycie nie wyłączności do jej ciała, ale zawsze do jej myśli. Normalnie, dla większości, ta kolejność jest odwrócona, najpierw myśli, a dopiero potem ciało, ale ja nie uważam, że tak być musi. I że jeśli mi pozwoli, to gdy już osłoni się ode mnie sukienką, to zacznę ją zdobywać na swój sposób. I dodałbym, że jej uparte zwracanie się do mnie przez „pan" jest z jednej strony nienaturalne, ale za to z drugiej, w obecnych okolicznościach, bardzo podniecające i że ja zaczynam ponownie reagować na to podniecenie, chociaż mężczyzna zazwyczaj potrzebuje po ejakulacji na to trochę więcej czasu.

Przesunąłem się blisko krańca biurka i opuściłem ramię, próbując chwycić palcami sukienkę leżącą na podłodze. Po chwili zrezygnowałem. Biurko było zbyt wysokie.

– Zaczeka pan chwilkę? Proszę zaczekać. Jeszcze nie teraz – wyszeptała nagle, odchylając się do tyłu i rozrzucając rękami włosy – teraz nie. Proszę! Niech pan mnie znowu… niech pan mnie znowu wypełni.

Zaczęła unosić się i opadać. Po chwili odwróciła się do mnie plecami. Dłońmi mocno objąłem jej talię. W pewnej chwili przesunęła je na swoje pośladki. Nasze oddechy stawały się szybsze, krótsze, coraz głośniejsze. Unosiłem ją i powoli opuszczałem. Nagle usłyszałem westchnienie, cichy skowyt i zduszony dłońmi zakrywającymi jej usta krzyk. Chwilę potem opadła całym ciężarem na moje zmoczone jej wilgocią dłonie, przyciskając do bioder. Odwróciła głowę. Uśmiechała się, zagryzając wargi.

– Struna – wyszeptała – wyprzedziłam pana, prawda?

Przytaknąłem tylko w milczeniu głową, sięgając do jej włosów. Uniosła się. Rozsunęła szeroko moje nogi i uklękła pomiędzy nimi. Nachyliła głowę. Jej włosy rozsypały się na moim brzuchu...

Przykryci jej sukienką, leżeliśmy na dywanie przykrywającym podłogę biura i paliliśmy papierosa. Rozmawialiśmy przyciszonym głosem. Czasami słychać było stukanie do drzwi i wtedy milknęliśmy przestraszeni, czekając, aż ucichną kroki na korytarzu. Niekiedy dzwonił telefon przesunięty do regałów i przykryty moją marynarką, czasami wibrował jej telefon komórkowy w torebce leżącej pod drzwiami. Zamknięci w jej biurze jak lubieżni nastolatkowie na wagarach, nadzy na podłodze, przytuleni do siebie, stygliśmy z naszego rozżarzenia i zaczynaliśmy się poznawać.

Opowiadaliśmy swoje biografie. Ale tylko przeszłość. Teraźniejszość pomijaliśmy. Jak gdyby zaczęła się właśnie dzisiaj i nie ma w związku z tym nic do opowiadania. Zadawaliśmy sobie pytania. Często chciałem zrozumieć każde słowo, a mój rosyjski był na to zbyt słaby. Wtedy przechodziliśmy na niemiecki, a gdy i to nie pomagało, Anna sięgała po słowniki polsko-rosyjski lub rosyjsko-polski. Kupiła je w sobotę w Domu Knigi. Dwa opasłe tomy. Kupiła, ponieważ chciała zrozumieć kilka wierszy z tomiku poety, którego sprzedawczyni w księgarni określiła jako przedstawiciela polskiej poezji współczesnej. Zapytałem, o jakiego poetę chodzi. Odparła, że o Wojaczka. Najpierw szukała tłumaczeń w internecie, ale nic nie znalazła. Nawet omówień jego wierszy. Więc sama próbowała tłumaczyć kilka ze słownikiem, ale po przetłumaczeniu nie mogła w nich odnaleźć ani śladu liryki. Były w nich egzystencjalny nihilizm, desperacja, katastrofizm, surrealizm, pochwała beznadziejności, brzydoty i brudu. A ona w sobotę i niedzielę najbardziej potrzebowała przecież liryki. I chciała jej koniecznie po polsku.

– Chciałam słuchać i czytać twój język, Struna, wczoraj i przedwczoraj – powiedziała.

Zastanawiałem się, czy ja zaliczyłbym Wojaczka do „polskiej poezji współczesnej". Chyba nie. I to wcale nie dlatego że umarł. Wojaczek nie daje się po prostu zaliczyć do żadnej szkoły, żadnego nurtu, żadnej epoki.

– Wojaczek potrafił być liryczny – powiedziałem, przytulając się do niej – był masochistyczny, zgorzkniały, ale liryczny także. Moim zdaniem w miłość nie wierzył, ale pisać o niej chciał i potrafił. Czasami bardzo subtelnie, czasami biologicznie. A czasami to potrafił niezwykle zmieszać ze sobą. Lubię go. Bardzo go lubię.

– Znasz jakiś jego wiersz? – powiedziała, siadając przede mną.

– Tylko jeden...

– Powiesz?

– Powiem, ale połóż się obok mnie. Bo ja się wstydzę recytować wiersze... Wiersz ma tytuł *Prośba*. Wojaczek napisał dwa wiersze pod tym tytułem, ale ja nauczyłem się tylko jednego. To będzie po polsku. Niewiele zrozumiesz, Anno...

– Przestań już! Ja chcę właśnie po polsku. Mów wreszcie...

Zrób coś, abym rozebrać się mogła jeszcze bardziej
Ostatni listek wstydu już dawno odrzuciłam
I najcieńsze wspomnienie sukienki także zmyłam
I choć kogoś nagiego bardziej ode mnie nagiej
Na pewno mieć nie mogłeś, zrób coś, bym uwierzyła
Zrób coś, abym otworzyć się mogła jeszcze bardziej
Już w ostatni por skóry tak dawno mi wniknąłeś
Że nie wierzę, iż kiedyś jeszcze nie być tam mogłeś
I choć nie wierzę by mógł być ktoś bardziej otwarty
Dla ciebie niż ja jestem, zrób coś, otwórz mnie, rozbierz.

Zamilkłem na chwilę. Zrobiło mi się smutno. Już tyle lat znałem ten wiersz. Kiedyś, jeszcze jako student, skomponowałem do niego muzykę i tylko czasami wyśpiewywałem go przy ogniskach na obozach studenckich. Kiedyś wyszeptałem go do ucha mojej żony Izabelli. Ale tylko jeden jedyny raz. I teraz z powodu pewnej sprzedawczyni z Domu Knigi w Moskwie wróciłem do niego, i wyśpiewałem go do ucha kobiety, która nigdy nie zrozumie, co on dla mnie znaczy.

– Struna, ty masz piękny głos. Kto to skomponował?

– Pewien student. Bardzo dawno temu...

– O czym jest ten wiersz?

– O otwieraniu się ludzi przed sobą. O nagiej kobiecie, która nie ma już nawet listka wstydu, ale ta jej nagość jej nie wystarcza, bo chce i prosi, aby mężczyzna rozebrał ją jeszcze bardziej, aby dotarł do jej wnętrza. Jeszcze bardziej, mocniej, dotkliwiej. Tej kobiecie to, że on wniknął w jej ciało, nie wystarcza. Ona chce mieć go w swoim wnętrzu. I prosi go, by ją otworzył.

– Struna, czy to teraz wymyśliłeś? I dlaczego płaczesz, gdy mi to mówisz? – wyszeptała. – Dlaczego płaczesz? Powiedz mi, proszę.

– Słuchaj, masz tutaj coś do picia? – przerwałem jej zawstydzony. – Masz tutaj jakieś wino albo koniak, albo chociaż wódkę?

Anna pospiesznie wstała, podeszła do stolika, którym zastawiła drzwi wejściowe. Z oprawionej w skórę opasłej książki stojącej na stoliku wyjęła butelkę i dwa małe kieliszki.

– To chorwacka śliwowica. Bardzo mocna. Chyba ponad siedemdziesiąt procent, ale nic innego tutaj nie mam.

– To niezwykle mocną literaturę tutaj w Archiwum czytujecie – odparłem, ocierając łzy.

– Struna, ja lubię, jak się śmiejesz. Proszę, nie płacz już nigdy więcej. Obojętnie, co ci ta kobieta zrobiła. Dobrze?

Chorwacka śliwowica wydobyta z książki była faktycznie okropnie mocna. Po pierwszym kieliszku Anna na kolanach przemieściła się do biurka i z szuflady wydobyła coś, co na pierwszy rzut oka przypominało polskie obwarzanki.

– To rosyjskie suszki. Uwielbiam suszki – powiedziała – jestem od nich uzależniona. Jeszcze nigdy nie jadłam ich jako zakąski do wódki.

Potem powróciliśmy do rozmowy. Opowiadałem jej o swoim dzieciństwie w Polsce i o muzyce. Ona o swoich niespełnionych marzeniach, o teatrze i o poczuciu utraty czasu w swoim małżeństwie. W pewnej chwili dotarłem w opowieści do „kobiety, która bardzo mnie skrzywdziła", i Pankow, gdzie się z tej „krzywdy chciałem otrząsnąć". Wtedy przywołałem także wspomnienie Darii, Magdy Schmitovej i poświęcenia, które Daria wobec Schmitovej wykazała.

Od tego momentu Anna milczała.

– Znalezienie tej dziewczyny stało się dla mnie wymyślonym celem w życiu. Tak naprawdę to nie wiem, co powiedziałbym jej, gdyby nagle sama przysiadła się do mnie na przykład na ławce w parku. Że ją podziwiam? Że pokazała swoim czynem, czym naprawdę może być miłość? Że osiągnęła taką jej fazę, która kojarzy się z boskim *caritas*, całkowitym wyparciem się siebie i poświęceniem się dla dobra innych? I nawet jeśli bym jej to powiedział, to nie sądzę, że miałoby to dla niej jakiekolwiek znaczenie. Bo w końcu jakie znaczenie może mieć dla obcej dziewczyny podziw jakiegoś podstarzałego świra z Berlina? Poza tym nie jestem pewien, czy zwracając się do niej, nie rozdrapałbym jej ran, które się już zabliźniały. Może ona, uciekając z Niemiec, starała się oddalić od tamtego świata i od tamtej tragedii, a ja tutaj nagle, nie wiadomo po co, przywożę jej paczkę z kawałkiem tamtego świata, który wykreśliła z pamięci?

Zapaliłem papierosa i sięgnąłem po kieliszek z wódką. Anna przykryła się moją marynarką, usiadła za mną, przytulając się do moich pleców.

– A może powinienem po prostu jej podziękować jedynie za to, co dla mnie zrobiła? A zrobiła nieświadomie ogromnie wiele. Odnalazłem wreszcie odwagę, aby uwolnić się od wygodnej dla mnie obłudy, przestałem gardzić sobą, zacząłem myśleć o przyszłości dłuższej niż czas od śniadania do skręta na górze koksu w kotłowni. Znowu zacząłem słyszeć muzykę, a być może także odważę się, aby zasiąść za klawiaturą fortepianu i ją znowu grać lub nawet tworzyć. Dzięki wyprawie w poszukiwaniu Darii powróciłem do świata, który zaczyna przypominać świat, w jakim żyłem wiele lat temu. Tylko że po drodze przywędrowałem tutaj, do Moskwy, i zobaczyłem, że można żyć inaczej. Jedno wiem na pewno, gdy przyjdzie mi spotkać Darię, to podziękuję jej za ciebie…

Anna delikatnie dotykała opuszkami palców moich pleców, gładziła moje włosy, tuliła.

– Powiesz to Darii, spotkasz ją. A jeśli nie, to ja na pewno ją spotkam i sama jej to powiem. Obiecuję ci – wyszeptała.

Potem zasiedliśmy przed jej komputerem i z głowami przyciśniętymi jedna do drugiej, rozdzielonymi jedynie wypukłościami słuchawek, słuchaliśmy muzyki, całowaliśmy się i dalej rozmawialiśmy. Późnym wieczorem, gdy Archiwum opustoszało, cicho na palcach zeszliśmy na dół. Strażnik wracający z obchodu nie mógł pojąć, jak to się stało, że nie zauważył obecności Anny i „*gospodina s Giermanii*". Otworzył bramę prowadzącą na parking. Po drodze do mojego hotelu Anna zatrzymała się przy centrum handlowym i kupiła nową sukienkę. Nie chciała wracać do domu w sukience pospinanej agrafkami. W eleganckim butiku nieustannie przywoływała mnie do przymierzalni, abym jej „doradzał". W każdej wyglądała ślicznie i nie mogłem pojąć, dlaczego nie wybrała tej pierwszej, w której moim zdaniem także wyglądała „ślicznie". Powiedziała mi, że się na tym nie znam i jak każdy normalny mężczyzna chciałbym po prostu już wyjść z tego sklepu. Za którymś razem przekręciła klucz w zamku do przymierzalni. Zdjęła sukienkę i zapytała mnie, czy czytałem książkę Zeruyi Shalev zatytułowaną *Życie miłosne.* Gdy zaprzeczyłem, powiedziała:

– Koniecznie przeczytaj, Struna. Koniecznie. To przepiękna historia o tym, do czego zdolna jest mężatka, gdy w jej życiu pojawia się nowa nieznana jej dotąd miłość. Uwielbiam tę książkę. Jest w niej jedna taka scena w przymierzalni pewnego sklepu w Jerozolimie. Bardzo dzika i zmysłowa. Smakowita. Pokażę ci ją teraz. A potem sobie sam przeczytasz...

Rozpięła stanik i zsunęła majtki. Została tylko w swoich czerwonych ciżemkach. Oparła się dłońmi o lustrzaną ścianę i stanęła w rozkroku. Patrząc w moje oczy w odbiciu lustra, wyszeptała:

– Struna, nie mamy zbyt wiele czasu i na dodatek tak bardzo cię teraz chcę...

Z przymierzalni wyszedłem pierwszy. Wkraczając do rozświetlonej sali, miałem uczucie, że za chwilę na monitorach plazmowych zamiast pokazu mody wyświetlą pornograficzną wersję nagrania sceny z *Życia miłosnego* pisarki Shalev. Usiadłem na skórzanej sofie. Młoda pracownica butiku uśmiechała się do mnie i zapytała, czy napiłbym się kawy. Poprosiłem o bardzo zimną wodę mineralną.

Po kilku minutach pojawiła się Anna. W czerwonej sukience w białe grochy.

Młoda dziewczyna, która w międzyczasie przyniosła mi wodę, przez minutę zachwycała się widokiem Anny. Potem Anna podeszła do kasy i kazała swoją porozrywaną białą sukienkę w czerwone grochy zapakować do pudełka. Gdy szliśmy do samochodu, zapytałem, czy nie zadziwi tym przebraniem swojego męża. Uśmiechęła się ironicznie i odparła:

– Nie sądzę, aby był w domu, zanim ja tam dotrę. Powiedziałam mu, że mogę dzisiaj później wrócić, powiedzmy, z pracy. On notuje w pamięci takie rzeczy. Z pewnością rozsupłuje butelki coca-coli ze zmysłowych stringów. Ale nawet gdyby z niemocy był w domu przede mną, to on i tak tego nie zauważy. Bo on nie zauważa mnie już od bardzo dawna. Może gdybym przyszła z czerwonymi włosami z białymi plamami, to by zauważył. Ale nawet co do tego nie mam pewności. Nie mówmy o nim, Struna. Nie kończmy tak tego dnia...

W hotelu słuchałem Wysockiego i jadłem suszki, którymi Anna wypchała kieszenie mojej marynarki. Cieszyłem się na jutrzejszy dzień...

Anna

„Ciekawe, kto wymyślił te wszystkie dni tygodnia i daty? Pewnie jacyś straszni nudziarze, którzy nigdy nie byli zakochani" – myślała Anna.

Wyjęła kubek, zalała herbatę, otworzyła puszkę, posłodziła, spróbowała, roześmiała się, wylała herbatę do zlewu – sól i cukier trzymała w jednakowych pojemnikach i herbata była słona. Umyła kubek i łyżeczkę, z pudełka wyjęła kolejną torebkę herbaty, obejrzała ją, włożyła z powrotem, ciągle się uśmiechając. W czajniku zabrakło wody.

Nie przejęła się, kiedy Siergiej trzasnął drzwiami, mówiąc: „W tym domu nie da się nawet normalnie zjeść śniadania!". Było jej obojętne, że leje deszcz, a dziennikarz w telewizji z poważną miną roztrząsa jakiś problem polityczny. Już od kilku dni nie korzystała z inhalatora, oddychała równo i spokojnie.

Siergiej wrócił i krzyknął od progu:

– To jest jakieś kompletne bezhołowie! Baba ma czterdziestkę na karku, a ani herbaty, ani śniadania nie umie zrobić, nie wspominając o kolacji!

Nie zareagowała. Była przekonana, że każda opinia na temat jej zdolności i wyglądu wypowiedziana przez męża wypływa jedynie z jego potrzeby podkreślenia własnej wyższości i jest próbą wyprowadzenia jej z równowagi.

A ona była szczęśliwa i nie wstydziła się tego. Pragnęła być taka dla Struny. Obudził w niej potrzeby, których się nawet nie domyślała. Była gotowa oddawać mu się gdzie popadnie – na stole w Archiwum, na parkowej ławce, w windzie... Czas i miejsce nie odgrywały roli. Podobnie jak wątpliwości, wstyd i strach.

Wcześniej często ogarniał ją przejmujący lęk – zdawało jej się, że traci rozum. Wewnętrzny głos szeptał, że wszystko jest źle, a jutro będzie jeszcze gorzej... Anna umiała z nim walczyć. Metodycznie analizowała, czego właściwie się boi: problemów materialnych, chorób... I nie przychodziło jej do głowy nic strasznego. Wszystko dałoby się zmienić. Głos milkł, ale lęk nie znikał. Wtedy szukała przed nim ratunku wśród ludzi, którzy mówili jej, że jest mądra i piękna. Trzeba było udawać, że wszystko jest w najlepszym porządku – i to pomagało. Czasami nawet dość długo trwała w przekonaniu, że to prawda, nie przestając powtarzać jak mantrę: „Układa mi się jak innym ludziom, jestem jak inni ludzie".

Zaczęła bać się nocy. Zdawały się jej potworne i piękne. Piękne dlatego, że Siergiej spał, a ona mogła spokojnie zajmować się swoimi sprawami: pisać dziennik albo po prostu snuć się po mieszkaniu. Potworne – bo prędzej czy później trzeba było położyć się obok niego i próbować zasnąć, inaczej następnego dnia czuła irytację i zmęczenie po nieprzespanej nocy.

Czasami pomagało czytanie. Ale kiedy o trzeciej albo nawet o piątej odkładała książkę, znowu nachodziły ją niespokojne myśli, a ona przecierała oczy i sięgała po inhalator.

Pogodziła się już z myślą, że będzie musiała spędzić resztę życia na niekończącej się walce z depresją. I walczyła z nią na wszelkie sposoby: nową fryzurą, sprzątaniem, chodzeniem po sklepach, przyjęciami...

Niedawno ktoś powiedział jej o nowym sposobie na bezsenność: trzeba się oblać zimną wodą i bez wycierania położyć do łóżka. Kiedy szła z łazienki do sypialni, zaczynała drżeć, ale kiedy już schowała się pod kołdrę – co za radość! – po piętnastu minutach rzeczywiście zasypiała.

Miała nadzieję, że teraz coś się zmieni.

Sięgnęła po dziennik.

Nie ma takiej ulicy, takiego parku, mostu, klubu, domu, wagonu metra, kina, gdzie nie towarzyszyłby mi twój cień, gdzie nie tęskniłabym za tobą, nie kłóciła się, nie płakała z żalu, nie uśmiechała do ciebie, nie leżała przy tobie na trawie, patrząc w niebo, gdzie nie czytałabym twoich listów, nie prosiła cię o coś, nie rozumiała i przebaczała, całowała i pozwalała odejść, nie odwracała się, nie szukała odpowiedzi, nie snuła planów na przyszłość, nie krzyczała z bólu, nie milczała, nie szukała dla ciebie usprawiedliwień, biorąc winę na siebie, nie jeździła w kółko po mieście, przegapiając swoje przystanki, nie kochała cię do nienawiści. Nie ma takiego zakątka mojego świata, żywego czy wymyślonego, nie ma takiego pokoju, gdzie by nie było cię ze mną przez te wszystkie lata.

Przeczytała, zamknęła dziennik. „Kiedy człowiek jest szczęśliwy, nie ma zbyt wiele do powiedzenia" – pomyślała.

Zawsze marzyła, żeby pojechać do Petersburga i odwiedzić Carskie Sioło. Jeszcze w Orle, jako uczennica, dużo o nim czytała. Dziadek opowiadał jej o tamtejszym liceum, w którym uczyła się Anna Achmatowa. Była znakomitą pływaczką, nazywano ją nawet nimfą. Tam też poznała Nikołaja Gumilowa.

Anna zapragnęła pojechać do Carskiego Sioła ze Struną. Sięgnęła po telefon.

– Dzień dobry, Marino Pietrowna. Jak się pani ma?

– Wszystko dobrze, Aneczko. U pani coś się stało?

– Droga Marino Pietrowna, źle się czuję, pewnie z przemęczenia. Wezmę zwolnienie na kilka dni. Proszę to przekazać Witalijowi Siemionowiczowi – Anna po raz pierwszy w życiu łgała jak z nut i wcale nie miała z tego powodu wyrzutów sumienia.

– Oczywiście, Aneczko, najważniejsze, żeby pani wydobrzała. Może czegoś pani potrzeba?

– Nie, nie, bardzo dziękuję!

Otworzyła szafę. Wyjęła ulubioną czerwoną bluzkę. Strunie powinna podobać się czerwień, jest w niej agresja i nieśmiałość jak w wyszukanym koktajlu. Naciągnęła na biodra wąskie dżinsy. Z radością zauważyła, że schudła. Zaparzyła filiżankę kawy.

Nie była głodna, przeciwnie – miała lekkie mdłości. Wrzuciła do torebki tomik Achmatowej, który dostała od dziadka.

Była przekonana, że postępuje słusznie. Teraz pojedzie po Strunę i razem wyprawią się na lotnisko, żeby najbliższym samolotem odlecieć do Sankt Petersburga. A Carskie Sioło jest przecież od Pulkowa o żabi skok.

Pociągnęła wargi jasną szminką, swoimi ulubionymi perfumami Chanel spryskała szyję i nadgarstki, po czym zatrzasnęła za sobą drzwi.

Tylko pomyśleć! Te perfumy istnieją od 1920 roku i wciąż są symbolem nowoczesności i talentu. Wcześniej nikomu nie przyszło do głowy wyjść poza nuty kwiatowe: kobiety pachniały heliotropem, gardenią, jaśminem albo różą, a związki zapachowe, choćby najostrzejsze, bardzo szybko się ulatniały. Perfumy Chanel dokonały przełomu, nie tylko jeśli chodzi o aromat, ale i o trwałość. Anna była przekonana, że swoją rewolucję Coco przeprowadziła dzięki miłości. Miała wtedy romans z wielkim księciem Dmitrijem Pawłowiczem, a chemik Ernest Bo, który stworzył dla niej formułę perfum, spędził młodość w Petersburgu przy dworze carskim, gdzie służył jego ojciec.

Wskoczyła do samochodu. Włączyła płytę Andrei Bocellego – prezent od Mariny Pietrowny. Wiedziała, że Bocelli stracił wzrok jako mały chłopiec – miał wypadek podczas gry w piłkę nożną, co pogorszyło jego problemy ze wzrokiem, które miał od wczesnego dzieciństwa. Jego powołaniem stała się muzyka, w której najpełniej może wyrazić siebie i całą gamę żywych uczuć.

Po krótkim czasie Anna podjechała do hotelu, w którym zatrzymał się Struna. W recepcji dowiedziała się o numer jego pokoju.

„Pięćset piętnaście, znowu piątki, czyli wszystko będzie dobrze" – zadecydowała z uśmiechem.

Stuka nieśmiało. Drzwi się otwierają. Nieogolony, poważny Struna w progu. Pocałunek, zuchwały i czuły zarazem.

Anna leży z nosem w szyi Struny i wdycha jego zapach.

– Chciałabym pokazać ci Petersburg, a właściwie Carskie Sioło. Pojedziesz ze mną? – wyszeptała drżącym głosem.

W milczeniu pocałował jej palce.

– Jesteś pewna, że możesz... zostawić swój dom i, ot tak, pojechać ze mną do Petersburga? – zapytał cicho.

– Nie wiem, Struna – odparła – już od kilku dni niczego nie jestem pewna. Ale wiem jedno: chcę być z tobą. Właśnie tam i właśnie z tobą. Zgadzasz się?

Wypili kawę, wsiedli do samochodu i pojechali na lotnisko. We wtorek łatwiej kupić bilet do Petersburga niż w piątek, kiedy wracają do domu pracujący w Moskwie petersburżanie.

Anna i Struna zostawili samochód na parkingu, po czym wbiegli do budynku lotniska Szeremietiewo. Zgodnie z przypuszczeniami Anny w samolocie było dużo wolnych miejsc i mieli cały rząd dla siebie.

Śmiała się, próbując mu wytłumaczyć, dokąd się wybierają. Opowiadała o Marcie Skowrońskiej, żonie Piotra Pierwszego, która zrobiła oszałamiającą karierę – od żony dragona do carycy. Struna słuchał jej uważnie i niekiedy całował.

W Pulkowie złapali okazję. Kierowca plótł coś całą drogę, ale go nie słuchali. W końcu znaleźli się nieopodal majestatycznego budynku. Złote kopuły oślepiająco błyszczały w promieniach słońca.

Szli opustoszałą aleją. W dni powszednie było tu równie niewielu turystów, co pasażerów w samolocie.

– Tędy przechadzali się carowie rosyjscy, nawet sama Katarzyna Wielka. Idziemy teraz do ich letniej rezydencji – powiedziała Anna i zrobiła dumną minę. – Czy ja przypominam carycę?

Kiedy znaleźli się w pałacu, szepnęła:

– Tylko nic nie mów, bo się domyślą, że jesteś obcokrajowcem, i zapłacimy za bilet trzy razy więcej.

Wędrując z sali do sali, całowali się bez ustanku. Pilnująca starsza pani koło siedemdziesiątki teatralnie zakasłała i dźwięcznym głosem oznajmiła:

– Wstydu nie mają! – po czym odwróciła się demonstracyjnie.

Anna i Struna roześmiali się i weszli do ogromnej komnaty, oszałamiającej swoim przepychem.

– Nie chciałby mnie pan poprosić do tańca, panie Struna? – Anna przysiadła w reweransie.

Patrzył na nią z zachwytem.

Wielka sala balowa poruszała wyobraźnię.

– Nawiasem mówiąc, pewnego razu Jelizawieta Pietrowna, córka Piotra Pierwszego, kazała mężczyznom przyjść na maskaradę w kobiecych strojach, a kobietom w męskich. Miała bardzo zgrabne nogi i chciała się nimi pochwalić. A tobie podobają się moje nogi?

Nie odpowiedział, w milczeniu przyglądając się czarno-białej fotografii wiszącej przy wejściu na salę. W utrwalonych na niej ruinach trudno było rozpoznać ten majestatyczny pałac. Nie było malowanego plafonu ani aniołów, ani żyrandoli...

– Dlaczego ludzie z taką łatwością niszczą to, co piękne? – powiedział cicho, wspominając powojenne zdjęcia Polski i Niemiec. – Zło nie zna granic i narodowości. Nie chce się wierzyć, że ludzie odbudowali to własnymi rękami. Teraz chyba mało kto byłby zdolny do takiego wysiłku.

Jeszcze długo spacerowali po pałacu, aż w końcu trafili do świeżo odrestaurowanej Bursztynowej Komnaty.

Annie wydała się ona jawnym kiczem, służącym jedynie celom reklamowym spółki „Rurgaz". W przeciwieństwie do niej Struna z przyjemnością obserwował grę światła na słonecznym kamieniu.

– Nie ruszaj się – poprosił nagle – proszę, zatrzymaj się na chwilę. Jesteś taka piękna...

Potem poszli pod pomnik Puszkina. Na postumencie leżały czerwone róże.

– Nigdy nie lubiłem Puszkina – nieoczekiwanie przyznał się Struna. – W jego poezji nie ma bólu i cierpienia. Wszystko jest zbyt uładzone, zbyt doskonałe.

Anna nie odpowiedziała.

Wybiła szósta, a chociaż przez cały dzień nie jedli nic oprócz skąpego śniadania w samolocie, nie odczuwali głodu. Teraz kupili drożdżówki w pierwszej lepszej budce i radośnie zajadali je po drodze. Anna miała wrażenie, że w ciągu ostatnich kilku lat nie próbowała nic lepszego.

– Zostańmy na noc w Petersburgu – zaproponował Struna.

Odeszła na bok i wystukała numer Siergieja.

– Dzisiaj nie wrócę do domu. A w ogóle to... poznałam innego mężczyznę – powiedziała i zakończyła rozmowę.

Może była to zemsta, a może przejaw egoizmu – nieważne. Najważniejsze, że powiedziała prawdę. W stosunkach z Siergiejem albo mówiła prawdę, albo, co zdarzało się znacznie częściej, milczała. Ostatnio milczała zbyt długo.

Wyłączyła telefon, wrzuciła go do torebki i poczuła ulgę. Podeszła do Struny. Objęła go i wyszeptała:

– Zaproś mnie teraz na randkę.

Struna zwrócił się po angielsku do przechodzącej obok pary młodych ludzi. Po chwili klęknął przed Anną i powiedział z uśmiechem:

– Zapraszam cię do najlepszej restauracji w Carskim Siole. Przynajmniej zdaniem tych zakochanych Norwegów.

Skręcili w wąską uliczkę, potem w następną i zobaczyli budynek wyglądający na stary rosyjski dwór, najwyraźniej przez kogoś kupiony i odrestaurowany. Przy wejściu stał mężczyzna w mundurze huzara: na widok Anny i Struny tak się ucieszył, jakby byli pierwszymi i jedynymi gośćmi tego dnia.

Pili wino, gadali, podawali sobie jedzenie do ust, dotykali się nogami pod stołem. Anna kokietowała kelnerów, Struna udawał, że jest zazdrosny. Potem śpiewał jej po polsku pieśni Wysockiego, a ona deklamowała po rosyjsku ulubione wiersze. Jeden z kelnerów wyciągnął skądś gitarę, więc Struna grał i śpiewał, wywołując poklask u wszystkich, łącznie z kucharzami.

Z restauracji wyszli po północy. Mały hotelik – stary budynek z wielkim kutym szyldem – stał zaraz za rogiem.

Wspięli się po drewnianych schodach, przykrytych chodnikiem, otworzyli drzwi, zapalili lampę dającą przytłumione światło...

Nad ranem Anna zbudziła się w jego objęciach. Bardzo cicho, tak by jej nie usłyszał, wyszeptała:

– Kocham cię, Struna...

Moskwa powitała ich niskim szarym niebem i mżawką. Ani jeden promyk słońca nie dał rady przebić się przez zbitą watę chmur, wiatr gonił po ulicach drobne śmieci.

– Więc naprawdę znowu jesteśmy w Moskwie... – powiedział Struna głucho.

Miasto jak zwykle stało w korku, ale Anna zręcznie lawirowała w strumieniu pojazdów. Chciała jak najszybciej porozmawiać z mężem. Przed hotelem, nie wysiadając z samochodu, krótko pocałowała Strunę, szybko zawróciła i zniknęła za zakrętem.

Po upływie pół godziny podjechała pod dom. Parkując, omal nie wjechała na krawężnik. Na chwilę straciła pewność siebie. Ale strach szybko ją opuścił i energicznym krokiem weszła na schody. Otworzyła drzwi swoim kluczem.

Siergiej siedział w przedpokoju na niskim fotelu. Policzki pokryte kłaczkowatym zarostem, rozpalone oczy, włosy rozczochrane, w ustach papieros.

– Aha – wymówił powoli – królowa Anna raczyła powrócić! Szczere wyrazy wdzięczności! Głębokie *merci*! – Wstał i ukłonił się chwiejnie. – Ależ wejdź, moja droga! – Siergiej podniósł z podłogi butelkę whisky i wypił spory łyk. – Czekałem na ciebie! Tak czekałem, że nawet oka nie zmrużyłem!

Anna poczuła, że coraz trudniej jej oddychać.

– Jaka jestem delikatna! – zagrzmiał jej mąż. – Znowu mam atak! No więc poznałaś innego mężczyznę i od razu spędziłaś z nim noc?!

Starając się uspokoić oddech, zaczęła kasłać. Siergiej roześmiał się ochryple.

– Biedna astmatyczka! A do tego jeszcze bezpłodna! – Jego twarz wykrzywiła się. – I komu ty jesteś potrzebna? W lustro ostatnio patrzyłaś? Emerytura się zbliża! Starucha! – Szarpnął ją za rękaw. – Nic nie mówisz? Aaa, wiem, w czym rzecz! Twój kochaś jest gerontofilem. Woli stare. Wiadomo, kto mógł na ciebie polecieć. Tylko zboczeniec!

Anna wyrwała się i weszła do kuchni, którą wypełniały sine kłęby dymu. Spostrzegła, że zamiast popielniczki Siergiej używał jej ulubionego kubka z angielskiej porcelany.

– Przestań, proszę cię! – starała się mówić spokojnie. – Po prostu chcę od ciebie odejść.

– A tego przypadkiem nie chcesz? – ryknął Siergiej.

Zanim się zorientowała, podszedł do niej i z rozmachem uderzył ją w twarz, potem jeszcze raz. Anna nie utrzymała się na nogach i upadła.

Wstając, nie mogła się zorientować, dlaczego znowu lekko oddycha. Usłyszała trzaśnięcie drzwi. Dotknęła swojej twarzy. Ogarnęło ją obrzydzenie. Chciała się jak najprędzej umyć.

Wzięła prysznic i dopiero wtedy się rozpłakała.

Półtorej godziny później, odświeżona, z wciąż jeszcze rozpalonymi policzkami, stała przed Mariną Pietrowną.

– Aneczko – wykrzyknęła Marina – tak się niepokoiłam! Wszystko w porządku? Jak się pani czuje?

– Marino Pietrowna – uśmiechnęła się Anna – napijmy się kawy. Chcę z panią porozmawiać.

Usiadły przy małym stoliku.

– Coś takiego zdarzyło mi się po raz pierwszy w życiu... Zakochałam się, w końcu zrozumiałam, co to jest miłość! Dopiero teraz...

Z przejęciem opowiedziała Marinie Pietrownie o swoim wyjeździe do Carskiego Sioła, o Strunie, o Siergieju, jego wściekłości i swoim poniżeniu, gdy leżała na podłodze.

Marina Pietrowna słuchała, nie przerywając ani nie zadając pytań. Powiedziała tylko:

– Wie pani, miłość zdarza się tak rzadko... Trzeba chwytać ją obiema rękami i nie puszczać... I pilnie jej strzec... Aneczko, jest pani szczęśliwa?

– Tak – odparła Anna z powagą – jestem.

Struna

Hotelowy hol przepełniony był krzykliwym tłumem. Jakaś monstrualnie liczna grupa chińskich turystów wysypała się z czterech autokarów parkujących na podjeździe do hotelu i szczelnie otaczając recepcję, czekała cierpliwie na klucze do swoich pokoi. Pomyślałem, że Chińczyków jest chyba zawsze dużo, i to nie tylko w Chinach. Potykając się o walizki pokrywające każdy wolny kawałek podłogi, dotarłem do windy. Nagle usłyszałem głośne wołanie:

– *Gospodin* Struna, *gospodin* Struna, zaczekajcie, proszę, zaczekajcie!

Młody recepcjonista, potrącając wszystkich po drodze, przepychał się pospiesznie przez tłum, wymachując dużą białą kopertą w moim kierunku.

– *Gospodin* Struna, próbowaliśmy się z panem od wczoraj skontaktować, ale pana telefon nie odpowiada. Ma pan natychmiast skontaktować się z Berlinem. Pana współpracownik – w tym momencie zerknął na kopertę – niejaki pan Koshua prosi o natychmiastowy kontakt. Dzwonił do nas przez całą dobę, także w nocy. Przysłał do nas także pracownika niemieckiej ambasady dzisiaj rano.

– Nie Koshua, tylko Joshua, i nie współpracownik, tylko przyjaciel – odparłem, rozrywając kopertę.

Na wydruku z poczty komputerowej adresowanej do dyrektora hotelu było kilka zdań po niemiecku:

Struna, kurwa, gdzie się zakopałeś????!!!

Obdzwoniłem całą Moskwę i okolicę, łącznie z ambasadami polską i niemiecką. Nie chce mi się wierzyć, że umarłeś. Nie powinieneś umierać teraz, Struna. Nie masz teraz do tego prawa.

Twój numer komórki śni mi się po nocach. Dlaczego nie dźwigasz jej ze sobą? Potrzebujemy Cię, Struna, bardzo Cię potrzebujemy. Bardziej Sven niż ja. Jak nie zadzwonisz dzisiaj (środa), to ja będę dalej nękał te cizie w recepcji. Aż do skutku.

Zadzwoń, Struna, ASAP albo jeszcze szybciej.

Joshua A., Pankow

Pod tym niemieckim tekstem był napisany – po angielsku – rodzaj długiego podania do dyrektora hotelu, w którym Joshua najpierw go prosi o natychmiastowe odszukanie mnie, następnie go zobowiązuje do przekazania mi tej wiadomości, a na końcu grozi mu egzekucją, którą sam wykona, jeśli jego prośba nie zostanie spełniona. Pod tym podaniem było nazwisko Joshuy napisane w alfabecie łacińskim, a w nawiasie hebrajskim.

Musiało się coś tragicznego wydarzyć. Inaczej Joshua nie napisałby nic takiego. W tym momencie zdałem sobie sprawę, że swój telefon komórkowy przed wyjazdem z Anną do Petersburga zostawiłem na stoliku nocnym w pokoju hotelowym. Ani przez chwilę nie był mi potrzebny.

Poczułem niepokój i zdenerwowanie. Windy blokowane przez Chińczyków nie nadjeżdżały. Zniecierpliwiony zacząłem biec schodami. Zdyszany wpadłem do pokoju. Podłoga w przedpokoju przykryta była białymi kopertami wsuwanymi kolejno przez szczelinę pod drzwiami. Mój telefon zarejestrował ponad sto prób połączenia z numerem Joshuy. Pamięć na esemesy była całkowicie przepełniona. Usiadłem na parapecie, zapaliłem papierosa, wybrałem numer Joshuy.

– Struna – usłyszałem spokojny głos – dobrze, że nie umarłeś. W nocy z poniedziałku na wtorek Sven się zamaltretował, chociaż wszyscy wiedzą, że chciał się zabić. Jakiś dziennikarzyna z berlińskiego szmatławca, obrażony na Svena za to, że mu wywiadu nie chciał udzielić, pojechał do restauracji jego zmarłej żony, wydobył za pieniądze jakieś nieprawdziwe informacje od pijanego personelu, potem sfotografował grób na cmentarzu i posłał to do drukarni. We wniosku wygrubioną czcionką zasugerował motłochowi, że śmierci żony i córki winny jest Sven, bo nie dbał o rodzinę i rzekomo zajmował się tylko swoją karierą naukową. I że nawet na pogrzeb żony i córeczki się do Heidelbergu nie pofatygował. Ten artykuł ukazał się w poniedziałek rano w całym Berlinie z nagłówkiem na pierwszej stronie. Ta bezgranicznie głupia, popierdolona zdzira Aneta przyniosła gazetę „na grupę", chcąc sprowokować dyskusję o prawdzie dziennikarskiej, o odpowiedzialności za słowo i o tym, jak to ma się do prawdziwej prawdy, i innych takich bzdetach. Sven się w ogóle nie wypowiedział i po kilku minutach bez słowa wyszedł. Ja wyszedłem za nim. Starałem się być cały czas w jego pobliżu, bo wiedziałem, co mógł czuć. Ale papierosy mi się po południu skończyły i zszedłem na chwilę do sklepiku. Naprawdę, zbiegłem tylko na chwilkę. Wtedy mi się Sven urwał ze smyczy. Około północy położył się na środku autostrady na Berliner Ring. W tym samym miejscu, gdzie był ten wypadek z jego żoną i córeczką. Jesteś tam, Struna, kurwa? Bo cały czas milczysz?!! – usłyszałem krzyk w słuchawce.

– Jestem, palancie, jestem, a gdzie mam być?! Słucham cię. Cały czas. O co ci chodzi?!

– O nic! Tylko chcę wiedzieć, że jak zacznę zaraz wyć, to usłyszysz, Struna. Tylko o to.

– Usłyszę, Joshi. Sven nie żyje, prawda? – zapytałem spokojnym glosem.

– Właśnie, Struna, tu jest cały problem, bo Sven miał pecha i żyje. Sven najpewniej nie zauważył, że przed ciężarówką jechał motocyklista. Młody student z Berlina. Gdy zobaczył ciało na drodze, to zaczął gwałtownie hamować, upadł i jego motocykl w całym pędzie zepchnął Svena pod blaszany pas oddzielający dwa kierunki autostrady. Uderzenie o krawędź pasa amputowało obie nogi Svena na wysokości ud. Poza tym jest cały poturbowany, ma zgniecioną śledzionę, perforację w płucach, wstrząśnienie mózgu i tylko jedno żebro mu nie pękło. Ale żyje. Helikopter wziął go i chłopaka z motoru z autostrady do Charité, na kampusie w Lichterfelde, tam gdzie kiedyś była klinika Steglitz. Chłopak umarł w trakcie lotu, ale Sven przeżył. Byliśmy tam wczoraj ze Schmitovą. Ona jest tam cały czas w nocy, a ja w dzień, bo bez kwasu nie mogę tego wytrzymać, więc dzienne dyżury mi odpadają. Wymieniamy się breczuwaniem. Sven bredzi, jak się wybudza. Struna, Sven bredzi, jak się wybudza, tylko o tobie – dodał cichym głosem. – Możesz wrócić, Struna, czy masz zobowiązania tam w Moskwie? – zapytał po chwili przerwy.

– Joshi, która jest teraz godzina? – zapytałem.

– Po szóstej jest, bo zaczęli rozwozić kolację w szpitalu.

– Czyli u mnie po ósmej. Daj mi kwadrans. Sprawdzę loty do Berlina i zadzwonię do ciebie. Jeśli nie będzie żadnego samolotu dzisiaj, to przylecę najwcześniejszym porannym jutro.

– To ja powiem to Svenovi. Ucieszy się, bo on na ciebie tu czeka. Może jak wrócisz, to spokojnie umrze. Z lotniska weź taksówkę do Lichterfeldu. Będziemy ze Schmitovą czekać na ciebie przed kliniką. Przy popielniczkach na dole, przed głównym wejściem. I kup jakąś wódkę dla Svena. On mi mówił, że rosyjska wódka najlepsza. I dla Norberta też kup. On teraz będzie tego potrzebować, bo Norbert jest aktualnie w areszcie śledczym, ale ma pojutrze wyjść. Gdy dowiedział się o Svenie, to z kolegą, takim jak on conterganem pokręconym, pojechali do redakcji tego szmatławca. Norbert wziął szypę od koksu z kotłowni i tak długo czekał, aż ten dziennikarz wyjdzie. I odbił mu nerki tą szypą. Gdy pojawiła się policja, to w pierwszej chwili nie chcieli wierzyć, że można szypę tak mocno ścisnąć kikutami rąk. Ale byli świadkowie, więc Norberta tymczasowo aresztowali. W międzyczasie jest u nas w Pankow zbiórka podpisów pod petycją o uwolnienie Norberta. Bez sensu to trochę, bo Norberta i tak wypuszczą. On przecież nie ma gdzie uciec. Ale przy procesie może się to przydać. Jesteś tam, Struna, kurwa?! – wykrzyknął.

– Jestem, Joshua, jestem.

– To dobrze. To weź się teraz w garść i nie płacz. I zadzwoń, jak z tym samolotem. Będę czekał...

Zbiegłem do recepcji. Był lot do Berlina o 23.10 z moskiewskiego Szeremietiewa na berlińskie lotnisko Schönefeld. Były cztery wolne miejsca. Wybrałem numer Joshuy.

– Słuchaj, Joshi, ląduję na Schönefeld dzisiaj o 23.40. Przyjadę prosto z lotniska do kliniki w Steglitz. Bądź tam, proszę. I nie najaraj się za bardzo…

Powróciłem do pokoju, w pośpiechu spakowałem walizkę. Recepcjonista na dole powiadomił kierowcę limuzyny. Nie miałem wiele czasu. Droga do Szeremietiewa może zająć w Moskwie wiele czasu, chociaż jak uspokajał mnie recepcjonista, we środę o tak późnej porze, „gdy jedzie nasz Wasilij, to nie powinno być źle".

Usiadłem przy biurku i na hotelowej papeterii napisałem list do Anny. Nie pamiętałem, kiedy ostatnio pisałem list. Taki normalny, na papierze. Nie miałem czasu, aby torturować się pisaniem po rosyjsku, nie chciałem po niemiecku. Wiedziałem, że tylko po polsku mogę wyrazić to, co naprawdę chciałem.

Mój smutek ostatnich godzin wcale nie wynikał z niepewności. Wręcz przeciwnie. Wynikał z absolutnej pewności, że spotkałem w moim życiu kogoś niezwykłego. I to jest dla mnie z jednej strony szczęśliwe, ale z drugiej – smutne, ponieważ ktoś inny, na inny sposób niezwykły, będzie przez to znowu cierpiał. Ale tak bywa…

Anno, muszę, ale przede wszystkim chcę, powrócić do mojego świata w Pankow. Nie mam żadnej innej możliwości zakomunikowania tego Tobie jak tym listem. Za kilka godzin wracam do Berlina. Aby być przy przyjacielu, który mnie tam bardzo potrzebuje. Teraz, a nie jutro lub za tydzień. Nie opowiadałem Ci o nim, może być, że tylko wspomniałem. Jest mi bardzo drogi…

Powrócę do Moskwy. Już teraz wcale nie po to, aby odnaleźć Darię.

Powrócę do Ciebie.

Struna

Kierowca limuzyny Wasilij, starszy mężczyzna w granatowym garniturze i berecie z wyszydełkowaną sowiecką gwiazdą, gdy dowiedział się, że po drodze do Szeremietiewa mamy „na chwilę" podjechać pod Archiwum na Bierieżkowską 28, uśmiechnął się tylko, pokazując rząd złotych zębów. Zapytał, o której mam lot. Potem upewnił się dwa razy, że zapiąłem pasy, i ruszyliśmy. Czasami, gdy jak w dzikim slalomie pędziliśmy po ulicach Moskwy, zamykałem oczy, żegnając się z życiem i światem, ale gdy otwierałem, ciągle żyłem i świat ciągle był, a Wasilij tylko śmiał się rubasznie, rozpuszczając w samochodzie zapach czosnku z oddechu i świecąc złotem ze swoich ust, poklepywał mnie, rozbawiony moim strachem, po kolanach.

Przy bramce przed wejściem do Archiwum na Bierieżkowskiej 28 głośno ujadał ogromny wilczur z pordzewiałym kagańcem na pysku. Po chwili pojawił się strażnik. Wymamrotał kilka przekleństw w kierunku wilczura i zapadła cisza. Nawet gdy stał daleko, oddzielony bramką ode mnie, czułem woń wódki wydychanej z jego ust.

Oczywiście zna *„gospożu Annu"* i oczywiście przekaże jej mój list. Zaraz z samego rana, gdy tylko przyjdzie do pracy. Podałem mu kopertę i z kieszeni wydobyłem banknot tysiącrublowy. Gdy Wasilij zaczął poganiać mnie trąbieniem, a ja biegłem od bramki do limuzyny, wilczur zaczął znowu głośno ujadać.

Gdy zdyszany dotarłem do hali odlotów na Szeremietiewie, wyczytywano przez megafony moje nazwisko. Dobrzy ludzie w kolejkach przepuszczali mnie przed siebie, jak gdyby wiedząc, że przecież muszę zdążyć do Svena...

W samolocie brakowało mi muzyki. Potrzebowałem muzyki. Zawsze gardziłem jakimiś ipodami, iphonami i innymi pokdobnymi gadżetami. Uważałem, że wepchnięta tam, na te chipy pamięci, muzyka traci po drodze swoją godność. Ale teraz było mi to obojętne. Potrzebowałem muzyki. A jak nie muzyki, to chociaż dużo wina. I gdy wino nadchodziło, to przypomniałem sobie moje rozmowy ze Svenem. I to wspomnienie jego: „Struna, czy mogę ci opowiedzieć coś nowego o mojej żonie? Naprawdę nowego", rozwalało mnie zupełnie w drobny mak i wtedy zaniepokojona stewardesa upewniała się, czy „naprawdę wszystko u pana w porządku?", i bez specjalnego proszenia przynosiła mi kolejną małą butelkę z czerwonym winem.

Samolot wylądował w Berlinie z półgodzinnym opóźnieniem, ale za to, że byłem ostatnim pasażerem w Moskwie, moja walizka wyjechała na karuzelę jako pierwsza. Za rozsuwanymi drzwiami hali przylotów na poziomie minus jeden na lotnisku Berlin Schönefeld stał Joshua i palił papierosa. Chociaż na lotniskach w Niemczech, poza wyznaczonymi szklanymi klatkami, palenie jest surowo wzbronione. I w tym momencie Joshua wydał mi się bardzo rosyjski, i przypomniałem sobie słowa tego Rosjanina z Kazachstanu, że jeśli w Rosji coś jest „surowo wzbronione", to oznacza tylko tyle, że „lepiej nie dać się na tym przyłapać".

W taksówce Joshua milczał. Tak jak gdyby wiedział, że ja niczego nie chcę teraz słyszeć i potrzebuję ciszy. Przed kliniką wyczekiwała nas Magda Schmitova. Pielęgniarka na trzecim piętrze była uprzedzona. Weszliśmy do małego pokoju pełnego najróżniejszych urządzeń. Na zielonkawym ekranie monitora nad łóżkiem, na którym leżał Sven, przebiegały sinusoidy, popiskując od czasu do czasu. Na stoliku przy łóżku stał pusty wazon bez kwiatów. Obok w drewnianych ramkach fotografia kobiety karmiącej piersią dziecko. Twarz Svena była szczelnie owinięta bandażami. Oprócz niewielkich otworów na wysokości oczu i ust.

Powoli podszedłem do łóżka i przysiadłem na metalowym białym obrotowym krześle. Pod kołdrą znalazłem końce palców dłoni zamkniętej w gipsowej formie.

– Sven, pojechałbyś ze mną do Moskwy i wygłosił tam jakiś wykład? – zapytałem, siląc się na spokój w głosie. Poczułem delikatne muskanie jego poruszających się palców. – Pojechałbyś? Ze mną?

– Pojechałbym, Struna. Z tobą tak... – z wysiłkiem wyszeptał.

A potem uśmiechał się. I do mnie, i do Joshuy, i do Schmitovej, i spoglądnął na oscyloskop nad łóżkiem. A wtedy Joshua zanurzył szpatułkę w szklance z wodą i zmoczył mu wargi. Siedziałem przy nim, starając się wepchnąć jak najgłębiej moje palce pod skorupę gipsu. Po chwili zasnął.

Wydobyłem z torby butelkę z rosyjską wódką kupioną w samolocie i wstawiłem ją do pustego wazonu. Schmitova płakała, Joshua przestępował z nogi na nogę, a ja palcami dotykałem fotografii na stoliku nocnym.

Potem pojechaliśmy z Joshuą do Pankow. Na stercie koksu w kotłowni paliliśmy trawę i wspominaliśmy najlepsze kawałki z tego, co opowiadał nam Sven. Zaczynało świtać, gdy zasypiałem przykryty kocem na podłodze w zadymionym papierosami pokoju Joshuy.

Anna

Czekała na telefon. Niecierpliwie i z niepokojem. Zataczała kręgi po pokoju, gubiła się w domysłach i uspokajała na głos.

Nie ma nic gorszego od wątpliwości. Dlatego mówi się, że pochodzą od diabła. Dzisiaj Anna wątpiła we wszystko, nawet w to, że żyje. Rano rozbiła szklankę, rozcięła palec, kawałek szkła głęboko wbił się jej w rękę. Nie zauważyła, że krew powoli cieknie po dłoni, i dopiero ból przywrócił ją do rzeczywistości. Przypomniała sobie, jak pewnego dnia w szkole ktoś nazwał ją sierotą. Wtedy po raz pierwszy zdała sobie sprawę, że nie ma nikogo oprócz dziadka. I tak mocno ścisnęła się za rękę, że następnego dnia pojawił się na niej siniak.

Z trudem dotarła do Archiwum. Trąbili na nią, kiedy ostro zmieniała pas. Cały jej świat sprowadził się do małego szarego telefonu. Co chwilę wyciągała go z torebki, sprawdzała. Nie było ani połączeń, ani esemesów.

Po raz pierwszy nie przywitała się z ochroniarzem. Weszła do gabinetu. Nie zdejmując płaszcza, usiadła przy komputerze i przesiedziała tak kilka godzin, bezmyślnie gapiąc się w ciemny monitor. Przed oczami przesuwały się jej obrazy związane ze Struną. Spacerują po parku. On trzyma ją za rękę. Całują się, są szczęśliwi. A teraz wędrują aleją Carskiego Sioła. Istnieje tylko teraźniejszość.

Telefon milczał.

– Nie, nie mógł po prostu mnie rzucić. To się zdarza tylko w głupich filmach!

Zacisnęła wargi i zadzwoniła na informację, dowiedzieć się o numer hotelu.

– Dobry wieczór... To znaczy dzień dobry... Przepraszam, nie bardzo wiem, która jest godzina. Chciałabym rozmawiać z panem Struną z pokoju pięćset piętnaście.

Recepcjonistka dźwięcznym głosem oznajmiła:

– Wyjechał. Wczoraj wieczorem.

– Jest pani pewna? – Anna przygryzła wargę do krwi.

– Naturalnie.

Anna zamarła. Wpatrywała się w telefon tak, jakby widziała go pierwszy raz w życiu. Powoli podeszła do okna. Dotknęła zimnej szyby, po jej policzkach popłynęły łzy. Nie chciała być w tym gabinecie, patrzeć na ten stół ani chodzić po tym dywanie.

Zbiegła po schodach. Koniecznie musiała spotkać się z Darią. Potrzebowała komuś o wszystkim opowiedzieć, podzielić się, wypłakać. Tylko Daria mogła ją zrozumieć. Tylko ona.

Postanowiła zostawić samochód na parkingu, jeszcze z gabinetu zamówiła taksówkę. Nagle z zamyślenia wyrwał ją ochroniarz:

– Anno Borysowna, proszę zaczekać! Mam do pani ważną sprawę... Anno Borysowna...

Nie słuchając, wybiegła z budynku i wsiadła do taksówki, trzaskając drzwiami. Nie miała teraz głowy do „ważnych" spraw.

Oparła się czołem o szybę. Lał deszcz, krople płynęły po szkle jak łzy.

Zapłaciła za kurs, wysiadła. Taksówka zawróciła z piskiem opon. Anna odskoczyła, uciekając przed wodą bryzgającą spod kół. I wdepnęła w kałużę. Dwa domy dalej mieszkała Daria. Jednak Anna nagle zdała sobie sprawę, że nie jest w stanie do niej dojść. Czuła się jak beznogi kaleka, któremu kazano przebiec stumetrówkę.

– Nie mogę! – powiedziała głośno, pochyliła się i dłonią zaczęła wycierać lakierowaną skórę butów.

– Co pani tak gołymi rękami – odezwał się ktoś z przyganą w głosie. – Proszę wziąć chusteczkę...

Anna podniosła głowę. Mężczyzna średniego wzrostu podawał jej poszarzały skrawek materiału. Miał na sobie granatową kurtkę pokrytą tłustymi plamami, z dziury na rękawie wystawały kłaki białej wyściółki. Zbyt krótkie dżinsy, bose nogi w gumowych klapkach.

– Dziękuję – odpowiedziała uprzejmie i wyprostowała się. Przestała płakać.

– Nie dziękuj, tylko bierz i wycieraj – nieznajomy przeszedł na ty i uśmiechnął się.

Anna nie odpowiedziała, minęła go, licząc kroki, doszła do supermarketu, pchnęła drzwi wejściowe. Nie miała tam nic do załatwienia, chciała się schować przed deszczem.

Pochodziła po hali. Wzięła butelkę koniaku. Zapłaciła i od razu spróbowała otworzyć butelkę. Inni klienci zerkali na nią z zaskoczeniem.

– Chętnie pomogę – zaproponował wysoki mężczyzna.

Bez słowa podała mu butelkę. Zręcznie ją otworzył i oddał Annie:

– Po co tak na chybcika? Może gdzieś pójdziemy?

Obrzuciła go niewidzącym wzrokiem, obróciła się na pięcie i poszła do wyjścia.

Na ulicy wciągnęła w płuca zimne powietrze i wypiła łyk. Koniak przyjemnie ją rozgrzał.

Przed domem Daszy był niewielki skwer. Anna osunęła się na mokrą ławkę. Napiła się jeszcze koniaku. Padał deszcz, ale jej było wszystko jedno. Czy możliwe, że to ona, Anna, jeszcze wczoraj czuła się taka szczęśliwa?

Wypiła kolejny łyk i i zapłakała w głos. Dopiero po dłuższej chwili usłyszała, że dzwoni telefon. Dasza.

– Aniu, gdzie jesteś? Widziałam, że dzwoniłaś, przepraszam, nie mogłam odebrać. A potem nie mogłam się do ciebie dodzwonić. Mów coś. Gdzie jesteś? Co się stało?

– Na twoim skwerku, piję koniak. Płaczemy sobie z deszczem i jest nam dobrze.

– Nie ruszaj się stamtąd. Już schodzę, słyszysz?

Anna z nienawiścią wrzuciła telefon do torebki i łyknęła koniaku.

– Jestem – rozległo się za jej plecami.

Anna odwróciła się gwałtownie, zobaczyła Darię. Szła ku niej przez gazon, grzęznąc obcasami w mokrej trawie.

– Dasza... – Anna znowu się rozpłakała – wyobrażasz sobie, Struna zniknął!

Daria krzyknęła:

– Niemożliwe!

– Siergiej ma rację, nie jestem mu potrzebna. A ja? Sama sobie jestem niepotrzebna.

– Aneczko, moja droga. – Dasza objęła ją ramieniem. – Chodźmy. Cała przemokłaś. Przeziębisz się. Chodźmy.

– Nigdzie nie idę. Puść mnie! Nie chcę! Bez niego!...

Odepchnęła Daszę, cofnęła się, poślizgnęła na mokrych liściach, upadła na kolano, szybko wstała, otrzepując mokre ręce. Butelka z koniakiem brzęknęła i potoczyła się po chodniku.

Zapadał zmierzch. Przy wejściu do kawiarni z zielonymi okiennicami zapaliły się okrągłe lampy. Znowu zaczął padać deszcz, tak drobny, że nie było go widać na powierzchni płytkich kałuż, w świetle latarni wyglądających na gęstą zawiesinę.

Anna rzuciła telefon na ziemię:

– Nie potrzebuję telefonu...

Dasza podniosła go. Objęła Annę ramieniem. Poszły razem, opierając się jedna na drugiej. Anna milczała.

Leżała w ciepłym mieszkaniu, w czystym łóżku, troskliwie przykryta kocami, a Dasza rezerwowała przez internet bilet na lot do Berlina. Jak z oddali docierał do niej stukot klawiatury. Po chwili zapadła w sen.

Za oknami rozgościł się różowy świt, deszcz przestał padać, mokre chodniki błyszczały w promieniach słońca i było łatwo uwierzyć, że wszystko, co złe, odeszło w przeszłość.

Daria nie spała, strzegła spokoju Anny, chodziła po pokoju ze szklanką herbaty, zerkając na zegarek. Anna może spać jeszcze kilkanaście minut, a potem pobudka, jazda na lotnisko.

– Dzień dobry!

Na dźwięk czystego głosu przyjaciółki Anna się uśmiechnęła, zapominając na moment o swoim smutku. Wysunęła rękę spod kołdry, sięgnęła po telefon. Ani połączeń, ani esemesów. Nawet Siergiej nie dzwonił.

– Dasza – wyszeptała – powiedz mi...

Daria ściągnęła z niej kołdrę:

– Wstawaj, piecuchu! Zrobiłam ci śniadanie.

– Nie, najpierw mi powiedz – Anna naciągnęła kołdrę na głowę, tak że było widać tylko ciemne kosmyki na poduszce – jak to możliwe, że człowiek przestaje być komukolwiek potrzebny. I dlaczego?

– Aniu, nie gadaj głupstw! To jest chorobliwe majaczenie. Kupiłam ci bilet, za pięć godzin będziesz w Berlinie, znajdziesz swojego Strunę i wszystko wyjaśnisz. Jestem pewna, że miał powody tak postąpić. Tyle że ich nie znamy. Pojedziesz i wszystkiego się dowiesz!

– I wszystkiego się dowiem... – jak echo powtórzyła Anna.

W krótkiej koszulce pożyczonej od Daszy poszła wziąć prysznic. Pojawiła się w kuchni z głową okręconą ręcznikiem. Dasza siedziała wyprostowana na taborecie. Zza okna grzało słońce i dochodził zwyczajny szum wielkiego miasta. Pachniało świeżo zaparzoną kawą.

Dasza postawiła przed Anną sałatkę owocową i podgrzała croissanty. Na ceramicznej tacce żółcił się ser, obok leżał ostry nóż. Z maselniczki apetycznie pachniało.

– Och! – Anna nagle poweselała. – Strasznie jestem głodna! Ostatni raz jadłam chyba... Kiedy to było? Przedwczoraj?

Anna zjadła śniadanie, a potem Dasza znowu zaparzyła kawę. Wyszła z kuchni, a po chwili wróciła z tajemniczą miną i postawiła na stole skórzany kuferek.

– A co to takiego? – Anna przyglądała mu się z ciekawością.

– Moje zapasy kosmetyków – Dasza uchyliła wieko i pokręciła w palcach złocisty wałeczek szminki. – Wybieraj. Musisz wyglądać olśniewająco!

W samolocie Anna rozparła się w wygodnym fotelu i patrzyła przez okno. Ziemia szybko się oddalała, poczuła szum w uszach, przełknęła ślinę.

„Nic, nic – powiedziała sobie w myślach – wszystko w porządku. Za dwie godziny wyląduję w Berlinie, wezmę taksówkę, pojadę do kliniki w Pankow... Na pewno odszukam Strunę, podejdę do niego i stanę naprzeciwko. Tak będzie. Dokładnie tak..."

Struna

Rano, przed śniadaniem, do drzwi zapukała Schmitova i powiedziała nam, że Sven umarł.

Joshua zerwał się z łóżka, założył spodnie i zaczął chodzić jak w amoku po pokoju, kopiąc bosymi stopami meble. Schmitova usiadła na parapecie i obgryzała paznokcie, głośno pochlipując, podczas gdy ja, oniemiały, stałem przy otwartych drzwiach, przeszukując nerwowo kieszenie. W pewnej chwili Joshua rzucił we mnie pudełkiem z papierosami i zaczął zawodzić coś po hebrajsku. Po chwili wybiegł jak oszalały z pokoju. Schmitova ruszyła za nim. Znalazłem swoje buty pod łóżkiem. Gdy zbiegałem schodami na dół, dotarły do mnie odgłosy krzyków z parteru. Joshua otworzył drzwi do gabinetu psycholog Anety i z korytarza wykrzykiwał:

– Ty suko jedna niedopieprzona, po co przyniosłaś tego szmatławca i mu to przeczytałaś!? Powinnaś wiedzieć, psychologu zasrany, że go to złamie! Kto jak kto, ale ty powinnaś to wiedzieć. Wiedziałaś, czym była dla niego jego rodzina i jaka wina go prześladowała. Przesłuchiwałaś go na ten temat setki razy, sama widziałaś, niedouczona absolwentko psycholstwa, jak każdego marca zapada się do swojego piekła i z jakim trudem się z niego wydostaje. Sama przepisywałaś mu recepty na podnośniki, więc wiesz, ile ich połykał, aby się otrząsnąć. On jadł więcej psychotropów niż dzieci cukierków w przedszkolu. I ty to wiedziałaś. To teraz się dodatkowo dowiedz, że to ty go po części zabiłaś. Po dużej części. To ty go wysłałaś znowu na autostradę. Do dzisiaj to ja tylko tobą gardziłem. Ale od teraz to cię nienawidzę!

Wokół Joshuy gromadzili się w międzyczasie zaniepokojeni krzykiem i całym zamieszaniem pacjenci. Psycholog Aneta próbowała przerwać tyradę Joshuy, podchodząc do drzwi i próbując je zamknąć. Joshua uprzedził ją, wsuwając swoją bosą stopę w szczelinę przy futrynie. Gdyby Aneta zatrzasnęła drzwi, zmiażdżyłaby mu kości. Joshua to wiedział.

Po chwili tłum się rozstąpił i przy drzwiach pojawił się umundurowany policjant. Większość zgromadzonych ludzi sądziła, iż został sprowadzony przez Anetę. Ktoś zaczął gwizdać, ktoś inny niewybrednie kląć, a jeszcze inny buczeć. Angażowanie policji do rozwiązywania konfliktów w Pankow było traktowane jak akt zdrady. Sytuacja stawała się coraz bardziej napięta. W tym momencie Schmitova przedarła się pod drzwi i zapytała policjanta, co on tu robi. Odparł, wyraźnie zmieszany sytuacją, że zbiera informacje o pewnym pacjencie, ale „jeśli przyszedł nie w porę, to on nie chce przeszkadzać w terapii i przyjdzie innym razem". Cały korytarz jak na komendę wybuchnął gromkim śmiechem. Psycholog Aneta wykorzystała ten krótki moment nieuwagi i zaprosiła policjanta do gabinetu, a Joshua, chcąc nie chcąc, opuścił swoją stopę na podłogę. Policjant zniknął za drzwiami i ludzie zaczęli się rozchodzić, poklepując Joshuę po plecach.

W południe pojechaliśmy z Joshuą do kliniki, aby zabrać rzeczy Svena. Na korytarzu kliniki kręcili się dziennikarze z aparatami. W izolatce, w której umarł Sven, leżał już inny pacjent, a rzeczy Svena powrzucane do kartonu wydał nam magazynier. W małym piwnicznym śmierdzącym stęchlizną pomieszczeniu stało obok siebie sześć podobnych kartonów, każdy z nazwiskiem i narysowanym czarnym mazakiem krzyżem. Rzeczy wszystkich zmarłych ostatniej nocy. Pomyślałem w tym momencie, że w szpitalach śmierć jest tak powszechna jak życie, więc ludzie w miarę upływu czasu znieczulają się na nią.

Z kartonem wróciliśmy taksówką do Pankow. Strażnik Hartmut, gdy rozpoznał mnie w taksówce, wyszedł ze swojej budki i podał mi list podpisany przez dyrektora kliniki. Pozwolono mi, pomimo „niezrozumiałego i samowolnego oddalenia się ponad ustalony regulaminem czasokres podjąć na powrót leczenie". Mogłem powrócić także do swojego pokoju, który „zajmował Pan przed przerwaniem terapii".

Wieczorem zabraliśmy z Joshuą karton z rzeczami Svena i zjechaliśmy z nim do kotłowni. Wśród rzeczy Svena znajdował się jego portfel. W jednej z przegródek, za popękaną fotografią jego córeczki, była wypłowiała, postrzępiona, w niektórych miejscach brunatnożółta kartka z komputerowym wydrukiem listu, który wysłała do niego żona, informując, że odbierze go z lotniska w Berlinie. Ostatniego jej listu:

Sven, tak się cieszę na ten Berlin!
Już tak dawno nie mieliśmy czasu dla nas. Tylko dla nas.
Leć bezpiecznie. Proszę, nie pracuj zbyt dużo w samolocie. Postaraj się zasnąć.
Będziemy na Ciebie czekały.
Kochamy Cię.

Twoje mała Marlenka & Irene

Joshua, gdy podałem mu tę rozpadającą się kartkę do przeczytania, sięgnął do kartonu po butelkę rosyjskiej wódki, zdjął z niej metalowy kapsel i przyłożyl do ust. Po chwili podał mi butelkę.

– Struna – powiedział cicho – jak ty tak nagle odpadłeś do Ruskich, to Sven był jak skopany po sercu. On nie miał nikogo. Jego starzy dawno umarli, żonę i dzieciaka mu ubili, a ja, chociaż ufaliśmy sobie, byłem dla niego za dziwny. On tak naprawdę miał tylko ciebie. Nie mógł dojść do siebie, gdy wyjechałeś. I wtedy my sobie ze Svenem wymyśliliśmy, żeś ty wyjechał do Rosji tylko po samogon i aby bzyknąć tam jakieś kobiety i że wkrótce wrócisz. Dobrze, żeś tę wódkę kupił. Widziałeś jego oczy, gdy wstawiałeś tę flaszkę do wazonu w szpitalu? Nie! Nie widziałeś. Ale ja widziałem. On się naprawdę uśmiechał. Wróciłeś tak, jak sobie to zaplanowaliśmy. On miał mózg tak przepastny jak Wielki Kanion, ale czasami był naiwny jak dziecko. Nie wierzył w Boga, ale wierzył w niektóre nawet mniej prawdopodobne bajki. Bo Sven miał serce większe niż mózg, chociaż prawie wszyscy tylko tego jego mózgu chcieli. A teraz nam, kurwa, tak sobie po prostu umarł. Wziął i umarł… – wyszeptał, podnosząc butelkę z wódką do ust.

I zaczął płakać. Całym sobą. Jak w jakichś konwulsjach. Cały dzień udawał agresywnego, obcesowego, szukającego zaczepki twardziela, tak aby świat przypadkiem nie zauważył, co on tak naprawdę czuje. Dopiero teraz, tutaj, odgrodzony od wszystkich, w kotłowni, która jak żadne inne miejsce w tym psychiatryku kojarzyła się mu ze Svenem, poczuł, że może wyjść ze swojej skorupy i wreszcie przestać udawać.

Potem w milczeniu opróżnialiśmy butelkę z wódką. Gdy na dnie została ilość wystarczająca na ostatni łyk, Joshua zamknął butelkę kapslem i wrzucił ją do kartonu.

– Struna, pozwolisz, że ten łyk zostawimy dla Svena, gdyby się kiedyś przypadkiem zgłosił po swoje – powiedział Joshua – chociaż on wódki nigdy nie pił. Sam mi to zawstydzony wyznał, ale myślę, że przy tym ruskim towarze przekonałbym go, aby wreszcie zaczął. Mówiłem mu, że po wódzie widzi się zupełnie inne gwiazdy i wszechświat też jest inny. Ale nie chciał mi wierzyć. Za dużo wiedział i uparty był.

Joshua nie przestawał być nerwowy. Wódka zupełnie go nie uspokoiła. Wydobył z kieszeni swojego ipoda i ścisnął go pomiędzy kolanami. Potem podał mi mały foliowy woreczek z białym proszkiem i powiedział:

– Zrobisz nam kreski. Struna? Mam nadzieję, że nie zapomniałeś wszystkiego na tej Syberii. Dzisiaj jest taki dzień, że bez przypudrowania nosa się nie da...

Joshua tworzył obrazowe neologizmy, aby opisać narkotyki, ale ten o „pudrowaniu" był nawet dla mnie nowy. Wysypałem ostrożnie, z namaszczeniem, proszek na gładką i lśniącą pokrywkę obudowy ipoda. W dwie wąskie kreski na całej długości. Zmoczyłem śliną palec, przykleiłem do niego odrobinę proszku i rozprowadziłem na dziąsłach. Nie miałem żadnych wątpliwości. Kokaina. Potem Joshua wyciągnął banknot z kieszonki T-shirta, skręcił go wprawnie w rulon i przysunął nos do ipoda. Kokaina to nie miska ziemniaków, którą najpierw podaje się gościom. Przy kokainie obowiązuje zupełnie inny *savoir--vivre*. Pierwszą porcję nakłada sobie na talerz gospodarz. Dopiero druga porcja była dla mnie. Potem kiedy „nakoksowani" siedzieliśmy ramię w ramię na prawdziwym czarnym koksie, świat stawał się powoli mniej skomplikowany, przestawaliśmy odczuwać melancholię, smutek, zmęczenie, udrękę i nabieraliśmy jakiejś dziwnej mocy. W pewnej chwili Joshua powiedział:

– Słuchaj, Struna, a jak byśmy tak nie pozwolili zakopać Svena? Nigdy go nie pytałem, ale on chyba by nie chciał, aby go robactwo pod ziemią zżerało. Przywieziemy Svena do Pankow, poprosimy Norberta, aby go nam profesjonalnie spalił i wsypiemy go do czary. Mój ojciec przeszmuglował kiedyś przez niemiecką granicę taką piękną historyczną czarę z Jerozolimy. Tak mi się podobała, że ją od niego kupiłem. Wsypiemy prochy Svena do tego wazonu i ukryjemy gdzieś tutaj w kotłowni. I gdy będziemy sobie jarać, to on będzie zawsze z nami. Co o tym myślisz, Struna? – dodał, szturchając mnie łokciem pod żebra.

– Joshua, co ty bredzisz? Pojebało cię już chyba zupełnie. Jak sobie to wyobrażasz? Wykradniemy go z kostnicy w nocy i położymy na taczkę Norberta? A on z pieca w Pankow sobie krematorium zrobi? Albo cię pogięło, albo naćpany jesteś.

– No, nie denerwuj się, Struna – odparł Joshua – to tylko taki pomysł był. Spokojnie, Struna...

Potem Joshua wydobył z kieszeni drugi plastikowy woreczek i podał mi swojego ipoda. Po kilku minutach zapytał mnie o kobiety.

– Struna, powiedz mi, ale tak od serca, czy to prawda, co mi kiedyś Schmitova wymajaczyła, że ty w Moskwie szukałeś jakiejś ukraińskiej lesbijki, której w ogóle na oczy nie widziałeś?

– Tak, to prawda.

– Ale dlaczego? Świr cię ogarnął czy naprawdę zwariowałeś? Gdybyś mi słowo rzekł, to ja bym ci tyle ukraińskich lesbijek z Berlina nasprowadzał, że by ci spermy nie starczyło.

– To nie o to chodziło, Joshua. Nie o spermę chodziło.

– To po co jej szukałeś? Przy kobietach zawsze bardziej lub mniej o spermę chodzi.

– Joshua, zaczynasz mnie wkurwiać! Nie ćpaj już więcej, bo masz złą podróż dzisiaj.

– Spokojnie, Struna, spokojnie. Ja jestem pedałem, więc się mogę mylić. Znalazłeś ją?

– Nie. Nie znalazłem. Ale znajdę! Jak ogarniemy się z pogrzebem Svena, to tam wrócę.

– Nie musisz zaraz krzyczeć, Struna. Tak tylko zapytałem.

– Przepraszam. Wybacz. Bo widzisz, Joshua, ta lesbijka to był tylko pretekst, abym mógł przestać sobą pogardzać. To skomplikowana historia. Jak wszystkie tutaj w Pankow. Ale szukając jej, natrafiłem na pewną kobietę, która... no, nie wiem, jak to nazwać. Może tak, że jest to kobieta, która najbardziej mi przychodzi na myśl, gdy słucham muzyki. I to dla niej chcę tam wrócić. Rozumiesz, Joshua? – zapytałem, patrząc mu w oczy.

– Chyba trochę tak, Struna. Przez tę muzykę nawet bardziej rozumiem. Bo ty masz na tym punkcie odjazdy. Jak ci się ona z muzyką kojarzy, to znaczy, że cię zgarnęła. A brata młodszego ma? – zapytał z uśmiechem.

W tym momencie obydwaj wybuchnęliśmy śmiechem. Powinienem przecież wiedzieć, że Joshua nie zrozumie, o co mi chodzi. Dla niego miłość to przesąd.

Potem Joshua podłączył słuchawki do ipoda. Paliliśmy papierosy i słuchaliśmy Czajkowskiego i Schumanna.

Nad ranem, w swoim pokoju psychiatryka w Pankow, gdy świt swoją szarością przekradał się przez ciemność, stałem przy oknie, spoglądałem na budzący się ze snu Berlin i słyszałem głośne bicie swojego serca. Wydawało mi się, że na nieregularnej linii rysy pękniętego szkła szyby rozmazała się czerwień krwi jakiegoś kolejnego gołębia, który zapomniał się w swoim locie.

Płakałem…

Tytuł oryginału
Ljubow i drugije dissonansy

Tłumaczenie tekstu autorstwa Irady Wownenko
Katarzyna Maria Janowska

ISBN 978-83-240-2564-0

Między Słowami
30-105 Kraków, ul. Kościuszki 37
E-mail: promocja@miedzy.slowami.pl
Kraków 2014

Społeczny Instytut Wydawniczy Znak Sp. z o.o.
30-105 Kraków, ul. Kościuszki 37
Dział sprzedaży: tel. 12 61 99 569
Druk: Colonel

Powieść na miarę S@motności w Sieci, pełna namiętności i muzyki
Miłość oraz inne dysonanse
JANUSZ LEON WIŚNIEWSKI
IRADA WOWNENKO
między słowami